L'ARGENT DU MONDE
(Volume 2)

JEAN-JACQUES PELLETIER

Illustration de couverture : JACQUES LAMONTAGNE
Photographie : YVAN BINET

Distributeurs exclusifs :

Canada et États-Unis :
Messageries ADP
2315, rue de la Province,
Longueuil (Québec) Canada
J4G 1G4
Téléphone : 450-640-1237
Télécopieur : 450-674-6237

France et autres pays :
Interforum editis
Immeuble Paryseine, 3,
Allée de la Seine, 94854 Ivry Cedex
Tél. : 33 (0) 4 49 59 11 56/91
Télécopieur : 33 (0) 1 49 59 11 33
Service commande France Métropolitaine
Tél. : 33 (0) 2 38 32 71 00
Télécopieur : 33 (0) 2 38 32 71 28
Service commandes Export-DOM-TOM
Télécopieur : 33 (0) 2 38 32 78 86
Internet : www.interforum.fr
Courriel : cdes-export@interforum.fr

Suisse :
Interforum editis Suisse
Case postale 69 – CH 1701 Fribourg – Suisse
Téléphone : 41 (0) 26 460 80 60
Télécopieur : 41 (0) 26 460 80 68
Internet : www.interforumsuisse.ch
Courriel : office@interforumsuisse.ch
Distributeur : OLS S.A.
Zl. 3, Corminboeuf
Case postale 1061 – CH 1701 Fribourg – Suisse
Commandes :
Tél. : 41 (0) 26 467 53 33
Télécopieur : 41 (0) 26 467 55 66
Internet : www.olf.ch
Courriel : information@olf.ch

Belgique et Luxembourg :
Interforum editis Benelux S.A.
Boulevard de l'Europe 117, B-1301 Wavre – Belgique
Tél. : 32 (0) 10 42 03 20
Télécopieur : 32 (0) 10 41 20 24
Internet : www.interforum.be
Courriel : info@interforum.be

Pour toute information supplémentaire
LES ÉDITIONS ALIRE INC.
C. P. 67, Succ. B, Québec (Qc) Canada G1K 7A1
Tél. : 418-835-4441 Fax : 418-838-4443
Courriel : info@alire.com
Internet : www.alire.com

Les Éditions Alire inc. bénéficient des programmes d'aide à l'édition de la Société de développement des entreprises culturelles du Québec (SODEC), du Conseil des Arts du Canada (CAC) et reconnaissent l'aide financière du gouvernement du Canada par l'entremise du Programme d'aide au développement de l'industrie de l'édition (PADIÉ) pour leurs activités d'édition.
Gouvernement du Québec – Programme de crédit d'impôt pour l'édition de livres – Gestion Sodec.

Dépôt légal : 1er trimestre 2001
Bibliothèque nationale du Québec
Bibliothèque nationale du Canada

30 29 28 27 26e MILLE

Nous sommes dans une époque où tous les
éléments sont en place pour civiliser la planète.
Mais, en même temps, nous sommes loin
d'une civilisation civilisée.

Edgar Morin

Là où croît le péril, croît aussi ce qui sauve.

Friedrich Hölderlin

AVERTISSEMENT AU LECTEUR

Certains lieux, certaines institutions et certains personnages publics qui constituent le décor de ce roman ont été empruntés à la réalité.

Toutefois, les événements qui y sont racontés, de même que les actions et les paroles prêtées aux personnages, sont entièrement imaginaires.

Table des matières

Trimestre 3

Noces de sang

Les stratégies de chantage sont particulièrement indiquées lorsque l'objet amoureux est lié à un contexte d'interdit : homosexualité inavouée, déclassement social, pédophilie, inceste, bestialité...

Leonidas Fogg, *Pour une gestion rationnelle de la manipulation*, 4- Asservir par les passions.

JEUDI, 23 SEPTEMBRE 1999

MONTRÉAL, 8 H 37

La scène avait été filmée avec un filtre rouge. Il en résultait une atmosphère sombre qui rendait encore plus étrange la présence d'un bain sur pieds au milieu de la pièce vide.

La caméra, dont l'objectif était à peine plus haut que le bord du bain, l'avait cadré au centre de l'image. Dans le haut, à gauche, une forme imprécise oscillait doucement. On aurait dit le bas d'un immense balancier d'horloge, quelques minutes avant qu'il s'immobilise. Un filet de liquide rouge en tombait.

Les jambes d'une femme nue passèrent devant l'objectif.

Son dos apparut progressivement à l'écran, à mesure qu'elle s'approchait du bain. La caméra s'avança à sa suite et prit de la hauteur.

La femme leva la jambe gauche et vérifia du bout du pied la température du liquide. Satisfaite, elle acheva d'enjamber le bord du bain et s'y laissa glisser.

À ses pieds, le mince filet de liquide rouge continuait de tomber. Quelques instants encore et il se transformerait en un goutte-à-goutte irrégulier. Puis ce serait terminé.

Le bain était encore loin d'être rempli. Repliant un peu les jambes, la femme laissa glisser son corps vers le fond. Le liquide acheva de couvrir ses seins et se referma autour de son cou.

Son regard remonta pour suivre le filet de liquide rouge. La caméra subjective épousa son regard, découvrant de façon progressive la forme suspendue d'où s'écoulait le sang. Une forme humaine attachée par les pieds.

La baigneuse tourna la tête vers la gauche. Ses yeux se fixèrent sur la caméra. Sous le masque qui couvrait le haut de son visage, un sourire s'amplifia lentement, comme un film au ralenti.

La caméra se rapprocha.

Subitement, une lumière crue inonda la pièce. Le visage masqué de la femme demeura parfaitement immobile.

Ses pupilles étaient deux minces lignes verticales.

Claude Brochet éjecta la bande vidéo du magnétoscope et la rangea dans le deuxième tiroir du classeur de métal, à la droite de son bureau.

Hubert Quirion ne verrait jamais le film auquel il avait apporté sa contribution. Personne ne saurait qu'il avait senti sa vie disparaître lentement, à mesure que son sang s'égouttait dans le bain.

Bien sûr, cela ne l'empêcherait pas de devenir une vedette. Mais plus tard. Pour l'instant, il n'était pas question de donner une copie de la bande vidéo à la police. Ils devraient se contenter du cadavre.

NORTH HATLEY, 9 H 24

Hurt cliqua sur le document « Japon ». Une nouvelle fenêtre s'ouvrit sur son ordinateur et un document vidéo se mit à jouer. Il s'agissait d'un extrait du bulletin d'informations de TF1.

> LE PRÉSIDENT DE LA FUKUHARA BANK, SUMIKO YAGI, S'EST SUICIDÉ HIER DANS SA RÉSIDENCE DE TOKYO. DANS UNE LETTRE D'ADIEU

> ADRESSÉE À SA FAMILLE ET À SES COLLÈGUES, IL AFFIRME VOULOIR AINSI LAVER SON HONNEUR.
> AU COURS DES DEUX DERNIÈRES ANNÉES, MONSIEUR YAGI AURAIT ÉTÉ CONTRAINT DE DÉTOURNER PLUSIEURS MILLIARDS DE YENS AU PROFIT D'UNE AGENCE DE RENSEIGNEMENTS AMÉRICAINE. CETTE AGENCE, QU'IL A IDENTIFIÉE SOUS LE NOM DE L'INSTITUT, L'AURAIT MENACÉ DE FAIRE EXÉCUTER SES ENFANTS PAR DES GROUPES DE YAKUSAS, AUXQUELS ELLE EST ASSOCIÉE, S'IL N'OBTEMPÉRAIT PAS À SES DEMANDES.
> SELON MONSIEUR YAGI, LES AGENTS AMÉRICAINS FOURNIRAIENT DES INFORMATIONS STRATÉGIQUES À PLUSIEURS ORGANISATIONS CRIMINELLES. EN ÉCHANGE, CES DERNIÈRES LEUR VERSERAIENT UN POURCENTAGE SUR LES PROFITS DE LEURS DIFFÉRENTS TRAFICS. LE LUCRATIF COMMERCE CLANDESTIN D'ORGANES SERAIT...

Hurt rangea l'extrait du bulletin d'informations dans le dossier Body Store. Il ouvrit ensuite un deuxième document dans sa boîte aux lettres. Il s'agissait cette fois d'un extrait d'une chaîne de la Télévision suisse romande.

> LE MINISTRE DE L'ÉCONOMIE, GASTON DELPECH, A ÉTÉ RETROUVÉ MORT CE MATIN À SON DOMICILE DE LAUSANNE. GASTON DELPECH VENAIT D'ÊTRE MIS SOUS ENQUÊTE POUR SA POSSIBLE IMPLICATION DANS UN RÉSEAU DE PÉDOPHILIE. LES AUTORITÉS POLICIÈRES RETIENNENT POUR L'INSTANT L'HYPOTHÈSE DU SUICIDE.
> DANS UNE LETTRE RETROUVÉE SUR SA TABLE DE TRAVAIL, LE MINISTRE AFFIRME AVOIR ÉTÉ CONDUIT À CETTE EXTRÉMITÉ PAR UNE AGENCE DE RENSEIGNEMENTS QUI LE FAISAIT CHANTER POUR QU'IL RÉVÈLE DES INFORMATIONS STRATÉGIQUES SUR CERTAINES INDUSTRIES PHARMACEUTIQUES HELVÉTIQUES. CE SERAIT CETTE AGENCE, QU'IL A DÉSIGNÉE SOUS LE NOM DE L'INSTITUT, QUI AURAIT MONTÉ DE FAUSSES PREUVES POUR LE COMPROMETTRE DANS UN RÉSEAU DE PÉDOPHILIE.
> SELON SON ÉPOUSE, LE MINISTRE RECEVAIT DEPUIS PLUSIEURS MOIS DES APPELS TÉLÉPHONIQUES QUI LE LAISSAIENT CATASTROPHÉ. CE HARCÈLEMENT SE SERAIT INTENSIFIÉ AU COURS DES DERNIÈRES SEMAINES, LE CONDUISANT À CE GESTE MALHEUREUX.

Du beau travail de retournement d'information, jugea Hurt. Il consulta un document qu'il avait mis en archive, quelques mois plus tôt: l'article du *New York Times* sur la mort de George Andrews, le responsable de la sécurité du Président.

Il écrivit ensuite un bref message qu'il envoya à Blunt, avec la référence aux trois documents.

Quelques minutes plus tard, le logiciel de communication verbale de son ordinateur s'activait et la voix de Blunt se faisait entendre.

— J'ai reçu ton message.

— Qu'est-ce que tu penses du recoupement ?

— Je suis d'accord. J'ai envoyé une copie des trois documents à F.

— Ils sont vraiment partis en guerre, on dirait.

— Pas trop nerveux ?

— Je suis content qu'il y ait enfin un peu d'action.

— Comment ça se passe avec les alters ?

— Jusqu'à maintenant, ça va bien.

Quelques moments plus tard, lorsque Blunt coupa la communication, le logiciel se ferma de lui-même. Hurt sortit dans le jardin rejoindre les deux Jones chargés de sa protection.

— Je vais prendre une bouchée au Pilsen, dit-il.

Assis par terre en tailleur, les Jones sortirent de leur méditation et acquiescèrent d'un signe de tête.

AGENCE FRANCE-PRESSE, 16 H 01

NOUVELLES RÉVÉLATIONS DANS LE SCANDALE DE LA BANQUE RÉPUBLICAINE DE BORDEAUX. LE MAGISTRAT CHARGÉ DE L'ENQUÊTE, MAÎTRE LATRICIÈRE, A CONFIRMÉ L'IMPLICATION DE SERVICES DE RENSEIGNEMENTS ÉTRANGERS DANS L'AFFAIRE. DES REPRÉSENTANTS D'UNE MYSTÉRIEUSE AGENCE AMÉRICAINE, L'INTERNATIONAL INFORMATION INSTITUTE, AURAIENT EN EFFET PIÉGÉ LE DIRECTEUR DE LA BANQUE, RAOUL BRICAUT, DANS LE BUT D'AVOIR ACCÈS AUX DOSSIERS DES CLIENTS CORPORATIFS DE LA BANQUE, PARTICULIÈREMENT À CEUX QUI ŒUVRENT DANS DES SECTEURS DE POINTE.

S'IL FAUT EN CROIRE LES CONFIDENCES QU'A FAITES LA VICTIME À SON ÉPOUSE, LA VEILLE DE SON SUICIDE, LES ESPIONS AMÉRICAINS AVAIENT MENACÉ DE S'EN PRENDRE À SES ENFANTS S'IL N'OBTEMPÉRAIT PAS RAPIDEMENT. CE SERAIT CETTE DERNIÈRE MENACE QUI L'AURAIT CONDUIT À CE GESTE DÉSESPÉRÉ.

INTERROGÉ SUR CETTE AFFAIRE, LE MINISTRE DE L'INTÉRIEUR A DÉCLARÉ QUE CETTE HISTOIRE AUX RELENTS D'ESPIONNAGE INDUSTRIEL ÉTAIT POUR LE GOUVERNEMENT UN SUJET DE PRÉOCCUPATION. IL A CONFIRMÉ QUE LA FRANCE FERAIT PARVENIR DES PROTESTATIONS OFFICIELLES À WASHINGTON.

PARIS, 16 H 23

Darius Petreanu détestait être impliqué directement dans les opérations. Heureusement, cela n'arrivait pas souvent. Mais Brochet n'était pas disponible et il n'y avait personne d'autre à qui il pouvait faire confiance pour ce travail.

Le financier prit une grande respiration, afficha sur son visage le sourire qu'il portait pendant les rencontres sociales et pénétra dans le bar.

L'endroit était déjà bondé. Petreanu fit un effort pour maintenir son sourire intact malgré la promiscuité. Il se rendit au fond de l'établissement, à une table un peu en retrait où Jérémie Pothiers l'attendait devant un verre de scotch.

— Vous êtes en retard, fit celui-ci.

— Un léger contretemps.

— J'ai reçu votre message. Je ne vois toujours pas ce que vous pouvez faire pour moi.

— Vous êtes quand même venu, répliqua Petreanu avec un sourire.

— Qu'est-ce que j'ai à perdre ?

Jérémie Pothiers avait cru pouvoir faire un coup d'argent rapide. Il avait accepté de vendre des titres obligataires américains pour un client à un prix dérisoire. Leur propriétaire acceptait de les laisser aller à quatre-vingt pour cent de leur valeur, pourvu qu'ils soient vendus avant la fin de la semaine.

Même s'il soupçonnait qu'il pouvait s'agir de titres volés, le courtier s'était contenté de la déclaration du client : les titres étaient en sa possession depuis de nombreuses années et il les conservait comme liquidités en cas d'urgence, ce qui venait justement de se produire.

En se disant prêt à se départir des titres à quatre-vingts pour cent de leur valeur, le client acceptait implicitement que le courtier les vende à un meilleur prix et qu'il conserve la différence. De fait, Pothiers avait réussi à les placer sur le marché en consentant une réduction d'à peine un demi pour cent, ce qui lui laissait un bénéfice instantané de dix-neuf et demi pour cent. Sur une transaction totale de deux millions et demi de dollars américains, cela représentait trois millions de francs français.

La semaine suivante, Pothiers avait reçu la visite d'un policier. Non seulement les titres avaient-ils été volés, mais on soupçonnait ceux qui les écoulaient de faire partie d'un vaste réseau de blanchiment d'argent pour le compte d'un cartel de la drogue.

Pothiers s'était rapidement écroulé. Il se voyait renvoyé de la maison de courtage où il travaillait depuis dix-huit ans, traîné en cour pour fraude et complicité de blanchiment.

Mais les policiers avaient été curieusement conciliants. Ils lui avaient affirmé ne rien avoir contre lui. Ils comprenaient qu'il était lui aussi une victime. Dans quelques jours, ils auraient peut-être une proposition pour lui permettre de s'en sortir. Pour l'instant, la seule chose importante était qu'il ne révèle rien de cette fraude. Surtout pas à ses employeurs.

Le courtier avait accepté leur offre. Pour ce qu'il avait à perdre… Quelques jours plus tard, il avait reçu un coup de fil : on lui fixait un rendez-vous dans un bar.

— J'ai une solution à presque tous vos problèmes, dit Petreanu.

Levant les yeux de son verre, Pothiers regarda son interlocuteur d'un air sceptique.

— Vraiment ?

— Vous ne serez pas poursuivi pour fraude, poursuivit Petreanu. Ni même pour complicité de blanchiment. Vous serez présenté comme la victime d'une agence de renseignements liée à un groupe mafieux.

— Professionnellement, c'est quand même un suicide. Si je peux me faire arnaquer de la sorte, les clients ne me feront plus confiance. La compagnie va se débarrasser de moi pour protéger son image.

— Je vous ai trouvé un nouvel employeur. Vous serez à l'abri du besoin pour le reste de vos jours.

— À quel endroit est ce merveilleux travail ? En Ouganda ?

— Dans une société de gestion. Au Québec.

— Au Québec ?

— Hope Fund Management. J'ai avec moi leur offre d'emploi, accompagnée d'une proposition de contrat garanti pour une durée de quinze ans.

— Qu'est-ce que j'aurai à faire comme travail ?

— Superviser les opérations de la firme avec différentes maisons de courtage.

Pothiers prit les documents que lui tendait Petreanu et commença à les parcourir. Puis il releva brusquement les yeux.

— Ils sont prêts à payer ce prix-là ! dit-il.

— Nous les avons aidés à saisir la contribution inestimable que vous pouvez apporter à leur organisation, répondit Petreanu avec un sourire.

Il récupéra les papiers.

— Histoire de procéder dans l'ordre, dit-il, vous signerez ces papiers à Montréal, lorsque vous vous serez acquitté de votre part du contrat.

— Que faut-il que je fasse ? demanda Pothiers d'un air méfiant.

— Toutes vos instructions sont sur ceci, répondit Petreanu en lui tendant un disque compact. Vous l'introduisez dans votre ordinateur et vous cliquez sur l'icône INTOX. Le texte s'affichera et vous pourrez prendre connaissance de ce que nous vous demandons de faire comme témoignage.

— Et si je ne suis pas d'accord ?

— Rien ne vous oblige à être d'accord. Nous croyons profondément à la valeur des choix personnels et réfléchis… Bien sûr, si vous refusez, nous vous demanderons d'oublier ce que nous vous proposons.

— Et si j'accepte ?

— Vous cliquez sur l'icône EXECUTE. Le texte de votre témoignage sera transcrit automatiquement sur le disque de votre ordinateur. Une autre copie sera expédiée au journal *Le Monde* et un signal sera transmis à notre opérateur. Il se rendra immédiatement chez vous pour organiser votre transfert. Vous serez pris en charge et nous assurerons votre protection, le temps que vous puissiez faire votre témoignage. Évidemment, vous prendrez soin de ne pas oublier le CD dans l'ordinateur !

— Et ensuite ?

— Ensuite, il n'y aura plus de problèmes pour vous. Vous aurez un bon emploi et vous pourrez faire ce que vous voulez de votre argent.

— Et les gens contre qui vous voulez me protéger ?

— Une simple précaution. Il est peu probable qu'ils tentent quoi que ce soit. Ce serait trop évident.

— Est-ce que vous allez maintenir cette précaution pendant le reste de ma vie ?

— Ce ne sera pas nécessaire. Une fois votre témoignage fait, ils n'auront plus de raison de s'en prendre à vous. Leur seul intérêt est de vous empêcher de parler.

— Ils vont vouloir se venger.

— Ce sont des gens rationnels. Pourquoi prendraient-ils le risque de commettre un acte criminel quand ils n'ont rien à en retirer ?

— Vous croyez vraiment ?

— J'en suis sûr.

Petreanu se leva.

— Une dernière chose, dit-il. Vous devez avoir pris votre décision au plus tard à minuit ce soir.

En sortant du bar, le sourire de Petreanu était moins forcé. Pothiers avait marché à fond.

Le financier songea à l'ironie des noms choisis pour nommer les programmes : INTOX, EXECUTE. Après toutes ces années, la naïveté des gens le surprenait encore.

MASSAWIPPI, 22 H 27

Hurt regardait Gabrielle, allongée dans son lit. Elle avait redressé une partie du matelas pour être en position assise.

À côté de sa main gauche, dont elle pouvait bouger trois doigts, une manette criblée de boutons lui permettait de contrôler son environnement.

— J'ai l'impression de vivre dans un film de *Star Trek*, dit-elle en faisant relever un peu plus la tête du lit.

— Comment ça va ?

— J'ai retrouvé deux autres doigts dans la main droite. Le médecin dit que c'est encourageant. Ça veut dire que le traitement pour faciliter la régénération a un certain effet.

Non seulement F s'était assurée d'obtenir les meilleurs spécialistes pour s'occuper de Gabrielle, mais elle avait réussi à se procurer un médicament encore expérimental censé favoriser la croissance des nerfs sectionnés.

— Qui t'a maquillée ? demanda Hurt.

— Jones 19. Il dit qu'il a déjà travaillé à Hollywood dans les effets spéciaux !

— Et le Vieux ?

— Je ne l'ai pas encore vu. C'est juste une voix.

Pendant sa convalescence, Gabrielle avait commencé à entendre une voix. Souvent à l'intérieur de ses rêves, mais aussi à l'état de veille, lorsqu'elle méditait.

Un jour, alors que la jeune femme se demandait avec inquiétude si elle hallucinait, la voix lui avait dit de ne pas s'inquiéter, qu'elle était celle du vieil homme que Hurt rencontrait dans ses rêves, celui qu'il avait longtemps cru être une de ses personnalités.

— Qu'est-ce qu'il raconte ? demanda Hurt.

— Que les choses se déroulent bien. Que je dois profiter de l'occasion qui m'est donnée de ne rien pouvoir faire pour transformer cette contrainte en instrument de pouvoir.

— Rien de nouveau, donc ?

— Le jardinier continue de venir me voir. Mais il n'a pas du tout la voix que j'entends, se dépêcha de préciser Gabrielle.

— Tu penses que j'ai rêvé ça ?

— Je ne sais pas.

Peu de temps après l'attentat contre Gabrielle, Hurt avait vu les traits du Vieux se métamorphoser en ceux d'un Eurasien d'une trentaine d'années. Puis, au réveil, il avait rencontré l'Eurasien : c'était le jardinier de F.

Cette unique rencontre avait laissé Hurt bouleversé, ne sachant pas s'il devait accepter comme réelles les multiples discussions qu'il avait eues avec lui à l'intérieur de ses rêves.

Que son imagination puisse donner forme à un archétype, qu'il entretienne avec lui une conversation, cela pouvait toujours se comprendre : ce genre d'expérience était bien documenté dans différentes cultures. Jung lui-même prétendait avoir conversé pendant des années avec un de ses personnages intérieurs, allant jusqu'à adopter une voix différente pour se donner la réplique à lui-même lors de leurs conversations à haute voix. Mais de là à croire qu'un autre individu puisse le rejoindre à l'intérieur de ses rêves !

Par la suite, Hurt n'avait plus jamais revu le jardinier. Chaque fois qu'il avait essayé de le rencontrer, celui-ci était mystérieusement absent. À mesure que les jours avaient passé, il s'était même mis à douter que la rencontre ait effectivement eu lieu.

Ses discussions nocturnes avec le vieil homme, par contre, avaient repris leur cours. C'était lui qui avait suggéré à Hurt une forme souple d'intégration de ses personnalités, en les regroupant à l'intérieur d'unités fonctionnelles.

— Mais il faut que je te raconte quelque chose, reprit Gabrielle. Au début de la semaine, le jardinier est venu me porter une revue d'électronique. Il l'a ouverte à une page où il y avait une illustration et il est parti.

— Quel rapport avec le Vieux ?

— La nuit suivante, la voix m'a expliqué que je devais visualiser cette image-là. Que je devais me concentrer pour imaginer que les bouts de fils coupés se rapprochent les uns des autres et qu'ils fusionnent… J'ai l'impression que je n'ai jamais autant travaillé que depuis que je suis dans mon lit !… Toi, des nouvelles de Kim ?

— Quand elle n'est pas avec Claudia, elle est à New York pour coordonner l'ensemble du réseau.

— Et Claudia ?

CBC, 22 H 34

ASSISTONS-NOUS AU RÉVEIL DU VAMPIRE, COMME LE TITRAIT CE MATIN LE *JOURNAL DE MONTRÉAL* ?

UNE CHOSE EST CERTAINE, L'ASSASSINAT DE JACQUES MARCHAND, LA SEMAINE DERNIÈRE, A RELANCÉ LE DÉBAT SUR L'IDENTITÉ DU MEURTRIER QUI HANTE LES RUES DE LA VILLE DEPUIS LE DÉBUT DE L'ANNÉE. RAPPELONS QUE MONSIEUR MARCHAND ÉTAIT VICE-PRÉSIDENT CHEZ GESTION FINANCIÈRE PENFIELD CLOUTIER.

POUR DISCUTER DE CE SUJET, J'AI AVEC MOI MONSIEUR RÉMI GAGNON, DIRECTEUR DU SERVICE DE POLICE DE LA CUM. MAIS AVANT, ÉCOUTONS UN EXTRAIT DE L'ENTRETIEN QUE J'AI EU PLUS TÔT EN AVANT-MIDI AVEC MONSIEUR CLAUDE BROCHET, VICE-PRÉSIDENT AU DÉVELOPPEMENT DES AFFAIRES CHEZ HOPE FUND MANAGEMENT. MONSIEUR BROCHET ÉTAIT UN AMI PERSONNEL DE JACQUES MARCHAND.

— MONSIEUR BROCHET, POUVEZ-VOUS NOUS DIRE EN QUELQUES MOTS QUI ÉTAIT JACQUES MARCHAND ?

— MONSIEUR MARCHAND ÉTAIT UN GESTIONNAIRE D'UNE COMPÉTENCE HORS DU COMMUN, MAIS IL ÉTAIT SURTOUT UNE PERSONNE DOUÉE D'UNE PROFONDE HUMANITÉ. SON ABSENCE SERA DUREMENT RESSENTIE PAR SES COLLÈGUES.

— CERTAINS ONT AVANCÉ COMME HYPOTHÈSE QUE LES VICTIMES POURRAIENT FAIRE PARTIE D'UNE SORTE DE SECTE AXÉE SUR LE VAMPIRISME OU LE SATANISME. À VOTRE CONNAISSANCE, MONSIEUR MARCHAND AVAIT-IL DES CONTACTS AVEC CE GENRE DE MILIEU ?

— EN AUCUNE FAÇON. JACQUES ÉTAIT UNE PERSONNE ÉQUILIBRÉE ET ESTIMABLE À TOUS POINTS DE VUE. LE CONTRAIRE D'UN ILLUMINÉ OU D'UN MÉSADAPTÉ SOCIAL.

— À LA SUITE DE CETTE SÉRIE D'INCIDENTS, CROYEZ-VOUS QUE LES SOCIÉTÉS DE GESTION VONT PRENDRE DES MESURES PARTICULIÈRES POUR PROTÉGER LEURS EMPLOYÉS ?

— IL EST DIFFICILE POUR MOI DE RÉPONDRE POUR MES CONFRÈRES. CELA DIT, ET SANS VOULOIR CRITIQUER LE TRAVAIL DES SERVICES POLICIERS – JE COMPRENDS LA COMPLEXITÉ DE LA TÂCHE À LAQUELLE ILS FONT FACE – J'AI DÉCIDÉ D'AVOIR RECOURS À UNE AGENCE PRIVÉE. CHEZ HOPE FUND MANAGEMENT, LA SÉCURITÉ DU PERSONNEL EST UNE PRIORITÉ. C'EST POUR CETTE RAISON QUE NOTRE FIRME A SIGNÉ UN CONTRAT AVEC SUPER SECURITY SYSTEM.

— ALORS, VOILÀ. NOUS AURONS D'AUTRES EXTRAITS DE CET ENTRETIEN PLUS TARD. MONSIEUR GAGNON, COMMENT RÉAGISSEZ-VOUS QUAND VOUS VOYEZ CES COMPAGNIES ÊTRE DANS L'OBLIGATION D'AVOIR RECOURS À DES AGENCES DE SÉCURITÉ ? EST-CE QUE CE N'EST PAS LE GENRE DE PROTECTION QUE L'ON SERAIT EN DROIT D'ATTENDRE DE LA POLICE ?
— IL FAUT BIEN COMPRENDRE, MONSIEUR...

MASSAWIPPI, 22 H 41

— Tu ne sais pas quand elle revient ? demanda Gabrielle.

Hurt prit un air embarrassé.

— Claudia ? dit-il. Elle est continuellement dans un avion entre l'Europe et le Japon.

— Ça ferait quelqu'un de bien pour toi.

— Tu racontes n'importe quoi.

— Tu ne vas quand même pas passer le reste de ta vie avec une grabataire ! Tu te vois me pousser partout sur un lit roulant ?

— Tu vas guérir.

— Et si je ne guéris pas ?

— Qu'est-ce que ça change ?

— Tu te vois faire l'amour à... ça ?

— Il y a des façons.

— Je le sais. Imagine-toi donc que je suis médecin. Je sais qu'on peut trouver des façons de résoudre les problèmes de quincaillerie. Mais le désir ?

— Il n'y a aucun problème de ce côté-là.

— Pour l'instant, peut-être. Mais je préfère ne pas me créer d'espoirs inutiles. Mon corps va se transformer. Depuis le début de l'année, j'ai pris quatre kilos, la masse musculaire diminue... Moi-même, j'ai de la difficulté à regarder dans le miroir ce que je suis en train de devenir... J'imagine ce que ça doit être pour quelqu'un d'autre.

Ce n'était pas la première fois qu'ils avaient cette conversation. Au début, Gabrielle voulait mourir : elle avait demandé à Hurt de l'aider.

Sur les conseils du Vieux, Hurt l'avait mise au défi de comprendre véritablement ce qu'elle s'apprêtait à faire. Il lui avait procuré toute une série de livres sur la mort. Les deux Jones qui assuraient sa protection et veillaient à ses besoins s'étaient relayés pour lui faire la lecture.

Après les ouvrages de Kubler-Ross, il y avait eu le Bardo Thodol, le livre des morts tibétain. Puis des livres sur la représentation de la mort au cours des âges. Elle avait même regardé des extraits de *Star Trek* qui illustraient la conception de la vie et de la mort des Klingons, ces guerriers qui commençaient chaque journée et chaque bataille en proclamant : *« Today is a good day to die. »* Une conception de la vie proche de celles des samouraïs, finalement, pour qui le véritable guerrier sait qu'il est déjà mort, ce qui le libère de la peur de mourir et lui permet de vivre pleinement.

Les textes qui la touchèrent le plus furent ceux de Musashi et de Castaneda, qui présentaient la conscience de la mort comme la condition de toute vie libre et efficace. La mort comme porte d'entrée dans la vie, et non comme porte de sortie.

Gabrielle avait alors cessé de vouloir mourir. Son refus de la vie s'était déplacé sur sa relation avec Hurt. À chacune de leurs rencontres, elle lui suggérait qu'il serait mieux sans elle. Qu'il n'avait pas à lui sacrifier sa vie.

Cette fois, avec son allusion à Claudia, elle avait touché un point sensible. Hurt était incapable de dire quelle était la nature exacte de ses sentiments pour elle – ce que le Curé avait d'ailleurs utilisé à plusieurs reprises pour lui faire la morale.

— Il y a eu de nouveaux développements du côté de Body Store, dit-il, pour changer de sujet. Quatre centres de transplantation en Amérique du Sud.

— C'est bien, fit Gabrielle avec conviction.

— Le problème, c'est qu'on ne réussit jamais à remonter les filières.

— Et toi ? Comment ça va avec le miroir ?

Après le dernier affrontement avec le Consortium, F avait décrété d'importantes mesures de sécurité. Tous les membres qui avaient été en contact avec l'organisation ennemie avaient dû subir une chirurgie plastique, changer d'identité et se relocaliser dans un endroit à l'écart des opérations précédentes.

Déjà aux prises avec ses multiples identités, Hurt n'avait pas particulièrement apprécié de perdre le point d'ancrage quotidien que constituait son image dans le miroir.

— Il faut dire que dans ton cas, reprit Gabrielle avec un sourire, une personnalité de plus ou de moins…

— Tu dis ça parce que tu es jalouse, répliqua Hurt en riant.

— J'ai lu quelque chose qui semblait écrit exprès pour toi, la semaine dernière.

— Qu'est-ce que c'est ?

— « Un homme seul est toujours en mauvaise compagnie ! »

NOTRE-DAME-DE-GRÂCE, 23 H 28

À travers le verre dépoli du mur du bureau, Brochet et Jessyca Hunter surveillaient l'activité dans le bar, quelques mètres plus bas.

— Comment va le recrutement ? demanda Brochet.

— Il n'y a pas encore de clients qui ont refusé le cadeau de trois danses spéciales dans la section VIP. Ça permet aux filles d'établir des contacts avec des candidats intéressants.

— Le type au bar, vous pensez que c'est un motard ?

— C'est vrai qu'il en a l'allure. Mais, jusqu'à maintenant, les Skulls et les Raptors ont respecté l'entente. Ils n'ont pas mis les pieds dans nos établissements.

— Peut-être qu'il fait partie d'un gang indépendant.

— Je vais aller le voir.

Quand Jones XXIII vit la femme s'approcher, il comprit immédiatement que ce n'était pas une serveuse ordinaire. La femme ne venait pas seulement dans sa direction : elle venait le voir, lui. Son attention était centrée sur lui et sur lui seul.

Une bonne main d'applaudissements pour Sharon ! Sharon !... Dans quelques minutes, la vedette de la semaine sur notre site Web : Vampira !... Comme chaque soir, Vampira choisira elle-même dans la salle celui qui aura la chance de l'assister dans son spectacle.

Jones XXIII se demanda un instant si c'était une coïncidence qu'une danseuse fasse un numéro de vampire dans un des bars qu'on lui avait demandé de surveiller. Puis son attention fut accaparée par la femme qui arrivait à côté de lui.

— Jessie Hunt, dit-elle en lui tendant la main. J'ai vu tout de suite que vous n'étiez pas un client ordinaire.

— Jones XXIII, répondit ce dernier en saisissant la main tendue.

— Pardon ?

— Jones XXIII.

— Vous êtes un motard, n'est-ce pas ?

— Si je vous disais que je suis un moine zen, est-ce que vous me croiriez ?

— Pas vraiment, non. Votre groupe, c'est quoi ?

— Jones and Jones.

— On dirait le nom d'un bureau de comptables.

L'homme éclata de rire.

— Il y a une entente, reprit la femme. Avec tous les principaux groupes de motards. Ils nous laissent tranquilles et on ne joue pas dans leurs plates-bandes.

— Mon groupe n'a aucun intérêt pour les bars de danseuses. Le nom de l'endroit m'a surpris et le décor m'a impressionné.

— C'est tout ?

— Je trouve l'atmosphère reposante.

— Reposante ?

— Ici, rien n'est ce qu'il paraît. Alors, pas besoin de chercher à comprendre. C'est l'endroit idéal pour ne pas penser. Il suffit de se laisser aller à l'ambiance.

La femme lui jeta un regard méfiant.

— Vous êtes certain que vous faites partie d'un groupe de motards ?

— Si ça peut vous convaincre, je peux vous indiquer où je placerais les *dealers*, à l'intérieur du bar, pour maximiser les ventes.

Voyant le visage de la femme se durcir, il se dépêcha de poursuivre.

— Mais je n'en ferai rien. Comme je vous le disais, je suis un simple client entré ici par hasard.

Le besoin d'amour ne trouve pas toujours à s'assouvir chez une autre personne. Souvent, et particulièrement chez les personnes seules ou âgées, ce besoin est réorienté vers un animal domestique.
Ce n'est pas sans raison qu'on parle d'animaux de compagnie. Dans bien des cas, ils cristallisent sur eux l'essentiel des relations sociales qu'entretient la personne.
De tels animaux sont des moyens de chantage privilégiés : bien qu'ils représentent pour la personne un investissement affectif aussi intense que s'ils étaient des personnes, ils peuvent être sacrifiés sans que l'auteur du geste encoure de poursuites judiciaires sérieuses.

Leonidas Fogg, *Pour une gestion rationnelle de la manipulation*, 4- Asservir par les passions.

VENDREDI, 24 SEPTEMBRE 1999

MONTRÉAL, 8 H 07

Dominique en était à son deuxième café. Habituellement, elle redevenait opérationnelle après la première tasse. Ce matin, les brumes du sommeil étaient plus tenaces qu'à l'accoutumée.

— Oui ? demanda-t-elle d'une voix ensommeillée lorsque le téléphone sonna.

— Écoute-moi bien, ma p'tite barbie, je te le dirai pas deux fois. Tu as vingt-quatre heures pour retourner la fille.

— Qui êtes-vous ?… De quoi voulez-vous parler ?

— Je sais que c'est toi qui la caches. Si je l'ai pas récupérée d'ici vingt-quatre heures, je te passe. C'est-tu clair ?… Et c'est pas parce que tu couches avec les flics que tu vas t'en tirer !

— Mais…

L'interlocuteur coupa la communication.

Dominique raccrocha lentement, comme assommée. Il y avait quelque chose dans la voix de l'homme. Quelque chose qu'elle avait l'impression de connaître et qui l'inquiétait.

Son premier réflexe fut de téléphoner à Théberge. Elle regarda l'heure : huit heures huit. Il n'était probablement pas encore au bureau. Elle décida d'attendre jusqu'à neuf heures.

FORT MEADE, 8 H 46

John Tate prit la copie du *New York Times* qu'il avait laissée sur le bureau en arrivant. Même s'il l'avait déjà lu, le titre attira de nouveau son regard pendant plusieurs secondes.

SUPER AGENCY GONE WILD

Il entreprit de relire minutieusement l'article de Tom Lloyd.

Dans la première partie, l'auteur reprenait l'histoire de George Andrews. Citant des sources confidentielles, il présentait l'ex-agent du *Secret Service* comme la victime d'une agence de renseignements : l'International Information Institute.

Cette agence, selon Lloyd, voulait utiliser Andrews pour infiltrer l'entourage du Président. Devant son refus de collaborer malgré des menaces répétées contre sa famille, l'Institut avait finalement perdu patience et l'avait éliminé.

Le journaliste évoquait ensuite ce qu'il appelait « l'aventure de Thaïlande ». À la suite de l'implication de l'Institut dans les affaires internes de ce pays, quelques années auparavant, plusieurs citoyens américains avaient été assassinés en guise de représailles, y compris sur le territoire des États-Unis. Une enquête avait alors été ouverte sur l'Institut, mais tout avait avorté après la disparition, au cours d'un attentat, du personnel clé de la mystérieuse agence.

Venait alors la partie de l'article qui inquiétait le plus Tate. Selon Lloyd, l'Institut n'avait pas disparu. Grâce à ses complicités dans les autres services de renseignements du pays, il s'était transformé en une agence mercenaire qui louait ses services au plus offrant.

La situation était d'autant plus inquiétante, disait le journaliste, que l'Institut était soupçonné d'être lui-même impliqué dans les trafics qu'il disait avoir pour mission de démanteler. Leurs opérations avaient pour cible les réseaux qui refusaient de céder une partie de leurs profits à l'Institut en échange de sa protection.

En guise de conclusion, l'article réclamait une enquête publique qui aurait pour tâche non seulement de démasquer l'Institut, mais d'examiner ses liens avec les grandes agences de renseignements américaines.

Tate reposa le journal. Les informations du journaliste ne pouvaient pas venir de l'une des agences : il n'y avait personne d'assez fou pour exiger une enquête publique dont il pouvait éventuellement être la cible.

Il fit venir son assistant et lui expliqua qu'il voulait un rapport sur le journaliste qui avait écrit l'article. Il devait le mettre sous surveillance, éplucher ses comptes bancaires, évaluer son style de consommation, utiliser l'écoute électronique... Peu importe le moyen, hormis peut-être la torture, il fallait qu'il sache qui le téléguidait.

Ensuite, une fois seul dans son bureau, il envoya un message à F pour l'aviser des derniers développements et l'avertir que le Président voulait lui parler en fin d'après-midi.

Si la situation continuait de se détériorer, songea-t-il, il n'aurait peut-être pas le choix de faire en sorte que l'Institut disparaisse pour de bon. Quel que soit le prix qu'il aurait personnellement à payer.

MONTRÉAL, 9 H 04

Juste au moment où l'inspecteur-chef Théberge allait prendre la première gorgée de son café, la sonnerie du téléphone se fit entendre.

Il immobilisa la tasse devant ses lèvres, songea un instant à ignorer l'appel, puis il la redéposa dans la soucoupe en se demandant quelle nouvelle aberration l'univers avait encore concoctée.

— Théberge ! se contenta-t-il de lancer dans le combiné.

— Vous avez votre humeur des meilleurs matins, à ce que je vois !

— Madame Weber ! Votre voix est une musique enchanteresse à mes oreilles ! Que puis-je pour vous, chère dame ?

— J'ai reçu un appel.

Le ton de Théberge perdit sur-le-champ toute gaieté.

— Des problèmes ? demanda-t-il.

— Un Raptor. Il menace de s'occuper de moi si je ne lui retourne pas la fille dans les vingt-quatre heures.

— Celle dont vous m'avez parlé ?

— Chantal, oui. Et il paraît que ce n'est pas parce que je couche avec les flics que je vais être protégée !

— Je vous envoie tout de suite quelqu'un.

— Ce n'est probablement pas nécessaire. Vous savez comment c'est : au début, ils s'énervent, ils font de l'intimidation. Ensuite, on parle avec leur avocat. Les choses se calment…

— Je vous envoie quand même quelqu'un et je passe vous voir aussitôt que je peux.

— D'accord.

NEW YORK, 10 H 55

Kim travaillait presque sans arrêt depuis trois jours. À peine avait-elle pris le temps d'avaler une bouchée de temps à autre. Mais l'effort en avait valu la peine.

Elle ouvrit le logiciel de communication téléphonique de son portable et composa le code d'accès. L'appareil lui demanda de confirmer la séquence de chiffres et de lettres.

Au lieu d'obtempérer, elle posa simplement les doigts sur les touches d'identification. Après sept secondes, la demande de confirmation disparut et l'écran demeura noir.

À l'intérieur de l'ordinateur, le module GPS s'activa et transmit la position avec la demande d'appel. La requête fut acheminée par satellite à un relais australien qui vérifia si la position du portable correspondait à celle qui était prévue. Satisfait de la confirmation, il réexpédia le message, toujours par satellite, à un appareil situé en Amérique du Nord.

— Oui ?

Même reconstituée électroniquement, la voix de Hurt ne manquait jamais de la toucher. Elle le revoyait, à l'hôpital, quand elle l'avait rencontré pour la première fois. À l'époque, elle n'aurait jamais cru que ce corps tourmenté puisse abriter une personnalité aussi forte et tranquille que celle de Steel. Ou aussi drôle que celle de Radio.

>>>J'ai travaillé avec le logiciel de Chamane<<< dactylographia Kim.

— Les résultats sont intéressants ?

>>>À partir de la banque des Bahamas où Y-14 s'est infiltré, j'en ai identifié quatre autres. Elles font beaucoup d'affaires entre elles. Deux banques suisses, une au Liechtenstein et une autre à Guernesey. Les quatre ont un profil semblable.<<<

— Quel genre de profil ?

>>>Mêmes transferts massifs et rapides de fonds. Des transferts qui se situent à trois ou quatre écarts-types de la moyenne pour des banques de grosseur équivalente.<<<

— Conclusion ?

>>>Activités de blanchiment probables. À mon avis, ça vaut la peine d'envoyer ça à Chamane pour une étude plus poussée.<<<

— D'accord. Je vais lui dire que c'est urgent. Il va encore se plaindre qu'il est débordé, mais un pirate informatique qui n'est pas débordé, ça n'existe pas, paraît-il.

>>>J'ai remarqué autre chose de curieux: leur type de clientèle. Beaucoup de compagnies de gestion de centres commerciaux et d'édifices à bureaux. Beaucoup de complexes hôteliers... Je ne sais pas si ça veut dire quelque chose.<<<

— Je vais demander à Chamane de regarder ça aussi. Comme il a maintenant un assistant pour le dépanner sur les problèmes financiers, ça ne devrait pas être trop long.

>>>Un assistant?<<<

— Uniquement pour ce projet...

>>>Tu diras à F que Moh et Sam sont des amours. Sam m'a beaucoup aidée pour les informations financières avec ses contacts.<<<

— Et Moh?

>>>Lui, il dit qu'il s'occupe de l'intendance. Mais j'ai davantage l'impression d'avoir une nounou!<<<

— Est-ce qu'ils parlent de retraite?

>>>Souvent. Une île en Grèce. Au début, je m'attendais à les voir disparaître d'un jour à l'autre.<<<

— Ils veulent toujours s'acheter un petit hôtel?

>>>Toujours. D'après ce que j'ai compris, Moh serait cuisinier...<<<

— ... et Sam s'occuperait de l'administration, compléta Hurt. Mais ils ne s'entendent pas sur le partage des profits.

>>>Comment sais-tu ça?<<<

— Ils se disputaient déjà à ce sujet plusieurs années avant l'existence de l'Institut, paraît-il. On se voit toujours demain soir?

>>>Oui. Si j'arrive assez tôt, je t'appelle avant la rencontre. On pourra faire une marche au bord du lac.<<<

— Entendu. À demain.

MONTRÉAL, 12 H 47

Théberge salua le portier en passant et se dirigea vers le comptoir. La barmaid lui apporta une Molson Export sans qu'il la commande.

— Dominique est à son bureau, dit-elle. Je vais la prévenir.

Le policier acquiesça d'un signe de tête et se retourna pour observer la salle. Le bar était presque plein. Spontanément, il essaya d'appliquer aux clients la classification que leur attribuaient les danseuses.

Tout de suite, il repéra un groupe de trois « mottés », puis un autre seul à sa table. Ils n'étaient pas difficiles à repérer : les filles se relayaient pour passer à côté d'eux en les frôlant au passage, chacune espérant frapper le gros lot. Les « mottés », dans le langage des danseuses, c'étaient ceux qui avaient le « motton ».

Dans le coin le plus reculé, une « calotte » suivait le spectacle qu'une danseuse donnait à une table près de la sienne. Au bord de la scène, deux « têteux » étiraient leur bière.

— Alors, quoi de neuf ? demanda Dominique en s'assoyant à côté de lui.

— J'essaie de classer les clients.

Elle parcourut la salle du regard.

— Pas très difficile, fit-elle. Dîner moyen. Il va en rester à peu près le tiers pour l'après-midi. Quatre ou cinq têteux. Un bon groupe de mottés. Pas trop de calottes. Plusieurs touristes.

— Des touristes ? reprit Théberge, surpris.

— Une nouvelle catégorie. Des occasionnels qui viennent une fois ou deux par année, qui se disent en arrivant qu'ils vont juste prendre une ou deux bières, peut-être se payer une danse… En général, ils dépensent trois ou quatre fois ce qu'ils avaient prévu, mais ils repartent contents.

— Vous, comment ça va ?

— Pour les Raptors, rien de nouveau. On a réussi à contacter leur avocat ce matin. Il serait prêt à régler pour quarante-cinq mille.

— Pas d'autres menaces ?

— Non. J'ai l'impression que c'était seulement le cirque habituel. Vous pouvez renvoyer les anges gardiens.

Théberge eut un sourire et fit un geste pour lui montrer les deux membres de l'escouade fantôme qui sirotaient leur bière, à l'autre bout du bar.

— Ce n'est pas eux qui vont se plaindre si la surveillance dure quelques jours de plus.

— J'imagine ! Les filles en prennent soin comme si c'étaient leurs vieux oncles.

MASSAWIPPI / PARIS, 16 H 32

Un carré de lumière se découpa dans la cloison de plexiglas qui séparait la salle de séjour du bureau de F. Quelques secondes plus tard, une tête rubiconde et souriante, à la calvitie avancée, s'encadrait dans l'écran. La petite moustache droite, en pinceau, y semblait égarée, comme si elle s'était trompée de visage et qu'elle aurait dû appartenir à un militaire osseux et flegmatique.

— Claude !

— Chère amie !

— Je parie que vous avez des informations pour moi.

— J'ai effectivement des informations pour vous. Pas très réjouissantes, j'en ai peur.

— Votre ministre de l'Intérieur fait encore des extravagances ?

— Oui. Mais ça, j'arrive à le contrôler. Le directeur de la Banque républicaine de Bordeaux, par contre…

— J'ai entendu. Il a laissé une lettre incriminant l'Institut.

— Ça ne va pas faciliter notre travail.

— Vous pouvez me faire part du contenu exact de la lettre ?

— Il affirme avoir été enlevé, drogué et forcé d'avoir des relations sexuelles malgré lui avec de toutes jeunes filles. On l'aurait alors filmé pour ensuite le faire chanter afin qu'il fournisse des informations confidentielles sur certaines entreprises françaises et leurs dirigeants.

— Que dit-il sur l'Institut ?

— Il parle d'une agence de renseignements étrangère à laquelle ses agresseurs ont fait référence sous le nom de « l'Institut ». Il affirme que l'Institut tiendrait plusieurs autres personnes sous sa coupe dans différentes institutions du pays, y compris dans les services de renseignements. Sa lettre est parue aujourd'hui dans *Le Monde*. Les autres médias commencent à reprendre la nouvelle.

— Je suppose que les politiques ont commencé à s'agiter…

— Le Front national s'est tout de suite emparé de l'histoire : il a sorti le refrain des infiltrateurs étrangers et il dénonce la perméabilité des nouvelles frontières européennes. Les Verts et une partie des Socialistes réclament pour leur part une enquête publique. Quant aux partis de droite, ils parlent de la faillite du gouvernement à préserver l'autonomie des institutions et la sécurité du territoire.

— J'ai vu la déclaration du ministre de l'Intérieur.

— Aujourd'hui, le Président est censé faire une déclaration comme quoi la France prendra tous les moyens pour préserver sa souveraineté et garantir l'intégrité de ses institutions. Il va aussi annoncer la mise sur pied d'une équipe composée de proches collaborateurs pour faire des recommandations sur la question.

— Ensuite ?

— Ça va dépendre de la façon dont ça se passe dans les médias… Si les choses ne se calment pas, il va faire un sondage pour tester différentes « pistes de résolution »…

— Ça peut en venir à l'enquête publique que réclament les Verts ?

— Je ne pense pas. Pas sur toutes les agences, en tout cas. Les grands patrons vont sortir leurs dossiers secrets, les ministres et les leaders d'opinion vont commencer à avoir des doutes, les éditorialistes vont tergiverser… mais pour ce qui est de la collaboration avec l'Institut, c'est le réfrigérateur à coup sûr.

F rappela alors au Français ce qui était arrivé à Andrews. Ils parlèrent également du ministre de l'Économie de la Suisse et du banquier japonais.

— Ça commence à faire beaucoup de coïncidences, conclut le Français.

— Comme vous dites.

— À votre avis, ça vient d'où ?

— Body Store… Enfin, l'organisation qui est derrière le trafic d'organes, quel que soit le nom qu'elle utilise maintenant. C'est le seul point commun.

— C'est habile : ils donnent aux agences des pays visés le choix de subir une enquête ou de sacrifier l'Institut pour se défendre.

— Il va falloir tenir une réunion bientôt, pendant que vous êtes encore autorisés à le faire.

— Il y en a d'autres qui ont des difficultés ?

— Pas encore. Mais comme je m'attends à d'autres événements du genre ailleurs… S'il se passe quelque chose, je vous tiens au courant.

— À bientôt.

Après que le plexiglas eut repris sa transparence, F demeura plusieurs minutes à se balancer lentement dans son fauteuil. Il devenait urgent de contrer cette attaque dans les médias, ne serait-ce que pour gagner du temps et permettre à Money Trap et à l'opération au Japon de réussir.

WASHINGTON / MASSAWIPPI, 19 H 23

— Belle façon de passer inaperçue ! attaqua immédiatement le Président. Vous faites la une des journaux de la planète !

— Seulement le *Monde*, le *Times* et le *Washington Post*, ironisa F.

— Vous m'aviez assuré qu'en acceptant l'autonomie de l'Institut on diminuait sa visibilité et qu'on se protégeait contre les retombées des opérations.

— Vous n'allez quand même pas ajouter foi à la propagande de Body Store ! Les articles sont téléguidés par eux !

— Je me fous que ce qu'ils disent soit vrai ou faux !

— Leur histoire est une fabrication…

— Une fabrication, vous dites ?… Leurs accusations comme quoi vous auriez infiltré différentes agences de renseignements ne me semblent pas aussi farfelues que vous le prétendez.

— L'Institut a seulement des rapports de collaboration avec les autres agences.

— Et moi, j'ai un début de scandale sur les bras. Les Républicains se cherchent un os à gruger. S'il faut que je leur en donne un, sachez que le choix entre l'Institut et les autres agences du pays sera facile à faire.

— Vous réagissez exactement comme ils le veulent.

— Peut-être, mais je n'ai pas l'intention de servir personnellement d'os à gruger.

— Notre approche commence à donner des résultats.

— Les résultats qui m'importent, je les ai dans le *Post* et le *Times*.

— Si vous cédez à la première tentative de chantage, ils vont comprendre qu'ils peuvent faire ce qu'ils veulent.

— Je ne cède à aucun chantage. Je m'assure simplement que la Constitution soit respectée et que chacune des agences du pays fonctionne dans le cadre exact de ses mandats. Pour ce qui est de l'Institut, il s'agit d'un sous-contractant avec qui nous pouvons rompre nos ententes quand bon nous semble… Surtout qu'il s'agit d'un sous-contractant qui n'a aucune existence reconnue.

— Il faudrait faire attention de ne pas vous retrouver avec un scandale dix fois plus gros sur les bras. Si vous sacrifiez l'entente que vous avez avec l'Institut…

— Est-ce une forme de chantage ?

— Un simple rappel de la diversité de nos services. Quand vous éliminez un sous-contractant, parce que vous êtes insatisfait de l'un de ses services, vous ne pouvez pas vous attendre à ce qu'il continue de vous rendre les autres.

— Je n'aime pas beaucoup vos menaces.

— Et moi, je n'aime pas l'incompétence de vos services. S'ils n'avaient pas échappé Andrews, s'ils avaient été capables de le protéger, il n'y aurait pas de crise dans les journaux.

— Ils auraient trouvé autre chose.

— Sans doute. Mais on aurait pu leur opposer Andrews, tandis que là, on se retrouve uniquement avec les réseaux de Body Store qu'on a démolis.

— Dont il est hors de question de parler.

— Je sais.

— Et dans lesquels ils vous accusent d'avoir trempé.

— Qu'est-ce que vous allez faire ?

— C'est à moi de vous poser la question, il me semble.

— J'ai pensé à quelque chose.

— Quoi ?

— Je ne suis pas encore complètement décidée.

— À quoi avez-vous pensé ?

— Dire la vérité.

— Quelle vérité ?

— Vous faites de la politique depuis trop longtemps, monsieur le Président.

— Vous avez suffisamment exercé ma patience comme ça ! Quelle vérité voulez-vous dire ? Et à qui ?

— Il y a une opération en cours au Japon. On devrait avoir des résultats d'ici quelques jours. Quelque chose de majeur. En rendant publics tous les détails, on pourra contrer en bonne partie l'attaque dans les médias.

— Vous en êtes sûre ?

— Dans la mesure où on peut être sûr de quelque chose.

— Si vous obtenez des résultats, je vous appuierai.

— Bien.

— D'ici là, vous cessez tout contact avec les agences américaines.

— D'accord. Il n'y aura aucun contact avec les agences.

— Ni avec les responsables des agences, s'empressa de préciser le Président. Même à titre personnel.

— D'accord. Sauf avec Tate.

— Même avec Tate, répliqua le Président sur un ton excédé.

— Il faut garder un canal ouvert. Si vous préférez, je peux vous appeler directement.

— D'accord pour Tate. Mais uniquement en cas de besoin absolu.

— Bien sûr.

Quand l'écran s'éteignit, le Président se retourna vers Tate et lui jeta un regard interrogateur.

— Ça peut marcher, dit celui-ci.

— Si ça ne marche pas, il va falloir neutraliser l'Institut. Le public n'est pas prêt à ce que le pays perde quelques soldats en Serbie. Alors, imaginez si on lui annonce qu'il va subir une vague d'attentats pour protéger une agence de renseignements qui n'est même pas américaine, qui est soupçonnée de tremper dans le trafic d'organes et qui couvre les activités des pédophiles !

— Ce ne sera pas facile. On ne sait même pas où ils sont.

— Arrangez-vous pour découvrir quelque chose. Je ne sais pas, moi… Demandez à Plimpton. Il doit bien…

— J'ai vérifié. Ça fait plus d'un an qu'il n'a pas eu de contact avec eux. Et il n'a jamais su où était leur quartier général.

— Est-ce qu'on peut lui couper les vivres ?

— L'Institut a une marge d'autonomie financière de plusieurs années. C'était un des aspects essentiels de leur projet : avoir assez d'argent pour se mettre à l'abri des pressions politiques.

— Ils doivent bien avoir un point faible.

— Je suppose, oui.

— Je veux que vous le trouviez.

MASSAWIPPI, 19 H 58

Le jardinier, qui avait autrefois répondu au nom de Bamboo Joe, buvait une tisane. F était assise en face de lui, à la table à pique-nique de la cour intérieure.

Malgré son changement d'apparence de plus en plus prononcé, il demeurait pour elle Bamboo Joe. Elle n'arrivait pas à lui coller le nom de Joe Sky, abréviation de Joe Skycrawler qu'il avait adoptée comme patronyme dans ses rencontres avec les gens du village.

Sa nouvelle identité en faisait un métis ayant de vagues ancêtres amérindiens, qui travaillait chez un couple de jeunes retraités à titre de jardinier. Dans ses moments libres, il proposait ses services comme homme à tout faire aux gens des alentours.

— Comment vont les exercices de visualisation ? demanda-t-il.

— Depuis quelques jours, je suis de plus en plus concentrée.

— Quand vous recomposez l'arbre dans votre tête, est-ce que vous distinguez bien les feuilles ?

— Pas encore vraiment bien.

— Lorsque vous perdez votre concentration, vous pensez à quoi ?

— Toujours la même chose. Le Consortium. Je suis certaine qu'ils sont en train de monter une attaque majeure contre nous.

— Vous avez pris une décision ?

— Pas encore, mais j'ai parlé à Blunt.

— Il a sûrement un plan, fit Bamboo avec un sourire.

— Il en a deux, répondit F en souriant également. Au début, il m'a proposé de ne rien faire.

— Ensuite ?

— De dire la vérité.

— Dire la vérité ? Vraiment ?… Il a toujours été un peu excessif, ajouta le jardinier avec un sourire entendu.

— Il suggère de révéler aux médias les succès que nous avons eus contre le Consortium et d'expliquer la stratégie qu'ils utilisent pour nous contrer.

— Je parie que c'est la solution que vous préférez.

— Pour quelle raison croyez-vous ça ?

— Parce que ne rien faire est toujours difficile. L'agitation est plus apte à nous procurer un sentiment d'efficacité et de contrôle sur les événements.

— Vous n'êtes pas d'accord avec la proposition de Blunt ?

— Réagir révèle à l'adversaire que son action a atteint son but.

— Si on ne réagit pas, le Président va nous laisser tomber. En France, la pression est de plus en plus forte. Logiquement, ça va se répandre dans tous les pays où on les a attaqués.

— C'est prévisible, en effet.

— Ça va poser de sérieux problèmes de logistique.

— Mais vous devriez trouver les gens nécessaires pour les régler… Dites à Blunt que je suis d'accord avec son idée de sacrifier le territoire public pour se concentrer sur celui de l'argent… Et pour vos exercices de visualisation, vous arrêtez tout.

— Tout ?

— À partir de maintenant, je vous suggère une autre forme d'exercice. Ça ressemble à de la méditation vatsayana.

— Méditation ? répondit F, l'air dubitative.

— Méditation active. Ça devrait vous convenir, j'imagine !

— Active… comment ?

— Vous agissez doublement. Sans arrêt.

— Je fais quoi, pour agir… doublement ?

— Vous faites tout ce que vous avez à faire au cours de la journée, peu importe ce que c'est. L'important est simplement que vous agissiez.

— Et le doublement ?

— En plus de vaquer à vos occupations, vous demeurez consciente de ce que vous faites. Du moindre geste. Vous demeurez consciente de votre corps… De votre respiration, de vos tensions… Mais sans chercher à contrôler quoi que ce soit. Le but est seulement d'être consciente… Autrement dit, vous faites connaissance avec votre pilote automatique. Vous le regardez agir.

— Et je fais ça dans quel but ?

— Développer votre témoin intérieur.

— Mon témoin intérieur ?

— Comme un regard qui est toujours quelques centimètres en retrait derrière vos yeux. Qui vous observe. Qui note tout ce que vous faites.

— Un juge ?

— Surtout pas. Il observe froidement. Sans émotion. Sans intérêt à défendre. Comme une caméra miniature.

— Ça donne quoi, de développer un témoin intérieur ?

— Ça ne donne rien. Mais ça enlève certaines des choses qui collent à nous. Tout le poids des préjugés, des émotions, des tabous, des intérêts… de l'image de soi qu'il faut défendre. Le témoin intérieur se contente de regarder et de voir ce qui est.

— Et pour quelle raison faut-il tout à coup que je développe ça ?

— Vous m'avez dit que vous aviez de la difficulté à vous concentrer. C'est parce qu'il y a des choses qui vous obsèdent. Qui ont du pouvoir sur votre conscience. Elles ont la capacité de l'envahir à tout moment… Il faut donc que vous appreniez à vous détacher de ces choses. Et, pour apprendre le détachement, le meilleur moyen est de développer le témoin intérieur.

— Je suis certaine que vous venez d'inventer ça !

— Pas du tout ! C'est une vieille technique qu'on retrouve dans beaucoup de traditions axées sur le développement de la vie intérieure… Incidemment, c'est une des formes d'entraînement les plus répandues pour les rêveurs.

F le regarda, stupéfaite. Il y avait des années qu'elle lui demandait de lui apprendre à rêver comme il le faisait : en demeurant consciente à l'intérieur de ses rêves. En les utilisant comme moyen d'exploration. Ou même de communication…

Bamboo lui avait toujours répondu que ce n'était pas sa voie. La sienne était celle des comédiens, qui doivent aborder le monde réel avec la même discipline, le même détachement que les rêveurs utilisent pour apprivoiser leurs rêves. Sa tâche était de se servir de son métier pour effacer le nœud d'illusions, d'allergies et de préférences qu'elle appelait son moi. Même sa vie commune avec son mari servait à effacer ses vieux réflexes de personne habituée à vivre seule.

Et voilà que, tout à coup, il lui annonçait qu'elle devait pratiquer une technique qui servait d'entraînement aux rêveurs.

— Et c'est tout ce que je dois faire ? Être consciente de ce que je fais ?

— C'est un travail colossal. Il vous faudra des années.

MONTRÉAL, 20 H 05

À l'origine, le groupe qui allait devenir les U-Bots comptait six membres, tous recrutés parmi les meilleurs *hackers* du Web. Avant de les contacter, Chamane les avait suivis à la trace pendant près d'un an ; il avait observé leur profil d'intervention et analysé leurs exploits, autant d'un point de vue technique qu'idéologique.

Il les avait ensuite abordés un par un, leur avait expliqué son projet.

Les six membres faisaient aujourd'hui partie du Core. C'étaient eux qui orientaient les destinées des U-Bots. Eux qui entretenaient Deep Under, un réseau de BBS clandestins auquel certains faisaient parfois référence sous le nom d'UnderNet. Les seuls qui avaient accès à ce réseau étaient les membres des différentes cellules des U-Bots.

Chamane avait eu l'idée du nom en pensant aux U-Boats, les sous-marins allemands qui écumaient les profondeurs des mers et qui coulaient les bateaux jugés ennemis. De la même manière, les U-Bots allaient écumer les profondeurs du Net pour réglementer les activités qui s'y déroulaient et éliminer les indésirables. L'objectif était de créer un groupe qui régule le Net de l'intérieur, pour éviter que les gouvernements interviennent en faisant de la censure.

— Tu sais ce que sont les bots ? fit Chamane.

Ce n'était pas vraiment une question.

— Des espèces de robots informatiques qui se promènent sur le Net, répondit Yvan.

— Les plus connus sont les *spambots*, les *collide bots*, les *spider bots*, les *flood bots*…

— Et les U-Bots ?

— En fait, il faudrait parler de Hu-Bots. Avec un H. Pour *Human Bots*. Mais le terme U-Bots est plus *flash*, je trouve.

Pendant qu'il parlait, les doigts de Chamane pianotaient sur le clavier. Sur l'écran, les tableaux se succédaient : dans chacun, il tapait un certain nombre de caractères qui n'apparaissaient pas à l'écran.

Soudain, l'image d'une salle de château médiéval apparut. Chamane fit pivoter le point de vue pour donner à Yvan un aperçu de l'endroit. Tous les murs étaient percés d'immenses vitraux dont les motifs représentaient des fractales.

— Tu peux plonger dans les fractales et les agrandir, fit Chamane.

— Quelle limite ?

— Ça dépend de la puissance de calcul de ta machine.

Il revint au centre de la salle. Sept chaises en bois d'allure rustique encadraient une table massive à sept côtés.

Cinq personnes étaient assises et attendaient. Elles avaient chacune la tête d'un personnage connu : Schwarzenegger, Roger Rabbit, Bill Clinton, l'inspecteur Clouzot et Dirty Harry. Leurs traits étaient figés comme s'ils avaient porté un masque.

Un sixième personnage venait d'ouvrir une porte, au fond de la salle, et se dirigeait vers la table. Il était revêtu d'une ample soutane blanche et il avait le visage de Jean-Paul II.

— C'est la salle de réunion du Core, dit Chamane. Je vais les rejoindre. Toi, tu te mets derrière l'écran et tu ne dis rien.

— Pourquoi ?

— Parce que je passe en AMC.

— En quoi ?

— AMC. *Audio Movement Capture*. Les deux caméras incorporées au moniteur vont saisir mes paroles et les mouvements de mon visage, puis les traduire sous forme d'animation… Je vais les prévenir que tu es là. S'ils sont d'accord, tu pourras assister à la discussion.

Quelques instants plus tard, Chamane s'adressait à l'écran devant lui.

— Nous sommes au complet, dit-il.

Pour la réunion, il avait choisi d'apparaître sous les traits de Stephen King. Sur l'écran, les visages s'animèrent.

— Ce que j'ai à vous dire ne sera pas très long, poursuivit Chamane. J'ai besoin de vous. Mais, avant d'aller plus loin, je dois vous avertir qu'un *drone* est avec moi. Pour l'instant, il ne peut pas vous voir. Assurez-vous de garder votre personnage et de filtrer votre voix.

MASSAWIPPI, 20 H 09

Bamboo Joe esquissa un sourire.

— Je sais que vous aimez les défis, dit-il. Mais ne commencez pas tout de suite. Laissez-vous jusqu'à demain, pour donner à votre corps le temps de se faire à l'idée.

— Rêver, vous croyez que je vais y parvenir un jour ?

Depuis son enfance, F ne s'était jamais souvenue de ses rêves. Une image fugitive, un vague sentiment de plaisir ou de malaise à l'occasion, au moment du réveil, mais qui s'évanouissait aussitôt qu'elle essayait d'y fixer son attention.

— Rêver n'est pas très différent de ce que vous faites en bâtissant l'Institut, répondit Bamboo. Dans les deux cas, il s'agit de donner de la solidité, une certaine permanence, à une vision que vous avez eue.

— Vous jouez sur les mots !

— Rêver est le prototype de toute activité. C'est laisser émerger en soi une vision, puis lui donner une forme qui lui convienne. Ça demande à la fois beaucoup de discipline et beaucoup de détachement. Au sens de laisser être. Les humains ont le choix : ou bien ils rêvent leur vie et ils donnent forme aux événements pour réaliser leur vision ; ou bien ils laissent les événements les ballotter et leur vie prend la forme que lui impose l'accumulation anarchique des rêves des autres… Quand vous vous entraînez à vivre de façon consciente, vous vous entraînez à rêver. Et réciproquement.

— Je persiste quand même à dire qu'il y en a qui sont privilégiés, répliqua F avec un sourire : pendant que je me tape les débiles majeurs de la planète, ils explorent douillettement leurs petits domaines intérieurs.

— Vous allez y parvenir un jour, vous aussi. Vous verrez, c'est du travail forcé.

— Bien sûr.

— Il faut que j'y aille.

— Vous avez rendez-vous ? À cette heure ?

Au cours des derniers mois, le personnage de bricoleur et d'homme à tout faire élaboré par Bamboo s'était considérablement développé. Au village, il ne se passait pas de journées sans qu'on l'appelle pour toutes sortes de menus travaux. Cela faisait partie de ses exercices de déprise de soi, disait-il. Pour compenser son temps de rêve.

— J'ai effectivement rendez-vous, répondit Bamboo. Avec moi-même. Ou ce qui en tient lieu.

Il ouvrit son agenda pour lui montrer le rendez-vous qu'il avait inscrit à vingt heures trente.

C'était une autre de ses nouvelles manies. Il vivait désormais en suivant aveuglément son agenda. Il y notait tous les rendez-vous avec les gens du village. Ceux-là avaient la priorité. Pour eux, il acceptait de déplacer ses activités. Pour F aussi… habituellement.

Pour le reste, il remplissait son agenda au hasard, en tirant les dés pour décider de ce qu'il ferait ainsi que du temps que durerait son activité.

— Vous n'êtes pas pressé, fit F.

— Il faut que je me prépare. Ce n'est pas le genre de rendez-vous auquel on peut aller sans préparation.

MONTRÉAL, 20 H 13

— *What tha fucka's doin' there ?* fit une voix empruntée à Schwarzenegger.

— Il travaille avec moi sur le projet dont je vous ai parlé.

— *A drone ?* fit une voix rappelant celle de Roger Rabbit. *Did I hear drone ? Did I ? Did I ?...*

— Essayez de ne pas être trop durs avec lui, intervint Chamane. Ce n'est pas parce qu'il est l'équivalent d'un néandertalien informatique qu'il ne connaît pas des choses dans d'autres domaines.

— Il existe d'autres domaines ? demanda sur un ton guttural une voix empruntée au répertoire de Peter Sellers dans son rôle de Clouzot.

— Alors, pas d'objections ? demanda Chamane. Je peux commencer ?

— *Shoot ! Make my day !* répondit Dirty Harry.

— OK, OK... Au fond, c'est assez simple. Je veux avoir tout ce qu'on peut trouver sur cinq compagnies.

— *What tha fuck them comp'ny's doin' ?* demanda Schwarzenegger.

— Du fric. Beaucoup de fric.

— *Money ! Did I hear money ?*

— Elles font affaire avec un nombre limité de banques situées dans des paradis fiscaux. Elles y envoient beaucoup d'argent. Vraiment beaucoup.

— *So ?* fit Dirty Harry.

— Il est probable qu'il s'agisse de blanchiment. Des milliards par année.

— *We ain't no fuckin' cops !* répliqua Schwarzenegger.

— Si je vous dis que c'est lié à un réseau d'extraction d'organes et de trafic d'enfants, ça change quelque chose?

— Foulez-fous dire qué fous afez mêlé nos affaires afec celles dé la polisse ?

— *Fuckin' drone is a fuckin' cop !*

— *Fucking drone is a friend,* répliqua abruptement Chamane. Il est spécialisé en finances.

— Et komment afez-fous optenu ze kontratt ? Hummm ?

— Tout cela ne nous semble pas très catholique, renchérit la voix chevrotante de Jean-Paul II.

— Un échange de services. En retour de l'information sur les compagnies, j'ai un accès à *No Small Ass*... Niveau trois.

— *No Small Ass. Did I Hear the word Ass ? Did I... ?*

— *Shut yar fuckin' mouth, you, stupid fuckin' clown !*

— *Anybody wants cigars ?*

— *You too, Slickie ! Shut it up !*

— Niveau trois, section crypto, reprit Chamane.

— *Fuckin' Creeptos !*

Plusieurs secondes de silence suivirent. Le dernier commentaire semblait résumer l'avis de tous. Le département de cryptographie de la NSA était l'ennemi emblématique de tout *hacker*.

Tout en travaillant sans relâche pour se maintenir à la fine pointe des techniques de cryptographie, la NSA faisait pression pour que soit interdite l'utilisation publique de méthodes trop sophistiquées.

Son but était de maintenir une surveillance des communications privées, commerciales et militaires sur l'ensemble de la planète, tout en demeurant elle-même à l'abri de l'espionnage électronique grâce à des méthodes de cryptographie plus évoluées.

Accéder à la partie du réseau utilisée par les Creep Techs et voir sur quoi ils travaillaient, c'était réaliser le *crack* ultime. Personne n'avait jamais réussi à survivre plus d'une minute quinze au niveau deux du réseau informatique de la NSA. Et ceux qui avaient réussi étaient maintenant en tôle. Officiellement pour d'autres motifs.

Quant au niveau trois, personne n'y avait jamais accédé.

— *Fuckin' Sneak is movin' in fuckin' mysterious ways !*

— Notre bien-aimé collègue aurait-il pactisé avec le diable pour obtenir cet accord?

— Fery intéressante questionn', approuva Clouzot.

— J'ai effectivement traité, de façon couverte, avec un type des milieux du renseignement. Je l'ai contacté après avoir *hacké* son ordinateur en riposte à une tentative de *hack* sur le mien.

— Jarmant personnache, fotre ami!

— Il vérifiait les adresses IP qui avaient été en contact avec un site de pédophiles que je me préparais à faire sauter. La veille, j'avais infiltré leur ordinateur pour me préparer à lancer l'attaque. Lui l'avait infiltré depuis une semaine et il enregistrait les adresses de ceux qui entraient sur le site. J'avais utilisé l'appareil d'un prof du MIT comme point de départ. Quand j'ai réutilisé son ordinateur, trois jours plus tard, il m'a envoyé un *worm* que j'ai intercepté.

— *You trustin' a fuckin' cyber cop!*

— Je me suis dit que si on trouvait correct de faire sauter les sites de pédophiles, ça devait être correct de faire sauter les pédophiles avec eux… Sauter dans le sens d'expédier en tôle.

— La cause est juste, admit Jean-Paul II, mais est-il sage de se fier à son défenseur?

— Le type ne me balancera pas à son agence. Pour lui, c'est une affaire personnelle… Ses enfants ont été kidnappés et leurs organes ont été éparpillés sur la planète.

— *Fuckin' Keeerissst!… Tha fuckin' guy must be fuckin' stone crazy!*

La discussion se poursuivit pendant une vingtaine de minutes. Chamane plaida pour l'établissement d'alliances informelles avec des représentants de certaines agences lorsque c'était utile. Si les U-Bots faisaient la preuve qu'ils pouvaient non seulement nettoyer eux-mêmes le réseau, mais aider à lutter contre certaines formes de criminalité informatique, la pression se relâcherait peut-être pour que le gouvernement établisse un contrôle direct sur le Net.

— *Fuckin' Sneak is bein' his fuckin' sneaky self!*

— Je serai le seul point de contact avec le *No Small Ass boy*, poursuivit Chamane. Et il sera le seul point de contact avec moi. Toutes les rencontres se feront sur le Net. Il ne connaît pas vos identités. On ne peut pas avoir de relations plus protégées.

— Vous savez ce que l'Église pense des relations protégées, mon fils, fit Jean-Paul II. Néanmoins, dans ce cas…

— *OK, let's roll!* l'interrompit Dirty Harry.

— *Let's see what tha fuckin' comp'nies are cookin'!*

Une fois l'accord obtenu, Chamane leur donna le nom des cinq compagnies, en leur demandant de se consacrer en priorité à MultiGestion Capital International.

Schwarzenegger y alla d'une nouvelle question.

— *Tha fuckin' drone… what's he doin' in tha fuckin' deal?*

— C'est un ami. Je l'ai recruté pour m'aider à analyser les documents financiers que vous allez déterrer un peu partout. Il va maintenant vous expliquer quel type de documents il faut chercher. Pour des raisons de sécurité, vous allez uniquement entendre sa voix.

— Fous lui faites peaucoup confiance, non ?

— Totalement.

— Même la foi doit être pratiquée avec modération, mon fils ! La démesure est souvent le masque de l'orgueil.

Un quart d'heure plus tard, Chamane éteignait le dispositif AMC.

— Et alors ? demanda-t-il à Yvan. Comment as-tu trouvé ton expérience ?

— J'avais l'impression d'être au zoo.

— Ce sont les meilleurs.

— C'est courant, parmi les *hackers*, de ranger dans les *drones* tous ceux qui ne font pas de *hacking* ?

— C'est plus court que « personnes non éducationnellement équipées pour le décodage furtif de séquences informatiques à accès restreint utilisées à des fins dissimulatrices, contrôlantes ou perverses ».

— *Oh boy*... Ça faisait combien de temps que tu attendais pour la passer, celle-là ?

— Tsé, *man*, les dictionnaires, moi, j'les ai tous, sur mon ordinateur.

— Vous êtes sérieux avec votre idée de nettoyer Internet ?

— Ceux que tu as entendus ce soir constituent le Core. Chacun a mis sur pied plusieurs équipes de bénévoles qui ont des tâches précises. Il y a des escouades anti-pédos, anti-racistes, anti-*crackers*...

— Anti-*crackers* ?

— Ceux qui s'amusent à faire du *hacking* pour foutre le bordel partout. Il y a aussi une ou deux escouades de testeurs, qui vérifient la qualité des produits informatiques mis sur le marché et qui publient les résultats sur le Net. Mais ça, on en a de moins en moins; maintenant, il y a pas mal de groupes connus qui font le travail : LØPHT, @stake, New Order, Bugtraq...

— Et pour les compagnies ? Tu penses qu'ils vont trouver quelque chose d'intéressant ?

— Ils sont probablement déjà en train de traverser leurs dispositifs de sécurité. Ça ne devrait pas être très long avant qu'on ait des résultats.

Deux autres facteurs peuvent influencer significativement l'efficacité du chantage : le degré d'isolement de la personne visée – lequel se traduit habituellement dans le degré d'attachement à son animal domestique – et l'unicité de l'objet aimé. Ainsi, un perroquet à qui son propriétaire a consacré des années pour lui apprendre une centaine de mots sera plus précieux qu'un chien nouvellement acheté…

Leonidas Fogg, *Pour une gestion rationnelle de la manipulation*, 4- Asservir par les passions.

SAMEDI, 25 SEPTEMBRE 1999

BERNE / CANBERRA, 6 H 12

L'ordinateur central de MultiGestion Capital International enregistra la demande pour ajouter un deuxième mot de passe au niveau sysop et afficha une fenêtre, de l'autre côté de la planète, sur l'écran de Sweet Fingers, également connu sous le nom de Spambot parmi le groupe des U-Bots.

— Loué soit le nom de Bill Gates ! cria le *hacker*.

Une fois de plus, une brèche non réparée dans la sécurité d'un produit Microsoft lui avait permis de s'introduire sans trop de difficultés dans un ordinateur hautement protégé.

Les gens n'apprenaient pas, songea-t-il. Il y avait plus d'un an que cette brèche avait été annoncée par Bugtraq et les différents sites spécialisés en sécurité. On y expliquait en détail la nature de la brèche, ce qu'elle permettait de faire et comment procéder pour en tirer parti ; on fournissait également un mini programme pour la neutraliser.

Sweet Fingers dactylographia trois lettres dans la case active : GOD.

L'instant d'après, l'ordinateur lui confirma qu'il avait le statut de sysop. Cela voulait dire qu'il avait un contrôle complet sur l'appareil, y compris sur le système de sécurité.

Sweet Fingers commença par examiner l'ensemble des mécanismes de protection puis, quand il se sentit suffisamment à l'aise, il installa un accès de niveau supérieur à celui du sysop précédent. Il colmata ensuite la brèche dans le serveur Windows, puis il amorça le transfert de la banque de données de la compagnie sur son propre ordinateur. À cinq megs/seconde, le transfert sur la ligne LNPA prit trente-huit minutes.

Une fois le transfert terminé, il rompit la communication. Désormais, il pourrait le retrouver à volonté sur le réseau interne de MultiGestion Capital International pour mettre à jour sa copie du site.

Un instant, il eut des remords d'avoir colmaté la brèche dans la sécurité du réseau : cela compliquerait la tâche des autres membres des U-Bots qui tenteraient de s'y introduire. Puis il se dit que ce serait excellent pour eux : ça rendrait le jeu plus intéressant.

Avant d'avoir terminé, il lui restait une dernière chose à faire : entrer dans le système du fournisseur téléphonique de MultiGestion Capital International et effacer les traces de la dernière communication. L'opération lui prit moins de quatre minutes : il s'agissait d'une compagnie à laquelle il avait obtenu accès en échange d'un travail effectué la semaine précédente pour un *hacker* français.

LONDRES, 8 H 21

Barry Lonsdale n'était pas encore habitué à son nouvel emploi. Le bureau qu'on lui avait attribué, au dernier étage du complexe Cassidy Towers, était plus vaste que tout l'appartement qu'il habitait un mois plus tôt, dans un sous-sol qui tombait en ruine.

Il lui avait suffi de deux heures de travail et d'un message électronique pour que sa vie bascule. Après être tombé par hasard sur le site de MultiGestion Capital International, il avait testé leur sécurité. Très vite, il avait repéré plusieurs failles. Après avoir trouvé le nom du président du Conseil d'administration dans les archives de la compagnie, il lui avait expédié un bref message pour l'informer du problème et lui offrir ses services pour le régler. En guise de bonne foi, il avait décrit une des failles et il avait indiqué de quelle manière elle pouvait être colmatée.

Les compagnies ainsi contactées acceptaient parfois de lui octroyer un contrat pour réviser l'ensemble de leur dispositif de sécurité. Il avait alors de quoi travailler pendant quelques semaines. Parfois quelques mois.

Deux jours après avoir laissé son message, Lonsdale avait reçu une réponse. On lui donnait rendez-vous. Mais il était hors de question de l'engager comme contractuel. L'entrevue déterminerait si on lui offrait ou non le poste de responsable de la sécurité informatique pour l'ensemble de l'entreprise.

Le soir même, il rencontrait un représentant de la compagnie dans un chic restaurant de Londres. Un nommé Claude Brochet. À la fin du repas, ce dernier lui fit une offre formelle d'emploi, assortie d'une condition : il devait accepter de travailler pour un minimum de cinq ans et commencer le soir même. Le salaire qu'on lui proposait était supérieur à ce qu'il avait demandé.

C'était de cette manière que Barry Lonsdale, alias TricKy kOde, un des *hackers* les plus connus de la région de Londres, était devenu directeur de la sécurité informatique de MultiGestion Capital International.

Un travail à temps plein. Plus qu'il ne l'avait d'abord réalisé. Une clause de son contrat stipulait qu'il ne devait jamais se séparer de son cellulaire. Qu'il devait toujours être en mesure de répondre à une urgence, quelle que soit l'heure ou la journée.

— Monsieur Lonsdale ?

— Oui ?

— Ici James Bennett. Je pense qu'il y a eu une pénétration.

— J'arrive.

Une heure plus tard, Lonsdale avait pris connaissance des multiples tentatives d'intrusion dont le réseau avait fait l'objet au cours de la nuit.

— Probablement des jeunes qui s'amusent, dit-il.

Autant d'attaques concentrées, c'était le signe que les membres d'un groupe de *hackers* s'étaient donné le mot et qu'ils avaient utilisé le réseau de la compagnie comme défi. Lui-même avait souvent participé à ce genre de compétition. Cela lui faisait étrange de se retrouver de l'autre côté de la barrière.

Un détail, toutefois, le tracassait. En examinant l'activité téléphonique, il avait trouvé une utilisation pour laquelle aucune requête n'existait dans les archives. L'adresse était un rerouteur situé en Australie.

Une de ses premières décisions, en tant que responsable de la sécurité informatique, avait été de renforcer la surveillance du système téléphonique. Depuis, toutes les communications qui sortaient de MultiGestion Capital International étaient enregistrées par un ordinateur indépendant, extérieur au réseau, qui comptabilisait tous les appels.

Selon les archives de cet ordinateur, un appel avait été fait au système australien de reroutage, au début de la période de détection de l'activité des *hackers*. Toute référence à cet appel avait été effacée du réseau informatique. Se pouvait-il qu'un *hacker* ait réussi à pénétrer le réseau, à pirater de l'information et à effacer ses traces ?

Si c'était le cas, il ne s'agissait pas de jeunes qui s'amusaient, comme il l'avait d'abord pensé, mais d'une véritable pénétration.

Lonsdale décida de demander une vérification à la compagnie de téléphone avec laquelle MultiGestion Capital International faisait affaire. La compagnie ne retrouva aucune trace de l'appel. La conclusion s'imposait : le réseau avait été pénétré par un *hacker* particulièrement habile, qui avait été jusqu'à effacer ses traces dans les archives de la compagnie téléphonique.

Le responsable de la sécurité informatique n'avait pas le choix d'aviser la direction. Aucun dossier ne semblait avoir été saboté, aucun dégât ne semblait avoir été causé, mais il ne pouvait pas courir de risque.

Pour les problèmes de la sorte, la personne à contacter était Darius Petreanu, le PDG de la compagnie.

MONTRÉAL, 10 H 28

Blunt fit le tour de la pièce du regard et remarqua tout de suite le trou dans la série de moniteurs qui s'alignaient contre le mur.

— Qu'est-ce qui s'est passé ?

— Je l'ai prêté à Geneviève. Le sien a sauté… Elle est là, dit-il en faisant un geste vers un des écrans.

— Là ?

Chamane agrandit une des multiples fenêtres ouvertes dans la partie gauche de son écran de vingt et un pouces.

— Elle est sur ICQ. On parle de temps en temps pendant qu'on travaille.

— Et les autres fenêtres ?

— Deux *chat rooms* sur le développement d'Internet. Les trois chaînes d'informations… Dans le coin, en bas, c'est un ami qui travaille sur un problème de programmation 3D. Quand il a une question, il la tape et on regarde ça ensemble…

Dans le coin supérieur droit, un autre carré se découpait : MTV.

Blunt n'était plus surpris de voir l'encombrement de fenêtres qui peuplait les trois moniteurs allumés en permanence.

Chamane lui avait déjà expliqué qu'une des caractéristiques des bons *hackers* était la capacité de travailler en multitâche. De traiter simultanément plusieurs lignes d'informations en sautant rapidement de l'une à l'autre. Cela favorisait la pensée parallèle et la créativité, disait-il... Et c'était une des raisons pour lesquelles il était fasciné par Hurt.

— Penses-y, avait-il déclaré lorsque Blunt lui avait annoncé que Hurt dirigerait le projet Money Trap. Un tas de personnalités qui travaillent en parallèle ! Imagine le pouvoir créateur que ça représente !

— Alors ? fit Blunt. Tu as contacté les U-Bots ?

— Oui. Les résultats commencent à rentrer.

— Tu n'as pas eu trop de difficultés à les convaincre ?

— Je leur ai promis un accès niveau trois au réseau de la NSA. Secteur du décryptage.

Blunt se contenta de le regarder sans rien dire.

— C'est limité à la section des emmerdeurs, se défendit Chamane.

— Les emmerdeurs... ?

— Ceux qui font la chasse aux *hackers*.

— Ça prend quelqu'un pour s'occuper de la sécurité.

— La sécurité, oui. Je suis d'accord. Mais, pour s'occuper de la sécurité, comme tu dis, ils devraient arrêter de faire la chasse aux jeunes qui commencent et se concentrer sur ceux qui font de vrais dégâts. Mais c'est vrai que c'est moins facile...

— Ils en ont quand même arrêté quelques-uns.

— Chaque fois avec notre aide... Ils devraient remercier les milliers de jeunes *hackers* qui s'essaient partout. C'est grâce à eux que les failles de sécurité sont trouvées rapidement et que les produits deviennent plus sécuritaires.

— Je sais, ironisa Blunt. Si les *hackers* n'existaient pas, le Net serait une jungle truffée de pièges, de virus et de produits Microsoft !

— Tu sais la raison pour laquelle ils ont choisi Windows comme nom ?

— Je sens que je vais l'apprendre.

— Parce que ça leur donne une fenêtre ouverte sur tous les ordinateurs qui utilisent leur système ! À eux et à tout le monde !... S'ils veulent rendre le Net plus sécuritaire, qu'ils commencent par interdire les produits qui ne le sont pas.

— La liberté de commerce...

— Ils pourraient faire comme les cigarettes. Sur chaque boîte de logiciel Microsoft, mettre un avertissement : le danger de piratage croît avec l'usage. Et, à l'ouverture du logiciel, qu'ils affichent en blanc sur un carré noir tous les risques de sécurité auxquels l'utilisateur s'expose.

Blunt avait toujours plaisir à aiguillonner Chamane sur la question des *hackers* et de la sécurité des produits que l'industrie mettait sur le marché. Il n'était pas loin de partager son avis, mais il se gardait bien de le lui dire. Son rôle était de faire contrepoids aux initiatives parfois un peu exubérantes de Chamane.

— Tu crois qu'ils vont pouvoir retracer l'origine de la fuite ?

— À *No Small Ass* ? Ils ne seraient même pas capables de trouver leur derrière la lumière allumée.

Blunt prit la réponse avec un grain de sel. Il savait pertinemment que l'équipe de la NSA comptait parmi ceux que Chamane respectait le plus. Il l'avait vu bûcher pendant trois semaines avant de réussir à percer la sécurité du niveau deux. Quant au niveau trois, il avait admis avoir profité d'un coup de chance. « Un débile qui a laissé une série de codes d'accès dans un secteur à peu près pas protégé. »

Le début de l'introduction musicale de *Broken English* se fit entendre. Une photo d'un pouce carré apparut sur l'écran. Une jeune femme, début de la vingtaine, longue mèche blonde sur le front, le reste des cheveux assez courts, regardait directement l'écran.

— Geneviève est en ligne, fit Chamane.

Il cliqua sur l'image et la fenêtre du logiciel de conversation apparut dans le coin inférieur gauche de l'écran. Du texte commença à s'afficher.

Chamane se tourna vers Blunt.

— En fin de soirée, dit-il, je te transmets ce que j'ai reçu des U-Bots. Ça va ?

— Ça va… Tu en es rendu aux amours par clavier ?

— Sa fenêtre est toujours ouverte sur mon ordinateur. Quand elle envoie un message, sa photo apparaît.

— Ça ne fait pas un peu… froid, les amours électroniques ?

— Pas seulement électroniques. Mais ça repose, d'avoir un *break* de présence directe. Sur le Net, c'est une présence plus *soft*. Plus *cool*.

Une nouvelle fenêtre s'afficha à l'écran.

Un monde pour les enfants

On vous a tout donné…
Hiroshima et Tchernobyl
Tian'anmen et la Bosnie
le Vatican, les bidonvilles
le Kosovo, la Somalie…
On vous a tout donné…

Je suis l'enfant que l'on rabaisse
l'enfant rêveur que vous frappez
pour lui apprendre à vivre.
Je suis l'enfant que l'on engraisse
l'enfant docile que vous élevez
pour lui apprendre à suivre.

On vous a tout donné…
les condoms, le crack, la poutine, les vidéos
le sida, le kitsch, les tatous, les casinos

— De la poésie ? demanda Blunt après avoir parcouru une partie du texte.

— Une chanson. Ça fait partie du spectacle que Geneviève prépare avec des amis. Quand ils en ont une d'écrite, elle me l'envoie pour savoir ce que j'en pense.

— Je peux ?

— *For your eyes only !*

BERNE, 16 H 41

Darius Petreanu tenait le combiné à son oreille. Après la cinquième sonnerie, une voix de femme répondit.

— Madame Breytenbach, s'il vous plaît ? demanda-t-il.

— Darius, vous savez que c'est mon cellulaire. Il n'y a personne d'autre que moi qui peut répondre.

— J'appelle pour vous confirmer que le Centre financier pourra commencer sa phase de rodage selon l'échéancier prévu. Les composantes essentielles sont en place.

— Je transmettrai l'information à qui de droit.

— Pour les premiers tests, nous fonctionnerons seulement à dix pour cent de notre capacité. Nous augmenterons ensuite progressivement le volume de traitement.

— Comment se passe votre collaboration avec le Spider Squad ?

— La première équipe s'occupe de gérer le personnel que nous contrôlons dans les différentes boîtes. La deuxième se concentre sur le recrutement de nouveaux clients.

— Vous êtes toujours satisfait de leur travail ?

Petreanu perçut l'ironie dans la voix de Ute, mais il choisit de ne pas réagir.

— Je dois admettre que je suis impressionné, dit-il. Je n'aime toujours pas la méthode utilisée pour disposer des excédents de personnel – personnellement, je trouve le procédé un peu trop folklorique – mais bon, jusqu'à maintenant, tout semble fonctionner.

— Qu'est-ce que vous avez contre les vampires ?

— Je les préfère au cinéma.

— Je sens que vous êtes du genre à préférer les animaux dans les livres d'images pour enfants.

— Pour ce qui est de Hope Fund Management, les opérations devraient commencer dès lundi. Comme c'est le cœur du dispositif, je préfère vérifier la réaction des marchés à ce nouveau joueur et voir comment se comporte le personnel.

— Souhaitons que tout se passe sans problème.

MONTRÉAL, 10 H 44

Blunt fit dérouler le texte à l'écran et acheva la lecture.

> le rêve en statistiques, les églises et l'ennui
> les écoles qui épuisent, les poumons vert-de-gris
> On vous a tout donné…
>
> Je suis l'enfant de vos ghettos
> je suis l'bébé déjà junkie
> qui vient au monde en état d'manque
>
> Je suis l'enfant toujours de trop
> qui s'désagrège dans le sida
> dans la bêtise, la négligence…

— On ne peut pas dire que c'est très joyeux, fit Blunt en se tournant vers Chamane.

— À mon avis, ça manque encore de punch, mais c'est assez bien placé, je trouve.

— C'est elle qui écrit les paroles ?

— Oui. C'est une fille câblée top niveau, Geneviève. Dans sa tête, la programmation est impec.

— Câblée top niveau ! répéta Blunt. J'imagine la tête que ferait Kathy si je lui disais qu'elle est câblée top niveau !

— C'est le contraire de ceux qui ont du rose dans le cerveau et des organigrammes dans les sentiments !

— Présenté comme ça… Bon, je te laisse à tes fenêtres.

— Si tu as besoin que je te trouve de nouveaux sites de go sur le Net, tu le dis. Je peux le faire à partir d'ici…

— Tu ne touches pas à mon ordinateur ! Il fonctionne très bien et je n'ai pas envie qu'il serve de cobaye pour tes expériences !

La première fois que Chamane avait voulu améliorer l'ordinateur de Blunt, l'appareil avait planté. Il avait fallu deux heures de travail pour tout reconstruire. Réponse de Chamane à l'époque : « Comment est-ce que je pouvais savoir que tu laissais traîner autant d'antiquités sur ta machine ! C'est courir après le désastre ! »

Depuis ce moment, Blunt refusait systématiquement que Chamane s'approche à moins de deux mètres de son ordinateur personnel. C'était déjà bien assez qu'il doive supporter les réajustements du réseau, puisque c'était Chamane qui avait la charge de son entretien et de sa mise à jour!

Le système qu'il avait construit à partir de Linux était un petit bijou, au dire de Kim. Mais c'était aussi un chantier perpétuel. Chamane ne cessait d'y apporter des ajouts, s'inspirant de tout ce que les utilisateurs Linux développaient et rendaient disponible sur le Net.

Par mesure défensive, Blunt s'efforçait d'en suivre le développement, de telle sorte que, sur son ordinateur personnel, c'était lui qui faisait les mises à jour. Chamane ne ratait jamais une occasion de lui offrir d'effectuer le travail à sa place.

— Au cours des prochains jours, tu vas probablement devoir travailler plus souvent avec Hurt, fit Blunt.

— Pas de problème, j'ai justement quelque chose pour lui.

— Je te confirme ça en fin de soirée ou demain matin.

RDI, 12 H 23

— J'ai le plaisir d'avoir avec moi un authentique vampire. Monsieur Vladimir Dracul. Est-ce que je prononce bien?

— Vladimir Drakoul.

— D'accord. Et vous êtes d'origine...?

— Québécoise. De Longueuil, en fait.

— Dracul... Dracula... Spontanément, j'aurais pensé à la Transylvanie subcarpatique!

— Mon grand-père est né près de là. En Vojvodine. Après la Deuxième Guerre mondiale, il a émigré ici. Il a changé son nom pour celui de Vladimir Drake. J'ai décidé d'assumer mon héritage et de reprendre le nom de ma lignée.

— Monsieur Dracul, vous êtes au courant comme moi des attentats qui ont eu lieu au cours du printemps. Et de celui qui a eu lieu il y a quelques jours.

— Bien entendu.

— Vous comprendrez que je me dois de vous poser cette question: avez-vous, vous-même ou certains de vos amis, participé d'une manière ou d'une autre à ces attentats?

— Non.

— Étiez-vous au courant qu'ils se préparaient?

— Non plus.
— Et pourtant, vous êtes des vampires…
— Oui.
— Faut-il comprendre qu'il existerait d'autres vampires avec lesquels vous n'auriez pas de relations ?
— C'est possible.
— Pourquoi « possible » ?
— Parce que c'est une des hypothèses pouvant expliquer ces attentats. Une autre, plus probable à mon avis, est celle d'un assassin, tout ce qu'il y a d'ordinaire et de conventionnel, qui utilise ce procédé pour faire dévier les soupçons sur nous.
— Êtes-vous en train de me dire que les vampires ne boivent pas de sang ?
— Pas du tout.
— Vous, personnellement, avez-vous déjà bu du sang humain ?
— Bien sûr. Mais je n'ai jamais attaqué personne. Nos victimes, comme vous les appelez, sont consentantes. En fait, nous échangeons notre sang entre membres du groupe. Nous nous nourrissons les uns les autres.
— C'est une sorte de rituel ?
— Plus qu'un rituel. C'est un moyen d'évoluer. La consommation régulière de sang humain déclenche un processus de mutation, variable selon les dispositions génétiques des individus. Chez ceux qui sont les plus avantagés génétiquement, le processus peut se poursuivre jusqu'au bout. Ils deviennent d'authentiques vampires.
— À savoir ?
— Leur longévité s'accroît considérablement, leurs réflexes sont plus vifs, leur système immunitaire se renforce et leur capacité d'autorégénération augmente de façon importante. Il y a cependant quelques inconvénients : la peau devient presque diaphane, la dentition se déforme un peu et les yeux deviennent très sensibles à la lumière du soleil…

MONTRÉAL, 12 H 29

Claude Brochet ferma la télé et récupéra son veston sur le dossier de la chaise. Il aurait aimé entendre toute l'émission, mais il devait passer au bureau pour exécuter un programme de transferts. Ensuite, il avait rendez-vous à la Caisse de dépôt.

On ne pouvait pas reprocher à Dracul de ne pas bien faire son travail, songea-t-il. Il était en train de donner à son groupe une visibilité, une présence médiatique qu'il serait facile d'utiliser.

RDI, 12 H 31

— MAIS DITES-MOI, LES AUTRES? CEUX QUI NE DEVIENNENT PAS DE VÉRITABLES VAMPIRES?
— ILS PROFITENT DES MÊMES BIENFAITS, MAIS À UN DEGRÉ MOINDRE.
— VOUS, PERSONNELLEMENT, AVEZ-VOUS ATTEINT LE NIVEAU DE VÉRITABLE VAMPIRE?
— LA PERSONNE QUI ME GUIDE SUR CETTE VOIE AFFIRME QUE JE SUIS SUR LE POINT DE FRANCHIR L'AVANT-DERNIÈRE ÉTAPE. MA TRANSFORMATION COMPLÈTE EST PROCHE.
— LA PERSONNE QUI VOUS GUIDE... VOUS VOULEZ DIRE QU'UNE PERSONNE NE PEUT PAS, PAR ELLE-MÊME, SE LANCER SUR LA VOIE DE CET... APPRENTISSAGE?
— CE N'EST PAS COMPLÈTEMENT IMPOSSIBLE. IL Y A EU DES CAS AU COURS DE L'HISTOIRE. CERTAINES NATURES PARTICULIÈREMENT FORTES... MAIS C'EST UNE ENTREPRISE DIFFICILE ET BEAUCOUP PLUS RISQUÉE.
— DITES-MOI, SI VOUS N'AVEZ RIEN À VOUS REPROCHER, POUR QUELLE RAISON VOTRE CLUB, COMME VOUS L'APPELEZ, EST-IL SECRET?
— À CAUSE DES PRÉJUGÉS QUE CERTAINS PEUVENT AVOIR À NOTRE ENDROIT. AUTANT MINIMISER LES OCCASIONS DE CONFLIT.
— VOUS PENSEZ QU'IL POURRAIT Y AVOIR CONFLIT?
— NOTRE MODE DE VIE EST EN MARGE DES NORMES SOCIALES. DÈS QU'IL Y A UN PROBLÈME DANS UNE SOCIÉTÉ, CE SONT CES GROUPES QUI SONT BLÂMÉS. CE SONT DES BOUCS ÉMISSAIRES FACILES.
— IL SUFFIRAIT QUE VOUS EXPLIQUIEZ AUX GENS CE QUE VOUS FAITES, NON?
— LES GENS ONT DE LA DIFFICULTÉ À NE PAS ÊTRE RACISTES POUR DES RAISONS AUSSI SUPERFICIELLES QUE LA COULEUR DE LA PEAU. IMAGINEZ, SI NOUS LEUR EXPLIQUIONS QUE NON SEULEMENT NOUS SOMMES UNE RACE DIFFÉRENTE, MAIS QUE NOUS SOMMES EN TRAIN DE DEVENIR UNE ESPÈCE DIFFÉRENTE. SUPÉRIEURE, EN FAIT.
— ET VOUS N'AVEZ VRAIMENT RIEN À VOIR DANS LES ATTENTATS DES DERNIERS MOIS?... PARCE QUE, SI VOUS VOUS CONSIDÉREZ COMME UNE ESPÈCE SUPÉRIEURE, QU'EST-CE QUI VOUS EMPÊCHE DE CONSIDÉRER LES ÊTRES HUMAINS ORDINAIRES DE LA MÊME MANIÈRE QUE CEUX-CI CONSIDÈRENT LES ANIMAUX?
— L'ÉVOLUTION DONT NOUS SOMMES PORTEURS N'EST PAS SEULEMENT PHYSIQUE, ELLE EST AUSSI MORALE. NOUS CONSIDÉRONS LES ÊTRES HUMAINS COMME LE PLACENTA COLLECTIF DONT NOUS ÉMERGEONS. NOUS NOUS SENTONS UNE RESPONSABILITÉ ENVERS EUX. POUR L'INSTANT, NOTRE PREMIER DEVOIR EST D'EXISTER, DE FAIRE EXISTER NOTRE ESPÈCE. MAIS,

DÈS QUE NOUS AURONS ATTEINT UNE MASSE CRITIQUE SUFFISANTE POUR GARANTIR NOTRE PROPRE SURVIE...
— IL FAUT MAINTENANT ALLER À LA PAUSE. TOUT DE SUITE APRÈS, NOUS PRENDRONS UN PREMIER APPEL...

MONTRÉAL, 13 H 25

Léandre Duquette, le vice-président aux placements internationaux de la Caisse de dépôt, entra dans le bureau de la présidente sans frapper. Il amenait avec lui un invité.

— Je vous présente Claude Brochet, dit-il. De Hope Fund Management.

Lucie Tellier releva les yeux de son dossier et fit un geste pour les inviter à s'asseoir à la table de conférence, à l'autre bout du bureau. Elle continua ensuite de lire pendant quelques secondes avant de les rejoindre, pour bien marquer son agacement. Duquette ne manquait jamais une occasion de lui montrer qu'il pouvait faire ce qu'il voulait et cela commençait à lui tomber sur les nerfs.

— J'ai apporté une copie du nouveau plan de gestion des placements internationaux, fit Duquette en tendant un document à la présidente.

Cette dernière commença à le feuilleter.

— Comme vous le savez, reprit Duquette, notre performance sur le marché des actions internationales est assez quelconque. Pour ce qui est des actions américaines, ce n'est guère plus reluisant. On en est réduits à en gérer une grande partie de façon indicielle – autrement dit, à ne pas les gérer – pour ne pas faire trop de pertes.

Lucie Tellier releva les yeux vers Duquette et le dévisagea.

— C'est de notoriété publique, se défendit Duquette. Ce n'est pas encore la catastrophe, mais...

— Vous pouvez compter sur ma discrétion, s'empressa de lui assurer Brochet.

La présidente continua de feuilleter le document.

— Au cours des dernières années, reprit Duquette, nos tentatives d'association avec des gestionnaires étrangers n'ont pas été très fructueuses.

— C'est pour ça que vous proposez de récidiver ? ironisa la présidente. Vous voulez essayer un autre gestionnaire étranger ?

— Hope Fund Management est une société à charte québécoise, corrigea doucement Brochet.

— Et alors ? Ça fait simplement un gestionnaire de plus qui voudrait que la Caisse lui confie des fonds pour pouvoir grossir.

— Avant de dire non, répondit Duquette, vous devriez écouter ce qu'il a à nous dire.

— Je n'ai pas dit non à votre proposition – ou à la sienne, je ne sais plus –, j'ai simplement rappelé que la Caisse vit dans un environnement où tout le monde la dénonce, mais tout le monde voudrait qu'elle lui confie des mandats de gestion.

— Je serai bref, reprit doucement Brochet. Je vous propose un rendement indiciel avec une valeur ajoutée d'un et demi pour cent. Garanti.

— Sur les marchés hors Amérique du Nord ?

— Sur tous les marchés. Incluant les États-Unis.

— Un et demi de valeur ajoutée ?

— C'est ça.

— Si jamais vous vous trompez et que vous vous retrouvez à six ou sept pour cent en bas du marché, ça peut vous coûter des millions ! Des centaines de millions…

— C'est un risque que nous sommes prêts à courir.

— Vous, peut-être, mais pas moi. Qui me dit que vous avez les reins assez solides pour assumer de telles pertes ?

— Hope Fund Management est prêt à déposer vingt pour cent de la valeur des fonds que vous allez nous confier en collatéral, dans une fiducie, à titre de garantie.

— Depuis quand disposez-vous de sommes pareilles ?

— Nous avons conclu une alliance stratégique avec un partenaire européen.

La présidente fit une pause, comme si elle cherchait un nouvel angle d'attaque.

— Et vos frais de gestion ? demanda-t-elle finalement.

— Ils sont prélevés sur la valeur ajoutée supérieure à un et demi pour cent. Nous la partageons avec nos clients. Moitié-moitié.

— Vous voulez dire que vous garantissez le capital investi, que vous garantissez un et demi pour cent de valeur ajoutée et que vous nous donnez en plus la moitié de la valeur ajoutée supplémentaire ?

— Exactement.

— Je ne vois pas comment vous pouvez promettre ça.

— Nous avons développé de nouveaux modèles quantitatifs. Nous exploitons les inefficiences de marché à l'échelle planétaire, autant sur les cours boursiers et ceux des denrées que sur le marché de la dette et celui des devises. Nous faisons également de l'arbitrage entre les marchés à terme et les marchés spot. Tout cela de façon intégrée. C'est la synergie de l'ensemble qui nous permet d'être aussi efficaces.

— Ça fait de belles phrases à mettre dans une présentation. Si vous m'expliquiez ça en détail.

— Vous comprendrez que je doive être discret. La compétition étant ce qu'elle est…

— Comme c'est commode !

— Il y a une condition, toutefois, que je ne vous ai pas mentionnée : le modèle fonctionne sur un horizon minimal de quatre ans.

— Vous voulez dire que vous garantissez le rendement sur quatre ans, mais que, pour une année donnée, ça pourrait ne pas fonctionner ?

— Pas du tout. Nous garantissons le rendement annuel du fonds. Mais, pour des raisons de stratégie, nous devons prendre divers engagements superposés sur l'ensemble des fonds pour une période de quatre ans.

— Vous me permettrez d'être sceptique.

— Beaucoup de gens étaient sceptiques quant aux chances de succès des fonds Fidelity, au début.

— On ne peut pas dire que vous manquez d'ambition.

— J'ai surtout la chance d'être secondé par une équipe technique remarquable. Évidemment, avec les salaires que nous payons, le recrutement d'une main-d'œuvre de premier plan ne pose aucun problème. Au cours de l'été, nous avons d'ailleurs acquis d'excellents éléments qui venaient de la Caisse de dépôt.

— Si vous vous permettez encore une seule fois de…

Duquette sentit le besoin d'intervenir pour désamorcer la situation.

— Vous trouverez la proposition précise à la page vingt-sept, dit-il en s'adressant à la présidente.

Cette dernière prit le temps de lire le passage que lui indiquait Duquette.

— Vous proposez de leur transférer la gestion de l'ensemble de nos placements internationaux ! s'exclama la présidente.

— Sauf le Québec Mondial, les placements privés et les investissements immobiliers.

— Toutes les opérations de marché, autrement dit.

— C'est ça.

— Ça représente plus de douze milliards. C'est plus de onze pour cent des actifs de la Caisse.

Elle se tourna vers Brochet.

— Je vous prierais d'attendre quelques minutes dans le salon, à l'entrée du bureau, dit-elle. Le vice-président et moi avons quelques points à discuter.

— Bien entendu, fit Brochet sur un ton compréhensif. C'est la moindre des choses.

MONTRÉAL, 13 H 27

Antoine Savary ouvrit l'enveloppe et regarda le message qu'il venait de recevoir.

Ceux qui ont fêté mon départ se sont réjouis un peu trop vite. J'avais seulement pris des vacances, comme y a droit tout travailleur consciencieux et appliqué. Je vous reviens maintenant en pleine forme, la tête remplie de projets. Les emmerdeurs en tous genres et les exploiteurs n'ont qu'à bien se tenir.

Jos Public, vengeur du peuple

Conformément aux consignes qu'il avait reçues avec le message, Savary téléphona au Service de police de la CUM et demanda à parler au directeur. Les consignes de l'expéditeur étaient claires : avant de publier le texte du message dans *La Presse* du lendemain, il devait d'abord informer le directeur du SPCUM de sa teneur.

MONTRÉAL, 14 H 03

— Vous êtes tombé sur la tête ou quoi ? demanda Lucie Tellier. C'est pour une histoire comme ça que vous me faites venir à mon bureau un samedi !

— C'est le meilleur *deal* qu'on peut faire, répliqua Duquette.

— Vous avez pensé aux titres dans les journaux ? La Caisse cède douze milliards à une entreprise privée. Ce n'est plus du favoritisme, ça frise le détournement de fonds !

— Techniquement, la Caisse a le pouvoir d'accorder des mandats de gestion à des tiers.

— Accorder des mandats, oui. Mais pas au point de renoncer à gérer des catégories entières d'actifs !

— C'est dans l'intérêt des déposants. Avec le rendement qu'il nous garantit…

— On a aussi le mandat de contribuer au développement économique du Québec par la gestion de nos fonds.

— On contribue au développement d'une entreprise locale.

— Si on n'a plus de fonds à gérer, on ne pourra plus former de nouveaux gestionnaires.

— Je suis certain que Brochet serait ouvert à une clause « éducation », par laquelle il s'engagerait à embaucher un certain nombre de jeunes gestionnaires québécois pour leur donner la chance de se former.

— Et les autres gestionnaires de placements ? Une partie de notre mandat est d'aider au développement d'une véritable industrie de la gestion financière.

— Dans le contexte de la mondialisation, on pourra se compter chanceux si on développe un ou deux gros joueurs. Hope Fund Management est une entreprise québécoise. Avec notre aide, elle pourra atteindre une taille qui lui permettra d'être un joueur significatif sur le plan international.

— Au détriment de la Caisse ! Qu'est-ce qui va nous rester pour intervenir sur les marchés internationaux ?

— Le produit Québec Mondial, l'immobilier… Il y a aussi les placements privés. Même les gestionnaires de portefeuilles canadiens ont le droit d'avoir vingt pour cent de leurs titres à l'étranger sans perdre leur caractère de portefeuille canadien… Il y a également la gestion des devises…

— Les autres gestionnaires québécois vont hurler.

— C'est une bonne occasion de leur faire comprendre que leur taille les oblige à se trouver une niche. Que la Caisse est prête à les aider s'ils s'orientent dans cette direction.

— Ils vont quand même hurler.

— Peut-être, mais pas très longtemps. À la vitesse où ils fusionnent et s'achètent les uns les autres, ils vont rapidement avoir une taille suffisante pour que des entreprises de taille mondiale les récupèrent. Dans cinq ans, il ne restera plus personne.

— Vous cédez quand même onze pour cent de la Caisse à un seul gestionnaire. Comme diversification, on a déjà vu mieux.

— En tant que responsable du portefeuille spécialisé en placements internationaux, c'est un risque que je suis prêt à courir.

— Vous avez pensé à la réaction du comité de placement ?

— Avec votre appui, ils n'oseront pas s'opposer.

— Mon appui…

— Au ministère, on m'a assuré que j'aurais votre appui total, autant au Comité de placement qu'au CA, si jamais des problèmes survenaient.

Lucie Tellier songea que Duquette devait, lui aussi, avoir eu une conversation avec Morne.

— Avec l'équipe de gestion des marchés internationaux, on ferait quoi ?

— On peut en recycler une partie dans l'équipe de Québec Mondial, une partie dans la gestion des portefeuilles superposés… à la répartition d'actifs, aussi… On pourrait accorder des préretraites… Hope Fund Management est également prêt à récupérer un certain nombre de gestionnaires.

— Et si ça plante ?

— Je suis persuadé que ça ne plantera pas. Mais si jamais ça arrivait, on a un bouc émissaire tout trouvé.

— Je ne parle pas d'expliquer les mauvais rendements, je parle d'expliquer la décision de confier onze pour cent de la Caisse à un seul gestionnaire externe.

— Une décision de l'équipe internationale entérinée, par le comité de placement et le Conseil d'administration… vous êtes couverte !

— Si j'ai bien compris, vous, vous n'avez pas grand-chose à voir dans cette décision.

— J'ai toujours favorisé le travail en collégialité. Quand tout le monde est impliqué, tout le monde a intérêt à ne pas faire de vagues et à éteindre les feux.

Lucie Tellier referma le document.

— Vous voulez implanter ça quand ?

— Tout peut être opérationnel le premier janvier. Pour les comparaisons statistiques, pour le calcul des bonus… pour tout, finalement, ce serait préférable.

— Vous avez pensé aux délais pour faire adopter ça à tous les comités concernés, présenter le dossier au CA, obtenir un vote… Ça va être beau s'il nous reste dix jours pour tout implanter, une fois la décision officiellement prise !

— Si vous convoquez le comité de placement pour une réunion spéciale, que vous vous occupez des formalités administratives et que je prends en charge les aspects techniques, on peut y arriver.

— S'il veut mettre le portefeuille à sa main pour le premier janvier, il va falloir qu'il se débarrasse des titres dont il ne veut pas. Il va se retrouver dans un marché figé, avec des *spreads* désastreux.

— Pour ce qui est des *spreads*, Hope Fund Management accepte d'assumer toute perte occasionnée par le transfert du portefeuille.

— Je suppose que je n'ai pas le choix.

— Pensez aux statistiques de rendement que vous pourrez présenter l'an prochain à l'Assemblée nationale.

— Je pense surtout aux autres gestionnaires du milieu, quand ils vont apprendre qu'on a tout donné au même.

— Il y a un service de relations publiques pour ça.

— Je sais ! Ça s'appelle le bureau de la présidente !

— La rançon de la gloire. Si vous voulez, je peux vous préparer un projet de programme d'aide aux gestionnaires pour ceux qui veulent se spécialiser dans des produits de niche… Pour ménager les susceptibilités, on appellera ça un programme de collaboration avec le milieu. Ça fait un peu moins: « Fido, à la niche ! »

— Écoutez-moi bien, Duquette. Pour le moment, je n'ai pas vraiment le choix de vous laisser faire. Votre secteur est en train de devenir une véritable Caisse à l'intérieur de la Caisse. Mais il ne faudrait surtout pas vous casser la gueule, parce que j'ai le sentiment que vos précieuses protections s'évanouiraient rapidement. Il y aurait alors beaucoup de gens qui auraient des explications à vous demander.

— Est-ce que ce sont des menaces ?

— Un avis. Un simple avis amical.

Un collectionneur construit toujours sa propre identité à travers sa collection. Elle est un microcosme de sa maîtrise de l'univers et de lui-même. Très souvent, son projet de vie se confond avec l'achèvement de sa collection. Menacer sa collection, c'est menacer son identité.

Par ailleurs, le désir d'obtenir une pièce manquante (toute collection étant par nature inachevée) peut parfois amener le véritable collectionneur à des sacrifices ou à des comportements extrêmes.

Leonidas Fogg, *Pour une gestion rationnelle de la manipulation*, 4- Asservir par les passions.

Samedi, 25 septembre 1999 (suite)

Brossard, 18 h 09

Théberge reposait, immobile dans son bain.

Dans l'eau largement additionnée de sel de mer, son corps s'allégeait et le poids de ses soucis semblait diminuer dans la même proportion.

Immobile, libéré des contraintes du monde quotidien, son esprit s'envolait vers ce que le policier appelait le domaine de l'imaginaire efficace. Plusieurs enquêtes avaient trouvé leur solution à la suite de visites dans cet univers mystérieux.

Les deux coups frappés à la porte de la salle de bains rompirent le charme. L'arrivée d'un cellulaire, tenu à bout de bras par sa femme, acheva de le ramener dans la morne réalité.

— De toute façon, il est temps que tu t'habilles, dit-elle. Il va falloir partir bientôt.

Théberge prit l'appareil avec mauvaise humeur.

— C'est quoi, encore, cette plaisanterie ?

— Théberge ! Votre humeur s'améliore ! Une réponse complète sans maudire la planète entière !

— N'abusez pas de votre chance !

— Ne me dites pas que vous étiez dans votre bain ! Il est à peine six heures !

— Qu'est-ce que vous voulez ?

— Un journaliste m'a transmis une information qui me semble importante pour votre enquête.

— Quelle enquête ? Il y en a une vingtaine en cours dans le département. Et je ne parle pas des simples menaces de mort !

— Un message du Vengeur. Permettez que je vous le lise.

Théberge accepta de mauvaise grâce.

— Et c'est pour ça que vous me dérangez chez moi ? dit-il, lorsque le directeur eut terminé.

— Il me semble que ça annonce une nouvelle vague d'attentats.

— Je vous ai déjà dit que je ne crois pas à la culpabilité du Vengeur.

— Le message sera publié dans *La Presse* demain matin. Si jamais les victimes recommencent à se multiplier et que les journalistes disent qu'on n'a pas pris l'avertissement au sérieux… Enfin, vous ne pourrez pas dire que je ne vous aurai pas averti.

MASSAWIPPI, 19 H 21

Le service était fait par les deux Jones. Pour la circonstance, ils avaient revêtu des uniformes de domestiques.

Le mari de F était aux cuisines. Le souper servait de cadre à une réunion de coordination de l'Institut, ce qui expliquait l'absence de Gabrielle. Seuls Blunt, Hurt et Kim avaient été convoqués. Avec Claudia, qui était en Europe, ils constituaient, aux yeux de F, l'essentiel de la relève.

Trois points étaient à l'ordre du jour : l'opération contre Body Store au Japon, un état de la situation sur les attaques contre l'Institut et un rapport d'étape sur Money Trap.

— Nous avons de bonnes nouvelles en provenance du Japon, fit F. Les négociations progressent rapidement.

— Malgré la mort de Yagi et ce que racontent les médias ?

— Oui. Toute la structure de l'opération est en place. Il reste juste à obtenir le feu vert du cabinet du Premier ministre. Claudia dit que c'est une question de jours.

— Qu'est-ce qui bloque ? demanda Hurt.

— Ils veulent s'assurer qu'il y ait une proportion suffisante d'étrangers parmi les gens qui seront arrêtés, dit F. Ça va leur permettre de jouer la carte des étrangers venus corrompre des Japonais et infiltrer leurs respectables institutions.

— Tout le monde sait qu'il n'y a pas de corruption au Japon, ironisa Sharp.

— C'est bien plus qu'un problème de corruption, objecta Blunt. Ou d'hypocrisie.

— Vraiment ?

Le ton de Sharp trahissait son scepticisme.

Une expression d'agacement passa de façon fugitive sur le visage de Blunt. Puis il retrouva son impassibilité.

— Comprendre les réactions des Japonais n'est pas évident, reprit-il. Reconnaître publiquement leurs erreurs n'est jamais pour eux une chose simple. Ils sont souvent prêts à en tenir compte, si on leur en donne le temps, mais pas à en parler. Par exemple, c'est seulement au milieu des années quatre-vingt-dix qu'ils ont commencé à admettre, du bout des lèvres, l'existence des massacres qu'ils ont effectués en Chine pendant la Deuxième Guerre mondiale.

— C'est le contraire des Allemands, qui n'en finissent plus de vivre dans la culpabilité de la Shoah !

Malgré l'ironie de Sharp, Blunt poursuivit sur le même ton tranquille. Comme s'il expliquait un problème de go à un débutant.

— Ils vivent dans une société où la politesse, l'étiquette, le maintien d'une image appropriée aux circonstances sont les fondements de l'éthique sociale. Plus qu'une éthique, en fait, c'est une condition d'existence de la société. Tout ce qui pourrait faire perdre la face est censuré. Autant sur le plan personnel que sur le plan collectif.

— Tout ça pour une question de «face»?

— C'est comme ça qu'on peut expliquer leur réticence à admettre la théorie de l'évolution. Pendant des siècles, ils se sont fait traiter de singes à culs jaunes par les Chinois. Alors, tout ce qui implique qu'ils pourraient descendre d'animaux ranime de vieilles peurs et de vieilles frustrations.

— Je veux bien qu'ils soient très raffinés au point de vue de l'étiquette et qu'ils aient toutes sortes d'excuses historiques, mais leur façon de traiter les étrangers est quand même assez particulière. Il y a des Coréens qui sont au Japon depuis plusieurs générations et qui n'auront jamais la citoyenneté japonaise.

— C'est vrai, concéda Blunt. Comme beaucoup de gens, ils ont besoin de projeter leurs monstres intérieurs sur quelque chose d'extérieur. Dans leur cas, les Coréens, les étrangers et les monstres des films de science-fiction jouent à peu près le même rôle. C'est un procédé commun à toutes les civilisations… Le Japon est une culture où les liens sociaux entre les individus sont plus poussés et considérés comme plus essentiels. C'est sans doute une des raisons pour lesquelles ils sont vigilants contre l'infiltration dans le corps social de ce qu'ils perçoivent comme de mauvais éléments.

— Et la corruption? objecta Sharp. Les yakusas sont partout!

— Pour cela, nous n'avons que nous-mêmes à blâmer. Les Américains, après la victoire de 45, se méfiaient à la fois de l'armée et de l'ancienne élite dirigeante. Pour asseoir leur contrôle sur le pays, ils ont fait alliance avec les yakusas. À l'époque, ils ne réalisaient pas le pouvoir qu'ils leur donnaient ainsi. Au bout de cinquante ans, cela a abouti à une véritable imbrication du monde politique, des grandes compagnies, de la haute fonction publique et des principales organisations criminelles. Sans le savoir, ils ont encouragé la tendance japonaise à l'intégration et à la codification.

— Je ne vois pas le rapport.

— La façon des Japonais de composer avec le mal, si on peut l'appeler ainsi, c'est de le codifier, de lui assigner des lieux autorisés et des formes admises, de l'organiser pour le contenir, quitte à reconnaître un statut social à ses principaux responsables… Il y a beaucoup de Japonais qui vous diraient que c'est une solution nettement plus efficace que celle qui a été adoptée par l'Occident.

— Qui est ?

— La répression… Les rues du Japon sont beaucoup plus sûres, et ce qu'on appelle la corruption, dans nos termes d'Occidentaux, est un tribut social beaucoup moins lourd à payer, à leurs yeux, que celui de notre appareil répressif et des ravages sociaux causés par la délinquance… Il y aurait beaucoup à apprendre de la façon japonaise de composer avec ce qu'on appelle le mal.

— C'était le cours Japon 101, fit alors F. Je pense que nous pouvons passer au point suivant de l'ordre du jour : les attaques contre l'Institut.

Elle fut interrompue par l'arrivée d'un des Jones. Il ramassa les assiettes à potage depuis longtemps vides. Son confrère arriva ensuite avec une entrée de sole au Musigny.

Pendant quelques instants, la discussion s'éteignit, remplacée par le bruit des ustensiles dans les assiettes.

— Je suis maintenant convaincue qu'il s'agit d'attaques concertées, fit F en posant sa fourchette sur son poisson à peine entamé.

Son mari avait prévu huit services et elle entendait se garder de l'appétit pour les plats à venir.

— Alors, où est-ce que nous en sommes ? demanda Hurt.

— La situation n'a pas beaucoup changé, répondit F. À Paris, un des responsables du réseau européen de pédophiles s'est suicidé. Il accuse l'Institut de l'avoir compromis de force dans un réseau de trafic d'enfants pour faire pression sur lui et s'en servir pour infiltrer le service de renseignements où il travaillait. À Bordeaux, c'est le banquier : même scénario. En Suisse, vous êtes au courant de ce qui est arrivé au ministre de l'Économie. Aux États-Unis, ils ressortent l'affaire Andrews. Dans le *New York Times*, l'Institut est nommément accusé de participer aux trafics qu'il prétend combattre…

— Une belle campagne de publicité à l'horizon, ironisa Sharp.

AUTOROUTE 20, 19 H 54

Ben Viau sortit du bar de danseuses dans l'état de relaxation habituel et se dirigea vers son camion. Chaque fois qu'il entreprenait une longue route, il arrêtait au même endroit, le long de l'autoroute 20, pour un « changement d'huile ».

C'était l'arrêt traditionnel de nombreux camionneurs. Il n'y avait presque jamais de danseuses sur la scène et le décor était à l'abandon. Les filles, pour la plupart, auraient été incapables de satisfaire aux critères esthétiques des bars des grandes villes. Quelques-unes y avaient déjà travaillé, quand elles étaient plus jeunes, mais les ravages combinés du temps et de la drogue les avaient progressivement refoulées vers les petites villes et les bars de camionneurs.

Dans ces endroits, la perfection plastique n'était pas requise. Ce qu'on exigeait d'elles, c'était d'être minimalement présentables sous un éclairage atténué et de faire ce qu'il fallait pour soulager les clients de leurs tensions et de leur argent.

Au mur, il n'y avait qu'un seul tarif d'affiché.

DANSE INTIME 10 $

Pour les suppléments, il fallait demander aux filles. Le service manuel était à vingt-cinq dollars et le service complet à cinquante.

Ben Viau alternait : un voyage, il prenait un service manuel ; le suivant, un service complet. Il trouvait le prix du service complet exagéré étant donné que les filles exigeaient qu'il porte un condom et que plusieurs avaient des dentiers.

Au fond du terrain de stationnement, il vit qu'une automobile était garée de travers derrière son camion. Il s'approcha de la voiture. Personne à l'intérieur. Il entreprit d'en faire le tour.

C'est du côté du conducteur, près de la porte entrouverte, qu'il découvrit le corps.

MASSAWIPPI, 20 H 59

— Vous ne trouvez pas que Body Store, ou ceux qui sont derrière eux, fonctionnent comme les Japonais ? dit Hurt

— En quel sens ? demanda F.

— On dirait qu'ils veulent… comment dire… institutionnaliser les activités des criminels. Les organiser à l'intérieur d'une structure qui ressemble à celle d'une multinationale… Faire une sorte de yakusa à l'échelle planétaire.

— J'ai de la difficulté à croire que ça vient d'eux, répondit F.

Elle se tourna vers Blunt.

— Vous, qu'est-ce que vous en pensez ?

— Normalement, des yakusas auraient commencé par s'implanter dans les milieux japonais des pays étrangers, puis dans les pays asiatiques, avant de s'attaquer à des marchés plus larges… Je trouve que la propagation du Consortium ressemble davantage à une forme occidentale d'impérialisme commercial.

Ils furent de nouveau interrompus par l'arrivée des Jones. Une escalope aux morilles fut servie. Cette fois encore, le bruit des conversations s'atténua, les rares commentaires tournant autour du plat.

Après quelques minutes, Kim ramena la conversation sur un des points qu'ils avaient à discuter.

>>>Ce que j'aimerais savoir, dit-elle à travers son appareil de synthèse vocale, c'est comment vous allez répondre aux attaques contre l'Institut.<<<

La voix, chaude et un peu rauque, n'avait rien à voir avec celle qui sortait habituellement de l'appareil.

— Je suppose que c'est un nouveau bricolage de Chamane, fit Blunt.

Kim acquiesça d'un hochement de tête. Ses yeux brillaient et son sourire faisait paraître les pommettes de ses joues plus proéminentes. Elle pianota de nouveau sur le clavier.

>>>J'aimerais quand même avoir une réponse.<<<

F croisa les ustensiles dans son assiette et recula un peu sa chaise de la table.

— Il y a d'abord l'opération au Japon. Les résultats devraient rééquilibrer un peu les choses dans l'opinion publique. Mais ça peut nous aider seulement à court terme. Ce qu'il faut, c'est que nous nous fassions oublier, le temps que nous soyons prêts à frapper au cœur du Consortium.

>>>Nous faire oublier?<<<

— Avec les attaques dans les médias, nous tenons une occasion de disparaître un peu plus. D'un instant à l'autre, le Président va faire un bref discours à la nation. Blunt a rédigé le texte de base.

Elle prit la télécommande et la pointa vers le plexiglas qui séparait la salle à manger de la salle de séjour. Un carré de lumière opacifia le milieu de la paroi. La tête de Dan Rather s'encadra dans l'écran. Il annonçait une allocution présidentielle spéciale.

— Évidemment, reprit F, les scribes du Président ont reformulé tout ça en jargon local. Je suis curieuse de voir ce que ça donne.

— Jargon local ? demanda Hurt.

— Le jargon de Washington et la rhétorique politique américaine habituelle.

CBS, 21 H 03

CHERS AMIS CONCITOYENS, UN AUTRE PRÉSIDENT VOUS A JADIS DEMANDÉ DE SONGER À CE QUE VOUS POUVIEZ FAIRE POUR VOTRE PAYS, PLUTÔT QUE DE VOUS INQUIÉTER DE CE QUE VOTRE PAYS POUVAIT FAIRE POUR VOUS.

AU COURS DES ANNÉES, CET APPEL À LA GÉNÉROSITÉ DES FEMMES ET DES HOMMES DE CE PAYS A ÉTÉ LARGEMENT ENTENDU. GRÂCE À VOS EFFORTS ET À VOS SACRIFICES, LES ÉTATS-UNIS D'AMÉRIQUE ONT CONFIRMÉ LEUR POSITION DE LEADER MONDIAL DE LA DÉMOCRATIE. NOTRE ÉCONOMIE EST DEVENUE LA PLUS PUISSANTE DU MONDE. SI, À LA FIN DES ANNÉES QUATRE-VINGT, ON PARLAIT DU MIRACLE JAPONAIS, CE QUI RESTE COMME RÉFÉRENCE HISTORIQUE, AU TERME DU SIÈCLE QUI S'ACHÈVE, C'EST L'*AMERICAN WAY OF LIFE*.

CHERS CONCITOYENNES ET CONCITOYENS AMÉRICAINS, VOUS AVEZ CONSTRUIT LE PAYS LE PLUS LIBRE ET L'ÉCONOMIE LA PLUS RICHE DE LA PLANÈTE. CE N'EST QU'UN JUSTE RETOUR DES CHOSES QUE VOUS DEMANDIEZ MAINTENANT À VOTRE PAYS CE QU'IL PEUT FAIRE POUR VOUS.

LA RÉPONSE LA PLUS ÉVIDENTE À CETTE QUESTION, LA RÉPONSE LA PLUS SIMPLE, C'EST DE VOUS GARANTIR LA SÉCURITÉ. À TOUS LES NIVEAUX. LE RÔLE DE L'ÉTAT EST DE VOUS PROTÉGER ET DE PROTÉGER VOS RÉALISATIONS CONTRE LES FORCES QUI POURRAIENT LES DÉTRUIRE. CES FORCES SONT DE DEUX ORDRES : CELLES QUI VIENNENT DE L'INTÉRIEUR ET CELLES QUI VIENNENT DE L'EXTÉRIEUR.

POUR CONTRER CELLES QUI VIENNENT DE L'INTÉRIEUR, J'ANNONCE UN VASTE PROGRAMME DE DÉVELOPPEMENT ET DE PRODUCTION D'ARMES NON LÉTALES. L'OBJECTIF EST, SUR DIX ANS, D'ÉQUIPER D'ARMES NON MORTELLES L'ENSEMBLE DES FORCES POLICIÈRES DU PAYS. CELA LEUR PERMETTRA DE LUTTER PLUS EFFICACEMENT – ET PLUS HUMAINEMENT – CONTRE LE CANCER DE LA CRIMINALITÉ URBAINE.

POUR CE QUI EST DES FORCES DE DESTRUCTION QUI VIENNENT DE L'EXTÉRIEUR, IL FAUT RECONNAÎTRE QUE LEUR NATURE A CHANGÉ. AVEC LA MONDIALISATION, L'ÉCROULEMENT DE L'EMPIRE SOVIÉTIQUE ET LA PROLIFÉRATION DES MAFIAS, LES GROUPES CRIMINELS OPÉRANT À L'ÉCHELLE MONDIALE SONT DEVENUS AUSSI DANGEREUX, SINON PLUS, QUE LES ÉTATS TERRORISTES.

AUSSI, J'ANNONCE QUE JE VAIS SOUMETTRE AU CONGRÈS UN PROJET POUR RÉORIENTER LE MANDAT DES PRINCIPALES AGENCES DE RENSEIGNEMENTS DE NOTRE PAYS. LE BUT EST DE RECENTRER LEURS ACTIVITÉS – ET LEURS RESSOURCES – SUR LA LUTTE CONTRE CES MAFIAS.

JE PRÉSENTERAI PROCHAINEMENT AU CONGRÈS UN TRAIN DE MESURES LÉGISLATIVES ET BUDGÉTAIRES POUR SOUTENIR CE DOUBLE EFFORT.

TOUTEFOIS, MALGRÉ L'URGENCE DE CETTE TÂCHE, IL Y A UNE TENTATION À LAQUELLE NOUS DEVONS RÉSISTER. C'EST CELLE QUI CONSISTE À ABDIQUER

NOS RESPONSABILITÉS EN LES ABANDONNANT À DES CONTRACTUELS OU, PIRE, À DES GROUPES DE JUSTICIERS AUTOPROCLAMÉS.
CES DERNIERS JOURS, UN GROUPE DE CE TYPE A FAIT LES MANCHETTES DANS LES MÉDIAS DE PLUSIEURS PAYS, Y COMPRIS LE NÔTRE. JE VEUX PARLER DE CEUX QUI SE SONT ARROGÉ LE NOM D'UNE AGENCE GOUVERNEMENTALE MAINTENANT DÉFUNTE POUR POURSUIVRE LEUR PRÉSUMÉE VENDETTA CONTRE CERTAINS GROUPES MAFIEUX INTERNATIONAUX.
L'INTERNATIONAL INFORMATION INSTITUTE N'EST PLUS UNE ORGANISATION AMÉRICAINE. S'IL S'AVÈRE QUE CETTE AGENCE PIRATE A COMMIS SUR NOTRE TERRITOIRE DES ACTES DE NATURE ILLÉGALE ET CRIMINELLE, COMME LE SUGGÈRENT CERTAINS MÉDIAS, SES RESPONSABLES SERONT POURSUIVIS ET ARRÊTÉS COMME N'IMPORTE QUEL AUTRE GROUPE DE MALFAITEURS.
DES POURPARLERS DE COLLABORATION À CE SUJET SONT AMORCÉS AVEC LES AUTORITÉS DE LA FRANCE, DE LA BELGIQUE, DE LA SUISSE ET DE L'ANGLETERRE.
SI J'AI TENU À VOUS PARLER DE CE CAS PRÉCIS, C'EST QU'IL ILLUSTRE LES DÉRIVES AUXQUELLES SONT SUJETS CES GROUPES DE JUSTICIERS AUTOPROCLAMÉS. LE FAIT QU'IL S'AGISSE D'ANCIENS PROFESSIONNELS DU RENSEIGNEMENT N'EXCUSE EN RIEN LEURS GESTES. AU CONTRAIRE, CELA CONTRIBUE À RENDRE LEURS ACTIONS PLUS DANGEREUSES ET À ACCROÎTRE LES RISQUES QU'ILS FONT COURIR À LA POPULATION.
POUR CE QUI EST DU CAS PARTICULIER DU COLONEL ANDREWS, QUI AURAIT ÉTÉ ABATTU PAR EUX, LES RECHERCHES SE POURSUIVENT, ET J'AI DEMANDÉ À ÊTRE TENU PERSONNELLEMENT INFORMÉ DES PROGRÈS DE L'ENQUÊTE.
VOILÀ, CHÈRES CONCITOYENNES ET CHERS CONCITOYENS, CE QUE VOTRE PAYS EST PRÊT À FAIRE POUR VOUS, AFIN QUE LA DÉMOCRATIE PUISSANTE ET PROSPÈRE QUE VOUS AVEZ CONSTRUITE DEMEURE LIBRE ET CONTINUE D'OFFRIR À VOS FAMILLES UN ENDROIT SÛR OÙ ÉLEVER VOS ENFANTS.
MERCI DE VOTRE ATTENTION ET PUISSE DIEU VOUS BÉNIR.

MONTRÉAL, 21 H 18

Lorsqu'il reçut l'appel, Théberge soupait avec sa femme chez ses beaux-parents. La SQ venait de trouver un autre cadavre vidé de son sang, avec les mêmes marques à la gorge. Comme il avait été chargé de l'enquête des premières victimes, on souhaitait qu'il s'occupe également de celle-ci.

Le policier grommela quelques protestations dans l'appareil et annonça à sa femme que les ravages de la bêtise humaine conspiraient de nouveau à les séparer : il devait l'abandonner, seule et sans défense, à la conversation de sa mère.

MASSAWIPPI, 21 H 25

Depuis plus de dix minutes, ils écoutaient Dan Rather discuter avec des invités pour analyser ce qu'avait vraiment voulu dire le Président, pour comparer ce qu'il avait dit avec ce qu'il aurait dû dire ou ce qu'il aurait pu dire d'autre. Chacun triturait le texte du discours pour y déceler des allusions, des messages à demi-mot.

F appuya sur le bouton de la télécommande et le visage du présentateur s'évanouit de l'écran.

— Alors, qu'est-ce que vous en pensez ? demanda-t-elle.

Hurt fut le premier à réagir.

— Vous avez décidé de les laisser gagner ? demanda-t-il d'une voix détachée.

— En apparence, oui.

— Et en réalité ?

— L'Institut poursuit son travail.

— Par quels moyens ? Tous nos contacts vont être coupés.

— Nos contacts « officiels ». L'idée, ce n'est pas d'être partout et de tout contrôler nous-mêmes : c'est d'influencer ceux qui travaillent dans les différents pays.

— Et les unités d'intervention spéciales ?

— Suspendues pour le moment. Il s'agit de faire croire qu'on a disparu, le temps de terminer l'enquête sur le volet financier. Une fois que nous serons en position d'attaquer le cœur de leur organisation, nous reprendrons le travail opérationnel.

— Si on existe encore, répliqua Sharp.

— Vous avez une autre solution ?

— Tout repose sur les épaules de quelques personnes. Si les gens que vous avez choisis pour maintenir les contacts officieux avec les grandes agences de renseignements nous laissent tomber…

— Nous ne serons pas entièrement démunis. Il y a les agents dormants que nous avons conservés dans la plupart des agences. Il y a l'information qu'on peut laisser filtrer pour orienter leurs recherches… Il y a aussi nos informateurs prioritaires, disséminés sur la planète. Et puis, il y a notre réseau informatique… Au fond, on ferme temporairement le volet opérationnel – sauf au Japon – pour se concentrer sur l'aspect « renseignements ».

Un long silence suivit.

— Le plus important, reprit F, c'est ce qui est en train de se développer à Montréal. Hurt va vous faire un résumé.

En quelques minutes, ce dernier leur brossa un tableau chronologique des événements touchant l'univers des gestionnaires montréalais. D'abord l'arrivée de Claude Brochet chez Hope Fund Management et les transactions avec des banques situées aux Bahamas. Ensuite la fraude à la CDPQ et la mort des deux gestionnaires impliqués dans l'affaire. Puis la mort de deux autres gestionnaires employés dans deux des principales firmes de gestion de la métropole : Hammann et Maltais. Avaient suivi au cours de l'été : un autre suicide puis une disparition lors de l'écrasement d'un Cessna. Et, finalement, une autre victime du Vampire : Jacques Marchand.

— En tout, sept morts concentrés dans cinq entreprises financières, conclut Hurt.

— Un chiffre hautement improbable d'un point de vue statistique, souligna Blunt.

Kim pianota sur le clavier de son synthétiseur vocal.

>>>De quelle manière allez-vous procéder ?<<<

— Une étude est en cours sur toutes les boîtes de gestion importantes de Montréal, répondit Hurt. Changements de personnel clé, modifications à l'actionnariat, changements de style de gestion, modification du type de clientèle… Nous avons réussi à obtenir un accès stable dans les firmes les plus susceptibles d'intéresser le Consortium.

>>>Est-ce qu'il y a vraiment un lien avec les histoires de vampires ?<<<

— C'est possible, mais il n'y a rien de clair à ce sujet. Il faudrait aussi savoir qui est le mystérieux Jos Public et quel rôle…

La discussion fut interrompue par l'arrivée du dessert: fraises au vinaigre balsamique. Un classique de Gunther.

Pendant que les convives abordaient le nouveau plat, F regardait le lac à travers la fenêtre.

Il était encore trop tôt pour déménager, songea-t-elle. Mais il commençait à y avoir beaucoup de personnes qui connaissaient le refuge de Massawippi. Beaucoup trop. Plusieurs emplacements étaient prêts à l'accueillir, un peu partout sur la planète. Elle en avait même un entièrement souterrain, comme celui dans lequel s'était réfugié le Rabbin, les dernières années de sa vie.

Si elle devait en venir à cette extrémité, il était probable que Gunther ne l'accompagnerait pas. Il ne pourrait jamais se faire à la vie souterraine, quelles que soient les acrobaties cinématographiques pour recréer à travers de fausses fenêtres l'impression de l'extérieur.

Sa vie, c'était l'espace, l'insertion des immeubles dans l'environnement, le plaisir d'aller acheter les provisions pour préparer les repas de la journée. Être enfermé sous terre en permanence, quelle que soit l'ingéniosité déployée pour faire paraître le décor naturel, ça le tuerait.

F se demandait si elle allait devoir terminer sa vie de façon aussi solitaire que son vieux maître. Un frisson la parcourut. Elle secoua la tête, comme pour s'ébrouer, et s'adressa à Kim.

— Et alors, votre nouvelle passion? On m'a dit que vous étiez devenue inséparable de votre ordinateur!

La jeune femme répondit par un hochement de tête et un sourire. L'informatique était effectivement devenue pour elle une passion. Sur le Net, son handicap pour communiquer disparaissait.

L'arrivée de Gunther, avec le café, orienta ensuite la conversation sur les plats qu'il avait préparés. Le café était le moment où il se joignait aux invités.

AUTOROUTE 20, 22 H 12

Lorsque l'inspecteur-chef Théberge arriva sur les lieux, un officier de la Sûreté du Québec lui annonça qu'on lui confiait la direction effective de l'enquête. Officiellement, l'affaire relevait d'eux, mais ils se tiendraient en retrait, prêts à intervenir s'il avait besoin de leur aide. Tout avait déjà été arrangé entre les autorités de la SQ et le directeur du SPCUM.

Sceptique quant aux motifs de cette étrange manifestation de bonne volonté inter-organisations, Théberge refoula la remarque qui lui venait aux lèvres et se contenta de demander que ce soit Pamphyle qui vienne faire les constatations d'usage. Il avait déjà examiné les premières victimes et il remarquerait peut-être des détails ou des similitudes qui échapperaient à un autre professionnel.

En attendant son arrivée, il alla jeter un coup d'œil au cadavre. Pas de doute, son apparence blafarde et les marques dans le cou étaient identiques à ce qu'il avait observé sur le cadavre du parc de Westmount ainsi que sur celui de Verdun, la semaine précédente.

Dans le portefeuille de la victime, diverses cartes d'identité précisaient qu'il s'agissait de Hubert Quirion, responsable de la gestion de la caisse de retraite de la Ville de Montréal.

« Un autre gestionnaire », songea Théberge. Les médias ressortiraient leur histoire de vampires et de meurtres en série. Le maire allait assiéger son bureau. Quant au directeur, il ne manquerait pas de lui rappeler le message d'avertissement du Vengeur. Bref, ce serait l'hystérie.

Il décida de commencer par interroger l'homme qui avait découvert la victime. Un camionneur, lui avait dit l'officier de la SQ. Il prenait un café à l'intérieur du bar en pestant parce qu'il serait en retard.

— Je suis l'inspecteur-chef Théberge, fit ce dernier en s'assoyant à la table du camionneur.

L'endroit était presque vide. Une affiche collée sur le mur, à l'entrée, annonçait : « Pas d'alcool ». Deux danseuses discutaient au comptoir. À une autre table, un peu plus loin, trois hommes parlaient à voix basse devant des tasses vides. L'officier de la SQ leur avait demandé de rester sur place en attendant qu'on prenne leur déposition.

— J'ai déjà tout raconté aux autres, dit le camionneur.

— Si vous recommenciez…

— Il n'y a vraiment rien à dire. Je m'étais arrêté pour prendre un café. Quand je suis sorti, il y avait une auto qui bloquait le chemin de mon camion. Je me suis approché pour voir ce qui se passait et j'ai trouvé le type. C'est tout.

— Vous venez souvent ici ?

— Quand je pars pour une longue *run*, j'arrête ici… Le café est bon.

— Ce n'est pas un peu cher pour un café ?

— Les serveuses sont intéressantes à regarder. Pourquoi est-ce que vous me posez ces questions-là ?

— Je me demandais si, par le plus grand des hasards, vous n'étiez pas un habitué ?

— Pour quelle raison ?

— Si la victime était elle aussi un habitué, vous auriez pu la connaître… Vous auriez pu me parler d'elle…

— Je n'ai jamais vu ce gars-là.

— Vous en êtes sûr ?

— Depuis le temps que je viens faire mon changement d'huile ici…

— Votre changement d'huile ?

— Pour le camion… au garage, à côté… tant qu'à arrêter pour le camion, autant en profiter pour prendre un café.

Théberge questionna l'homme pendant une dizaine de minutes, plus par acquit de conscience que parce qu'il espérait apprendre quelque chose de nouveau. Ensuite, après avoir pris en note ses coordonnées, il le laissa partir. Le camionneur était autorisé à poursuivre sa route, mais à condition de laisser son cellulaire en fonction, au cas où on aurait de nouveau besoin de l'interroger.

Pamphyle Bédard et l'équipe technique arrivèrent une vingtaine de minutes plus tard. Le médecin légiste confirma à Théberge que la victime semblait morte de la même manière que celle de Westmount. Les trous dans la gorge étaient au même endroit et le corps paraissait complètement vidé de son sang.

— Il est mort ailleurs et on l'a transporté ici, dit Pamphyle.

— Sur quoi se fonde cette profonde conclusion ?

— Dans l'état où il était, ça m'étonnerait qu'il soit venu par ses propres moyens.

— Il est mort depuis combien de temps ?

— D'après la température du corps, je dirais : au moins trois heures. Mais s'ils l'ont gardé au frais…

— La cause de la mort ?

— J'ai l'impression que ça va être la même chose…

— Exsanguinité intempestive ?

— Quelque chose comme ça, répondit Pamphyle.

Il tendit à Théberge une feuille de papier pliée en quatre.

— J'ai aussi trouvé ça, ajouta-t-il. C'était sous le corps.

La vengeance du peuple est en marche. Les parasites qui vampirisent l'argent du monde seront exterminés.

Jos Public, vengeur du peuple

Le policier mit le papier dans un sac de polythène et se dirigea vers le cadavre. Il était temps qu'ils aient une conversation.

MONTRÉAL, 23 H 46

Jessyca Hunter écoutait un bulletin spécial d'informations dans sa suite au Ritz Carlton.

— … APPRIS QU'IL S'AGIT D'UN HOMME, ÂGÉ DE QUARANTE-SEPT ANS, QUI SERAIT RELIÉ AUX MILIEUX FINANCIERS.

— VOUS AVEZ LE NOM DE CETTE NOUVELLE VICTIME ?

— SON IDENTITÉ EST CONNUE DE LA POLICE, MAIS ELLE NE PEUT ÊTRE DIVULGUÉE, CAR LA FAMILLE N'A PAS ENCORE ÉTÉ PRÉVENUE.

— ET SUR L'ENDROIT OÙ L'HOMME A ÉTÉ RETROUVÉ ? QU'EST-CE QUE VOUS POUVEZ NOUS DIRE ?

— L'INDIVIDU GISAIT À CÔTÉ DE SON AUTOMOBILE, DANS LE STATIONNEMENT D'UN BAR DE DANSEUSES. C'EST UN CAMIONNEUR QUI A DÉCOUVERT LE CORPS EN SORTANT DE L'ÉTABLISSEMENT.

— NOUS SOMMES LOIN DE WESTMOUNT ET DE VERDUN.

— EN EFFET. MAIS CELA NE VEUT PAS NÉCESSAIREMENT DIRE GRAND-CHOSE. SI LE CORPS A ÉTÉ COMPLÈTEMENT VIDÉ DE SON SANG, COMME LE LAISSENT CROIRE LES PREMIÈRES OBSERVATIONS, LA CHOSE S'EST PROBABLEMENT DÉROULÉE AILLEURS, CAR IL N'Y AVAIT AUCUNE TRACE DE SANG SUR LES LIEUX.

— A-T-ON DÉCOUVERT UN MESSAGE, COMME LES FOIS PRÉCÉDENTES ?

— LES POLICIERS N'ONT RIEN VOULU DIRE À CE SUJET.

— VOUS CONTINUEZ DE SUIVRE CETTE AFFAIRE POUR NOUS, MICHEL-ANDRÉ ?

— OUI, ISABELLE. JE VOUS REVIENS DÈS QU'IL Y A DU NOUVEAU.

— MERCI. À BIENTÔT.

Jessyca Hunter coupa le son de l'appareil.

L'élimination de Marchand, la semaine précédente, avait marqué la fin de la restructuration de Jarvis Taylor Dowling. Il restait quelques responsabilités à redéfinir, quelques personnes à déplacer, mais c'étaient des détails dont Brochet pouvait s'occuper.

La mort de Quirion, elle, marquait le début d'une nouvelle étape : celle du recrutement des clients. Désormais, ceux d'UltimaGest ne seraient plus les seuls à faire l'objet des attentions du Spider Squad.

Le téléphone interrompit ses réflexions.

— Oui.

— Madame Hunter ?

— Elle-même.

— Il faut que je vous voie. Tout de suite.

Vladimir Dracul. Il semblait complètement affolé.

— Qu'est-ce qui se passe ? demanda-t-elle en s'efforçant de prendre un ton rassurant.

— Ils viennent d'en trouver un autre ! C'était à la télé tout à l'heure !

— Un autre quoi ?

— Un cadavre ! Avec des marques dans le cou !

— J'ai vu ça, oui.

— Ils vont sûrement venir m'interroger.

— Comme vous n'avez rien à voir dans cette histoire, vous n'avez rien à craindre. Du moins, je présume que vous n'avez rien à y voir, se moqua Jessyca Hunter. Est-ce que je me trompe ?

— Je ne sais pas comment vous faites pour trouver ça drôle.

— Que voulez-vous qu'il vous arrive ? Insistez sur le fait que vos activités relèvent d'abord du théâtre à usage privé. Que c'est de la mise en scène de fantasmes et que ça n'a rien à voir avec la réalité.

— S'il y a encore une campagne dans les journaux et à la télé, j'ai peur que des membres paniquent et quittent le groupe.

— Certains, peut-être. Mais il y en a beaucoup d'autres, par contre, qui vont découvrir l'existence du club et qui vont être intéressés. C'est une merveilleuse publicité.

— Vous trouvez ?

Le ton de Dracul demeurait sceptique.

— Ça met le club dans l'actualité, reprit Jessyca. À propos, avez-vous commencé à préparer notre prochaine fête ?

— Oui.

— J'ai trouvé un client qui veut déguster des plaisirs plus crus, comme il dit. Il est prêt à payer l'ensemble des frais de la cérémonie.

— Il a passé son test médical ?

— J'ai eu les résultats. Le laboratoire l'a certifié séronégatif.

— Pour revenir à l'affaire des vampires…

— Oui ?

— Je veux me préparer. Au cas où la police viendrait m'interroger.

— Eh bien, préparez-vous. Je trouve que c'est une très bonne idée.

— Pour cela, il faut que je vous voie.

— D'accord. Dans une heure au Spider Club. Mais vous vous inquiétez inutilement. La piste qu'ils vont suivre est celle des gestionnaires et du Vengeur.

— J'aimerais être aussi optimiste que vous.

— Dans une heure.

— Entendu. Dans une heure.

En raccrochant, Jessyca Hunter songea que d'avoir orienté les recherches sur les gestionnaires était finalement une bonne chose. Au début, elle avait été réticente, parce que cela attirait l'attention sur leur domaine d'activité. Mais la diversion qu'avait imaginée Brochet – un groupe de vampires et, par la suite, le Vengeur du peuple – brouillerait suffisamment les pistes.

De plus, cela donnerait à Super Security System, la couverture légale de Vacuum, une excellente occasion d'infiltrer le milieu financier. Avec tous ces attentats, de nombreux gestionnaires allaient subitement se découvrir des besoins de protection rapprochée et voudraient améliorer la sécurité de leurs locaux. Des besoins que SSS était prêt à satisfaire, à des prix qu'aucune autre agence ne pourrait égaler. Et puis, au besoin, on pourrait organiser quelques attentats ratés, pour mousser la réputation de SSS.

Mais, pour l'instant, elle devait s'occuper de Dracul. Il avait encore un rôle important à jouer et il fallait qu'il soit à la hauteur de sa tâche.

Elle profiterait également de sa rencontre avec lui pour revoir le déroulement de la cérémonie.

Certains artistes, pour qui l'ensemble de leur œuvre assume une fonction de substitut identitaire, sont dans une situation semblable à celle des collectionneurs. Ils sont toutefois moins vulnérables, dans la mesure où leur pouvoir créateur leur permet de poursuivre leur production. Pour cette raison, ils sont souvent plus sensibles à une menace visant la destruction de leur pouvoir créateur qu'à celle qui viserait les résidus passés de ce pouvoir.

Leonidas Fogg, *Pour une gestion rationnelle de la manipulation*, 4- Asservir par les passions.

DIMANCHE 26 SEPTEMBRE 1999

MONTRÉAL, 9 H 28

— Au moins, choisis une chaîne française, fit Dominique.

Elle avait depuis longtemps renoncé à lui faire fermer la télé pendant les repas. Tout au plus pouvait-elle négocier les chaînes qu'il écoutait. Depuis son adolescence, Yvan était un drogué de l'information. Chez lui, il était abonné à Bloomberg et à Reuters, ce qui lui permettait de suivre, à n'importe quel moment du jour, l'évolution des marchés. Pendant la fin de semaine, il cherchait des chaînes spécialisées où il pouvait suivre l'actualité économique et politique mondiale.

Yvan pointa la télécommande vers l'écran et se mit à zapper. Il s'arrêta sur RDI, déposa la télécommande sur la table et poursuivit son déjeuner.

> CELUI QUE LA RUMEUR SURNOMME LE VAMPIRE A DE NOUVEAU FRAPPÉ HIER SOIR. LE CORPS DE SA NOUVELLE VICTIME A ÉTÉ RETROUVÉ SUR LE TERRAIN DE STATIONNEMENT D'UN BAR DE DANSEUSES SITUÉ LE LONG DE L'AUTOROUTE 20. LES POLICIERS N'ONT TOUJOURS PAS CONFIRMÉ L'IDENTITÉ DE LA VICTIME, MAIS RDI A APPRIS QU'IL S'AGIT D'UNE AUTRE PERSONNE LIÉE À LA COMMUNAUTÉ FINANCIÈRE.

— Ton travail est en train de devenir un métier à risque, fit Dominique.

Yvan immobilisa le reste de son croissant devant sa bouche.

— Ça ne se compare quand même pas aux danseuses, répliqua-t-il.

Il avala ensuite le reste de son croissant d'une seule bouchée.

— Je n'ai jamais compris comment vous faites, dit Dominique.

— Vous qui ? Faites quoi ?

— Vous autres, les hommes. Pour prendre d'aussi grosses bouchées. On dirait que le sentiment d'avoir la bouche remplie est le principal plaisir que vous tirez de la nourriture.

Tous les dimanches matin, ils déjeunaient ensemble. Pour les provisions, ils se partageaient la tâche, allant chacun leur semaine dans les épiceries et les pâtisseries de l'avenue du Mont-Royal.

— Tu penses que c'est pour ça que les hommes aiment les gros seins ? reprit Dominique.

— C'est toi l'experte.

— Peut-être que c'est pour en avoir plein les mains. Que l'important, c'est qu'ils aient quelque chose de plein.

— Et c'est pour ça que vous leur vendez de la bière ?

— Oh, une attaque de subtilité !

Yvan souleva sa tasse de café, observa un moment les quelques gouttes qui restaient dans le fond et se leva pour aller se faire un deuxième allongé.

— Tu en veux un autre ? demanda-t-il.

— Non, j'essaie de couper.

— Tu crois à ça, toi, les vampires ?

— Non. Mais je pense qu'il y a beaucoup de monde qui y croient.

— C'est comme pour le bug de l'an 2000. Si tu veux mon avis, il est beaucoup plus dans la tête des gens que dans les ordinateurs.

— Tu veux dire que c'est une invention des médias ?

— Je veux dire qu'il va probablement y avoir des problèmes techniques, mais que c'est le comportement des gens qui risque d'être le problème. Si tout le monde se rue sur les épiceries par peur qu'il y ait une disette, il va y en avoir une. Même chose pour l'essence et les guichets automatiques.

— Je vois ce que tu veux dire… Pour Chamane, comment ça se passe ?

— Avec Geneviève ?

— Je sais, je sais… tu vas encore dire que je joue à mère Teresa… mais avoue qu'ils vont bien ensemble.

— Si tu le dis.

Ça faisait des années qu'Yvan avait surnommé Dominique la mère Teresa des bars de danseuses. Une partie de son apostolat consistait à aider les filles à régler leurs problèmes de drogues ou à échapper au contrôle des motards. C'était la partie la plus visible de son action.

Il y en avait une autre, cependant, moins visible, axée sur la prévention. Parfois, elle aidait financièrement de jeunes danseuses qui voulaient reprendre leurs études ou qui les poursuivaient à temps partiel. Parfois, c'était une mise en garde contre un nouvel amoureux dont l'objectif était de la mettre au travail sur le trottoir. Son aide pouvait aussi prendre la forme de conseils de santé, d'adresses pour se loger à bon prix ou de simples discussions avec celles qui avaient besoin de se confier.

— Tu en as sauvé combien, jusqu'à maintenant ?

— Ce n'est pas une question de nombre.

— Si tu veux monter ton dossier de canonisation pour le Vatican…

— Arrête de déconner !

— C'est pourtant ce qu'a fait la vraie mère Teresa. Je viens de lire un livre sur elle.

— Toi ! Un livre sur mère Teresa !

— C'est un livre critique. Le contraire de ce qu'on raconte habituellement.

— Il me semblait, aussi !

— On voit des photos d'elle avec la femme de Duvalier.

— Tu ne peux pas lui reprocher de prendre l'argent là où il est. Si les dictateurs lui donnent de l'argent et qu'elle s'en sert pour aider les pauvres…

Comme chaque fois qu'Yvan se découvrait un nouveau sujet d'indignation, Dominique prenait plaisir à l'aiguillonner.

— De là à faire l'éloge de la femme de Duvalier pour ses « œuvres » dans le pays ! répondit-il.

— C'était peut-être le prix à payer pour avoir le fric. Quelques bons mots, une photo officielle…

— Elle ne s'est jamais fait prier pour dénoncer les sandinistes. Pourtant, elle n'a jamais dit un mot contre le dictateur haïtien, ni d'ailleurs contre les massacres au Guatemala, pendant qu'elle était là-bas.

— Tu ne peux quand même pas lui demander d'être au fait de la situation dans chaque pays.

BERNE, 15 H 45

Au sortir de la chambre hyperbare, Petreanu se confia pendant une vingtaine de minutes aux soins de l'esthéticienne, qui s'occupa de ses mains et de son visage.

Le Herald's était un endroit remarquable : on y trouvait à la fois les avantages d'un club privé et les services d'un hôtel cinq étoiles. Cet ajout de la chambre hyperbare était une idée brillante. Il faudrait qu'il trouve le moyen d'y revenir trois ou quatre fois par mois. Peut-être devrait-il faire des réservations pour une année ou deux à l'avance, avant que l'établissement ne soit trop connu. C'était fou, le nombre de gens qui semblaient maintenant avoir les moyens de se payer les meilleurs endroits, quelle que soit leur politique de prix.

Après s'être changé, Petreanu se rendit dans ses appartements, où il consulta son courrier électronique.

Il parcourut les trois premiers messages en diagonale. Rien d'important. Des adjoints confirmaient qu'ils avaient bien exécuté ses ordres.

Avant qu'il ait terminé le quatrième, les rides sur son front s'accentuèrent. Le message datait de la veille. Barry Lonsdale, le responsable de la sécurité informatique, l'avertissait d'une tentative de pénétration aux bureaux du complexe Cassidy Towers: un tir groupé d'assauts qui s'était prolongé pendant près de trois heures. La cible était MultiGestion Capital International. Heureusement, il n'y avait pas eu de dommages.

Selon Lonsdale, il s'agissait presque certainement d'un groupe de jeunes *hackers* qui étaient tombés sur leur réseau par hasard. La chose était courante, disait-il. Toutes les grandes compagnies avaient affaire à ce type de piratage.

Un des pirates avait réussi à pénétrer dans le réseau. Cependant, aucun dossier n'avait été touché. Il était donc probable que le pirate avait utilisé leur site comme plate-forme pour aller en percer d'autres. C'était un moyen couramment utilisé par les *hackers* pour éviter de se faire repérer.

Mais Darius Petreanu croyait peu au hasard. Il vivait dans un monde d'intentions, d'objectifs, d'actions et de conséquences. Si quelqu'un s'intéressait au centre de coordination de son réseau financier, il voulait savoir qui.

Il relut lentement la fin du message. Lonsdale mentionnait qu'une communication téléphonique par satellite avait été effectuée à partir du Cassidy Towers, mais qu'on ne pouvait rien savoir de sa destination. Toutes les traces de cette communication avaient été effacées, tant dans l'ordinateur de MultiGestion Capital International que chez le fournisseur de liens satellite. Seul un système de sécurité autonome, complètement isolé du système central, avait permis de la détecter.

Petreanu décida d'appeler Lonsdale chez lui.

MONTRÉAL, 9 H 49

Yvan reposa sa tasse de café.

— L'auteur montre une lettre qu'elle a écrite pour demander la clémence de la cour envers un escroc financier, Charles Keating. Il a été condamné à dix ans de prison pour avoir fraudé des milliers de personnes. Une fraude d'environ deux cent cinquante millions… Je ne sais pas si sa lettre est liée au fait que la bonne sœur refusait de restituer l'argent que l'escroc lui avait donné, même en sachant que c'était de l'argent volé…

— Tu es cynique.

— Il parle aussi de sa croisade contre le contrôle des naissances. Avoue que ça fait bizarre, pour quelqu'un qui vit en Inde et qui voit les ravages de la surpopulation parmi les plus pauvres !

— C'est le point de vue de l'Église. Elle peut difficilement dire le contraire.

— De là à parcourir la planète pour le prêcher. À son discours de réception du prix Nobel, elle a dit que le plus grand mal existant sur terre était l'avortement ; que c'est le plus grand ennemi de la paix mondiale. T'as pas l'impression qu'il lui en manquait des bouts, à la bonne Agnes Bajaxhiu ?

— Pardon ?

— C'est son nom albanais.

— Écoute, je veux bien qu'elle paraisse un peu réactionnaire, mais ça n'enlève rien à tout le bien qu'elle a fait.

— Justement, le plus dérangeant dans le livre, c'est ce qui se rapporte au strict plan médical. L'auteur montre que les pauvres étaient souvent plus ou moins bien soignés et qu'il y avait peu de médicaments pour enlever la souffrance. Parce que, quand ils souffrent, ils sont plus proches du Christ !

— Elle devait manquer d'argent. Avec tous les pauvres qu'elle avait à soigner…

— Un jour, à San Francisco, ils lui ont donné un couvent complet pour ses œuvres. Sa première réaction a été de faire couper le chauffage, d'arracher les tapis et de jeter les matelas trop épais par les fenêtres ! Je te dis, elle était contre le bien-être, la bonne sœur. Elle n'était pas pour les pauvres, elle était pour la pauvreté ! Elle les aimait, les pauvres ; mais elle les aimait pauvres !

— Tu es certain que tout ça n'est pas inventé ?

— Ce qui n'est pas inventé, en tout cas, c'est tout l'argent qu'elle a reçu. Tu ne trouves pas curieux qu'elle n'ait jamais fondé d'hôpital-école ou quelque chose du genre ? S'il y avait quelqu'un de bien placé pour le faire…

— Il faudrait voir où est passé son argent.

— Justement, à propos de ses finances, il n'y a personne qui peut dire exactement ce qu'il en est. Personne ne lui a jamais demandé de comptes. Pourtant, elle a reçu des millions… Ce qui est probable, c'est qu'une bonne partie de l'argent a été consacré à faire de la propagande religieuse et à combattre le contrôle des naissances, au lieu de servir à soulager la misère. Imagine si ça s'était passé dans une autre organisation de charité ! Le scandale que ça aurait fait !… Mais la bonne Agnes Bajaxhiu avait décidé que les pauvres n'avaient pas besoin d'être soulagés, parce que leur souffrance les rapprochait de Dieu. Qu'il leur fallait seulement une place pour souffrir tranquille !

— Ce que je ne comprends pas, c'est que l'Église, qui enquête pour la canoniser, n'ait rien soulevé de ça.

— Parce qu'ils ont besoin d'une sainte. En trois siècles, le Vatican a canonisé six cent soixante-dix-neuf saints. En sept ans, Jean-Paul II en a canonisé deux cent soixante et onze et il a béatifié six cent trente et un candidats… Il doit avoir décidé de renouveler le stock !

— Tu es sûr que tu ne me fais pas marcher, avec toutes ces histoires ?

— Je peux te prêter le livre, si tu veux.

— Je suppose que c'est une brique ?

— Pas du tout. Ça s'appelle *The Missionary Position: Mother Teresa in Theory and in Practice*.

— *The Missionary Position!*

Dominique continuait de le regarder en souriant. Elle le revoyait à onze ans, quinze ans, dix-sept ans... Il devenait tellement sérieux quand il s'emballait tout à coup pour une nouvelle cause ou un nouveau livre ! Pendant quelques jours, il assimilait tout sans aucune discrimination. Sans aucun esprit critique. Puis, après quelque temps, il se mettait à décanter les choses. Elle avait hâte de voir ce qui resterait de cette flambée anti-mère Teresa, dans un mois ou deux.

— Tu sais, dit-elle pour le taquiner, il ne faut pas croire tout ce qui est écrit dans les livres.

— Ce n'est pas non plus systématiquement faux.

— Et après avoir lu ça, tu continues à m'appeler mère Teresa !

— Je faisais référence au mythe, à l'image populaire. Pas à la réalité.

— Il y a une chose que je voulais te demander... Chamane, il est vraiment aussi impressionnant que Geneviève le dit ? Avec un ordinateur, je veux dire...

LCN, 10 H 01

> LES MENACES PROFÉRÉES PAR LE MYSTÉRIEUX VENGEUR ONT PROVOQUÉ DES RÉACTIONS PARTAGÉES AU SEIN DE LA COMMUNAUTÉ FINANCIÈRE. LES PORTE-PAROLE DE PLUSIEURS SOCIÉTÉS DE GESTION ONT AFFIRMÉ NE PAS AVOIR ÉTÉ INQUIÉTÉS OUTRE MESURE PAR LES PROPOS DU PSEUDO-JUSTICIER. TOUTEFOIS, SELON LES AGENCES DE SÉCURITÉ QUE NOUS AVONS CONSULTÉES, PLUSIEURS DE CES COMPAGNIES AURAIENT AUGMENTÉ DE FAÇON IMPORTANTE LEURS MESURES DE PROTECTION ET...

MONTRÉAL, 10 H 02

— Pourquoi est-ce que tu me demandes ça ? fit Yvan.

— Je ne sais pas ce qu'il vaut en informatique, répondit Dominique, mais pour l'effet qu'il a sur Geneviève, ça... Finalement, je vais prendre un autre café.

Elle se leva et se dirigea vers le comptoir.

— Avec ton nouveau cas, comment ça va ? demanda Yvan.

— J'ai un membre de l'escouade fantôme qui campe dans le salon.

— Je sais. Je suis tombé sur lui en entrant.

— Il y en a deux autres en permanence au bar.

— Et les négociations avec les motards ?

— On en est encore au début.

— Comment la fille prend ça ?

— Pour l'instant, elle est en désintox. Si on l'écoutait, elle retournerait le voir, tellement elle est terrorisée.

Ils furent interrompus par la sonnerie du téléphone qui jouait un air de Bach.

Yvan sortit prestement un cellulaire de sa poche.

— Allô !... Oui... J'étais sur le point de partir... D'accord.

Il referma l'appareil.

— Il va falloir que j'aille au bureau, dit-il. Brochet veut me voir.

— Brochet ? Un dimanche ?

— Il m'a demandé de passer à son bureau en début d'après-midi.

— Il t'a dit pourquoi ?

Voyant l'air inquiet de Dominique, Yvan se dépêcha de banaliser la chose.

— C'est probablement pour avoir des détails sur une transaction, dit-il. Quelque chose du genre.

— Il aurait pu te le demander au téléphone.

— Il doit vouloir que je regarde quelque chose avec lui. Côté technique, quand il s'agit de produits dérivés, il a un peu de difficulté à suivre.

— Moi, ça ne me dit rien de bon.

— Je t'appellerai pour te dire ce qu'il voulait.

Sous l'œil vaguement médusé de Dominique, Yvan avala ensuite un autre croissant en trois bouchées rapides, vida sa tasse de café et se leva de table.

Elle le raccompagna à la porte.

— Tu t'inquiètes pour rien, dit Yvan.

— Tu me tiens au courant ?

— Sûr ! Bye !

— Bye !

BERNE, 16 H 04

— C'était probablement le but de la pénétration, confirma Lonsdale. C'est un type de vol courant. Une fois à l'intérieur du réseau, le *hacker* repère le secteur des télécommunications et voit ce qu'il peut utiliser.

— Vous voulez dire qu'ils ont piraté notre réseau uniquement pour obtenir du temps satellite ?

— Autrefois, c'était pour faire des interurbains à partir du système téléphonique des compagnies. Maintenant, ce qui est *hot*, c'est le temps satellite. Il a dû appeler ses amis pour les impressionner.

— Et vous ne savez pas combien de temps il a utilisé ?

— Non. Il a effacé les traces de l'appel dans les archives de la compagnie qui nous loue le temps satellite.

— Comment avez-vous fait pour vous en apercevoir ?

— Un système parallèle, séparé du réseau, qui se contente d'enregistrer l'activité téléphonique.

— Et vous n'avez aucune idée de ce qu'il a pu faire ?

— Peut-être qu'il voulait tester le satellite, voir de quelle manière il répond. C'est un exploit prestigieux de percer le système de contrôle d'un satellite.

— Est-ce qu'il aurait pu transmettre à l'extérieur des informations contenues dans notre réseau ?

— Oui. Mais pourquoi se donner autant de mal ? Il aurait pu simplement entrer, prendre ce qu'il voulait et sortir… Avec toutes les autres tentatives qui ont eu lieu, ça ressemble beaucoup plus au genre de concours que font les clubs de *hackers*. Il faut percer un site, trouver un lien satellite et transmettre un message précis à une adresse donnée.

— Espérons que c'est seulement ça. Mais j'aimerais savoir comment il a fait pour entrer.

— Il a utilisé une des faiblesses de Windows NT.

— Vous n'étiez pas censé colmater toutes les brèches ?

— Je l'avais fait. C'est un utilisateur externe qui a réinstallé lui-même son système et qui n'a pas réinstallé la *patch*. Une fois dans l'ordinateur du type, le *hacker* a utilisé son mot de passe pour entrer dans le réseau.

Voyant que Petreanu acceptait son explication, Lonsdale se mit à respirer plus librement. La négligence n'était pas celle d'un utilisateur externe, mais la sienne. C'était lui qui avait oublié de réinstaller la *patch*. Une négligence grossière. Tous les sites de *hacking* et de sécurité Internet avaient rendu publique cette faille dans la sécurité de Windows NT. Heureusement, quand il s'agissait d'informatique, Petreanu était prêt à avaler n'importe quoi.

— À votre avis, donc, l'information de notre centre de coordination n'aurait pas été compromise ?

— Très peu probable.

— Bien. J'espère que vous avez raison. Mais je veux être informé sur-le-champ de toute nouvelle tentative d'infiltration. Même infructueuse.

— Il y en a plusieurs par jour. Souvent des dizaines.

— Est-ce que vous pouvez en découvrir l'origine ?

— Parfois, quand ils sont maladroits.

— Et celui qui a pénétré n'était pas maladroit, je suppose ?

— Non. Au contraire. C'est un autre indice qui me fait croire que c'est un *white hat*...

— Un quoi ?

— Les *white hats* sont les *hackers* qui se sont donné comme mission de rendre le net plus sécuritaire en rendant publiques les failles de sécurité. Ils veulent forcer les compagnies à sortir de meilleurs produits. En général, ils ne causent pas de dégâts. Sauf contre certains sites ouvertement racistes ou des choses du genre... C'est le contraire des *black hats*, qui percent les sites pour le plaisir de foutre le bordel et de faire le plus de dégâts possible.

— Et pourquoi pensez-vous que c'est un *white hat* ?

— Parce qu'il a réparé la brèche par où il est entré. Il a réinstallé la *patch* et il a laissé des traces de la réinstallation. C'est une manière de nous dire qu'il est supérieur à nous. Qu'il aurait pu démolir le réseau, s'il avait voulu, mais qu'il a une haute morale. Beaucoup de *white hats* sont comme ça.

— Il aurait vraiment pu tout détruire ?

— Oui.

— Beau système de sécurité !

— Je vous ai déjà laissé plusieurs messages pour vous expliquer que j'avais besoin de budgets supplémentaires. Il faudrait que j'engage un assistant, que l'on revoie tous les équipements des utilisateurs externes, que l'on passe à un système de clés à mille vingt-quatre bits… ou plus.

Petreanu s'était résigné à l'avènement de l'ère informatique, mais il n'avait jamais compris l'engouement d'une grande partie de ses collaborateurs, pour qui ordinateur signifiait nécessairement amélioration. Lui-même avait eu son premier portable le jour où il avait accédé au bureau des directeurs de filiale, parce que l'appareil venait avec la fonction.

Par formation, il ne croyait pas aux dépenses inutiles. Du moment qu'un ordinateur pouvait assumer convenablement les tâches de comptabilité, pourquoi s'encombrer de machines plus performantes encore, capables de réaliser des milliards d'opérations à la seconde ?

Dans sa propre filiale, il s'était toujours efforcé de réduire les budgets du département d'informatique. Il voyait la plupart des membres de ce département comme des adolescents attardés dont la seule préoccupation était d'avoir le dernier jouet disponible.

— D'accord, vous aurez votre budget, finit-il par dire, mais je veux que le réseau soit parfaitement étanche.

— Incluant tous les systèmes de gestion des compagnies du *holding* ?

— Oui.

— On parle de millions.

— Combien ?
— Trois ou quatre.
— Vous ne profitez pas de l'occasion pour vous payer de nouveaux jouets, j'espère.
— C'est un minimum.
— D'accord. Et je veux être informé régulièrement de vos progrès.
— Entendu.
— Une dernière chose. Si vous avez une nouvelle alerte, s'il vous plaît, mettez la mention urgent sur votre message quand vous me l'envoyez.

Après avoir coupé la communication, Petreanu parcourut le reste de son courrier électronique, mais son esprit revenait sans cesse au dilemme que lui posait cette intrusion.

Normalement, il aurait dû aviser la direction du Consortium. Les cracks qui supervisaient le réseau interfiliales se seraient aussitôt chargés de la sécurité du sien.

Mais cette solution avait plusieurs inconvénients, le premier étant une prise de contrôle de son réseau informatique par le Consortium. Et alors, Petreanu ne pourrait plus aussi facilement détourner une partie des profits vers des comptes secrets. Il perdrait des dizaines de millions par année.

C'était précisément pour conserver cette source de revenus qu'il avait engagé le jeune *hacker*: dans l'espoir de pouvoir régler à l'interne les problèmes qui se poseraient.

De plus, il était prévisible que la déléguée générale lui imputerait la faute de cet accident. Dans son refus de gaspiller des millions en gadgets électroniques pour amuser les informaticiens, elle verrait de la négligence. Comment savoir quelle sanction elle allait recommander ? Décidément, il était temps que le Consortium change de direction. Un vieillard à peu près invisible et deux femmes qui se prenaient pour des divas… Pas étonnant qu'ils n'arrivent pas à se débarrasser de l'Institut !

Heureusement, les choses allaient bientôt changer. En plus de l'argent qu'il avait en réserve, il profitait maintenant de l'appui de deux autres directeurs de filiale. Il était cependant trop tôt pour agir. Gagner du temps était essentiel. Et, pour cela, il fallait qu'il se sorte de cette situation sans alerter la direction générale.

Le moins risqué était de ne rien dire de cette intrusion. Après tout, il était peu probable que des informations aient été subtilisées. Le responsable de la sécurité informatique le lui assurait. Et puis, de toute façon, il ne pouvait s'agir que d'adolescents boutonneux qui ne comprendraient rien aux pages et aux pages d'états financiers qui étaient emmagasinées au centre de coordination.

Petreanu se leva de son bureau et, comme chaque fois qu'il avait manipulé le clavier de son ordinateur, il alla se laver les mains. Une de ses convictions profondes était que la technologie était non seulement en train de rendre le monde plus compliqué, mais aussi beaucoup plus sale.

TVA, 10 H 06

> TVA ÉTAIT SUR LES LIEUX, HIER SOIR, LORSQU'ON A DÉCOUVERT LE CORPS D'HUBERT QUIRION, UN HOMME ÂGÉ DE QUARANTE-SEPT ANS QUI A ÉTÉ COMPLÈTEMENT VIDÉ DE SON SANG. COMME LES VICTIMES PRÉCÉDENTES, IL AVAIT DEUX TROUS DANS LA GORGE.
> D'APRÈS LE MÉDECIN QUE NOUS AVONS CONSULTÉ, LA MORT AURAIT PRIS PLUSIEURS MINUTES À SURVENIR, MAIS ELLE N'AURAIT PAS ÉTÉ DOULOUREUSE.
> HUBERT QUIRION ÉTAIT COORDONNATEUR DE LA GESTION FINANCIÈRE DES CAISSES DE RETRAITE À LA VILLE DE MONTRÉAL ET IL LAISSE DANS LE DEUIL…

PARIS, 16 H 30

Celui que F connaissait simplement sous le nom de Claude était récemment devenu le numéro un de la DGSE, le service d'espionnage et de contre-espionnage français.

Lorsque la sonnerie se fit entendre, il en était à ses derniers préparatifs. Il avait invité une collègue de la

DST à dîner chez lui. Avec l'âge, ses fréquentations tendaient à se réduire aux quelques personnes qui, comme lui, voyaient leur vie sociale se rétrécir au point de disparaître à cause de la nature de leur emploi.

Il ouvrit l'ordinateur portatif que la directrice de l'Institut lui avait fourni, effleura à peine le bouton de mise sous tension et mit les doigts sur les touches du clavier aux endroits prévus. Il prononça ensuite la phrase de reconnaissance qu'il avait lui-même programmée: «Moi, Claude, directeur...»

Le souvenir de l'empereur romain effleura sa mémoire. Un sourire fugitif se dessina sur ses lèvres.

Quelques secondes plus tard, le sigle de l'Institut s'affichait sur l'écran, suivi tout de suite après d'une photo suggestive de Madonna. Une autre touche personnelle qu'il avait apportée à l'interface d'utilisation.

— J'ai bien reçu votre message, fit la voix de la directrice. Nous disposons d'une fenêtre de sept minutes.

— Ce sera suffisant. Vous trouverez tous les détails dans le rapport que je vous transmets à l'instant.

Il appuya sur une série de touches. Des données, des chiffres et des commentaires furent acheminés en direction de deux satellites, sous la forme de centaines de paquets d'information différents, qui devaient d'abord être regroupés à l'aide d'un algorithme avant de pouvoir être décompressés puis décryptés.

L'opération prit à peine quelques secondes.

— Nous avons eu un autre cas la nuit dernière, fit le responsable de la DGSE. Lui aussi a envoyé une lettre de suicide au *Monde*, avec un compte rendu des pressions exercées sur lui par l'Institut.

— De qui s'agit-il?

— Jérémie Pothiers. Un courtier à Paris. Il vous accuse d'avoir voulu l'utiliser pour recueillir de l'information sur plusieurs institutions financières importantes de notre pays. Il reprend aussi les accusations liées au réseau de pédophiles.

— Vous dites qu'il s'est suicidé ?

— Assis devant son ordinateur. Une balle dans la tête. La photo de sa femme et de ses enfants, sur son bureau, était couverte de sang. Les médias s'en sont donné à cœur joie... Avec un deuxième suicide relié à l'Institut et les allégations de collusion avec les réseaux de pédophiles...

— Ils ont bien ciblé.

— Si vous attaquez les pédophiles et les Américains, vous êtes certain d'avoir au moins les trois quarts des Français derrière vous.

— À cause des pédophiles ou des Américains ? ironisa F.

— J'apprécie votre perspicacité.

— Aux États-Unis, en Suisse, en Angleterre et en Belgique, il y a des campagnes équivalentes.

— J'ai pris connaissance de votre plan.

— Qu'est-ce que vous en pensez ?

— Vous risquez gros. La survie de l'Institut va reposer sur les épaules de quelques personnes.

— Pour un temps, oui.

— Vous prévoyez tenir jusqu'à la fin de Money Trap ?

— Oui.

— Globalement, je suis d'accord avec ce que vous proposez.

— Je savais que je pouvais compter sur vous. À partir de maintenant, nos contacts seront réduits au minimum et ils se feront uniquement par l'intermédiaire de ce canal.

— J'ai déjà deux équipes qui travaillent sur les noms que vous m'avez fournis.

— D'autres suivront bientôt.

— Pour ce qui est des accusations dans les journaux, je les laisse courir ?

— Autant intervenir le moins possible. Est-ce qu'il y aura une déclaration officielle ?

— Le ministre de l'Intérieur va profiter d'une émission d'affaires publiques, ce soir, pour faire une nouvelle mise au point sur le sujet.

Quand l'image du Français se fut dissoute sur l'écran, F ne put s'empêcher de sourire. Ils étaient tous tellement habitués à calculer l'importance d'une agence par la quantité de personnes qu'elle employait, par la quantité de bureaux qu'elle possédait, qu'ils se méprenaient sur le véritable pouvoir que conserverait l'Institut.

Finalement, ce pouvoir tenait à sa maîtrise de l'information, à sa vision globale et à sa capacité d'orienter l'action des autres sur des points essentiels.

Suprême efficacité du non-agir, lui avait souvent répété Bamboo Joe : seul ce qui est immobile peut faire bouger le reste. Supériorité dévastatrice de la vision à long terme, répétait pour sa part Blunt : toujours privilégier l'influence à l'occupation directe du territoire.

Pourvu que ces beaux principes ne mènent pas l'Institut à une victoire semblable à celle des Tibétains sur les Chinois, songea-t-elle : morale et spirituelle, sur fond de dévastation physique et de génocide culturel.

MONTRÉAL, 11 H 21

Chamane sélectionna l'écran miniature de LCN et l'agrandit à la moitié de l'écran.

— On va voir de quoi ils parlent aux nouvelles aujourd'hui, dit-il en se tournant vers Geneviève, qui se tenait derrière lui.

> — IL ÉTAIT BLANC COMME UN MORT. SUR LE CÔTÉ DE LA GORGE, ON VOYAIT LES DEUX TROUS ROUGES.
> — COMMENT AVEZ-VOUS RÉAGI ?
> — JE PENSAIS QUE C'ÉTAIT QUELQU'UN DE MAQUILLÉ. UN TRAVESTI. OU QUELQU'UN DE L'ÉMISSION DE NOUVELLES COMPLÈTEMENT FUCKÉE. C'EST QUOI, LE NOM, DÉJÀ ?
> — JE NE VOIS PAS À QUOI VOUS FAITES RÉFÉRENCE.
> — L'AFFAIRE DE LA FIN DU MONDE…
> — LA FIN DU MONDE EST À SEPT HEURES ?
> — OUI. JE PENSAIS QUE C'ÉTAIT EUX AUTRES. MAIS LE GARS N'AVAIT PAS L'AIR DE BOUGER ET IL N'Y AVAIT PAS DE TÉLÉS AUTOUR.
> — VOUS LUI AVEZ TOUCHÉ ?

— NON. IL PARAÎT QUE TOUCHER AUX MORTS, ÇA PORTE MALHEUR. JE SUIS ALLÉ AU GARAGE APPELER LA POLICE PUIS JE SUIS RETOURNÉ AU BAR PRENDRE UN CAFÉ EN LES ATTENDANT.
— VOUS ARRÊTEZ SOUVENT À CET ENDROIT ?
— DE TEMPS EN TEMPS. ÇA FAIT DU BIEN DE PRENDRE UN CAFÉ, DE RELAXER UN PEU, AVANT DE PARTIR POUR UNE LONGUE RUN.

— Le type qui a découvert la nouvelle victime du vampire, dit Chamane en ramenant l'écran à sa dimension originale et en coupant le son. Ça passe depuis le matin.

— Je meurs de faim, répondit Geneviève.

— On va dîner ou on fait venir une pizza ?

— Tu n'as rien qu'on pourrait se faire ?

— Ça m'étonnerait.

Il agrandit la fenêtre CNN.

... YESTERDAY BY THE PRESIDENT. THE SPEAKER OF THE HOUSE AGREEDED THAT, IN THE NAME OF PUBLIC SECURITY, ROGUE INTELLIGENCE AGENCIES MUST BE ERADICATED, BUT REFUSED TO COMMENT ON THIS INITIATIVE...

— Il n'y a rien, dit Geneviève à l'autre bout de la cuisine.

— Je te l'avais dit.

— Je veux dire vraiment rien. C'est complètement vide !

— Regarde dans le congélateur.

— Il n'y a rien non plus.

— Ça se peut. Ça fait un bout que je ne suis pas allé au dépanneur.

... A NEW BUDGET OF 1.2 BILLION DOLLARS TO HELP POLICE AGENCIES ACROSS THE COUNTRY TO MODERNISE THEIR EQUIPMENT. A SPECIAL EMPHASIS ON NON LETHAL WEAPONS WILL BE...

— Tu veux dire que tu ne fais jamais d'épicerie ? dit la jeune femme en refermant la porte du réfrigérateur. Que tu achètes seulement des choses congelées au dépanneur ?

— Quand j'achète autre chose, ça se perd.

— Viens, on va chez moi. Il est temps que tu manges de la vraie nourriture.

RDI, 12 h 40

— … les rumeurs ont repris de plus belle sur le vampire qui hanterait la ville. Pour nous aider à faire la lumière sur ce sujet, Benoît Landreville interroge un spécialiste de la question, le père Lionel Albertus Eymard, théologien… À vous, Benoît.
— Merci, Claude-Alexandre. J'ai en effet le plaisir d'avoir avec moi le père Eymard, qui est le spécialiste des questions de sorcellerie et de possession diabolique à l'archevêché de Montréal. Père Eymard, bonjour !
— Bonjour !
— À votre connaissance, père Eymard, les vampires existent-ils ?
— Ça dépend de ce que vous entendez par vampire.
— Ça ressemble à une réponse de jésuite, ça.
— Il est important de distinguer les choses. Pour ce qui est des vampires tels que nous les montrent les films, qui se métamorphosent en chauves-souris et qui sont immortels, leur existence n'a jamais pu être établie.
— Mais…
— Pour les sectes pratiquant des rituels de vampirisme, par contre, il y a plusieurs cas bien documentés. Assez souvent, il s'agit de groupes à tendance satanique.
— Au cours des derniers mois, un personnage a été invité à plusieurs émissions de télévision. Il prétend être un vampire. Vous le connaissez peut-être, il se fait appeler Vladimir Dracul.
— J'en ai entendu parler.
— D'après vous, jusqu'à quel point ses prétentions peuvent-elles être prises au sérieux ?
— Votre question m'amène à faire une autre distinction. Il s'est développé au cours des dernières années, principalement aux États-Unis, des clubs privés qui s'adonnent à des pratiques érotiques de nature extrême.
— Par exemple ?
— Des formes assez perverses de sadomasochisme, impliquant des scarifications, ou même de véritables mutilations. Certains de ces groupes ont des pratiques axées sur le vampirisme. Ils boivent le sang d'animaux qu'ils sacrifient de façon rituelle et, dans certains cas, ils peuvent boire le sang d'autres personnes. Pour célébrer leur union, les partenaires boiront chacun le sang de l'autre. Ils appellent cette cérémonie des « noces de sang ».
— Des noces de sang… Est-ce que ça se déroule toujours entre personnes consentantes ?

— La plupart du temps. Les adeptes vous diront qu'il s'agit pour eux d'un choix personnel impliquant un style de vie. Que c'est une question de liberté d'expression.
— Est-ce que vous connaissez des cas où des adeptes du vampirisme auraient enlevé des personnes pour les sacrifier?
— C'est assez rare, semble-t-il. Encore que, lorsque des enfants sont impliqués, on peut toujours mettre en doute qu'il s'agisse d'un véritable choix.
— Des enfants?
— Il est arrivé que des enfants soient impliqués dans ces noces de sang. Mais c'est peu fréquent. Il faut bien comprendre que le vampirisme est surtout une question de cinéma.
— De cinéma?
— Au sens figuré. Les gens qui s'adonnent à ces pratiques se font du cinéma. Ils retrouvent de manière déformée – pornographique, je dirais – le besoin des grandes mises en scène sacrées qui ont, de tout temps, structuré l'existence quotidienne des peuples.
— Il y a une question que j'hésite à vous poser. Mais puisque vous y avez fait référence tout à l'heure en parlant de satanisme...
— La question du diable.
— Précisément.
— C'est une question difficile. Tout d'abord, il faut résister à la tentation anthropomorphique. De la même manière qu'on ne saurait réduire Dieu le Père à un patriarche en sandales qui se promène en robe blanche, eh bien, de la même façon, on ne saurait réduire le diable à un être humain avec des cornes, enveloppé dans une cape rouge ou noire. Le diable n'est pas Darth Maul, pour employer une image contemporaine... Même si ce dernier s'inspire d'un archétype qui est la traduction en termes humains des forces du mal.
— J'avoue avoir un peu de mal à vous suivre.
— Je veux dire que le Malin – vous apprécierez ici le double sens du mot – est avant tout un principe. Un principe, c'est ce qui est à la source, ce qui donne naissance, ce qui inspire... C'est quelque chose d'abstrait : on ne peut pas le représenter.
— Comme Dieu?
— Oui. Dieu est le principe de toute chose. Il est la Source, l'inspiration qui fait exister tout ce qui existe.
— Si Dieu est à la source de tout, il est donc à la source du diable?
— Oui et non. Il est à la source de ce qui lui permet d'exister. Et parce que Dieu l'avait créé libre, Lucifer a pu choisir de prendre le parti du Mal, du néant.
— Le diable serait donc le principe de tout ce qui est mal?

— ICI ENCORE, IL FAUT NUANCER. LE DIABLE EST EFFECTIVEMENT LE PRINCIPE DE CE QUI EST MAL, MAIS IL EN EST SEULEMENT LE PRINCIPE RELATIF. LUI DONNER UN STATUT ABSOLU SERAIT RÉPÉTER L'ERREUR DES DISCIPLES DE MANI, QUI CROYAIENT L'UNIVERS RÉGI PAR LA LUTTE DES PRINCIPES DU BIEN ET DU MAL.

— SI JE COMPRENDS BIEN, LES VAMPIRES SERAIENT DONC UNE REPRÉSENTATION DU MALIN ?

— EN QUELQUE SORTE, PUISQU'ILS INCARNENT LA TRANSGRESSION D'UN DES TABOUS LES PLUS FORTS DE L'HUMANITÉ : LE CANNIBALISME. JE VOUS CONCÈDE QU'IL S'AGIT D'UNE FORME ATTÉNUÉE DE CANNIBALISME, SOUS FORME LIQUIDE JE VEUX DIRE, MAIS TOUT DE MÊME…

> … s'articule autour d'un besoin d'être valorisé. Cette valorisation peut se faire de personne à personne. Elle peut aussi se faire de façon indirecte : soit par le biais d'un statut social ou professionnel, soit au moyen d'une image publique.
> Le point commun à ces trois méthodes est l'exploitation de l'insécurité constitutive de la plupart des gens et l'utilisation de substituts narcissiques comme stratégie compensatoire.
>
> Leonidas Fogg, *Pour une gestion rationnelle de la manipulation*, 4- Asservir par les passions.

DIMANCHE 26 SEPTEMBRE 1999 (SUITE)

ST. PETER PORT, 17 H 52

Xaviera Heldreth regardait évoluer les requins. L'observation de leurs mouvements silencieux dans l'aquarium l'aidait à se concentrer pendant que Ute Breytenbach lui dressait la liste des actions entreprises contre l'Institut.

La plupart des requins avaient quitté le vaste aquarium du sous-sol pour venir dans celui qui occupait tout le mur du fond de son bureau. Il lui suffisait d'activer un mécanisme qui laissait tomber quelques gouttes de sang dans l'eau pour les voir arriver.

— Je suis certaine que monsieur Fogg sera très satisfait du déroulement de l'attaque, dit Xaviera Heldreth, lorsque Ute eut terminé son bilan. D'ici quelques mois, il ne devrait plus rester grand-chose de la crédibilité de l'Institut.

— Ce n'est que le début. L'objectif est d'en faire l'organisation terroriste la plus recherchée de la planète.

— Vous êtes certaine que ça va fonctionner?

— Ça ne peut pas rater. Il n'y a pas de pays où les politiciens peuvent laisser les victimes se multiplier sans rien faire. Ils doivent agir. Ou, du moins, donner l'impression d'agir. À ce moment-là, on arrive et on leur présente un choix facile: s'attaquer à l'Institut, le soumettre à une enquête publique, pourchasser leurs équipes... Je te dis, ça ne peut pas rater.

— Jusqu'à maintenant, fit Xaviera, nous avons brûlé un seul contact de l'Institut et c'était un transfuge.

— Andrews, je sais. Mais les faux que nous avons fabriqués sont aussi efficaces: aux États-Unis et en France, l'Institut est en passe de devenir hors la loi. Les autres pays devraient bientôt emboîter le pas.

— Pourvu que ce ne soit pas une nouvelle ruse de F. Comme sa supposée disparition.

— Ça m'étonnerait. Mais, si c'en est une, ça risque de lui coûter cher. Le Président a parlé publiquement de *rogue agency*. Les dirigeants de l'Institut sont maintenant sur la liste des criminels les plus recherchés par le FBI.

— Toujours pas de nouvelles d'eux?

— Rien.

— Au Québec?

— Rien non plus. Et on peut difficilement faire de la provocation là-bas. Avec l'implantation en cours du centre financier, ce n'est pas le temps de lancer une opération qui pourrait compliquer les choses.

— Je sais.

Xaviera Heldreth se leva et entraîna Ute vers la salle à manger.

— Viens, dit-elle. Il est temps de passer à table.

Pour le repas, elle avait retenu les services du traiteur qu'elle utilisait lorsqu'elle avait à discuter des affaires du Consortium. Non seulement la nourriture était excellente, mais le cuisinier qui venait faire le service sur place ne parlait ni anglais ni français.

— Il faut que je vous entretienne de la situation au Japon, fit Ute. Nous avons eu un léger problème avec le réseau de production de vidéos : une partie des produits se retrouvait en distribution libre sur le Net.

— Et…

— J'ai procédé à des correctifs. Ça va s'intégrer à notre plan contre l'Institut.

— Vous sacrifiez combien de personnes ?

— Deux autres membres du Parti libéral démocrate.

— Et pour l'opération, est-ce que nous sommes prêts ?

— Tout est en place. Les politiciens ont eu la consigne de retirer leurs dernières objections. C'est maintenant une question de jours. L'Institut va pouvoir mettre son plan en application, ce qui nous permettra d'activer le nôtre et de lui donner le coup de grâce.

RDI, 12 h 57

— À un niveau plus profond, cependant, les vampires incarnent l'intention même qui a précipité la Chute de l'homme : la volonté d'être immortel et de renverser l'ordre des choses. Le vampire se détourne de Dieu et prétend tirer tout son être de l'homme. Il est son propre vampire.

— La formule est assez frappante.

— C'est toujours la même vieille tentation : refuser sa place d'être humain et se prendre pour Dieu. Au sens exact du terme : se prendre pour sa propre cause. Derrière les pratiques de vampirisme, ce qui se profile, c'est la volonté d'accéder à une surhumanité, à un état où l'homme s'élève par lui-même au-dessus de sa nature mortelle : en se nourrissant de lui-même. Au sens propre.

— Nous sommes rendus assez loin dans l'analyse. Pensez-vous que les gens qui s'adonnent à ces pratiques sont conscients de tout cela ?

— Bien sûr que non. J'ai fait allusion tout à l'heure au double sens du mot « Malin ». Le Diable, comme on l'appelle communément, ce n'est pas seulement le mal, c'est aussi l'intelligence. Il ne faut pas oublier que c'était le plus lumineux, le plus brillant des anges. Si sa déchéance lui a fait perdre sa vertu, son intelligence, par contre, est demeurée intacte. Et comme il est intelligent, il sait comment nous séduire.

— Comment ?

— Il s'adresse à ce qu'il y a de meilleur en nous : notre volonté d'être divin. Mais il le fait de façon perverse. En nous faisant

croire que nous pouvons y arriver par nous-mêmes, sans l'aide de Dieu. Il nous séduit en nous laissant croire que notre seule intelligence, accouplée à notre audace, saura nous affranchir de la mort. Qu'elle saura réaliser cette aspiration à une liberté totale, à l'affranchissement ultime que constitue la soif de Dieu au cœur de chaque homme... Et de chaque femme, bien sûr.
— Les vampires seraient donc une représentation du mal absolu?
— Le mal absolu n'existe pas. Comme je vous le mentionnais plus tôt, dire cela serait répéter l'erreur du manichéisme. La meilleure représentation du mal, s'il en est une, ce serait le chaos. Toute l'énergie et la matière de l'univers, mais sans aucun ordre. Les Hébreux avaient un beau mot pour cela, que nous leur avons d'ailleurs emprunté : le tohu-bohu.
— Si on revenait à la question des vampires...
— Question que nous n'avons jamais vraiment quittée.
— Je vous l'accorde. Mais revenons aux événements particuliers qui ont fait la une des médias au cours des derniers jours. Croyez-vous qu'il peut s'agir de l'œuvre du Malin?
— Il faut toujours se souvenir que son œuvre, comme vous dites, est multiforme et que son habileté ultime est de se faire oublier. Quand un groupe rock banalise la thématique du vampirisme ou du satanisme, quand un écrivain fait l'apologie du cynisme et prône une attitude désabusée, quand un artiste esthétise et rend supportable la profanation du corps humain, eh bien, il contribue à instaurer une mentalité d'incroyants – et de désespoir, à la limite – qui encourage les comportements destructeurs. Or, qu'est-ce que le Diable, sinon tout ce qui lutte contre la vie, tout ce qui favorise les forces de mort et de destruction?
— Vous voulez dire que le Diable peut prendre n'importe quelle forme?
— Il y a une très belle image du mal dans la *Guerre des étoiles*. Je fais référence à l'épisode au cours duquel l'Étoile noire aspire l'atmosphère d'une planète, condamnant ainsi tous ses habitants à la mort. Sur le plan spirituel, le Malin détruit l'atmosphère de croyance, détruit ce qui permet à l'homme de croire au sens de la vie. Et quand l'homme – ou la femme – ne croit plus au sens de la vie, la vie cesse rapidement d'être possible. Les comportements mortifères se multiplient, ainsi qu'on peut le constater tous les jours dans les médias.
— Est-ce en ce sens qu'il faut comprendre les images de l'Apocalypse?
— Bien sûr. Car la fin du monde n'est pas un événement subit. C'est un processus. C'est une dimension de notre histoire.
— J'avoue que je ne vous suis pas.

— PRIVÉS D'ABSOLU, LES GENS SE JETTENT SUR TOUS LES SUBSTITUTS DISPONIBLES. C'EST LA RUSE SUPRÊME DU MALIN DE LEUR PROPOSER TOUT UN ARSENAL DE SUBSTITUTS... DONT LA VACUITÉ CONTRIBUE À EXASPÉRER LEUR DÉSESPOIR... ET LEURS COMPORTEMENTS MORTIFÈRES.

— CES PHÉNOMÈNES DE SCARIFICATION ET DE VAMPIRISME QUI SE MULTIPLIENT SERAIENT DONC LE PRÉLUDE DE L'APOCALYPSE?

— PAS LE PRÉLUDE. ILS EN FONT PARTIE. IL Y A DES SIÈCLES QUE L'APOCALYPSE EST COMMENCÉE. AVANT MÊME LA VENUE DU CHRIST, LES FORCES DU MAL – JE VEUX PARLER DES FORCES DE DESTRUCTION – ÉTAIENT À L'ŒUVRE DANS LE MONDE. IL FAUT OUBLIER LES DATES: ELLES ONT SEULEMENT UNE VALEUR SYMBOLIQUE. LE COMBAT ENTRE LES FORCES DU BIEN ET CELLES DU MAL DURE DEPUIS LE DÉBUT DE L'HUMANITÉ.

— IL NE FAUDRAIT DONC PAS PRENDRE TROP AU SÉRIEUX CES HISTOIRES DE VAMPIRES? CE NE SERAIT QU'UN ÉPISODE DE PLUS DANS LA LUTTE QUE SE LIVRENT DEPUIS TOUJOURS LE BIEN ET LE MAL?

— DEPUIS QU'IL Y A DES HOMMES, DISONS.

— EH BIEN, PÈRE EYMARD, C'EST TOUT LE TEMPS QUE NOUS AVONS. JE VOUS REMERCIE ET JE...

— VOUS VOYEZ, TOUTE LA DIFFÉRENCE TIENT À CES QUELQUES MOTS. NOUS VIVONS DANS LE PEU DE TEMPS QUE NOUS AVONS, ALORS QUE LA LUTTE ENTRE DIEU ET LE MALIN SE DÉROULE SUR FOND D'ÉTERNITÉ.

— NOUS CONCLURONS SUR CES FORTES PAROLES. MERCI ENCORE, PÈRE EYMARD.

— C'EST MOI QUI VOUS REMERCIE.

MONTRÉAL, 13 H 58

Brochet regarda Yvan entrer sans se lever. Il lui fit signe de prendre place dans le fauteuil en face de son bureau et fouilla pendant quelques secondes dans ses papiers.

— Je m'excuse de vous avoir fait venir ici un dimanche, dit-il finalement. Mais, vu l'importance du sujet, j'ai jugé préférable de vous rencontrer.

— Il y a des problèmes? demanda Yvan en s'efforçant d'effacer toute trace d'inquiétude dans sa voix.

— Au contraire, au contraire... Le responsable du *front office* m'a dit beaucoup de bien de vous. Il est impressionné par votre travail.

Le soulagement se peignit sur les traits d'Yvan.

— Mais alors...

— À partir de demain, votre tâche sera réaménagée. Votre priorité sera d'assurer le roulement des portefeuilles privés selon les directives des clients.

— Des clients ?

— Plusieurs de nos comptes importants sont gérés directement par les clients : nous assurons simplement le service technique et nous faisons des recommandations lorsque cela s'avère utile.

— Ils nous paient et ils font le travail eux-mêmes !

— Ils nous paient pour être certains que tout est exécuté exactement selon leurs instructions, sans erreur, et pour recevoir les meilleurs conseils possibles. Dans les faits, beaucoup de leurs instructions viennent des recommandations que nous leur avons faites. Mais ils aiment avoir le sentiment que ce sont eux qui décident de tout. Au prix qu'ils nous paient, on peut bien leur passer ce petit caprice, vous ne croyez pas ?

Brochet tendit à Yvan une chemise cartonnée qui était sur son bureau.

— Vous y trouverez vos premières instructions, dit-il. Votre tâche consiste à effectuer les ventes et les achats au meilleur prix. Comme il s'agit de portefeuilles qui ont des taux de rotation assez importants, il est crucial de réaliser les transactions au meilleur coût.

— Entendu.

— Tous les matins, à onze heures, vous venez à mon bureau et je vous donne la liste des transactions de la journée. Après quelques semaines de rodage, vous les recevrez directement des clients, par ordinateur, sous forme de courrier électronique. Dans certains cas, il pourra arriver qu'ils vous téléphonent.

— C'est plus qu'un rôle de négociateur.

— En effet. Et, pour peu que vous vous montriez à la hauteur, vous aurez bientôt le plein statut de gestionnaire. Avec, comme perspective, de devenir le gestionnaire principal des comptes privés.

— Mais vous ?

— Moi, ma carrière est faite. À mon âge, il devient important de se garder du temps pour mettre de l'ordre dans ses affaires, réfléchir sur sa vie…

Yvan ne savait trop que répondre.

— Des questions ? demanda Brochet.

— Euh… oui. Les adresses des fiducies sont dans le dossier ?

— Nos comptes privés sont administrés par trois sociétés de fiducie situées à l'étranger. Toute l'information technique dont vous pouvez avoir besoin est contenue sur ce disque.

Il tendit un boîtier à Yvan.

— Pour le reste de la semaine, reprit-il, vous êtes relevé de vos autres fonctions. Profitez-en pour vous familiariser avec les comptes et établir vos contacts avec les fiducies étrangères.

— Bien.

— Vous pouvez disposer. Bonne chance.

— Merci.

Comme Yvan allait sortir, Brochet le relança.

— Vous êtes bien le fils de Stephen Semco, n'est-ce pas ?

Yvan se retourna et prit quelques secondes avant de répondre.

— Oui.

— À l'époque, vous sortiez à peine de l'enfance. Je n'ai pas eu souvent l'occasion de vous voir. Par contre, j'ai bien connu votre père. Malgré les difficultés qu'il a connues à la fin de sa vie, j'ai toujours conservé beaucoup d'estime pour lui. Je voulais que vous le sachiez.

— Je vous remercie.

— À mes yeux, un geste inconsidéré n'efface pas une vie entière de probité et de dévouement. J'ai beaucoup appris avec lui. Vous accorder ma confiance pour la gestion des portefeuilles privés est une façon de payer mes dettes.

Brochet paraissait sincère. Yvan ne savait pas quoi répondre.

Brochet ouvrit un tiroir du bureau, prit une enveloppe et la tendit à Yvan.

— Pour vous, dit-il.

— Qu'est-ce que c'est ?

— Un souvenir de lui que j'avais gardé. Je pense qu'il est plus approprié que cela vous revienne.

Yvan prit l'enveloppe que lui tendait Brochet. Il sentit un objet lourd se déplacer à l'intérieur. En ouvrant l'enveloppe, il comprit tout de suite de quoi il s'agissait : la calculatrice de son père. La HP sur laquelle il le laissait parfois jouer, quand il était enfant. Celle sur laquelle il lui avait montré à utiliser la notation polonaise inversée.

Une foule de souvenirs remontèrent à sa mémoire.

— Votre père m'avait parlé de votre intérêt pour cet objet, reprit Brochet. Quand je l'ai trouvé, l'autre jour, en faisant du rangement dans mes vieux souvenirs, j'ai pensé à vous.

Yvan bredouilla quelques remerciements.

Il avait l'impression de rencontrer quelqu'un d'entièrement différent de la personne que Dominique et l'ami de Chamane lui avaient décrite. Malgré tout ce qu'il savait de lui, il en arrivait presque à se demander comment cet homme pouvait être soupçonné d'avoir poussé son père au suicide. Ou même seulement de blanchiment d'argent.

Des conversations lui revinrent à l'esprit, dans lesquelles son père lui parlait de son ami Brochet… Maintenant, il comprenait mieux comment son père avait pu se laisser tromper par son associé.

Après son départ, Brochet mit les mains derrière sa nuque, se cala dans son fauteuil et installa ses pieds sur le bureau.

L'opération charme avait marché. Le fils de Semco ne s'était pas douté un seul instant que la calculatrice avait été achetée deux semaines auparavant, dans une boutique de prêt sur gages à New York. En passant devant la vitrine, Brochet l'avait aperçue et il s'était dit que ça ferait un bon effet sur le jeune Semco.

Dans les mois à venir, il allait tout faire pour le mettre en confiance. Ce serait Semco fils qui s'occuperait des comptes privés. Ce serait sa signature à lui que l'on trouverait sur toutes les transactions. Et si jamais quelque chose dérapait, s'il y avait enquête, ce serait lui qui servirait de bouc émissaire.

Dans son cas, on aurait bien raison de dire : tel père, tel fils.

MONTRÉAL, 14 H 23

Chamane avait suspendu le travail qu'il effectuait pour Hurt. Il relisait la chanson pour la troisième fois.

... les McDonald, le rock détente, les jeux télé
le VIH, la dette publique, la honte privée
On vous a tout donné

Je suis l'enfant qu'vous importez
dans vos familles en contrebande
pour décorer votre bonheur
Je suis l'enfant qu'vous vous tapez
dans les bordels de Thaïlande
de Port-au-Prince ou bien d'ailleurs...

On vous a tout donné...
les plages pour le cancer, les armes pour la détente
les chiens à l'hôpital, les vieux en listes d'attente...

Une voix féminine, semblable à celles qui annoncent les départs dans les aéroports, interrompit sa lecture. Elle provenait de l'ordinateur.

Monsieur Semco requiert votre présence au téléphone. Monsieur Semco requiert...

Chamane cliqua sur l'icône du logiciel téléphonique qui clignotait.

— Quoi de neuf dans la haute finance ? demanda-t-il.

— Ton type, on peut le contacter ? fit Yvan.

— Pour notre travail sur l'argent ? Pas de problème. Tu as du nouveau ?

— Quelque chose de majeur, je pense.

— Viens me voir en fin d'après-midi. Je voulais justement t'appeler : j'ai des centaines de nouvelles pages à te montrer. On en profitera pour arranger un rendez-vous.

BERNE, 21 H 06

Comme prévu, l'Africain avait insisté : il voulait parler à Petreanu en personne. Ce dernier l'avait donc invité à venir le rencontrer dans sa suite, au Bellevue Palace.

Ses demandes étaient prévisibles. Les réponses que Petreanu allait lui donner ne l'étaient pas moins.

Les premiers prêts, quelques années plus tôt, avaient été accordés à deux conditions : la reconversion de l'économie vers les secteurs de production axés sur l'exportation et l'ouverture aux marchés étrangers.

Ces mesures avaient maintenant produit leurs effets. Pas ceux qu'avaient espérés les politiciens locaux, cependant, mais ceux que prévoyait le syndicat des prêteurs du Club de Londres : augmentation du chômage, réduction de l'assiette fiscale, diminution de l'autonomie alimentaire, dépendance accrue de l'importation pour les biens essentiels, poussée inflationniste, dévaluation de la monnaie nationale…

— Monsieur le ministre, fit Petreanu, je ne peux pas croire que vous soyez en si mauvaise posture. Vos entrées de devises fortes ont augmenté de deux cent soixante pour cent au cours des quatre dernières années.

— C'est vrai, mais l'ouverture aux marchés étrangers a ravagé notre économie. Les autres pays vendent à des prix qu'on ne peut pas concurrencer. Le chômage monte en flèche. La pauvreté s'accroît et, avec elle, les dépenses de santé…

— C'est parce que votre économie n'est pas suffisamment compétitive. Vous avez encore trop de quotas et de lois qui réglementent la production et la distribution.

Il faut laisser la vérité des prix faire son travail pour amener les entreprises à devenir plus compétitives. Vous n'avez plus les moyens de dépenser des millions à les subventionner : ces subventions ne servent qu'à maintenir des salaires artificiellement élevés, à retarder l'automatisation et à compromettre les gains de productivité.

— Si on cesse de subventionner la consommation de base, vous savez très bien ce qui va se passer. L'industrie locale a déjà de la difficulté à affronter la compétition étrangère. Une libéralisation des prix va provoquer une hécatombe. Les multinationales vont en profiter pour faire du dumping. Ce qui reste de notre industrie va disparaître. Et quand elle aura disparu, les prix intérieurs vont s'aligner sur les prix internationaux. Le résultat, c'est que la plupart des gens ne pourront plus acheter les biens de première nécessité.

— Si c'est le cas, si vous n'êtes pas capables d'être compétitifs dans ce créneau, il faut vous spécialiser dans des créneaux où vous excellez. Des créneaux axés sur l'exportation.

— Si nous faisons ça, nous deviendrons totalement à la merci des fluctuations des marchés internationaux : non seulement pour le prix des denrées de première nécessité, mais aussi pour nos exportations.

— Vous sous-estimez le potentiel de votre pays, monsieur le ministre.

Dans tous les pays dont il s'était occupé pour ses mandataires du Club de Londres, songea Petreanu, le début de la phase deux produisait immanquablement les mêmes réticences et les mêmes commentaires chez ses interlocuteurs.

— Et pour le rééchelonnement des prêts ? demanda le ministre. Les réformes économiques, en affectant l'industrie intérieure, ont réduit l'assiette fiscale du pays. On ne peut plus assumer le fardeau de la dette dans sa forme actuelle.

— Un plan de rééchelonnement est disponible, mais à court terme. Et conditionnel au plan de redressement proposé par le FMI.

— C'est un plan inacceptable.

— Je comprends votre réticence. Ce sera un moment difficile à passer pour votre peuple. Mais il s'agit d'une transition nécessaire. Vous êtes bien d'accord avec moi qu'il faut que vous régliez une fois pour toutes le problème de votre dette ?

— Idéalement, oui.

— Et, pour le régler, il faut que vous dégagiez des marges budgétaires qui vous permettent d'allouer davantage au service de la dette. Il n'y a pas d'autre solution. Vous devez aller chercher l'argent là où il se trouve. Il faut que l'État cesse de surprotéger la société, pour qu'elle réapprenne à se prendre en charge.

— On n'a jamais eu autant de pauvres. Le coût des dépenses sociales monte en flèche.

— C'est justement la tendance qu'il faut contrer. Vos dépenses de santé croissent quatre fois plus vite que votre PIB. Combien de temps pensez-vous pouvoir soutenir ce type d'asymétrie ?

— Si on réduit encore une fois les services, ça va être la révolte.

— Il y a des façons de réduire. Elles sont d'ailleurs bien expliquées dans le projet. Le plus simple, c'est la contribution civique. Si chacun doit payer les premiers dix, vingt ou trente pour cent du coût des soins qu'il reçoit, à titre de contribution civique, il va devenir plus conscient, plus responsable socialement. Le gaspillage va diminuer.

— Les groupes d'opposition dénoncent déjà l'idée d'implanter ce qu'ils appellent le « ticket de la mort ».

— Alors, passez d'un régime universel à un régime ciblé. En donnant la priorité au soin des plus démunis de la société, vous coupez court à la critique et vous êtes justifié de réduire les services aux plus favorisés.

— La classe moyenne va se révolter !

— Pas si c'est progressif.

— Déjà la criminalité augmente. Si, en plus, l'agitation populaire…

— Augmentez les budgets de la police et de l'armée. Les classes moyennes vont vous appuyer pour que vous les protégiez contre le banditisme. Et, au bout du compte, ça va les dissuader elles aussi de se révolter. Votre position n'en sera que meilleure et votre pouvoir consolidé.

— Ça va faire d'autres dépenses.

— Considérez-les comme des frais d'implantation. Vous n'aurez qu'à les prévoir dans les compressions que vous ferez. La différence sera minime. Et puis, ça va faire plaisir à vos anciens collègues de l'armée. Leur appui peut s'avérer précieux dans les années qui viennent.

MONTRÉAL, 15 H 42

Dominique se préparait à se rendre au Palace lorsque son cellulaire fit entendre une brève sonnerie.

— Oui.

— Ici Francine.

— Des nouvelles ?

— Je viens de rencontrer l'avocat des Raptors. Ils veulent deux cent quarante-cinq mille dollars. Américains.

— Ils sont tombés sur la tête ! Elle ne peut pas avoir tant de dettes que ça.

— Les dettes montent à vingt-cinq mille. Ils ajoutent vingt mille de compensation et ils réclament un autre cent mille de dommages exemplaires.

— Comme les Skulls cet été !

— Oui.

— Mais ça fait seulement cent quarante-cinq mille. Où est-ce qu'ils vont chercher l'autre cent mille ?

— Un supplément à cause de la « bitch du Palace ».

— Quoi !

— Ils trouvent que tu prends trop de place. Ils m'ont demandé de te faire le message textuellement : « Ou bien tu apprends à tenir ton rang et à ne pas te mêler de leurs affaires, ou bien… »

Dominique demeura sans voix. « Apprendre à tenir son rang »… Il y avait presque vingt ans qu'elle n'avait pas entendu cette expression.

Se pouvait-il qu'il soit revenu ?

BERNE, 22 H 19

Quand son invité fut parti, Petreanu se servit un verre de scotch, celui qu'il gardait pour sa consommation personnelle. Le ministre, lui, n'avait eu droit qu'à une bouteille d'apparence somptueuse dans laquelle Petreanu avait versé un produit de qualité ordinaire.

Somme toute, la rencontre s'était bien passée. Les conditions fixées par la Banque mondiale et le FMI seraient acceptées. À court terme, la situation financière du pays serait viable. Mais les effets des réformes continueraient de s'amplifier. La dégradation de l'économie se poursuivrait et le pays serait de plus en plus dépendant des prêts extérieurs. Dans un an ou deux, le Club de Londres pourrait de nouveau refinancer la dette du pays, à des conditions encore plus avantageuses.

L'aveuglement des gens devant l'argumentation économique était vraiment sans bornes, songea Petreanu.

Il fut tiré de ses réflexions par un bip discret. Il décrocha le combiné de l'appareil, à côté de son fauteuil.

— Oui ?

— Ute.

— J'attendais votre appel. Des nouvelles de notre offensive ?

— Tout fonctionne à merveille. Après les États-Unis, la France va déclarer ce soir qu'elle range l'Institut parmi les organisations terroristes les plus dangereuses. Londres devrait suivre dans quelques jours. Ils vont demander que son nom soit inscrit sur la liste alpha.

— Et Israël ?

— Je n'ai pas encore de nouvelles du commando palestinien qui croit agir avec l'appui de l'Institut. Si tout se déroule comme prévu, ils vont passer à l'action cette nuit. Je suis certaine que les Israéliens sauront les faire parler. Avec les fausses capsules de cyanure que nous leur avons fournies, ce serait étonnant qu'ils ne réussissent pas à faire quelques prisonniers.

— Bien.

— Tenez-moi au courant aussitôt que vous avez des nouvelles de vos amis suisses.

— Vous pouvez compter sur moi.

— Leonidas Fogg aimerait également être informé de vos négociations avec le représentant africain que vous avez rencontré.

— Dites-lui que tout est en bonne voie. Notre ami le ministre se fait encore tirer l'oreille, mais c'est parce que je ne lui ai pas fait miroiter de pot-de-vin, pour lui et le président... J'ai jugé préférable de les laisser mijoter encore un peu et d'attendre notre prochaine rencontre.

— Monsieur Fogg a insisté pour que vous le contactiez le plus tôt possible.

— Je l'appelle immédiatement.

— À votre place, c'est ce que je ferais.

Petreanu raccrocha en réfrénant un mouvement d'humeur. Il en avait assez de supporter l'impertinence continuelle des deux femmes qui entouraient Fogg.

MONTRÉAL, 17 H 44

Yvan s'installa devant le portable, ouvrit le logiciel de courrier électronique et dactylographia les quatre mots de code que lui donna Chamane.

— Tu es certain que c'est sécuritaire ? demanda-t-il. Au bureau, ils n'arrêtent pas de nous mettre en garde contre le courrier électronique.

— Celui-là est sécuritaire. Il a une clé de codage de mille vingt-quatre bits.

— Ce n'est pas illégal ?

— C'est sécuritaire.

Yvan appuya sur la touche d'expédition. L'instant d'après, une ligne de texte apparaissait sur son écran.

Je peux faire quelque chose pour vous ?

Les doigts d'Yvan coururent sur le clavier et la conversation s'engagea.

Aujourd'hui, j'ai rencontré Brochet. Il m'a annoncé une promotion.

C'est plutôt une bonne nouvelle, non ?

Oui. Mais je ne comprends pas pourquoi il m'a choisi. Il y a plusieurs gestionnaires qui ont plus d'expérience que moi.

Pour faire quoi ?

Superviser les transactions des comptes privés. Il y en a pour plus de huit milliards. Officiellement, tout relève de Brochet. Dans les faits, c'est moi qui vais m'occuper de tout.

On dirait que vous allez être aux premières loges pour voir ce qui se passe.

Il dit qu'il veut me donner ma chance. Pour compenser ce qui est arrivé à mon père.

Si vous voulez, on peut se rencontrer ce soir. Au Cafka, à Longueuil. Vingt et une heures trente. On pourra parler de votre promotion et vous me direz ce que vous avez découvert dans les documents de Chamane.

Je n'aurai sûrement pas terminé.

Vous me donnerez votre première impression.

Une fois la communication terminée, Yvan se tourna vers Chamane.

— On commence par où ? demanda-t-il.

— Le commencement, *man* ! Le commencement !...

LONGUEUIL, 21 H 37

Hurt était assis sur un des canapés. Il déposa la revue qu'il était en train de parcourir sur la petite table devant lui. Chamane s'assit en face de lui, accompagné d'Yvan.

— Je pense qu'on a mis le doigt sur quelque chose, dit Chamane.

— Quelle compagnie ?

— MultiGestion Capital International. Ou, plutôt, les compagnies qu'elle gère.

— Fraude ?

— C'est plus compliqué que ça.

Chamane fit signe à la serveuse et commanda deux allongés.

— Je pensais que les *hackers* carburaient uniquement au *junk* et aux boissons gazeuses, fit la voix caustique de Sharp.

— Préjugés, préjugés…

— Et moi, je te croyais un inconditionnel de Coke, reprit Yvan.

— Coke ou espresso, répondit Chamane, ça reste de la caféine.

— Alors, qu'est-ce qui se passe à MultiGestion Capital International ? demanda Hurt.

Yvan prit le relais.

— Ils gèrent quarante-deux compagnies. C'est une sorte de *holding* financier.

— Comme Power Corporation ?

— Si vous voulez. Mais, en fait, ce serait plutôt le contraire de Power Corporation.

— Le contraire ?

— La plupart des compagnies qui font partie du *holding* perdent de l'argent. Techniquement, elles devraient presque toutes être en faillite. En tout cas, si on se fie à leurs états financiers.

— Et elles ne le sont pas ?

— Aucune. J'ai examiné sept compagnies un peu plus en détail. De la façon dont elles sont structurées, elles ne peuvent faire autrement que de perdre de l'argent. Ce sont de véritables trous noirs. Ça doit coûter la peau des fesses aux actionnaires pour les garder à flot.

— Les sept ?

— Oui.

— Et les autres ?

— Je n'ai pas encore eu le temps de regarder de près, mais le schéma a l'air de se répéter.

— Alors, comment elles font pour demeurer en activité ?

— La seule explication que je vois, c'est que les actionnaires comblent le déficit chaque année. Mais ça reste une hypothèse. Pour être certain, il faudrait que j'examine en détail leurs états financiers.

— Vous les avez ?

— Ils sont dans la banque de données de MultiGestion, intervint Chamane. Je l'ai téléchargée au complet.

Yvan reprit la parole.

— J'ai commencé par les états consolidés des quarante-deux compagnies, puis j'en ai choisi sept pour une première analyse rapide.

— De quelle sorte de compagnies s'agit-il ?

— Très diversifiées. Centres commerciaux, mines, édifices à bureaux, chaîne de bijouteries, *sex clubs*...

— Et toutes ces compagnies perdent de l'argent ?

— La plupart, je dirais. Il y en a quelques-unes qui arrivent à surnager. Mais à peine.

TVA, 22 H 07

> ... DES DERNIÈRES VICTIMES. À L'OCCASION D'UNE ENTREVUE ACCORDÉE À NOTRE RÉSEAU, LE CHEF DE L'OPPOSITION OFFICIELLE A ANNONCÉ QUE, COMPTE TENU DE LA GRAVITÉ DES CIRCONSTANCES, IL EXIGERAIT QUE LE MINISTRE DE LA SÉCURITÉ PUBLIQUE METTE SUR PIED UNE UNITÉ SPÉCIALE D'INTERVENTION.
>
> JOINT PAR TÉLÉPHONE, LE PORTE-PAROLE DU GOUVERNEMENT A RÉPLIQUÉ QUE TOUS LES APPUIS NÉCESSAIRES ÉTAIENT ACCORDÉS AU SERVICE DE POLICE DE LA CUM, DONT CELUI DE LA SÛRETÉ DU QUÉBEC, ET QU'IL N'ÉTAIT PAS QUESTION DE...

LONGUEUIL, 22 H 16

Hurt feuilleta rapidement le dossier que lui avait donné Yvan. Il s'agissait de centaines de pages d'états financiers.

— Pour la partie financière, je vous fais confiance, dit-il quelques instants plus tard. Ce qui m'intéresse, ce sont vos conclusions. Vous êtes certain que ces compagnies sont toutes déficitaires ?

— C'est ce qu'indiquent leurs états financiers. Chaque année, il y a injection de nouveaux fonds déguisés en investissements. C'est comme les stocks Internet : théoriquement, l'avoir de la compagnie augmente, mais il n'y a pas assez de ventes pour justifier la capitalisation et il n'y a pas de profits.

— Elles sont déficitaires de beaucoup ?

— Qu'est-ce que vous voulez dire ?

— Supposons que vous êtes un acheteur et que vous analysez cette compagnie…

— Supposons…

— Allez-vous conclure qu'il faut mettre la clé dans la porte ? Autrement dit, est-ce que ce sont des compagnies qui pourraient être intéressantes, si on les achetait à bas prix et qu'on les restructurait ?

— Attendez un instant.

Yvan récupéra le dossier qu'il avait montré à Hurt, trouva la page qu'il cherchait et sortit sa calculatrice.

Chamane en profita pour demander à la serveuse de renouveler les cafés.

— Oui, dit Yvan après quelques minutes de calcul.

Il leva les yeux de sa calculatrice.

— En restructurant, poursuivit-il, il y aurait moyen de faire pas mal de fric.

— Vous feriez quoi ?

— J'ai fait un test dans trois compagnies d'immobilier, c'est un secteur que je connais mieux. Elles ont toutes le même problème : leurs fournisseurs leur chargent des prix beaucoup trop élevés. Elles n'auraient aucune difficulté à trouver mieux.

— Les fournisseurs ?

— L'entretien, le ménage, le nettoyage des fenêtres extérieures… Ils dépensent une fortune. Et puis, il y a les salaires. Ils paient une fois et demi le prix du marché… Leurs budgets de publicité sont extravagants. Ils engagent toutes sortes de consultants pour faire des études…

— Autrement dit, ils dépensent trop.

— Ils dépensent trop et il ne rentre pas assez d'argent. Leurs loyers sont trop bas et leur taux d'inoccupation est élevé. Ils perdent un tas d'argent avec des ruptures de bail et des poursuites. On dirait presque qu'ils le font exprès.

Hurt recula sur sa chaise en fixant Yvan.

— Exprès ? dit-il.

— Il y a autre chose, reprit Yvan sans s'occuper de la question.

Il montra une feuille à Hurt.

— Regardez les frais juridiques. Trois millions et demi. Et le résultat : des règlements amiables de quatre-vingt-deux millions. Ça fait un total de quatre-vingt-cinq millions de pertes.

— C'est la même chose chaque année ?

— Plus ou moins. En annexe, ils donnent l'évolution des principaux postes financiers au cours des cinq dernières années. Au total, ils ont perdu quatre cent trente-cinq millions en frais judiciaires et poursuites juridiques.

Hurt releva les yeux de la feuille.

— Un demi-milliard, dit-il. Pour trois compagnies.

— Oui. Sans compter les autres pertes.

— Et toutes les compagnies ont ce genre de profil ?

— Sauf quelques exceptions. Le réseau des bijouteries et les mines d'or sont rentables. Leurs profits pourraient probablement être un peu meilleurs, mais ils en font année après année.

— Quelle conclusion tirez-vous de tout ça ?

— Ou bien ils ont des administrateurs pourris et des actionnaires aveugles ou bien…

— Ou bien quoi ?

— Ou bien ils font exprès.

— Est-ce qu'ils pourraient en perdre davantage ?

Yvan resta silencieux un moment.

— Oui, je suppose, finit-il par répondre. Ils auraient juste à engager plus de consultants, baisser les loyers, payer plus de salaires… Mais ce serait trop évident.

— C'est bien ce que je pensais… La seule explication, c'est que tout ça est une immense machine à blanchiment.

— Impossible, répondit Yvan. L'argent sort dans toutes les directions. Pour que votre hypothèse soit juste, il faudrait que les pertes soient plus concentrées. Que l'argent finisse par aboutir au même endroit.

— Exactement, reprit Hurt. Il faut que tout l'argent finisse par arriver au même endroit.

Il se tourna vers Chamane.

— Je vais avoir un autre travail pour tes petits copains, dit-il. Ceux dont tu m'as parlé l'autre jour.

— Les U-Bots ?

— Oui.

Hurt revint à Yvan.

— J'aimerais que vous analysiez cinq compagnies en profondeur, dit-il : leur structure financière, la liste de leurs clients, de leurs fournisseurs, de leurs actionnaires… tout ce que vous pouvez trouver. Vous allez mettre ça en tableaux comparatifs. Pour les informations, Chamane et ses amis vont vous aider.

— Ça risque de coûter cher, fit Chamane.

— Je compte sur toi pour limiter les dégâts.

La flatterie est un des plus vieux moyens de manipulation qui existe. Fréquemment caricaturée, souvent réduite à ce qu'on appelle avec justesse de basses flatteries, elle est en réalité un art plus subtil et plus exigeant qu'il n'y paraît. Lorsqu'elle est bien mise en œuvre, elle repose essentiellement sur l'exploitation méthodique et minutieuse de l'insécurité.

Leonidas Fogg, *Pour une gestion rationnelle de la manipulation*, 4- Asservir par les passions.

LUNDI, 27 SEPTEMBRE 1999

MONTRÉAL, 9 H 18

Ulysse Poitras regardait l'ombre des nuages dessiner des figures éphémères sur les flancs du mont Royal. Ce jeu évoquait pour lui celui de l'économie et des marchés financiers : des phénomènes imprévisibles, impalpables, qui se manifestaient dans des formes volatiles et passagères.

De près, il était impossible d'y comprendre quoi que ce soit. On était littéralement dans le brouillard. À distance, par contre, on pouvait se faire une image globale des causes, estimer grossièrement leur évolution, comme on pouvait identifier les masses nuageuses. On pouvait aussi se faire une idée de leurs effets, repérer le jeu des zones d'ombre et de soleil sur le flanc de la montagne. Mais pour ce qui était d'établir un lien clair de causalité, de prévoir ce jeu par l'observation des nuages, on en était réduit aux approximations.

Il en était de même pour les fluctuations de l'économie et de son influence sur les marchés financiers.

Bien sûr, quand le ciel était couvert ou quand il faisait un soleil éclatant, on pouvait avoir une bonne idée de ce qui se passerait au sol. Du moins à court terme. Mais c'était inutile. Parce qu'alors tout le monde pouvait le prévoir. C'était pendant les périodes de transition, quand le ciel hésitait entre le beau et le mauvais temps, quand l'économie hésitait entre la poursuite de l'expansion et le ralentissement, quand les marchés alternaient entre des mouvements à la hausse et à la baisse, que la prévision devenait utile. Et c'était dans ces moments-là qu'elle devenait de plus en plus incertaine.

De l'autre côté de la baie vitrée à demi ouverte, dans la salle de négociation, un des Jones écoutait avec une attention totale les indications que lui donnait un jeune négociateur sur le métier de courtier.

— Un bon courtier, disait-il, c'est quelqu'un qui sort ses clients. Ça prend de l'endurance et un bon réseau de relations.

— Pourquoi ?

— Parce qu'il doit connaître les bons restaurants, les endroits à la mode. Il doit être au courant des principaux spectacles et avoir des contacts dans le réseau des *scalpers*, pour obtenir à la dernière minute les billets qu'un client pourrait vouloir.

— Ce que je ne comprends pas, c'est la raison pour laquelle il doit faire tout ça.

— Parce que, pour ce qui est de vendre ou d'acheter des titres, les bons courtiers donnent un service à peu près équivalent. C'est ce qu'il y a autour qui fait la différence. Un client bien disposé va moins insister sur des réductions de coûts ; il va avoir tendance à évaluer de façon plus positive la recherche que tu lui fournis… Et, surtout, il va être prêt à te confier une plus grande partie de ses transactions. L'entretien des clients, pour les courtiers, c'est l'équivalent de la publicité : une manière d'aller chercher un plus gros volume d'affaires.

— Ça doit entamer sérieusement les profits !

— L'industrie des valeurs mobilières est une de celles où les marges bénéficiaires demeurent les plus grandes. C'est normal. S'il fallait que ceux qui s'occupent de gérer l'argent des autres manquent eux-mêmes d'argent, ça ne ferait pas tellement sérieux.

La sonnerie du téléphone résonna sur le bureau de Poitras. Il fit pivoter son fauteuil.

— Poitras.

— Bonjour, monsieur Poitras. Ici Marc-André Gilbert, du comité de retraite de l'Hydro.

— Quoi de nouveau ? On se voit toujours à la fin d'octobre ?

— Oui. Mais c'est pour autre chose que je vous appelle.

— Je peux faire quelque chose pour vous ?

— L'actuaire du comité va communiquer avec vous aujourd'hui ou demain. Nous allons transférer quatre cent millions chez Hope Fund Management.

Poitras resta muet quelques secondes. Il ne comprenait pas que le client lui retire la gestion d'une somme pareille. Les résultats n'étaient pas aussi glorieux qu'au cours des dernières années, certes, mais sa performance demeurait encore au-dessus de la médiane.

— D'accord, finit-il par dire. Est-ce que je peux savoir ce qui a motivé la décision du comité ?

— Les membres sont inquiets. Vous avez perdu huit points de base au cours du deuxième trimestre. Sans parler du mois d'août : d'après ce que vous m'avez dit, vous aviez allongé la durée juste avant la hausse des taux.

— Votre compte est encore à vingt-deux points de base au-dessus de l'indice. Presque un quart pour cent. Ça vous place dans le milieu du deuxième quartile. Sur deux ans et cinq ans, vous êtes encore dans le haut du premier !

— Je sais. Mais le comité a choisi d'opter pour la prudence et de diversifier le risque du portefeuille en le répartissant entre un plus grand nombre de gestionnaires.

— Vous en retirez plus de la moitié.

« Presque soixante pour cent », songea-t-il. Le client avait six cent cinquante millions chez UltimaGest.

— Le comité est nerveux. Par le passé, il a été trop patient avec ses gestionnaires. Cette patience a coûté des millions à la caisse de retraite. Il ne veut pas répéter son erreur.

— Hope Fund Management a eu une bonne performance au cours des derniers trimestres, mais ça faisait quatre ans qu'ils avaient de la difficulté avec les titres à revenu fixe. Sur l'année, nous sommes encore en avance sur eux !

— Le comité a vu leur présentation et il est plus à l'aise avec leur approche... Les temps changent, monsieur Poitras. En période de taux bas et de faible volatilité à long terme, ça prend de nouvelles stratégies, de nouvelles idées. Une stratégie qui utilise davantage la volatilité à court terme.

— Le comité a toujours affirmé qu'il souhaitait de la discipline à long terme, qu'il ne voulait pas une gestion au jour le jour...

Poitras s'interrompit. Insister davantage n'aurait servi qu'à indisposer le client. Mais il n'en demeurait pas moins que sa décision était illogique, en totale contradiction avec ses positions antérieures.

— Mais bon, reprit-il. C'est votre décision.

Qu'est-ce qui pouvait bien s'être passé ? Hydro-Québec était un de ses plus anciens clients. Leur comité de retraite était réputé pour son sérieux dans le suivi de la gestion des fonds et la rigueur de sa politique de placement. Et voilà qu'on lui retirait des fonds sous prétexte d'une mauvaise performance mensuelle !... Même pas une mauvaise performance, en fait. Quelques points de base, ce n'était que du bruit. N'importe qui aurait parlé d'un rendement aligné sur l'indice de référence.

Y avait-il eu des interférences politiques ? Avait-on fait pression sur le comité pour qu'il favorise un gestionnaire appartenant au cercle des amis du régime ? À sa connaissance, Hope Fund Management n'avait jamais joué ce genre de jeu.

Ce qui troublait le plus Poitras, plus encore que la perte du quatre cent millions d'actifs à gérer, c'était cette volte-face brusque et incompréhensible du comité. Il y avait là quelque chose d'étrange. De louche même. Surtout si on tenait compte de la série d'événements tragiques survenus au cours des derniers mois dans l'univers habituellement feutré des gestionnaires de fonds.

Il décida d'envoyer un message à Blunt pour lui faire part de l'étrange comportement de son client.

En se tournant vers l'ordinateur pour ouvrir le logiciel de courrier électronique, il vit que Jones I était toujours plongé dans les explications que lui assénait le jeune négociateur.

— Le plus dur, dans le métier de courtier, disait ce dernier, c'est la vie de couple. Presque tous les soirs, la plupart des fins de semaine, il faut que tu sortes des clients !

MONTRÉAL, 9 H 57

En entrant dans le bureau du directeur général du SPCUM, l'inspecteur-chef Théberge eut la surprise d'y trouver le maire.

— Nous vous attendions, fit ce dernier en s'avançant vers lui la main tendue.

Théberge la saisit avec méfiance, donna une brève secousse et se dépêcha de la relâcher.

— Le maire a insisté pour que vous vous joigniez à nous, fit le directeur. Apparemment, il est emballé par le comportement de vos deux recrues.

— Positivement emballé, confirma le maire.

— Vous parlez de Rondeau et Grondin ? demanda Théberge, incrédule.

— Bien sûr ! Ils sont un vent de fraîcheur qui va réconcilier les citoyens avec les forces policières.

— Et avec l'univers du burlesque, ronchonna Théberge en prenant le siège que lui désignait le directeur.

— Un vent de fraîcheur, je vous dis ! réitéra le premier magistrat.

— Avec des bourrasques qui atteignent cent soixante kilomètres heure, continua de maugréer Théberge.

Au fond de lui-même, il songeait plutôt à un ouragan de force quatre.

Le directeur interrompit leur échange.

— Monsieur le maire désire discuter avec nous des mesures à prendre pour contrer la vague de violence qui déferle sur la ville.

« Encore une comparaison météorologique », songea Théberge avec humeur. On n'en finissait plus de parler des problèmes causés par les gens en termes de fléaux naturels. Et ensuite, on se surprenait que plus personne ne se sente responsable de rien.

— Deux ou trois meurtres spectaculaires peuvent exciter l'imagination du tout-venant et l'hystérie dans les tribunes téléphoniques, dit-il. Je vous le concède. Mais de là à parler de vagues de crimes…

— Qu'est-ce que vous faites des nouveaux attentats du Vengeur ? objecta le maire.

— Les « nouveaux » attentats ?… Il n'y a rien qui prouve qu'il en est l'auteur.

— Il les a revendiqués !

— Puis il les a niés.

— S'attaquer à des gens impliqués dans la gestion financière, c'est cohérent avec le reste. Il s'en prend à des citoyens importants, qui sont des symboles de réussite sociale. Un riche entrepreneur, le maire, des gestionnaires importants… Je suis convaincu qu'il s'agit d'un individu troublé qui a un problème avec le succès.

— C'est sans doute pour cela qu'il s'est attaqué aux motards !

— À leur façon, ils représentent une certaine forme de réussite.

Théberge lui jeta un regard noir.

— Réussite que je désapprouve, bien entendu, se dépêcha de préciser le maire. Cependant, aux yeux d'un déséquilibré…

Théberge eut envie de répondre qu'il y avait probablement deux Vengeurs. Un qui pratiquait une variante un peu radicale de l'entartage et puis un autre qui utilisait le nom du premier pour couvrir ses crimes. Mais il jugea préférable de se taire. Autant ne pas lancer le maire sur ce sujet.

Son attention revint à ce qu'était en train de dire le premier magistrat.

— … et c'est pour ça que j'ai demandé cette petite réunion. Pour que nous fassions un peu d'orage cérébral, comme disent les Américains.

Théberge regarda le maire sans comprendre.

— Pardon ?

— De *brainstorming*.

Les deux policiers se regardèrent. Le directeur manifesta d'un haussement de sourcils son impuissance à contrôler la discussion.

— À quel propos voulez-vous que nous déclenchions ces typhons synaptiques ? demanda Théberge.

— Typhons synaptiques… c'est une de vos bonnes, celle-là…

Théberge se demanda avec inquiétude si le maire avait acquis le sens de l'humour.

— La semaine prochaine, poursuivit le premier magistrat, je vais faire une conférence de presse.

Les deux policiers se regardèrent de nouveau, puis ramenèrent leur regard sur le maire.

— Une conférence de presse ? dirent-ils simultanément.

EUROPE-1, 16 H 02

LE MINISTRE DE L'INTÉRIEUR A TENU À RÉAFFIRMER QUE LA FRANCE FERA TOUT CE QUI EST EN SON POUVOIR POUR ASSURER L'INTÉGRITÉ DE SON

> TERRITOIRE ET PROTÉGER LA NATION CONTRE L'ACTION DES SERVICES DE RENSEIGNEMENTS ÉTRANGERS.
> EN CE QUI A TRAIT AU GROUPE CONNU SOUS LE NOM D'INSTITUT, LE MINISTRE A AFFIRMÉ QUE LES CRIMINELS QUI ONT HARCELÉ ET ACCULÉ AU SUICIDE DES CITOYENS FRANÇAIS SERONT POURSUIVIS ET TRAQUÉS SANS RELÂCHE, JUSQU'À CE QU'ILS SOIENT TRADUITS DEVANT LES TRIBUNAUX POUR LEURS CRIMES.

MONTRÉAL, 10 H 03

— À quel sujet voulez-vous faire une conférence de presse ? demanda le directeur du SPCUM.

— Je veux annoncer un train de mesures pour aider au « nettoyage » social de la ville, répondit le maire. Je rêve d'un Montréal propre et sécuritaire, où les citoyens puissent se promener à toute heure du jour sans risquer d'être agressés ou de faire des rencontres désagréables... L'idée m'en est venue lors de mon dernier voyage à Tokyo.

— Tokyo ? ne put s'empêcher de répéter Théberge.

— Vous devriez voir la propreté des rues, reprit le maire. Pas de déchets, pas d'itinérants... la nuit, les jeunes femmes peuvent sortir sans risquer de se faire attaquer. Une ville modèle !

— J'avais entendu dire que le Japon, particulièrement Tokyo, était le royaume de la corruption et des yakusas.

— Je suis persuadé qu'il s'agit de grossières exagérations qui viennent des films à succès sur les arts martiaux. Et puis, on ne peut pas juger les autres cultures avec nos critères. Ce qui, à nos yeux, pourrait paraître de la corruption, peut s'avérer une forme particulière, un peu inattendue peut-être, de solidarité sociale.

— À quelles mesures pensez-vous ? fit le directeur pour ramener la discussion sur un terrain plus pragmatique.

— C'est avant tout une question de moralité. Si on veut assainir les mœurs, il faut commencer par éliminer les lieux d'incitation aux comportements déviants.

— Les lieux d'incitation aux comportements déviants, reprit mécaniquement Théberge. Vous voulez parler de quoi, au juste ? Des piqueries, de l'hôtel de ville, des galeries d'art contemporain, de la rue Saint-Denis, des locaux d'Alliance Québec... ?

— Je veux parler des bars de danseuses, reprit avec humeur le maire. Je trouve que la mort de ce gestionnaire... euh... Lavigne... nous donne un excellent prétexte... Cela contribuerait aussi à nettoyer l'image du centre-ville. Avec toutes les annonces sur les façades, on se croirait dans le quartier d'Amsterdam réservé à ce genre de choses.

— Ça s'est passé au début de l'été.

— Il n'est jamais trop tard pour bien faire.

— À votre place, répliqua Théberge, j'hésiterais un tantinet avant de reprendre la relève de Drapeau et de Pax Plante.

— Et pourquoi donc ?

— Par souci d'efficacité.

— Que voulez-vous dire ?

— Le grand fait d'armes de Plante et de Drapeau est d'avoir interdit aux filles de s'asseoir avec les clients pour faire de la sollicitation.

— Je trouve que c'est une bonne idée. Ça élimine le problème à la source. Qu'est-ce que vous avez contre ça ?

— La source, comme vous dites, n'est pas à chercher du côté des filles, mais de ceux qui ont besoin des filles. Qu'est-ce qui s'est passé avec la loi de Drapeau ?

— Les rues de la ville sont devenues plus présentables.

— Le véritable effet de l'action de Drapeau et de Pax Plante, ç'a été de donner le pouvoir aux souteneurs.

— Vous divaguez.

— C'est pourtant facile à comprendre : les filles ne pouvaient plus aborder les clients. Il leur fallait un intermédiaire. Les souteneurs sont alors devenus indispensables. Sans eux, les filles ne pouvaient plus travailler et les clients ne pouvaient plus avoir de filles. Le résultat net, c'est que la prostitution a été de plus en plus contrôlée par le crime organisé. Pour ce qui est des filles, comme elles étaient de plus en plus à la merci des souteneurs, leurs conditions de vie se sont dégradées. Belle réussite !

Le maire affichait un air sceptique.

— Votre point de vue n'est pas très orthodoxe, dit-il.

— Pourquoi pensez-vous que les groupes criminels soutiennent financièrement les campagnes de moralité publique ? C'est comme pour les drogues douces. Vous seriez surpris de voir d'où vient l'argent des groupes opposés à sa légalisation.

— Vous qui êtes si bon pour détruire les solutions des autres, vous proposez quoi ?

— Ce qui se fait depuis toujours. Du travail d'enquête, des arrestations quand nous avons des preuves…

— Vous oubliez que le crime ne naît pas spontanément. Qu'il croît dans un milieu. En éliminant le milieu, on empêche le crime d'apparaître.

— Je crois surtout qu'il faut faire une distinction entre les homicides et l'étalage excessif d'épidermes et de muqueuses en tous genres.

— On voit ce qu'elle a donné, jusqu'à maintenant, votre méthode !

Le directeur jugea bon d'intervenir.

— Je tiens à rappeler que l'inspecteur-chef Théberge a les meilleures statistiques d'efficacité de tout le SPCUM.

— Alors, comment se fait-il que le Vengeur coure toujours ?

— Premièrement, répondit Théberge, nous ne croyons pas qu'il y ait un seul Vengeur. Celui qui a accompli les premiers exploits n'est pas celui qui a tué les gestionnaires.

— Vous avez des preuves ? demanda agressivement le maire.

— Non. Mais il ne s'agit pas du même type de crime ni du même profil de délinquance.

— Vous appelez ça des preuves ?

— Je vous ai dit que je n'avais pas de preuves. Mais l'atmosphère qui se dégage des exploits du Vengeur est différente de celle des scènes de crime.

— Si vous parlez de ses « exploits », je comprends que l'enquête piétine.

— C'est une manière de parler.

— Messieurs, messieurs ! reprit le directeur. Si on poursuivait de manière plus constructive.

Puis il s'adressa directement au maire.

— Est-ce que vous avez d'autres suggestions ?

— Non. Je comptais sur vous pour étoffer ma liste de propositions avant de la présenter aux médias. Je vois que j'ai fait erreur. Heureusement qu'il me reste les clones. Je suis certain qu'ils auront de bonnes idées, eux.

— Les clones ? demanda Théberge.

Son regard fit la navette entre le maire et le directeur.

— Il va les rencontrer, eux aussi, expliqua finalement le directeur. Pour faire de « l'orage cérébral ».

— Je suis certain qu'ils se montreront très coopératifs, enchaîna le maire. Et très créatifs.

— Pour ça…

— J'attends beaucoup de notre rencontre. Je m'attends à être étonné.

— Vous ne serez pas déçu !

Théberge se demandait avec un mélange de hâte et d'appréhension de quoi aurait l'air une conférence de presse préparée conjointement par le maire et les clones.

— Vous ne ferez pas de difficultés pour me les prêter pendant quelques heures ? fit le maire.

— Aucune difficulté, répondit Théberge. Comme ils sont affectés en priorité à l'enquête sur le Vengeur, je suis certain que vous ne les retiendrez pas plus que nécessaire.

— Je vous remercie.

Théberge trouvait que le maire, avec sa grosse tête ronde qui ne souriait pas, ressemblait à un bonhomme Carnaval triste dont on viendrait de casser le dernier jouet. Peut-être pressentait-il dans quels plats les clones allaient l'amener à se mettre les pieds.

MONTRÉAL, 11 H 37

Yvan Semco avait de la difficulté à se concentrer. Habituellement, répondre à deux appels à la fois tout en surveillant le défilement des données à l'écran ne lui posait aucun problème. Mais il n'arrêtait pas de penser à ses nouvelles fonctions ainsi qu'à son travail avec Chamane. Il se demandait comment il allait pouvoir tout faire entrer dans un horaire déjà rempli. Ses soirées et ses fins de semaine se réduiraient à presque rien.

Alors qu'il négociait des contrats à terme sur le yen avec un courtier new-yorkais, un collègue se pencha pardessus son bureau.

— Réunion dans la grande salle de conférences. Le patron veut nous voir.

Quelques minutes plus tard, le président de Hope Fund Management, Christopher Hope, accompagné de Claude Brochet, entrait dans la salle et prenait place au bout de la table de conférence.

— Messieurs, dit-il en s'adressant au personnel de gestion qui y était réuni, vous connaissez tous Claude Doyon. Vous connaissez tous l'estime que lui témoignait l'ensemble de la communauté financière. C'est en bonne part grâce à lui si Hope Fund Management est devenue la firme qu'elle est aujourd'hui. Mon ami Claude...

Hope était ému. Il toussota à quelques reprises pour reprendre contenance.

— Mon ami Claude était en congé de convalescence depuis l'accident qu'il a subi ce printemps. Ce matin, il m'a fait parvenir sa démission.

Des murmures interrogateurs et surpris parcoururent l'assistance. Personne n'imaginait que Claude Doyon puisse faire autre chose que travailler jusqu'à sa mort pour la firme qu'il avait créée.

— Pour Claude, reprit le président, Hope Fund Management était l'œuvre de sa vie. Avant les événements tragiques qui ont mis fin à sa carrière, il travaillait à un projet qui lui tenait à cœur : amorcer une nouvelle phase d'expansion pour l'entreprise en réalisant une percée sur le territoire européen. À cette fin, il avait recruté un nouveau vice-président, Gabriel Sarkome. Je vous présente celui dont l'engagement a été le dernier acte de

Claude Doyon pour contribuer au développement de notre firme.

Comme obéissant à un signal, un homme entra dans la salle et vint rejoindre le président. Après lui avoir serré la main, il prit place à sa droite. Il eut ensuite un signe de tête à l'endroit de l'ensemble des gestionnaires.

La quarantaine à peine grisonnante, il portait un habit anthracite finement rayé de gris un peu plus pâle. Tout dans son habillement, jusqu'aux fines lunettes à monture dorée, respirait le banquier helvétique. Son gabarit, par contre, était davantage celui d'un athlète.

— Je laisse monsieur Brochet vous dire quelques mots à son sujet, reprit Hope. Il vous parlera aussi des réaménagements que l'arrivée de monsieur Sarkome entraînera.

Brochet attendit quelques secondes, le temps que les murmures s'atténuent.

— Monsieur Sarkome travaillait jusqu'à ces derniers jours à la Banque internationale de commerce de Berne, dit-il. Il y assumait la responsabilité des comptes institutionnels. Auparavant, il a occupé des fonctions similaires à la Bahamas Bank of Development and Commerce ainsi qu'à l'International Credit Bank de Guernesey. Je suis assuré que les nombreuses relations qu'il a conservées dans ces milieux, de même que ses compétences hors du commun, seront un apport précieux pour notre firme.

Brochet fit une nouvelle pause avant de poursuivre, pour bien marquer qu'il abordait un autre sujet.

— Monsieur Sarkome occupera le poste de vice-président principal aux placements institutionnels, conformément aux vœux de monsieur Doyon. La section des placements internationaux, qui relevait auparavant de moi, sera également sous sa supervision. Pour ma part, compte tenu de ma récente nomination comme vice-président au développement des affaires, je me concentrerai sur le développement corporatif et je m'occuperai des projets spéciaux que le président voudra bien me confier. Les responsabilités dans les autres départements demeurent inchangées.

Un soupir de soulagement parcourut l'assistance.

— Inutile de dire que je compte sur vous pour faciliter l'adaptation de notre nouveau vice-président, reprit Brochet... Ah, j'oubliais. Notre nouvelle recrue n'arrive pas les mains vides. Il a dans sa mallette des contrats de gestion pour un montant de huit cents millions. Pour l'essentiel, ce sont d'anciens clients qui ont décidé de lui faire confiance et de le suivre.

— Est-ce qu'on ne risque pas d'avoir des poursuites ? ne put s'empêcher de demander Yvan.

Brochet s'apprêtait à répondre, mais Sarkome l'interrompit d'un geste.

— Si vous permettez, dit-il.

Puis il dirigea son regard vers Yvan.

— Je suis content que vous souleviez cette question, dit-il. Cela dénote une prudence que je ne saurais trop approuver. Pour vous rassurer, je peux vous dire que ces clients m'ont suivi avec l'accord de la Banque internationale de commerce.

— Je ne comprends pas...

Les yeux de tous les gestionnaires étaient fixés sur le nouveau vice-président à l'international. Sa voix basse et vibrante exerçait une fascination certaine.

— Les comptes qui m'ont été confiés, reprit-il, ne représentent qu'une faible partie des dépôts que ces clients ont en gestion à la Banque internationale de commerce. Ce qu'espèrent mes anciens employeurs, c'est établir une relation d'affaires à long terme avec votre – pardon ! – avec notre entreprise. Il s'agit pour eux d'une forme d'investissement. Ils aimeraient nous recommander à certains de leurs clients, pour peu que nous fassions de même avec les nôtres. À leurs yeux, notre proximité avec le marché américain est un atout non négligeable.

— Je ne comprends toujours pas pourquoi ils acceptent de diminuer leur avoir sous gestion...

— Vous n'êtes pas sans savoir que les détenteurs de grandes fortunes privées ont habituellement la prudence de répartir la gestion de leur patrimoine entre plusieurs gestionnaires réputés. C'est une application élémentaire des principes de diversification du risque.

Yvan n'aimait pas trop la façon de lui répondre de Sarkome, comme s'il s'adressait à quelqu'un qui n'aurait rien connu du placement, mais il décida de ne rien dire.

— Les montants que j'ai apportés ont immédiatement été remplacés dans les comptes de la BICB. C'est en quelque sorte une expérience que les clients sont prêts à tenter avec une partie de l'argent qu'ils ne font pas gérer par mes anciens employeurs.

En retournant à son bureau, Yvan était plus perplexe encore qu'au début de la réunion. Il ne pouvait s'empêcher d'établir des liens entre ce qu'il venait d'apprendre et les allégations de l'employeur de Chamane comme quoi le milieu financier québécois était dans la mire d'un groupe criminel international.

Il avait hâte d'en discuter avec Chamane.

RADIO-CANADA, 12 H 03

... A DÉPOSÉ UNE PLAINTE POUR HARCÈLEMENT SEXUEL, SÉQUESTRATION ET VOIES DE FAIT. CHARLES GONTHIER, CINQUANTE-QUATRE ANS, ÉTAIT GESTIONNAIRE CHEZ HOPE FUND MANAGEMENT DEPUIS DOUZE ANS. INTERROGÉ À CE SUJET, LE PRÉSIDENT DE HOPE FUND MANAGEMENT A REFUSÉ DE SE PRONONCER SUR LE BIEN-FONDÉ DES ACCUSATIONS. IL A CEPENDANT DÉCLARÉ QUE MONSIEUR GONTHIER AVAIT ÉTÉ MIS EN CONGÉ JUSQU'AU TERME DE SON PROCÈS. D'ICI LÀ, IL RECEVRA SON SALAIRE ET CONTINUERA D'ACCUMULER LES AVANTAGES SOCIAUX PRÉVUS DANS SON CONTRAT.

MONTRÉAL, 12 H 51

La femme lui avait fixé rendez-vous au bar du Delta pour régler les problèmes demeurés en suspens. Ceux du vendredi soir, avait-elle précisé lorsqu'il lui avait demandé de quels problèmes il s'agissait.

Stéphane Rocheleau n'avait aucune idée de ce qu'il avait pu laisser en suspens. En fait, la journée avait presque complètement disparu de sa mémoire. Son dernier souvenir était d'être entré dans un bar pour prendre un apéro avant le dîner. Il se rappelait aussi, mais de façon confuse, avoir rencontré une femme. Pour le reste, c'était le trou noir.

Intrigué par la voix féminine qui l'avait appelé, mais surtout curieux de savoir ce qu'il avait bien pu faire de particulier au cours de cette journée, Rocheleau avait accepté le rendez-vous.

Une femme qu'il avait prise pour une cliente à la recherche d'une table s'assit devant lui. Un tailleur chic, des cheveux roux sur l'épaule, un maquillage dramatique, un attaché-case à la main et des talons aiguilles de six pouces, elle ressemblait à un hybride de *call girl* et de femme d'affaires.

— Je suis Jessie Hunt, dit-elle. Je viens pour la facture.

— Quelle facture ?

— Vendredi soir, vous avez signé une addition en quittant le bar. Une addition assez musclée.

— Quel bar ?

— Le Boom Club. Vous n'allez pas me faire le coup de celui qui ne s'en souvient pas, vous aussi ?

Son sourire disait clairement qu'elle ne s'attendait pas à une réponse affirmative.

— Je vous jure, protesta Rocheleau.

— C'est vrai qu'avec tout ce que vous aviez pris…

— À quel endroit, déjà ?

— Le Boom Club.

— C'est quoi ?

— Un bar de danseuses.

— Impossible ! Je n'ai jamais mis les pieds dans ce genre d'établissement.

La femme le regarda un instant avec un léger sourire, puis elle sortit une photo de la poche intérieure de son veston.

— Comment expliquez-vous ceci ? demanda-t-elle.

Sur la photo, on voyait Rocheleau avec trois danseuses nues pressées contre lui.

— Je ne comprends pas.

— Ce n'est pas grave… du moment que vous payez.

— Combien ?

— Tenez, dit-elle.

Cette fois, la femme sortit une enveloppe de son attaché-case. Rocheleau l'ouvrit, en sortit une feuille de papier pliée en trois et l'examina. Son visage prit un air stupéfait. Il releva les yeux vers la femme.

— C'est une blague ?

— Vous avez réellement eu un *black-out* ? répliqua l'autre, comme si elle trouvait le phénomène intéressant.

— C'est impossible ! Je ne peux pas avoir dépensé quatre mille huit cent soixante-douze dollars.

— Cinq danseuses à la fois, des tournées générales de champagne et de danseuses pour les clients… les pourboires…

— Je ne vous crois pas.

— C'est seulement le surplus, ce qui ne pouvait pas être couvert par votre carte de crédit. Vous aviez dépassé votre limite.

— Je ne me souviens même pas d'avoir été à cet endroit !

— Je peux vous assurer que les serveuses, elles, se souviennent très bien de vous. Vous êtes arrivé à deux heures de l'après-midi et vous êtes reparti à la fermeture. Il a fallu vous mettre dehors.

— Je n'ai pas d'argent pour vous payer.

— On peut s'arranger. Il suffit que vous me donniez un acompte de cinq cents dollars.

— C'est beaucoup.

— Cinq cents dollars par semaine.

— Quoi !

— Pour couvrir les intérêts.

— C'est du vol.

— Je suis certaine qu'on peut trouver un terrain d'entente.

— L'argent, je ne peux pas l'imprimer.

— Je l'espère bien, répondit-elle en riant. Nous tenons à être payés en véritables billets de banque.

— Je ne vois vraiment pas ce que je peux faire.

— Il y a aussi les photos.

— Quelles photos ?

— Vous avez tenu à immortaliser vos ébats sur la scène avec les danseuses.

— Sur la scène…

— Il y en a aussi qui ont été prises dans les loges, à votre demande.

— Je n'ai sûrement pas demandé qu'on prenne des photos.

— Vous l'avez oublié, ça aussi ? Pourtant, ce sont de véritables œuvres d'art.

— Vous voulez combien ?

— Mille dollars.

— C'est ridicule !

— Mille dollars par photo.

— Vous délirez !

— Je sais, ça peut vous sembler un peu cher. Mais au prix où l'art se vend, de nos jours…

— Il y en a combien ?

— Soixante-quinze.

— Soixante-quinze…

— Comme je vous disais, je suis certaine qu'on peut trouver un accommodement.

Rocheleau la regardait sans répondre. Il semblait avoir du mal à assimiler la réalité.

— Quel accommodement ?

— Dans votre comité de retraite, vous êtes un membre important. Pour les questions de placement, les autres ont tendance à suivre votre avis.

— Et alors ?

— Vous allez faire en sorte de sortir les trois cents millions qui sont chez UltimaGest et de les transférer chez Hope Fund Management. Je vous donne six semaines.

— Il n'en est pas question. J'ai des responsabilités de fiduciaire et je ne me permettrai pas…

— Vous avez peut-être des responsabilités. Ou même des principes. Mais ce que vous avez aussi, ce sont des dettes. Et, surtout…

— Surtout quoi ?

— Vous avez des photos à récupérer.

— C'est un coup monté. Je vais vous poursuivre.

— Pour quel motif ?

— Chantage.

— Je ne fais aucun chantage. Je veux simplement récupérer l'argent que vous nous devez.

— Les photos, ce n'est pas du chantage, peut-être ?

— Tout au contraire. Je vous mets gratuitement en garde contre certains désagréments qui risquent de survenir dans votre vie.

— Quels désagréments ?

— Des photos de vous commenceront à circuler dès demain. Les premières seront envoyées à votre adresse électronique, chez votre employeur. Je vous conseille de surveiller votre ordinateur pour éviter qu'un œil indiscret les aperçoive. Puis ce sera chez vous. À des heures variables. J'espère pour vous que votre femme et vos enfants ne prennent pas le courrier.

— Vous n'avez pas le droit !

— Moi, je ne fais rien. Je me contente de vous informer. On m'a dit qu'il y en aurait également qui seraient diffusées sur Internet.

Rocheleau avait l'air catastrophé.

— Bien sûr, reprit la femme, tout cela peut être évité…

— Si j'accepte votre proposition…

— On ne vous demande pas l'impossible.

— … qu'est-ce qui va arriver avec l'argent ?

— Je peux vous assurer que la caisse de retraite n'y perdra pas. Le nouveau gestionnaire est prêt à vous garantir une valeur ajoutée de soixante-quinze points de base.

— Tous les gestionnaires promettent de la valeur ajoutée.

— Je ne parle pas de promesse, je parle de garantie. Par contrat.

— Ça n'existe pas, ce genre de garantie.

— Vous voulez parier ?

— Et si j'accepte de travailler à faire transférer les fonds ?

— Vous ne recevrez que des photos pas trop compromettantes. Une par semaine, à heure fixe. Pour nous rappeler à votre souvenir.

— Et quand le transfert sera effectué ?

— Vous ne recevrez plus de photos.

La femme se leva.

— Mes salutations à votre épouse, dit-elle avant de partir.

CKAC, 13 H 22

— ... DOIT-ON INTERDIRE LES CLUBS DE VAMPIRES ? C'EST LA QUESTION QUI EST SOUMISE AUJOURD'HUI À NOS AUDITEURS.

ON PARLE ÉVIDEMMENT DE VAMPIRES ENTRE GUILLEMETS. IL NE S'AGIT PAS DE SAVOIR S'IL EXISTE DES VAMPIRES TELS QU'ON LES PRÉSENTE DANS LES PRODUCTIONS HOLLYWOODIENNES ET LES ROMANS POPULAIRES. ON PARLE ICI DE GENS QUI VIVENT DE LA CULTURE VAMPIRIQUE, DE GENS QUI SE RÉUNISSENT POUR S'ADONNER À DES PRATIQUES TEINTÉES DE SATANISME ET AXÉES SUR LE CULTE DU SANG.

SELON CES ADEPTES, LEURS PRATIQUES RELÈVENT DE LA LIBERTÉ D'EXPRESSION ET DE CULTE. L'ÉTAT N'AURAIT PAS PLUS LE DROIT DE S'Y IMMISCER QU'IL N'EST JUSTIFIÉ DE PÉNÉTRER DANS LES CHAMBRES À COUCHER. MAIS, LORSQUE LES CADAVRES S'ACCUMULENT, LA LIBERTÉ D'EXPRESSION NE DEVRAIT-ELLE PAS PASSER AU SECOND RANG ?

NOUS AVONS UN PREMIER APPEL. MONSIEUR GILLES-HENRI GAGNON...

TOKYO, 1 H 29

— Comment va le décalage horaire ? demanda la voix de F à travers le haut-parleur du portable.

— Lui, il va très bien, répondit Claudia.

— Vous pensez qu'il s'agit d'un vrai déblocage ?

— Le responsable de l'équipe locale m'a dit qu'il reste seulement une ou deux formalités. Tout devrait être réglé d'ici vingt-quatre heures. Demain, on reçoit la proposition du ministère de l'Intérieur sur les personnes à épargner. Si on accepte, on peut déclencher l'opération dans les minutes qui suivent.

— En Europe, comment ça se passe ?

— J'ai laissé deux des Jones en charge des opérations de surveillance de Ute Breytenbach.

— Quoi de neuf à son sujet ?

— On a réussi à établir sa présence à proximité des lieux de cinq FC-44.

— Ses contacts ?

— Le plus intéressant est un certain Darius Petreanu. C'est un financier. J'ai envoyé un message à Hurt pour lui demander de le mettre sur la liste des personnes à surveiller.

— Vous avez bien fait. Ce sera intéressant de voir comment tout ce beau monde va réagir, quand l'opération du Japon va être déclenchée.

CKAC, 13 H 36

— … QUE ÇA DEVRAIT ÊTRE INTERDIT.

— QU'EST-CE QUI MOTIVE CETTE VIGOUREUSE PRISE DE POSITION ?

— C'EST PAS CATHOLIQUE, CES AFFAIRES-LÀ. C'EST LE DIABLE QUI A TROUVÉ LE MOYEN DE SE RENDRE INTÉRESSANT POUR METTRE TOUTES SORTES D'IDÉES DANS LA TÊTE DES JEUNES.

— VOUS CROYEZ QU'IL S'AGIT VÉRITABLEMENT DE FORCES SURNATURELLES ?

— C'EST CERTAIN. IL FAUDRAIT QUE LA POLICE FERME TOUT ÇA.

— SI LE DIABLE ET SES SUPPÔTS SONT IMPLIQUÉS, COMME VOUS LE SUGGÉREZ, NE CRAIGNEZ-VOUS PAS QUE LES EFFECTIFS POLICIERS SOIENT PEU EFFICACES ?

— IL FAUDRAIT FAIRE UNE UNITÉ SPÉCIALE. AVEC DES CURÉS ET DES CRUCIFIX.

— UNE BRIGADE D'EXORCISTES. JE SUIS CERTAIN QUE LE DIRECTEUR DU SPCUM VA TROUVER L'IDÉE CRÉATIVE. MERCI, MONSIEUR FRANCŒUR. NOUS DEVONS MAINTENANT PASSER À UN AUTRE APPEL…

TEL-AVIV, 20 H 38

Le major Shimon Pavel était seul dans son bureau, au troisième étage d'un édifice à logements du centre-ville qui appartenait en sous-main au Shin Beth.

L'opération antiterroriste était terminée. Le commando palestinien n'avait pas réussi à faire sauter la garderie. Les cent dix-sept enfants de la haute bourgeoisie de la ville étaient tous sains et saufs. À l'exception d'un. Le fils d'un parlementaire de l'extrême droite. Il avait été tué en même temps que deux des employés.

Pavel reprit le rapport qui était sur son bureau. Il s'agissait de la transcription des premiers interrogatoires. Trois des terroristes avaient été faits prisonniers. Par un véritable coup de chance, les capsules qu'ils avaient croquées en croyant avaler du cyanure contenaient une substance qui avait eu pour seul résultat de provoquer de violentes douleurs à l'estomac.

Deux heures plus tard, sous l'effet des drogues qu'on leur avait administrées, les trois avaient identifié l'organisation qui avait organisé l'attentat : l'Institut.

L'opération devait servir à éliminer de façon couverte les enfants de trois industriels associés à la mafia russe. L'enjeu était le contrôle de la prostitution à la grandeur de la ville. Les jeunes Palestiniens avaient accepté d'exécuter l'opération parce que l'explosion de la garderie leur permettait de frapper un grand coup au cœur d'Israël.

Pavel relut le texte de l'interrogatoire. Il ne faisait pas de doute que les trois jeunes gens étaient sincères. Dans l'état où ils étaient, de toute façon, ils n'auraient pas pu mentir.

Cela ne voulait dire qu'une chose : on les avait manipulés pour leur faire croire que l'Institut était derrière cet attentat. Car cela ne pouvait pas être une opération commanditée par F. De cela, il était certain. Mais il ne réussirait pas à convaincre ses collègues. Pas avec les informations qui avaient commencé à sortir en France et aux États-Unis. Tout effort pour défendre F ou l'Institut ne réussirait en fait qu'à éveiller leur suspicion.

Bien sûr, eux aussi trouveraient étrange que les trois Palestiniens aient eu des capsules de cyanure trafiquées. Mais ils ne diraient rien. Pourquoi se priver d'une victoire ? Tout ce qui contribuait à rehausser l'image du service était bienvenu. Un nombre limité de victimes, une arrestation rapide des coupables, c'était déjà bien. Démasquer l'organisation qui avait commandité l'attaque terroriste, c'était encore mieux.

Devant l'agitation que l'événement ne manquerait pas de soulever à la Knesset, ils n'allaient certainement pas dire que les Palestiniens leur avaient été livrés par le commanditaire de l'attentat et qu'ils n'avaient aucune idée de qui il s'agissait. Qu'ils n'avaient aucune piste.

Non. Ils garderaient leurs doutes pour eux et ils accepteraient les félicitations pour l'efficacité avec laquelle ils avaient réussi à dénouer la situation et à démasquer les coupables.

Le major Pavel ouvrit son ordinateur portable. Il allait mettre F au courant des événements, ainsi que des conséquences prévisibles que l'affaire aurait dans son pays. Selon toute probabilité, Israël serait le troisième pays à ranger l'Institut parmi la liste des organisations terroristes les plus dangereuses. Son pays allait battre l'Angleterre de vitesse.

— Ici Samuel, dactylographia-t-il, employant le nom sous lequel F l'avait connu quand il était en poste aux États-Unis. Je pense que nous avons un petit problème.

… un flatteur habile n'ensevelira jamais sa victime de façon grossière sous les compliments : il se contentera d'opiner dans son sens et de conformer ses propres jugements de valeur à ceux qu'elle exprime. Car, si la personne visée prête l'oreille au flatteur, c'est parce qu'elle a une faible image d'elle-même : son besoin premier est d'être confortée dans ce qu'elle pense, dans ce qu'elle ressent, dans la manière dont elle juge le monde.

Il ne faut jamais oublier que la plupart des gens choisissent leurs amis comme leurs journaux ou leurs émissions de télé : ils prennent ceux qui ont les mêmes intérêts, les mêmes opinions et la même vision du monde qu'eux. C'est ce qu'ils appellent trouver des émissions ou des gens « intéressants ».

Leonidas Fogg, *Pour une gestion rationnelle de la manipulation*, 4- Asservir par les passions.

LUNDI, 27 SEPTEMBRE 1999 (SUITE)

MONTRÉAL, 13 H 41

Des chandeliers étaient fixés aux murs de pierre. Au centre de la pièce, derrière une table recouverte d'une nappe blanche, Vladimir Dracul regardait s'avancer le nouveau postulant.

Tout habillé de noir, le visage blanc, les ongles rouges et une ligne rouge autour des yeux, le néophyte soutenait sans sourciller le regard de Dracul.

— Comment vous appelez-vous ? demanda ce dernier.

— T2V2.

— C'est une blague ?

— Pas du tout. J'ai opté pour ce patronyme après avoir vu la *Guerre des étoiles*. Je trouvais que R2D2 était le personnage le plus sympathique et le plus intéressant du film. Mais RD, ça fait radio. Moi, je préfère la télé…

Dracul le considéra un long moment, comme s'il ne savait pas comment prendre la réponse. Voyant que l'autre semblait tout à fait sérieux, il poursuivit.

— Et vous voulez devenir vampire ? demanda-t-il.

— Oui.

— Pour quelle raison ?

— Les humains ordinaires sont ennuyants.

— Nous ne sommes pas précisément un Club Med, vous savez.

— Je sais.

— Vous avez déjà bu du sang ?

— Bien sûr.

— Laissez-moi donc vous en offrir un peu.

Dracul se pencha, ouvrit la porte du petit réfrigérateur sous la table et il sortit deux verres remplis aux deux tiers de liquide rouge.

— Buvons à votre demande d'adhésion, dit-il.

T2V2 prit le verre que lui tendait Dracul et le vida en même temps que lui.

— Évidemment, ce n'est que du sang animal traité pour demeurer liquide, fit Dracul en redéposant son verre. Mais il s'agit quand même d'une substance hautement vivifiante. Les Massaï, qui constituent une des plus belles réalisations de l'humanité sur le plan physique, se nourrissent régulièrement du sang de leurs chèvres. Ils font une incision dans une veine du cou, en boivent un peu et referment l'ouverture… Je suis certain que leur perfection physique n'est pas sans lien avec cette pratique de vampirisme inscrite dans leurs traditions.

— Vous avez beaucoup de membres dans le club ?

— Beaucoup, oui. Mais vous ne les verrez jamais tous. Pour des raisons de sécurité, nous sommes répartis en groupes isolés.

— Je comprends. Avec les événements des derniers jours… Les journaux sont déjà en train d'ameuter la population !

— Je peux tout de suite vous assurer que notre groupe n'a rien à voir avec ces victimes.

— J'en suis sûr.

— Lorsqu'il y a des échanges de sang humain, ils se font entre partenaires consentants et ils n'entraînent pas la mort des partenaires.

— Est-ce qu'il est déjà arrivé que certains adeptes se laissent emporter ? qu'ils ne s'arrêtent pas à temps ?

— Si ça se produisait, les autres membres interviendraient. En tout cas, je suis sûr qu'ils n'exhiberaient pas la victime aux yeux de la population.

— Ça, je n'ai pas de difficulté à le croire ! Vous avez une idée de qui peut être l'auteur de ces crimes ?

— Ou bien il s'agit d'un adepte devenu incontrôlable – mais ça m'étonnerait – ou bien c'est quelqu'un qui veut lancer la police sur une fausse piste.

— Ou bien quelqu'un qui veut nous nuire, ajouta T2V2 comme s'il s'incluait déjà dans le groupe.

— Ça aussi, j'y ai songé.

Un silence suivit. Dracul continuait d'observer le postulant.

— Vous ne m'avez toujours pas dit quelle était votre motivation profonde pour vous joindre à nous, dit-il en faisant le tour du bureau pour se planter devant T2V2. Ce n'est quand même pas uniquement pour vous désennuyer !

— Je suppose que c'est pour la même raison que vous.

— À savoir ?

— Je ne veux pas mourir. Ou, du moins, je veux mourir le plus tard possible.

— C'est notre désir à tous. Il n'y a rien là de bien original.

— Mais ce n'est pas tout le monde qui est prêt à suivre la voie du sang.

— C'est une voie difficile.

— Moins difficile que celle de la résignation béate à la détérioration.

— C'est aussi une voie dispendieuse. Nos frais pour assurer la sécurité de nos rencontres sont élevés.

— J'ai de quoi payer.

— Puisque vous semblez résolu à joindre nos rangs, je vais vous présenter la personne qui a le dernier mot dans la sélection des postulants.

— Je croyais que vous étiez le maître.

— Je le suis. Mais cette personne n'a pas d'égale pour détecter les amateurs qui bluffent… ou les journalistes qui veulent infiltrer notre groupe.

— Vous avez raison. Il doit y en avoir beaucoup.

— Venez.

Il prit T2V2 par le bras et l'amena vers une porte au fond de la salle.

CKAC, 13 H 44

— Allô ?

— Bonjour. À qui ai-je le plaisir de parler ?

— Simon Cliche.

— Eh bien, monsieur Cliche, quelles lumières pouvez-vous jeter sur notre problème ?

— C'est drôle que vous parliez de lumière. Moi, je pense que c'est des extraterrestres.

— Oui, mais encore ?

— Pardon ?

— Je vous invitais à développer votre pensée.

— Ah !… Ben, les lumières, y en a toujours, quand y a des extraterrestres. Et les vampires, c'est des extraterrestres.

— Je vois. Mais les vampires, eux, n'affectionnent pas particulièrement la lumière du jour.

— C'est rapport que les lumières qu'ils aiment, c'est les artificielles. C'est pour ça que les extraterrestres apparaissent juste la nuit… Comme les vampires.

— On ne peut dénier une certaine logique à votre point de vue. Merci de votre opinion, monsieur Cliche… On a le temps pour un autre appel ? Oui ?… Alors, nous avons maintenant en ligne madame…

MONTRÉAL, 13 H 46

Les murs étaient couverts de livres. Des fauteuils de lecture étaient disposés de façon agréablement asymétrique.

— Ce sont tous des livres sur le vampirisme, fit Dracul, accompagnant sa phrase d'un geste circulaire du bras. J'ai mis plus de vingt ans à les collectionner.

— Et je lui en ai donné plus d'une centaine pour parfaire sa collection, fit une voix de femme derrière eux.

Les deux hommes se retournèrent.

— Je vous présente Mygale, dit Dracul.

La femme regarda le postulant pendant quelques secondes sans rien dire, un sourire vaguement moqueur sur les lèvres. Le haut de son visage était masqué par un loup. Elle portait une combinaison noire moulante sur laquelle étaient imprimées des toiles d'araignées.

L'homme qui avait adopté l'identité de T2V2 était entraîné depuis des années à conserver sa sérénité sans se laisser perturber par les aléas de l'existence. Il eut cependant quelques secondes de flottement avant de revenir à l'état d'observation détachée et attentive qui caractérisait le témoin intérieur. Malgré le masque qu'elle portait, il avait reconnu la femme. Au club de danseuses, sous son identité de Jones XXIII, il avait eu l'occasion de l'observer à deux reprises. Il lui avait même parlé. Pourtant, elle ne parut pas le reconnaître sous son déguisement.

Il décida de prendre l'initiative.

— Si jamais je n'avais pas été totalement décidé, dit-il, maintenant que je vous ai vue, je ne pourrais plus avoir d'hésitation.

— Vous ne réussirez pas à m'attendrir avec des flatteries, dit la femme avec un sourire.

— Je suis sincère. Si votre silhouette est le résultat de votre régime alimentaire…

T2V2 s'interrompit, comme s'il hésitait à poursuivre. La femme l'encouragea à continuer.

— Si ma silhouette… ? dit-elle.

— Quand je vous vois, je me dis que je serais fou de ne pas vouloir devenir un véritable vampire.

— Vous en êtes un faux ?

— Ce n'est pas ce que je voulais dire. Mais il est difficile de progresser sans le support d'un groupe, sans l'aide d'initiés qui sont rendus à des stades plus avancés.

— Jusqu'où voulez-vous aller dans votre quête ?

— Aussi loin que possible.

— Nous commencerons par une réunion… Votre comportement nous dira si vous avez l'estomac nécessaire pour aller plus loin.

— Il y a une chose que je ne comprends pas.

— Quoi ?

— Pourquoi ce nom et ce costume qui rappellent l'araignée ?

— Vous n'avez jamais fait le rapprochement ?

T2V2 jugea pertinent de prendre un air embarrassé.

— Non, dit-il.

La femme se leva de son fauteuil et alla chercher un livre dans la bibliothèque. Elle l'ouvrit et lui montra une illustration.

— Une mygale, dit-elle.

Elle tourna la page. La nouvelle illustration montrait un trou de sable en entonnoir.

— Ça, c'est ce qui est connu, reprit-elle. La mygale et son terrier-piège. Si une fourmi s'y aventure, elle tombe au fond et elle n'est plus capable d'en sortir. À mesure qu'elle essaie de remonter, le sol se dérobe sous ses pas. Au fond, enterrée, la mygale se tient prête à sauter sur sa proie.

— Je ne vois toujours pas le rapport.

— C'est la suite qui est intéressante. Une fois que la mygale s'est saisie de sa proie, elle lui injecte une substance qui liquéfie l'intérieur de son corps. Elle peut alors la sucer tranquillement pour s'en nourrir… Nous, les vampires, c'est exactement ce que nous faisons avec nos victimes. Nous les buvons lentement pour nous en nourrir.

— Je n'y avais pas pensé, admit T2V2.

— Il y a une autre leçon que l'on peut tirer des araignées.

— Laquelle ?

— Plusieurs ne tuent pas leurs proies immédiatement. Elles se contentent de les immobiliser et de les enfermer dans un piège, de manière à s'en nourrir plus tard, quand elles en auront besoin. Nous n'agissons pas différemment avec nos victimes.

— C'est pour cette raison que les attentats qu'on essaie de nous mettre sur le dos sont ridicules, intervint Dracul.

T2V2 se tourna vers lui.

— Je ne comprends pas, dit-il.

La femme reprit la parole.

— Il veut dire qu'un véritable vampire ne se précipiterait pas sur ses victimes pour les saccager. Il prendrait le temps de les séduire, de les amener à l'intérieur d'un piège où il pourrait les déguster doucement. Bien consommée, une proie peut durer des semaines…

— Je vois.

— Vous voulez toujours devenir membre de notre groupe ?

— Bien sûr !

— Personne ne peut garantir jusqu'où vous vous rendrez. Mais vous pouvez vous dire que vous ferez partie de la pointe la plus avancée de l'évolution.

— Qu'est-ce que vous voulez dire ?

— Les araignées représentent, par rapport aux insectes et aux arthropodes, ce que sont les vampires par rapport aux primates. Méditez sur cela. Le reste des explications vous sera donné au cours de la cérémonie à laquelle vous participerez.

Dracul ramena T2V2 dans l'antichambre.

— Maintenant que vous êtes accepté comme postulant, dit-il, nous allons procéder aux inévitables formalités administratives.

— Il faut que je remplisse des formules ?

— Rien de très compliqué. J'ai simplement besoin de votre adresse, de votre numéro de téléphone et de votre numéro de fax… ou de votre adresse électronique, si vous en avez une.

— Pourquoi ?

— Pour des raisons de sécurité, les membres ne sont avisés du lieu et du moment exact des rencontres que la journée même de leur tenue. Il faut donc que nous puissions vous joindre.

— Je comprends. Quand est-ce que je peux espérer participer à une cérémonie ?

— D'ici une semaine, si tout va bien… Pour ce qui est des frais financiers, nous vous demandons de les acquitter en argent. Cela simplifie notre comptabilité.

Lorsque T2V2 fut parti, Dracul demanda à la femme pour quelle raison elle tenait à se présenter aux postulants sous le pseudonyme de Mygale, plutôt que celui de Veuve noire, qu'elle utilisait avec lui.

— Parce qu'on n'est jamais trop prudent, répondit-elle. Il faut compartimenter ses activités.

— Et l'histoire des araignées ? Pourquoi est-ce que vous la sortez avec certains postulants et pas avec d'autres ?

— Pour ça… je suis mon inspiration ! dit-elle avec un sourire. Vous devriez en faire autant.

— Suivre mon inspiration ?

— Vous efforcer d'être moins prévisible.

LAVAL, 20 H 28

Plus à l'aise parmi les chiffres, les formulaires et les logiciels comptables, Charles Gonthier inspectait d'un œil discret et légèrement appréhensif le décor dans lequel le guidait le portier.

Ce dernier dut lui expliquer, lorsqu'il fut assis à sa table, qu'il devait mettre deux dollars dans la main tendue. Que c'était une marque de reconnaissance obligatoire et universelle pour la qualité du service, dans ce genre d'établissement.

C'était la première fois que Gonthier entrait dans un bar de danseuses. Il avait déjà fantasmé sur le sujet, mais il n'était jamais passé à l'acte. Les bandes-annonces à la télé, de même que les photos dans *Allô Police*, lui laissaient croire qu'il apprécierait ce qu'il y trouverait. Mais la peur d'être reconnu dans ce genre d'endroit avait toujours eu raison de son désir. Et cela, c'était sans compter le simple malaise de devoir se retrouver dans une salle où il y aurait une foule de femmes à peu près nues.

Mais l'inconnu ne lui avait pas laissé le choix. Il lui avait fixé rendez-vous au Corps à corps, un établissement qui avait ouvert ses portes un mois plus tôt à Laval.

Au centre de la grande salle, il y avait une sorte d'arène dont le sol était recouvert de sable. Tout le reste de l'établissement était un amphithéâtre. Chaque palier était constitué d'un cercle concentrique de tables. Ici et là, des filles dansaient sur des cubes surélevés.

Sur une affiche, à l'entrée, il avait lu que des combats de lutte avaient lieu dans l'arène. Des combats de lutte lascive entre les filles, mais aussi des combats opposant des filles aux clients. Pour l'instant, l'action dans l'arène se réduisait à une fille qui se caressait au rythme de la musique sur une couverture de plage.

Charles Gonthier était étonné de voir que si peu de spectateurs s'intéressaient à la fille dans l'arène. Plusieurs discutaient entre eux, certains causaient avec des danseuses, quelques-uns se levaient pour aller à l'arrière de la salle… dans une section réservée aux scènes privées, s'il fallait en croire l'écriteau au-dessus de l'entrée.

Quand une fille vint lui demander si elle pouvait faire quelque chose pour lui, Gonthier se sentit rougir. Puis il réalisa que sa gêne passerait inaperçue dans l'atmosphère sombre du bar.

— Une bière ? marmonna-t-il.

— Si vous avez besoin d'autre chose…

La fille s'éloigna et se pencha sur chacune des tables suivantes pour soupeser les bouteilles, ramasser celles qui étaient vides et prendre les commandes.

Gonthier ne pouvait détacher son regard du slip de la fille, qui semblait rapetisser chaque fois qu'elle se penchait.

— C'est quand même plus agréable qu'une réunion dans un bureau climatisé du centre de la ville, fit une voix derrière lui.

Gonthier se retourna brusquement et se retrouva face à face avec Brochet.

— Vous ! Ici !

— Qui vouliez-vous que ce soit ?

— C'est vous qui m'avez donné rendez-vous ?

— J'ai pensé que ce serait un endroit approprié pour discuter du petit problème que vous avez.

— Je vous jure que c'est un malentendu.

— Je veux bien vous croire. Mais là n'est pas la question.

— Je n'ai jamais fait de harcèlement. C'est elle qui a pris l'initiative. J'étais certain que…

— Lorsque le témoin est entré, vous étiez sur elle. Et elle se débattait.

— C'est elle qui s'est jetée sur moi. Et quand j'ai commencé à répondre un peu à ses avances, elle s'est mise à se débattre et à crier de la lâcher. Mais c'est elle qui me tenait. Elle m'a pris par mon veston et m'a fait tomber sur elle… C'est à ce moment-là que la secrétaire est entrée.

— Comme je vous l'ai dit, je veux bien vous croire. Mais…

— Je vous jure. Elle a six pouces de plus que moi. C'est elle qui me tenait.

Ils furent interrompus par la voix de l'annonceur.

C'était la surprenante Cassandra ! Une bonne main d'applaudissements pour Cassandra !

MONTRÉAL, 20 H 39

Théberge venait à peine de mettre une tranche de rôti de porc dans l'assiette de sa femme que le téléphone sonnait.

— J'espère que c'est ta mère, dit-il en remettant le plat sur la cuisinière.

— Tu t'ennuies d'elle ?

— Ne tombons pas dans les rets d'une imagination débridée. La situation est dramatique, mais pas à ce point-là.

Il décrocha le combiné.

— Théberge, dit-il en guise de salutation.

— Il faut venir tout de suite, répondit la voix aiguë de Grondin. Il y en a un autre.

— Un autre quoi ? demanda Théberge, craignant de connaître la réponse.

— Un autre cadavre saigné à blanc.

— Merde.

En raccrochant, il se tourna vers sa femme.

— Tu m'en gardes un peu au chaud ?

— Tu penses que je pourrais tout manger ?

— Toi, non…

La semaine précédente, excédée de voir son mari rater le souper pour la quatrième journée consécutive, elle avait donné le reste du bœuf bourguignon à l'épagneul du voisin. Un bœuf qu'il avait pris le soin de laisser mijoter avec du véritable bourgogne.

LAVAL, 20 H 41

Les regards des deux hommes se fixèrent sur la danseuse qui récupérait sa couverture et quittait l'arène en saluant.

Dans quelques instants, notre première grande attraction de la soirée. J'invite le gagnant du premier concours à se présenter au centre de l'arène.

Dans le bar, tous les regards étaient maintenant tournés vers l'arène. Un homme se leva, dans le premier cercle de tables. Il enleva ses souliers, son veston, sa chemise et ses bas.

Notre concurrent, s'il remporte son combat, gagne un séjour d'une semaine au chic hôtel Seaside, à Miami. Une bonne main d'applaudissements !

Le public s'exécuta.

— Vous savez ce qui va se passer ? demanda Brochet en se penchant vers l'oreille de Gonthier.

— C'est une sorte de combat de lutte, je suppose.

— Exactement. Vous allez voir, c'est assez stimulant.

Et maintenant, voici notre gardienne du trésor... l'envoûtante Lilith !

Le bar fut plongé dans l'obscurité et, à l'intérieur d'un cercle de lumière, la gardienne apparut. Elle faisait deux mètres et dépassait d'un bon trente centimètres le petit homme chauve qui lui faisait face. Sa carrure athlétique ne laissait aucun doute sur le type d'entraînement auquel elle s'adonnait...

Le combat aurait pu se terminer rapidement, mais la lutteuse avait choisi de faire durer le plaisir. Feignant de se laisser river les épaules, elle le projeta à deux mètres de distance au dernier moment. Elle essaya ensuite différentes prises, les abandonnant à l'instant où elle allait gagner.

— L'important, c'est qu'elle s'amuse avec lui, dit Brochet. C'est ce que les clients aiment. En général, ils détestent voir la lutteuse perdre. Ça doit être un effet de toute la publicité sur les femmes battues et les agressions sexuelles !... Oh pardon ! Je ne voulais pas faire référence à votre situation.

Brochet fit une pause de quelques secondes.

— Mais puisqu'on en parle, reprit-il. Le problème, c'est que votre victime – je veux dire votre agresseure qui se prétend victime – représente un client important. Un client avec qui je fais affaire depuis des années. J'ai pris la liberté de téléphoner au président de leur compagnie.

— Et alors ? demanda nerveusement Gonthier.

— La femme accepterait de retirer sa plainte. Mais il y a des conditions.

— Ils veulent des excuses ?

— Ce n'est pas aussi simple.

Brochet resta un moment sans parler, comme s'il cherchait ses mots.

— En échange des excuses, finit-il par dire, ils acceptent de suspendre les poursuites. Mais ils nous retirent leur compte.

Gonthier comprit tout de suite l'implication des derniers mots de Brochet. Le client en question, Brochet l'avait amené avec lui d'Europe. C'était un compte de plusieurs centaines de millions.

— Ils veulent que je sois renvoyé, dit Gonthier.

— C'est ce qu'ils m'ont fait comprendre. Si vous partez, ils restent… avec une baisse de frais de gestion de cinq points de base.

— Ils sont déjà au taux minimum.

— Je sais. Point trente-cinq pour cent. À point trente, on ne fait pas tout à fait nos frais. Mais entre ça et avoir à expliquer à nos autres clients pourquoi on a perdu un compte de quatre cent vingt-cinq millions… Vous avez une idée de ce que ça provoquerait, si ça se savait dans le milieu ?

— C'est un coup monté ! fit Gonthier comme s'il venait tout à coup de voir la lumière.

Il avait l'air catastrophé.

— C'est bien possible, admit Brochet.

— J'évite les poursuites, mais je me retrouve en chômage.

— Pas nécessairement.

— J'ai cinquante-six ans. Qui va vouloir d'un contrôleur de cinquante-six ans qui ne peut pas expliquer pour quelle raison il a perdu son emploi ? Surtout qu'il va y avoir des rumeurs… Il y en a toujours dans ces cas-là.

— J'ai peut-être une solution. J'ai pensé au problème cet après-midi et j'ai fait quelques appels… Aimez-vous l'Europe ?

— Pourquoi ?

— J'aurais quelque chose pour vous là-bas. Un emploi un peu moins glorieux, mais aussi bien payé.

— Où ça ?

— À Berne.

— Qu'est-ce que je ferais ?

— Comptabilité. Vérification des états financiers de différentes compagnies du groupe MultiGestion Capital International.

— Tous mes amis sont ici. Aller en Suisse…

— Pour vous remercier, la compagnie est prête à vous donner un boni de départ. Ça et l'annonce de l'emploi, ça devrait faire taire les rumeurs.

— Combien ?

— L'indemnité de départ ? Quatre cent mille.

— Quatre cent mille !

— Dollars. À une condition.

— Il me semblait…

— Vous signez un document reconnaissant les faits invoqués par la cliente, vous vous excusez et vous démissionnez.

— Si je n'accepte pas ?

— Il y aura un procès. Vous serez suspendu avec solde le temps que le verdict soit prononcé. Si vous perdez, vous serez congédié. Entre-temps, compte tenu de la façon dont l'opinion publique réagit dans ces cas-là, vous serez considéré comme coupable… Pour votre famille, ça risque de ne pas être facile.

— Autrement dit, je n'ai pas le choix.

— C'est un peu ce que je me suis dit. Aussi, j'ai pris la liberté de préparer une lettre pour vous. Autant vous éviter cette corvée. Vous la signez et, en échange, je vous remets un contrat d'engagement pour MultiGestion Capital International. Avec le chèque, bien entendu.

— Et la lettre ? Qu'est-ce qu'elle devient ?

— Elle demeure en ma possession. Au moment de sa prochaine visite, le client pourra en prendre connaissance. Les choses n'iront pas plus loin.

Gonthier le regarda longuement.

— On dirait que vous avez pensé à tout, finit-il par dire.

— C'est mon travail.

— D'accord, donnez-moi la lettre.

LCN, 20 H 52

> NOUS VENONS D'APPRENDRE QU'UN AUTRE GESTIONNAIRE A ÉTÉ LA CIBLE D'UN ATTENTAT CE SOIR. SON CADAVRE A ÉTÉ RETROUVÉ DEVANT LES LOCAUX DE TVA.
> CE MEURTRE PORTE À CINQ LE NOMBRE DE VICTIMES IMPUTÉES AU MYSTÉRIEUX VAMPIRE.
> INTERROGÉ À CE SUJET, LE PORTE-PAROLE DU SPCUM A REFUSÉ DE CONFIRMER SI UNE LETTRE DÉNONÇANT LES GESTIONNAIRES AVAIT ÉTÉ RETROUVÉE SUR LES LIEUX. IL S'EST ÉGALEMENT REFUSÉ À TOUT COMMENTAIRE SUR LES CAS PRÉCÉDENTS, SE CONTENTANT DE DIRE QUE LA POLICE SUIVAIT PLUSIEURS PISTES ET QUE TOUT COMMENTAIRE RISQUAIT DE NUIRE AU DÉROULEMENT...

LAVAL, 20 H 54

Gonthier lut rapidement la lettre, la signa et la redonna à Brochet.

Ce dernier la récupéra, l'examina brièvement, puis il la plia et la mit dans sa poche intérieure de veston. Il sortit ensuite une autre enveloppe qu'il tendit à Gonthier.

— Voilà, dit-il. Tout est réglé. Nous pouvons maintenant nous concentrer sur le spectacle. Je sens que le moment de la mise à mort approche.

— La mise à mort?

— Une façon de parler. Vous saviez que plusieurs des filles ont déjà travaillé pour la WWF ?

— Vraiment ?

— Les deux plus imposantes sont des transsexuelles.

Quelques minutes plus tard, la lutteuse empoignait le client à bras-le-corps, le renversait et lui maintenait les épaules au plancher.

La danseuse qui tenait le rôle de l'arbitre frappa lentement le sol à trois reprises et proclama la victoire de la gardienne du trésor.

— Il faut que je vous laisse, dit Brochet. Profitez du spectacle.

— Je termine mon verre et j'y vais moi aussi. Je ne suis pas tellement à l'aise dans ce genre d'endroit.

Nous avons maintenant un numéro spécial à vous présenter. Un de nos clients, choisi par notre équipe de danseuses, aura la chance d'affronter la mystérieuse Thanata. L'enjeu est un voyage pour deux en Égypte.

— Dans l'enveloppe, reprit Brochet, vous trouverez le numéro d'un compte, à la Deutsche Credit Bank de Berne. Vos billets d'avion sont réservés au comptoir d'Air Canada. Passez à mon bureau demain, nous pourrons régler les derniers détails.

Comme il se levait, trois danseuses apparurent derrière lui.

— Désolé pour vous, dit une des filles en s'adressant à Brochet, c'est votre ami qui a été choisi.

Les trois filles entourèrent Gonthier et l'amenèrent vers l'arène, où elles le déshabillèrent, ne lui laissant que son pantalon, à l'instar du client précédent.

Puis, après avoir fait mine de le lui enlever, sous les applaudissements du public, elles se retirèrent quelques pas derrière lui pendant que la voix au micro annonçait l'arrivée de la vedette.

Directement de son Égypte natale, trois fois championne de la Women World Wrestling Federation, celle dont les ancêtres remontent aux plus anciens pharaons et qui est dépositaire des secrets des Mages du désert, j'ai nommé : Thanata !

Un vacarme d'applaudissements salua l'entrée de la lutteuse. Son visage était caché par un masque pharaonique. Deux assistantes marchaient un pas derrière elle.

Après avoir confié sa cape à une des deux assistantes, la lutteuse souleva son masque et le remit à l'autre. Puis elle leur fit signe de la main de s'écarter.

Gonthier était paralysé. Il était en plein cauchemar. La lutteuse ne pouvait pas être la femme qui l'avait accusé de harcèlement ! C'était impossible !

Elle s'avança vers lui, le retourna comme un jouet et lui appliqua un collier arrière. Elle murmura ensuite à son oreille.

— Tu n'as qu'à faire ce que je te dis. Ça ne devrait pas faire vraiment mal.

Elle ponctua la dernière phrase d'un effort apparent, comme si elle appliquait un supplément de pression. La foule s'empressa de réagir.

— Je suis désolée d'avoir dû t'utiliser pour atteindre Brochet, dit-elle. En Europe, tu seras bien traité. La banque pour laquelle tu vas travailler sera bientôt récupérée par notre groupe… Je veillerai personnellement sur toi.

Gonthier demeurait immobile, trop surpris pour avoir la moindre réaction de défense.

— Maintenant, il va falloir que tu essaies de résister de manière plus convaincante, reprit la femme.

Elle abandonna sa prise pour aussitôt le saisir à bras-le-corps et le rabattre au sol.

— Si tu ne fais pas plus d'efforts, dit-elle à voix basse en se penchant sur lui, il va falloir que je te fasse vraiment mal. Nous avons un spectacle à donner.

Sur ce, elle l'aida à se relever, le saisit de nouveau à bras-le-corps et le rabattit en position assise sur son genou.

Gonthier n'eut pas besoin d'encouragement pour se mettre à hurler.

— C'est mieux, murmura la femme. Beaucoup mieux. Et maintenant, la prise numéro quatre…

MONTRÉAL, 21 H 06

En arrivant devant l'entrée de TVA, Théberge fut abordé par Grondin, qui lui résuma ce qu'il avait appris.

Le corps était étendu dans l'entrée de la chaîne de télévision. Des témoins avaient vu une fourgonnette ralentir et le corps être éjecté par la porte arrière du véhicule.

Théberge aperçut ensuite Rondeau qui parlait devant une caméra.

TVA, 21 H 11

— L'INSPECTEUR RONDEAU, QUI EST À MES CÔTÉS, A BIEN VOULU ACCEPTER DE RÉPONDRE À QUELQUES QUESTIONS... ALORS, DITES-MOI, INSPECTEUR RONDEAU, QUE POUVEZ-VOUS NOUS APPRENDRE SUR CETTE NOUVELLE VICTIME DU VAMPIRE?
— JE SUIS SURPRIS.
— SURPRIS?... EST-CE QUE VOUS AVEZ DES SUSPECTS?
— NOUS AVONS EXCLU LA CROIX-ROUGE DE NOTRE LISTE POUR LE MOMENT. CE N'EST PAS LEUR MODE HABITUEL DE PRÉLÈVEMENT. C'EST TOUT CE QUE JE PEUX VOUS DIRE.
— COMME VOUS LE SAVEZ, CE N'EST PAS LA PREMIÈRE VICTIME. VOUS ATTENDEZ-VOUS À CE QU'IL Y EN AIT D'AUTRES?
— BIEN SÛR.
— VRAIMENT?... ET POUR QUELLE RAISON?
— LES INDIVIDUS ATTEINTS DE FOLIE MEURTRIÈRE PRATIQUENT RAREMENT LA MODÉRATION.
— VOUS CROYEZ QU'IL S'AGIT D'UN TUEUR FOU?
— ET VOUS, VOUS CROYEZ QU'ON PEUT FAIRE CE GENRE DE TRUC SANS ÊTRE UN TANTINET EN DEHORS DE SES POMPES?
— SI VOUS LE PERMETTEZ, J'AURAIS UNE QUESTION DE NATURE PLUS PERSONNELLE À VOUS POSER.
— ALLEZ-Y.
— À LA LUMIÈRE DE CES ÉVÉNEMENTS, COMMENT TROUVEZ-VOUS VOTRE EXPÉRIENCE MONTRÉALAISE?
— INTÉRESSANTE. C'EST POUR ÇA QUE NOUS SOMMES VENUS.
— POUR ÇA?
— NOTRE SÉJOUR EST UN VOYAGE D'ÉTUDE. COMME IL Y A PLUS DE MEURTRES À MONTRÉAL QU'À QUÉBEC, ÇA FAIT PLUS D'OCCASIONS D'APPRENDRE.

MASSAWIPPI, 23 H 27

F achevait son verre de porto. Le foyer jetait encore un peu de lumière dans la salle de séjour. Par la fenêtre panoramique, elle observait le jeu des reflets de la lune à la surface du lac.

— On devrait faire ça plus souvent, dit-elle à son mari. Tu imagines, une semaine complète juste à manger, dormir, prendre le temps de vivre !

— Une semaine complète à ne rien faire ? Tu es sérieuse ?

— Bien sûr.

Gunther se retenait pour ne pas trop laisser paraître son envie de rire.

— Les premières heures seraient sûrement plaisantes, dit-il. Comme ce soir. Mais après deux ou trois jours, tu trouverais ça invivable. Sois réaliste, tu ne peux pas vivre sans… régler des problèmes. Même tes exercices de méditation, tu les vois comme une sorte d'entraînement sportif !

— Présenté comme ça, ça ressemble à une infirmité.

— Si tu n'étais pas comme ça, tu ne pourrais pas faire le travail que tu fais. Il faut que tu t'y résignes, c'est moi le dilettante. Tu travailles pour deux et je suis retraité pour deux… On appelle ça la complémentarité !

— Dilettante mon œil, tu travailles autant que moi ! Peut-être plus même. Le temps que tu passes à faire tes recherches sur l'architecture, à inventer tes recettes, à écrire ton histoire de l'habitation…

— La différence, c'est que je n'ai aucune contrainte extérieure, aucune échéance. Je suis maître de mes projets, de mon temps… Il n'y a personne qui écrit mon agenda à ma place.

— Je suis certaine que je n'aurais aucune difficulté. Prendre congé pendant deux semaines des principaux débiles de la planète ? C'est un rêve, c'est…

Elle fut interrompue par une brève vibration assourdie qui se répéta deux fois. Aussitôt, elle se dirigea vers son bureau, qui surplombait d'environ un mètre la salle de séjour.

Mettant les doigts sur les touches d'identification du clavier, elle prononça son nom : Dominique Dubreuil.

Le visage de Blunt s'afficha sur l'écran de l'ordinateur.

— J'attendais votre appel en milieu de soirée, dit F. Des problèmes ?

— Au contraire, j'ai de bonnes nouvelles. Je crois que nous avons une piste sérieuse.

Blunt expliqua brièvement ce que le jeune Semco avait découvert dans les documents de MultiGestion Capital International.

Pendant toute l'explication, les yeux de F demeurèrent rivés sur l'écran, comme si elle avait voulu saisir les mots de Blunt avant qu'ils sortent de sa bouche.

— Pour l'instant, conclut ce dernier, ils continuent de se concentrer sur cinq des compagnies qui perdent de l'argent.

— Vous croyez que nous avons trouvé leur pipeline de blanchiment ?

— Oui… À quatre-vingt-neuf virgule trente et un pour cent !

— Je suis tentée de penser comme vous, mais je ne vois pas le lien avec les autres pistes. Si l'ensemble de leur gestion financière est intégré, comme le schéma de Hurt le laisse entendre, ils ne peuvent pas uniquement perdre de l'argent. Il faut qu'ils en fassent quelque part.

— Je sais. C'est pour ça que Hurt a demandé à Sneak de regarder du côté des fournisseurs. Ils vont faire des recoupements et essayer de remonter aux propriétaires…

— Ça ne risque pas de les alerter ? S'ils s'aperçoivent qu'on est sur leur piste…

— Les recherches vont toutes avoir des origines différentes. J'ai autorisé Chamane à utiliser les U-Bots.

— Le prix va être corsé !

— Assez, oui.

— Combien ?

Blunt expliqua le type d'accès au NSA que Sneak avait promis aux U-Bots.

— Et vous êtes certain qu'ils ne pourront pas nous mettre l'origine de la fuite sur le dos ? demanda F avec une certaine inquiétude dans la voix.

— Chamane m'a promis qu'ils vont monter un programme d'attaque crédible, qui va laisser croire à la NSA qu'elle a vraiment été pénétrée par le travail concerté de tout un groupe de *hackers*.

— Je vous demande seulement d'être prudent. Nous avons déjà assez de problèmes.

— On peut faire confiance à Chamane.

— Du côté des institutions bancaires ?

— Ça avance. Les Jones sont tous en place. Ils continuent de recueillir des informations et des mots de passe.

— Le plus difficile va être de coordonner l'ensemble de nos actions.

— Je suis d'accord. Idéalement, il faudrait frapper partout en même temps sur la planète. Mais avec le type d'appuis que vous avez présentement…

— Pour ce qui se passe à Montréal, vous avez avancé ?

— À mon avis, leur implication est évidente. Il est clair qu'ils veulent exercer une certaine forme de contrôle sur le milieu financier. Ce qu'ils veulent faire de ce contrôle, par contre…

— J'ai eu un message de Claudia cet après-midi. On vient de lui confirmer qu'elle aura bientôt le feu vert pour l'opération au Japon. Les arrestations ont été négociées. Les deux suspects les plus haut placés dans le parti sont épargnés. En échange de leur immunité et d'une opération sans bavures, ils se sont engagés à user de leur influence pour que tout se passe bien dans les médias.

— Ça aurait lieu quand ?

— C'est au plus une question de jours.

— Ça veut dire qu'on renonce à les infiltrer pour remonter plus haut ?

— On a besoin de résultats. Avec la campagne d'opinions qui est en cours…

— J'ai entendu, pour les Palestiniens.

— Israël va demander, lui aussi, que l'Institut soit inscrit sur la liste alpha.

Quelques minutes plus tard, F revenait dans la salle de séjour. Son mari lui avait servi un autre porto. Un demi-verre, cette fois.

Il se contentait de la regarder en souriant.

— Je ne veux pas entendre de commentaires, dit-elle sur un ton faussement tranchant.

— Je n'ai rien dit !

— Non, mais je t'entends penser !

— Qu'est-ce qu'il y a de mal à penser aux deux semaines de congé que tu veux qu'on prenne ? Imagine, deux semaines sans appels d'urgence, sans coups de fil en pleine nuit auxquels tu es obligée de répondre… En voyant à quel point tu avais l'air contrariée pendant ta discussion, à quel point tout cela avait l'air de t'ennuyer…

— J'ai compris. Tu peux changer de sujet.

> Les méthodes de vente inspirées de la programmation neurolinguistique, la PNL, témoignent de l'efficacité d'une flatterie qui n'est même plus verbale. Dans ce cas, c'est uniquement l'attitude physique du flatteur qui, en se calquant sur celle de la cible, le fait paraître familier, rassurant et, somme toute, sympathique. Donc digne de confiance.
>
> Leonidas Fogg, *Pour une gestion rationnelle de la manipulation*, 4- Asservir par les passions.

MARDI, 28 SEPTEMBRE 1999

MONTRÉAL, 8 H 46

L'inspecteur-chef Théberge raccrocha le combiné avec une certaine brusquerie et regarda les titres qui émaillaient la une des journaux.

LES VAMPIRES HANTENT LES RUES

MONTRÉAL, CAPITALE DE L'HORREUR

VAMPIRES CINQ – POLICIERS ZÉRO

Le policier remit de l'ordre dans les journaux étalés sur son bureau et s'étira précautionneusement. Ce serait une mauvaise journée. Il s'était levé avec un mal de dos.

Les médias semblaient avoir abandonné la piste du Vengeur pour se concentrer sur l'hypothèse, plus juteuse, des vampires. Même le très sérieux *Devoir*, avec l'air de ne pas s'en laisser conter, sacrifiait à la nouvelle lubie.

VAMPIRES HYPOTHÉTIQUES : VICTIMES RÉELLES

Entré tôt au bureau parce qu'il n'arrivait pas à dormir, Théberge avait téléphoné aux clones pour requérir leur présence. Il avait ensuite parcouru l'ensemble des dossiers.

L'hypothèse des vampires lui semblait encore plus incongrue que celle du Vengeur. La seule piste qu'il croyait sérieuse était celle des gestionnaires. Avec autant de victimes, ça ne pouvait pas être une coïncidence.

Jusqu'à ce jour, quatre compagnies différentes avaient été ciblées. Aucune tentative de prise de contrôle n'avait cependant eu lieu. Sans compter qu'une des victimes travaillait pour la Ville de Montréal, et non pour une société de gestion proprement dite.

Il écrivit le nom des compagnies sur une feuille de papier. À côté de chacune, il ajouta le nom des victimes et la façon dont elles étaient décédées.

Jarvis Taylor Dowling	Hammann	suicide
KPC Capital Investment	Maltais	vampire
	Beaudoin	suicide
Hope Fund Management	Landry	accident/Cessna
Penfield Cloutier	Marchand	vampire
Caisse de retraite Montréal	Quirion	vampire
Jarvis Taylor Dowling	Brunelle	vampire

À cette liste, on pouvait ajouter les deux gestionnaires de la Caisse de dépôt, responsables de la fraude au printemps.

En tout, cela faisait neuf décès. On était loin de la retenue des mafias traditionnelles, qui assassinaient uniquement lorsque c'était nécessaire. On était également loin de la guerre des motards, où la lutte se faisait au grand jour, sans trop d'efforts pour dissimuler l'origine des exécutions.

Un moment, il avait pensé aux nouvelles mafias des pays de l'Est. Leurs efforts d'implantation en Amérique étaient notoires et ce n'était qu'une question de temps avant que Montréal ne devienne une de leurs cibles prioritaires. Déjà, dans l'Ouest de l'île, elles avaient commencé à se faire un territoire. Mais, jusqu'à maintenant, elles se cantonnaient surtout dans la prostitution, le prêt sur gages et la protection, évitant de trop empiéter sur le territoire des groupes bien établis.

Et puis, les mafias de l'ex-Union soviétique ne faisaient pas dans la dentelle. Une de leurs méthodes favorites était de faire sauter un restaurant, un avion ou une voiture, sans s'occuper des victimes secondaires. Ce côté brutal servait leurs intérêts en confortant leur réputation d'être sanguinaires et impitoyables. Autrement dit, les nouvelles mafias croyaient à l'intimidation brutale: déguiser leurs actions en crimes effectués par des vampires n'était pas dans leur style.

Plus il y pensait, plus Théberge trouvait de mérite aux hypothèses de Steel. Et s'il avait raison, si une attaque contre le milieu financier montréalais était effectivement en cours, il fallait qu'une organisation aux ressources imposantes soit impliquée. Une organisation soucieuse de développement à long terme et capable d'utiliser des stratégies raffinées. Le problème, c'était que Théberge n'arrivait pas à voir quelle pouvait être cette organisation. Ni même le but qu'elle poursuivait… Prendre le contrôle d'une ou de plusieurs compagnies ?… Pourquoi ne pas simplement les acheter ? Avec les moyens dont ils semblaient disposer…

Par ailleurs, pourquoi s'intéresser au Québec ? Ou même au Canada ? Le marché canadien représentait moins de deux pour cent de la capitalisation boursière mondiale, s'il fallait en croire Steel. Quant au marché des produits dérivés montréalais, il allait probablement être avalé par les institutions de Chicago au cours des prochaines années.

Décidément, il fallait qu'il reparle de tout cela à Steel.

RDI, 9 H 02

> … GASTON BRUNELLE, DONT LE CORPS A ÉTÉ RETROUVÉ DEVANT L'ENTRÉE DE TVA.
> PAR AILLEURS, SUR LA SCÈNE INTERNATIONALE, LA SUISSE A EMBOÎTÉ LE PAS AUX ÉTATS-UNIS, À LA FRANCE ET À ISRAËL EN DEMANDANT QUE LE NOM DE L'INSTITUT SOIT INSCRIT SUR LA LISTE ALPHA. CETTE LISTE, ÉTABLIE

CONJOINTEMENT PAR INTERPOL ET LES PRINCIPALES AGENCES DE RENSEIGNEMENTS OCCIDENTALES, CONTIENT LES NOMS DES GROUPES CRIMINELS ET TERRORISTES LES PLUS DANGEREUX...

MONTRÉAL, 9 H 17

L'inspecteur-chef Théberge fut tiré de ses réflexions par l'arrivée des clones.

— J'ai quelque chose pour vous, dit-il avant même que les deux policiers aient pris place sur les chaises, en face de son bureau.

— Déjà ? fit Grondin. Il est à peine neuf heures.

— Neuf heures trente.

— Je n'ai pas eu le temps de faire mes exercices de relaxation. Votre appel m'a perturbé alors que j'étais en pleine phase alpha. Ensuite, je ne suis plus arrivé à me déstresser. J'ai des plaques d'eczéma qui sortent partout. Je vous prierais, à l'avenir, de laisser un message sur mon téléavertisseur. Je le prendrai lorsque je pourrai le faire sans compromettre ma santé.

Théberge sentit la brûlure se réveiller au creux de son estomac. Il prit une grande respiration et se dit qu'il ne servait à rien de répondre aux doléances de l'eczémateux.

— C'est à propos du cas d'hier soir, dit-il. Comme vous êtes déjà impliqués, vous allez assurer le suivi du dossier. Ça vous permettra d'informer le maire de façon régulière des progrès de l'enquête.

— Et s'il n'y a pas de progrès, on lui dit quoi ?

— Vous lui expliquerez pourquoi il n'y a pas de progrès. Comme il vous aime beaucoup, je suis sûr que vous allez bien vous entendre.

— Son Horreur sera informée tous les jours, confirma Rondeau.

— Moi, je vais d'abord aller faire un peu de relaxation dans mon bureau, fit Grondin. Je vais essayer mon nouveau divan.

— Votre divan ?

— Rassurez-vous, ça n'a rien coûté au service. Je l'ai payé moi-même.

— Vous allez dormir dans votre bureau pendant les heures de service ? demanda Théberge.

— Pas dormir, relaxer. C'est très différent. Ça permet un gain net d'efficacité sur l'ensemble de la journée. Ne pas le faire revient à gaspiller l'argent des contribuables.

— Moi, je vais surveiller la porte, enchaîna Rondeau.

— Pour prévenir les intrusions, expliqua Grondin. C'est très mauvais pour le cœur et l'adrénaline, les chocs subits, quand on est en train de relaxer.

— Entre les séances de relaxation, vous pensez avoir le temps de vous occuper de l'enquête ? ironisa Théberge.

— On va commencer aujourd'hui même, répondit Grondin. Tout de suite après ma visite au magasin d'aliments naturels.

— Le rachitique bouffe santé, ajouta Rondeau comme s'il s'agissait d'une explication capitale.

— Peut-être voudriez-vous venir avec nous ? offrit Grondin. Je ne voudrais pas me mêler de ce qui ne me regarde pas, mais avec votre problème de poids…

Théberge porta la main à son estomac, où la brûlure avait dépassé le stade du réveil.

— Je suis certain que vous avez des problèmes de digestion, renchérit Grondin. Une saine alimentation…

— Ça suffit ! Allez procéder à vos ablutions intérieures, dorlotez vos éruptions cutanées, apprivoisez votre stress, faites ce que vous voulez… mais allez le faire ailleurs ! Et je veux un rapport sur ce nouveau meurtre. Au plus tard à trois heures cet après-midi. Sur mon bureau. Je veux avoir quelque chose de nouveau à dire aux journalistes qui n'arrêtent pas de téléphoner.

— Si vous voulez, on peut aussi s'occuper des journalistes, offrit Grondin.

— Les charognards, c'est un peu notre spécialité, renchérit Rondeau.

Théberge les regarda un instant sans répondre.

— D'accord, finit-il par dire. Vous vous en occuperez. Mais je veux quand même un rapport sur mon bureau à trois heures.

Quand ils furent sortis, il prit son calendrier et fit un X sur la date de la journée en cours. Il ne restait plus que cent vingt-sept jours avant la fin du stage des clones.

MONTRÉAL, 13 H 08

Blunt était dans la salle de séjour. Il regardait les informations à la télévision. Dans sa cage, Jacquot Fatal ne cessait de répéter: « Intéressant... Intéressant... »

La télévision était l'occupation préférée du perroquet. Il l'écoutait maintenant plusieurs heures par jour, habituellement au Canal nouvelles. C'était le poste qu'il préférait. Probablement parce qu'il y avait davantage de gros plans montrant des gens en train de parler.

Au hasard des émissions, il apprenait des bouts de phrases, qu'il répétait à différents moments de la journée, et plus particulièrement à l'heure du coucher, quand Blunt ou Kathy mettaient la couverture sur sa cage.

> ... CETTE INQUIÉTANTE SÉRIE NOIRE DANS LES MILIEUX FINANCIERS.
> EN PLUS DES VICTIMES DU SUPPOSÉ VAMPIRE, IL Y A EU, AU DÉBUT DE L'ÉTÉ, LA MORT EN APPARENCE ACCIDENTELLE D'UN VICE-PRÉSIDENT DE LA CAISSE DE DÉPÔT DANS UN BAR DE DANSEUSES. S'AJOUTE À CELA LA DISPARITION D'UN AUTRE EMPLOYÉ DE LA CAISSE DANS DES CIRCONSTANCES MYSTÉRIEUSES.
> À LA LUMIÈRE DE CES ÉVÉNEMENTS, IL EST PERMIS DE SE DEMANDER SI LE RECOURS À DES PROCÉDÉS VAMPIRIQUES N'EST PAS UNE SIMPLE COUVERTURE DESTINÉE À FRAPPER L'IMAGINATION POPULAIRE ET À DÉTOURNER LES SOUPÇONS. C'EST DU MOINS CE QUE NOUS A LAISSÉ ENTENDRE UN REPRÉSENTANT DES FORCES POLICIÈRES SOUS LE COUVERT DE L'ANONYMAT.

Rien de neuf, songea Blunt. Il laissa fonctionner la télévision pour le perroquet et se dirigea vers la salle de stratégie. Après avoir fermé la porte pour prévenir toute invasion des chats, il s'assit en tailleur sur le coussin. Par terre, sur les dix-sept jeux de go, les parties étaient à différents stades de développement. C'était un résumé de l'ensemble des opérations de l'Institut.

Le goban central illustrait la lutte qui s'était engagée depuis quelques années entre l'Institut et le Consortium.

Les autres représentaient des opérations particulières de l'Institut à l'intérieur de cet affrontement global.

Blunt concentra son regard sur la partie située derrière le goban central. Peu de pierres étaient posées sur ce jeu. Il s'agissait de l'opération visant le milieu financier québécois : celle à laquelle Blunt consacrait la plus grande partie de ses réflexions.

Il avait de la difficulté à saisir la logique de l'attaque en cours. Car il ne pouvait s'agir que d'une attaque. De cela, il était certain. Mais pourquoi s'en prendre à des individus, alors que c'était le contrôle financier, et donc la propriété, qui importait ? La seule utilité d'un gestionnaire mort, c'était… d'intimider ceux qui restaient.

Une campagne d'intimidation ? Peut-être. Mais dans quel but ?

Jusqu'à ce jour, les victimes étaient réparties dans quatre sociétés de gestion. S'agissait-il des institutions ciblées par le Consortium ? Fallait-il inclure la fraude survenue à la Caisse de dépôt dans la stratégie ? Était-ce cela, le plan du Consortium : réaliser une fraude majeure à l'intérieur de chacune de ces institutions ?

Cela ne collait pas avec la stratégie utilisée. Un des principes de base, quand on organise une fraude, c'est de ne pas attirer l'attention. Or, ce n'était pas précisément la discrétion qui caractérisait cette multiplication de cadavres.

Qu'est-ce qui pouvait bien inciter le Consortium à prendre de tels risques de visibilité ? S'agissait-il d'une opération de diversion pour les occuper pendant que leurs opérations importantes se déroulaient ailleurs ?

Blunt sentait que quelque chose lui échappait. Un élément qui redéfinirait l'ensemble de la position sur le jeu. Quand il analysait la position adverse, il pouvait sentir la présence d'un coup à venir qui donnerait sa cohésion au reste. Mais il n'arrivait pas à le découvrir. Cela rendait le jeu à la fois plus intéressant et plus frustrant.

Quand il sortit de la pièce de stratégie, les deux chats montaient la garde à la porte. Blunt prononça la formule magique : « À la bouffe ! »

Les terreurs à poil bondirent en direction de leur plat.

Blunt prit soin de s'assurer que la porte était bien fermée avant d'aller rejoindre les chats pour remplir sa promesse.

Les estomacs sur pattes montrèrent leur satisfaction en plongeant la tête dans leur plat et en lui présentant leur derrière, soigneusement dégagé par leur queue droite, avec le bout qui bougeait comme un drapeau au bout d'un mât.

MONTRÉAL, 13 H 11

Théberge s'étirait lorsqu'il entendit le présentateur de TVA parler de sources confidentielles à l'intérieur des forces policières. Il interrompit son mouvement et tenta de reprendre sa posture normale. Il sentit alors son dos se coincer.

— Merde !

Après avoir rusé avec la douleur pour trouver une position confortable, il appuya sur le bouton de l'interphone pour demander à la réceptionniste de lui trouver les clones. D'urgence.

Il se tourna ensuite lentement vers son ordinateur.

NOTRE-DAME-DE-GRÂCE, 13 H 12

Jessyca Hunter écouta le bulletin de nouvelles jusqu'à la fin, puis elle fit venir une de ses assistantes, celle qui avait pour nom de code Tarentule.

— Je vais avoir besoin de tes services, dit Jessyca lorsque la femme fut arrivée.

— Un nouveau client ?

— Non. On amorce une nouvelle diversion. Il va falloir que tu utilises ton réseau.

— Quoi de neuf ?

— Ils soupçonnent que les vampires sont seulement une couverture, dit-elle. Il faut activer immédiatement le contre-feu.

— De mon côté, tout est prêt.

— Parfait. Tu t'occupes des journalistes et je m'occupe du reste.

— Entendu.

Quand l'autre femme fut partie, Jessyca Hunter ouvrit un dossier dans son ordinateur. Il avait pour titre : « Diversion : scénarios complémentaires ».

« Finalement, les petites guerres personnelles de Brochet vont servir à quelque chose », murmura-t-elle.

NORTH HATLEY, 13 H 14

Quand le bulletin de nouvelles fut terminé, Hurt se dirigea vers son bureau. Il allait de nouveau passer en revue ce que Chamane et son équipe avaient trouvé. Avec MultiGestion Capital International, ils tenaient peut-être la première piste sérieuse depuis Body Store.

Et puis, il y avait cette histoire de nouveau gestionnaire chez Hope Fund Management. Cela lui avait donné une idée.

C'est à ce moment que l'appel de Théberge l'interrompit.

NOTRE-DAME-DE-GRÂCE, 13 H 17

Jessyca Hunter avait donné à la femme le nom de Tarentule. Elle avait été la première à faire partie du Spider Squad. À trente et un ans, elle était un peu plus âgée que les autres. Comme toutes les filles de l'équipe, elle pouvait très bien tenir son rôle comme danseuse ou s'occuper d'une cible au pied levé. Mais sa compétence particulière demeurait le domaine des médias. C'était dans ce milieu qu'elle avait pour tâche de développer des contacts.

Au début, quand Jessyca Hunter l'avait approchée, la jeune femme avait eu envie de refuser. Il y avait quatre ans qu'elle s'était recyclée dans l'unité de charme que dirigeait Vacuum et elle était satisfaite de son sort. Son travail consistait à amener un client à un endroit donné, où un autre opérateur prenait la relève pour l'éliminer.

Quand elle avait appris que tous les membres de l'unité spéciale créée par Jessyca seraient des femmes et que chacune aurait à se charger, selon les circonstances, à la fois du travail de rabatteuse et d'éliminateur, elle avait su hors de tout doute qu'elle n'était pas intéressée par cette proposition.

Puis, quand Jessyca lui avait expliqué ce que serait le Spider Squad, de quelle manière toute la conception du travail était inspirée du modèle de l'araignée, elle avait commencé à avoir des doutes sur la santé mentale de la directrice du projet.

Elles avaient ensuite parlé d'argent. Après quoi, Jessyca lui avait demandé d'expliquer ses réticences.

Les éliminations ? Pas de problèmes, il y avait d'autres filles prêtes à s'en occuper. Danser dans un club de strip ? On lui créerait un numéro qui tiendrait compte du fait qu'elle n'avait plus vingt ans : elle ne ferait que quelques apparitions par semaine. Mais il fallait qu'elle danse. C'était nécessaire pour la couverture. Toutes les filles danseraient.

Par ailleurs, en tant que la plus âgée du groupe, elle exercerait une sorte de supervision sur les autres. Elle serait l'adjointe de Jessyca et la remplacerait lorsque cette dernière aurait à s'absenter.

Après deux heures de discussion, Tarentule avait fini par dire oui. C'est alors que Jessyca lui avait expliqué en quoi précisément consisterait le travail de leur groupe. Et pourquoi elle avait décidé de donner le nom de Spider Squad au groupe et de Spider Club au principal établissement du réseau de bars qu'elle allait implanter au Québec.

À la fin de leur rencontre, le Spider Squad comptait sa première recrue. Une recrue enthousiaste qui était prête à construire l'équipe qu'elle aiderait à diriger. Les cinq premières filles qu'elles allaient approcher provenaient de Vacuum. Auparavant, trois d'entre elles avaient travaillé pour des agences des pays de l'Est, une pour les services secrets sud-africains et une pour les yakusas.

Quant aux autres, elles seraient recrutées dans différentes sections du Consortium, principalement dans Fun House.

En sortant du bureau de Jessyca Hunter, la femme répondant au nom de code Tarentule se rendit à l'appartement qu'elle avait loué non loin du Spider Club. Après avoir parcouru les dossiers de ses principaux contacts sur son ordinateur portable, elle en choisit trois : un à TVA, un à CTV et un autre encore au *Journal de Montréal*.

— Stéphane ? Julia.

— Ça fait deux semaines que j'attends de tes nouvelles. Je pensais que tu avais rayé mon nom de ton carnet d'adresses.

— Un voyage inattendu. Je suis à Montréal pour quelques jours.

— Tu veux qu'on se voie ?

— Si tu es libre. Je sais que tu as un horaire assez chargé.

— Pas plus chargé que le tien.

Le reporter de TVA connaissait la jeune femme sous le nom de Julia Mitchell, une analyste du Pentagone que son travail amenait fréquemment dans la région de Montréal pour visiter les nombreuses industries de pointe avec lesquelles les États-Unis avaient des contrats.

— J'ai entendu quelque chose qui pourrait t'intéresser, dit-elle.

— Quoi ?

— Deux sources différentes m'ont confirmé la chose de façon indépendante.

— Arrête de me faire languir. C'est quoi, le *scoop* ?

— L'affaire des vampires.

— Je suis intéressé par tout ce que tu as sur le sujet. Si tu sais pourquoi les gestionnaires sont visés…

— Et si c'était une couverture ?

— Pour détourner l'attention des gestionnaires ? C'est ce que je pense.

— Et si c'était plutôt le contraire ?
— Pour détourner l'attention des vampires ?
— C'est ce que mes deux contacts à la sécurité nationale pensent. Comme ça ne vise pas les milieux financiers, ils ont cessé de s'intéresser à l'affaire.
— Tu ne vas pas me dire qu'ils croient à l'existence des vampires ?
— Non. Mais pour ce qui est des sectes, il n'y a plus grand-chose qui peut les surprendre.
— Qu'est-ce que tu peux me dire de plus ?
— Tu veux toujours qu'on se voie ?
— Évidemment que je veux.
— Quelque chose me dit que ce n'est pas pour moi.
— Comment peux-tu croire ça ?

Après avoir raccroché, Tarentule composa le numéro d'un présentateur de CTV qu'elle avait rencontré une semaine auparavant. Après cet appel, il ne lui resterait qu'à prendre contact avec le journaliste du *Journal de Montréal*.

Avec lui, elle n'aurait pas besoin de prendre de rendez-vous. Leur entente était déjà négociée depuis plusieurs mois. Le journaliste était assuré qu'elle était une *call girl* de luxe qui écrémait le milieu des politiciens et des hommes d'affaires. Le tarif pour ses informations allait de deux cent cinquante à cinq mille dollars, selon l'évaluation du journaliste. Si elle n'était pas satisfaite du prix, il ne publiait rien.

Le présentateur de CTV prit la communication à la troisième sonnerie.

— *Horton speaking !*
— *Hi ! It's Lisa.*
— *Lisa ? You mean…*
— *Yes. That Lisa !*

MONTRÉAL, 13 H 26

Jessyca Hunter composa un numéro qu'elle avait appris par cœur plusieurs mois auparavant, alors que sa mission en était encore à l'étape préparatoire. Normalement, elle aurait dû passer par le répartiteur régional. Mais son point de vue, appuyé par Ute, avait fini par prévaloir : en cas d'urgence, elle pourrait communiquer directement avec Skinner, qui verrait à satisfaire ses besoins. Ce dernier ferait ensuite un rapport à Daggerman.

— Mademoiselle Hunter !

— Vous lisez dans les pensées, maintenant ?

— Vous êtes la seule à avoir ce numéro.

— J'aurais besoin de matériel.

— Combien ?

— Trois unités. Il faut qu'ils n'aient rien à voir avec les milieux financiers.

— Vous avez des préférences ?

— Plus ils seront différents, mieux ce sera. Des jeunes, peut-être.

— Vous les voulez pour quand ?

— Demain soir.

— Livrés où ?

— Au même endroit que d'habitude.

— Vous connaissez le tarif. Aussitôt que le virement sera effectué, je ferai en sorte que votre commande soit remplie.

— J'envoie l'ordre de paiement à l'instant. Par courrier électronique.

— Des instructions particulières ?

— Non. En ce qui me concerne, vous pouvez les prendre au hasard. La seule contrainte est qu'ils soient étrangers aux milieux financiers.

— Alors, c'est entendu. Vous devriez tout avoir en main demain matin.

— Parfait. Je veux m'en occuper le plus rapidement possible.

Après avoir raccroché, Jessyca Hunter se dit que cette première couverture ferait sans doute une excellente diversion. Mais, comme on n'est jamais trop prudent, elle avait décidé d'en prévoir une deuxième.

RDI, 13 H 54

— NOUS VOUS PRÉSENTONS D'ABORD QUELQUES BREFS EXTRAITS DE DIFFÉRENTES ENTREVUES RÉALISÉES AU COURS DE LA JOURNÉE PAR CLAUDE-ALEXANDRE PAGÉ.

— JE SUIS CERTAIN QUE LE DANGER EST LARGEMENT EXAGÉRÉ.
— VOUS N'AVEZ PAS ENGAGÉ DE GARDE DU CORPS ?
— JE LAISSE ÇA AUX POLITICIENS !

— J'AVAIS DÉJÀ UN GARDE DU CORPS.
— AVEZ-VOUS AUGMENTÉ VOS MESURES DE PROTECTION ?
— OUI. MAIS PAS À CAUSE DES VAMPIRES.
— JE PEUX VOUS DEMANDER POUR QUELLE RAISON ?
— BIEN SÛR QUE VOUS POUVEZ.
— ALORS ?
— POUR DES RAISONS DE SÉCURITÉ.

— NON, JE N'AI PAS DE GARDE DU CORPS.
— AVEZ-VOUS MODIFIÉ VOS HABITUDES ?
— SI JAMAIS JE ME RETROUVE À TROIS HEURES DU MATIN DANS UNE RUELLE MAL ÉCLAIRÉE, JE FERAI PEUT-ÊTRE UN PEU PLUS ATTENTION.

— ET VOUS N'AVEZ PAS ENGAGÉ DE GARDE DU CORPS ?
— LES GARDES DU CORPS, ÇA SERT UNIQUEMENT À FAIRE CROIRE, À SOI ET AUX AUTRES, QUE LA PERSONNE GARDÉE A DE L'IMPORTANCE.
— AVEC TOUS LES HOMMES D'AFFAIRES QUI ONT ÉTÉ VICTIMES D'ATTAQUES RÉCEMMENT, J'AURAIS CRU QUE…
— SI C'EST VRAIMENT UN VAMPIRE, JE NE VOIS PAS QUELLE DIFFÉRENCE UN GARDE DU CORPS POURRAIT FAIRE.
— ET SI CE N'EST PAS UN VAMPIRE ?
— AVEC DU MONDE, IL Y A TOUJOURS MOYEN DE NÉGOCIER.

— VOILÀ, JACQUES-ANDRÉ, C'ÉTAIENT QUELQUES-UNES DES RÉACTIONS QUE NOUS AVONS OBTENUES DE LA PART DES GESTIONNAIRES QUE NOUS AVONS INTERROGÉS.
— PAS DE PANIQUE, DONC ?
— PAS DE PANIQUE. LA PLUPART SE DISENT PRÉOCCUPÉS PAR LE FAIT QUE LES VICTIMES SONT DES HOMMES D'AFFAIRES, MAIS PAS AU POINT DE PRENDRE DES MESURES DE SÉCURITÉ PARTICULIÈRES.
— CELA CONTREDIT L'INFORMATION QUE VOUS ONT DONNÉE CERTAINES COMPAGNIES DE SÉCURITÉ, N'EST-CE PAS, CLAUDE-ALEXANDRE ?
— EN EFFET, JACQUES-ANDRÉ. SELON CES COMPAGNIES, IL Y A EU, AU COURS DES DERNIÈRES SEMAINES, UNE HAUSSE MARQUÉE DES CONTRATS DE PROTECTION RAPPROCHÉE SOUSCRITS PAR DES HOMMES D'AFFAIRES.
— VOUS AVEZ UNE EXPLICATION SUR LA CHOSE ?
— UNE DES RÈGLES DU JEU, EN MATIÈRE DE SÉCURITÉ, C'EST DE GARDER SECRÈTES LES MESURES QU'ON A PRISES.

> — JE COMPRENDS.
> — IL Y A AUSSI DES CONSIDÉRATIONS D'IMAGE PUBLIQUE. IL EST IMPORTANT QUE LES RESPONSABLES DES COMPAGNIES DE GESTION, QUI SONT EN QUELQUE SORTE LE VÉHICULE DE L'IMAGE CORPORATIVE, PARAISSENT SÛRS D'EUX ET QU'ILS AIENT L'AIR DE MAÎTRISER PARFAITEMENT LA SITUATION.
> — AUTREMENT DIT, UN PDG INQUIET, ÇA NE FAIT PAS UNE BONNE PUBLICITÉ.
> — EXACTEMENT.
> — ALORS, MERCI, CLAUDE-ALEXANDRE. VOILÀ, CHERS TÉLÉSPECTATEURS, CELA CLÔT NOTRE REPORTAGE SPÉCIAL SUR LES CONSÉQUENCES HUMAINES ET ÉCONOMIQUES DE LA SÉRIE DE CRIMES QUI FRAPPE ACTUELLEMENT LA MÉTROPOLE...

BERNE, 21 H 03

Petreanu souleva le combiné avant la fin de la première sonnerie. Il savait pouvoir compter sur la ponctualité de Garth Semler. L'homme contrôlait l'ensemble des entrées et des sorties de fonds de Safe Heaven et il les répartissait selon les directives reçues.

Tous les mardis, entre vingt et une heures et vingt et une heures cinq, il appelait Petreanu pour faire son rapport et confirmer l'ensemble des opérations. Son travail n'était pas compliqué : il lui suffisait d'appliquer les programmes de transfert qui lui étaient indiqués par télécopieur ou par téléphone. Pour chacun des comptes qu'il avait à gérer, il avait dans son bureau un répertoire de programmes déterminant quels montants devaient être transférés à quelles banques.

Ainsi, pour le compte Paradise Unlimited, numéro de code PU-4, le programme 7 spécifiait que trois millions de dollars devaient être transférés d'un seul bloc dans le compte de la Commercial Credit Bank of California ; quatorze autres millions devaient aller dans dix-sept comptes différents, à la First Investing Bank des Bahamas, selon les proportions spécifiées pour chacun.

Grâce aux programmes de transferts préétablis, toutes ces opérations, largement informatisées, ne nécessitaient que la transmission d'un seul chiffre. En l'occurrence, le sept.

Des programmes plus élaborés prévoyaient l'étalement des transferts sur plusieurs jours.

Semler ne savait rien de la provenance ni de la destination des fonds dont il assurait le transfert. En amont et en aval, il y avait d'autres opérateurs.

— Ponctuel comme toujours ! fit Petreanu sur un ton engageant.

— Il y a eu un petit problème.

— Je vous écoute.

La voix était devenue un rien plus froide.

— Le programme de mercredi a été exécuté à la place de celui de lundi, dans le compte CS-2.

— Je suppose qu'il est impossible d'annuler l'opération.

— Ce serait compliqué et ça risquerait d'attirer l'attention.

— Qu'est-ce que vous proposez ?

— Si on compense demain en faisant celui de lundi, tout reviendrait à la normale. Entre-temps, trois comptes resteraient à découvert pendant vingt-quatre heures.

— Des montants importants ?

— Moins de deux millions dans chaque compte.

— Procédez immédiatement au virement des montants manquants à partir de notre réserve pour contingence. Vous vous rembourserez demain. De cette façon, c'est nous qui assumerons le coût d'intérêt.

— C'est ce que j'allais vous proposer.

— Vous connaissez la source de cette erreur ?

— Notre responsable des transferts pour MultiGestion Capital International. Un certain Hubert Grégoire.

— C'est un nouvel employé ?

— Il travaille pour nous depuis trois ans. Tous les transferts d'argent de MultiGestion qui passent par la Hoffmansthal Credit Bank sont sous sa responsabilité.

— A-t-il déjà commis des erreurs du genre ?

— C'est la première fois. On m'a dit qu'il a eu beaucoup de stress, récemment. Un divorce particulièrement pénible.

— Je vois… Si ce genre d'accident se reproduit, je veux en être immédiatement averti.

— Je l'ai avisé qu'à la prochaine erreur nous allions terminer notre relation avec lui.

— Bien.

Petreanu envisageait une rupture de relation beaucoup plus radicale que ce à quoi songeait Semler. Il était impensable de simplement renvoyer dans la nature un employé qui avait été impliqué directement dans le système de transferts. Heureusement, d'autres filiales du Consortium avaient les moyens de régler ce type de problèmes.

— Quel est son nom, déjà ?

— Hubert Grégoire.

— Je compte sur vous pour exercer une surveillance attentive de son travail.

— Bien entendu.

— De toute manière, je vous enverrai sous peu des instructions le concernant.

— Des instructions de quelle nature ?

Petreanu ignora la question.

— J'aurais un autre sujet à discuter avec vous, dit-il.

— Oui ?

— Avez-vous subi, au cours des derniers jours, des tentatives de pénétration informatique ?

— Pas que je sache. Il y a toujours des *hackers* qui s'amusent à nous tester, mais nous avons créé une fausse zone sensible et les quelques-uns qui parviennent à percer la première ligne de défense se font tous piéger là. Mais je peux vérifier, si vous voulez.

— Faites donc. Plusieurs tentatives importantes ont été effectuées dans d'autres secteurs. C'est peut-être un hasard, mais si jamais nous sommes ciblés de façon particulière, je veux le savoir le plus tôt possible.

— Je comprends.

— Et demandez à Lonsdale de jeter un coup d'œil sur ces tentatives.

— Entendu.

Après avoir raccroché, Petreanu rédigea une directive de surveillance et l'expédia par courrier électronique à tous les autres centres de transferts qui constituaient le réseau financier de Safe Heaven. Il leur demandait, comme il l'avait fait pour Semler, de rapporter immédiatement toute tentative de pénétration significative, même infructueuse, et il leur rappelait de mettre en œuvre avec le plus grand soin les mesures de sécurité que Lonsdale leur avait recommandées.

Il téléphona ensuite à Harold B. Daggerman, le directeur de GDS. Il y avait quelque temps déjà qu'il voulait s'entretenir avec lui en privé. Le problème posé par Hubert Grégoire fournissait un excellent prétexte pour le rencontrer.

MONTRÉAL, 15 H 18

Jessyca sortit la tarentule de son aquarium et la regarda se promener librement sur son bureau. Tous les jours, elle la sortait pendant une demi-heure, parfois plus longtemps, pour qu'elle puisse prendre l'air dans l'appartement. Elle profitait alors de l'occasion pour lui parler.

S'il y avait des gens qui parlaient aux plantes, elle pouvait bien parler à son araignée. Il y avait bien plus de chances que la tarentule puisse comprendre quelque chose. Les araignées représentaient, dans leur lignée évolutive, l'équivalent des humains : ce que l'évolution avait produit de plus complexe, de plus adaptable et… de plus dangereux. Le prédateur ultime.

— Je suis certaine que Ute va être satisfaite de mon initiative, dit-elle. Laisser les médias sur la piste des gestionnaires était trop dangereux. Désormais, c'est l'explication par le complot contre les gestionnaires qui va paraître une couverture utilisée pour faire diversion… Mais toi, qu'est-ce que tu en dis ?

L'araignée, totalement immobile sur le bord du bureau, semblait examiner le plancher sous elle pour savoir si elle allait s'y aventurer.

— Tu n'es pas causante aujourd'hui.

La sonnerie du téléphone l'interrompit.

— Jessyca ?

C'était la voix de Ute.

— C'est moi.

— Je viens de recevoir ton message.

— J'ai apporté quelques modifications à notre stratégie.

Elle lui expliqua les dispositions qu'elle avait prises pour la double diversion. Ute approuva sans réserve son intervention.

— Avec Brochet, demanda-t-elle, comment ça se passe ?

— Je n'ai rien à lui reprocher.

Puis, comme si elle lisait un commentaire informulé dans le silence qui suivit, elle ajouta :

— Il y a quelque chose que je devrais savoir ? Est-ce qu'il faut que je le surveille de plus près ?

— Brochet, je ne peux pas dire. Probablement pas. Mais Petreanu…

— Qu'est-ce qu'il a fait ?

— Depuis quelque temps, il a eu beaucoup de rencontres privées avec d'autres directeurs de filiales. Il se peut qu'on s'occupe de lui plus rapidement que prévu.

— Ça pose un problème ?

— S'il fallait devancer notre calendrier d'interventions et qu'on ait besoin de Brochet, tu penses qu'il collaborerait ?

— Avec un peu d'argent et d'intimidation, ça peut se faire à dix minutes de préavis.

— Bien.

— Mais toi, qu'est-ce qui te fait croire que les rencontres de Petreanu peuvent créer des complications ?

— Je ne sais pas… Des vibrations dans la toile, comme tu dirais !

Le regard de Jessyca se tourna automatiquement vers la fenêtre panoramique du salon, où une toile d'araignée avait été reproduite à même le verre. De loin, on avait l'impression qu'une immense toile couvrait la partie de Montréal que la fenêtre donnait à voir.

— Votre ami Petreanu est sur le point de découvrir qu'il y a une ressemblance capitale entre les humains et les araignées, reprit Ute.

— Quelle ressemblance ?

— Dans les deux espèces, les femelles sont beaucoup plus dangereuses, lorsqu'elles s'en donnent la peine.

— Ça…

— Ce n'est pas par hasard qu'au moment de l'accouplement les araignées mâles approchent les femelles avec hésitation. Non seulement sont-elles plus grosses… mais elles pourraient avoir faim !

Ute éclata de rire.

— Heureusement pour nous, les hommes n'ont généralement pas ce type de prudence, dit-elle.

— C'est parce que nous sommes une espèce jeune. Les comportements les plus utiles à la survie n'ont pas encore été tous sélectionnés.

MONTRÉAL, 20 H 26

La plupart des clients étaient regroupés autour de la scène. Une vingtaine tout au plus.

Brochet se dirigea vers le bar. La danseuse qu'il connaissait sous le nom de Vampira l'attendait. Il prit un siège à sa gauche. Elle se tourna vers lui.

— Alors ? C'est ce soir votre tour ? On ferait un beau couple sur scène.

Son nom de danseuse lui venait du numéro qu'elle exécutait chaque soir, à minuit, avec un client supposément choisi au hasard dans la salle.

— Très peu pour moi. Le pigeon est arrivé ?

— Troisième table dans la section du fond. Il ne peut pas nous voir.

— Vous lui avez parlé ?

— Quelques minutes, quand il est arrivé. Puis je l'ai mis sur la glace. Ça ne fait jamais de tort de les laisser languir un peu. Ça les attendrit.

— Quelle nouvelle ?

— Il dit que la décision a été prise et qu'elle a été communiquée au gestionnaire. Le transfert de fonds devrait se faire dans les jours qui viennent.

— Bien. Vous lui remettrez cette enveloppe.

Elle la prit et jeta un coup d'œil à l'intérieur.

— Ce n'est pas beaucoup, dit-elle. Je peux lui siphonner ça en une semaine.

— Je l'espère bien, fit Brochet en amorçant un sourire. Après tout, c'est le but de l'exercice.

— Vous êtes sûr de ne pas vouloir tenter l'expérience ?

— Je préfère qu'on s'en tienne à des relations d'affaires.

— Vous ne savez pas ce que vous manquez.

— Le client, vous l'avez sur vidéo ?

— Avec moi et deux autres danseuses.

— Parfait.

Brochet se leva et se dirigea vers la sortie. L'homme qu'il contrôlait par l'intermédiaire de la danseuse ne devait pas connaître son identité. Tout ce qui importait, c'était que la caisse de retraite dont il était responsable soit gérée selon les décisions qui lui seraient transmises. En échange, il recevrait de l'argent, qu'il se dépêcherait de perdre. Entretenir Vampira n'était pas à la portée de toutes les bourses.

Lorsque Brochet fut parti, la danseuse remit l'enveloppe à Jessyca. Cette dernière se rendit voir le client.

— Le père Noël est passé en avance, dit-elle en lui donnant l'enveloppe. Tachez de ne pas tout dépenser.

— D'accord, d'accord… Elle ne m'a pas oubliée, toujours ?

— Bien sûr que non. Elle va venir vous rejoindre dans une dizaine de minutes.

> … la flatterie est surtout un procédé indirect de manipulation : elle ne sert pas tant à obtenir quelque chose de précis de la victime qu'à s'implanter dans son entourage, à se rendre sympathique et à augmenter sa crédibilité.
>
> Elle est une propédeutique à la manipulation.
>
> Leonidas Fogg, *Pour une gestion rationnelle de la manipulation*, 4- Asservir par les passions.

MERCREDI, 29 SEPTEMBRE 1999

MONTRÉAL, 0 H 42

L'inspecteur-chef Théberge avait accompagné son épouse à la soirée annuelle de son club de bridge. Malgré de solides résolutions, il avait vite cédé à la tentation des hors-d'œuvre et des verres de vin que les gens s'acharnaient à lui offrir.

Au retour, il avait essayé sans succès d'éteindre le feu dans son estomac. La douleur s'était stabilisée à une intensité tolérable, mais elle refusait de disparaître. Quant aux secousses qui ébranlaient l'intérieur de son crâne au rythme des pulsations cardiaques, il parvenait presque à les oublier à condition de demeurer totalement immobile.

Il reposait depuis une demi-heure sur le sofa du salon. La télé était allumée. Il avait coupé le son et il la regardait de façon distraite, changeant occasionnellement de poste avec la télécommande, du bout des doigts, sans remuer le bras, pour minimiser tout déplacement corporel.

Il venait à peine de s'endormir lorsque la sonnerie du téléphone le tira brutalement de sa torpeur. Ce retour en catastrophe à la vie consciente raviva à la fois l'incendie dans son estomac et les percussions assourdies à l'intérieur de son crâne.

Vingt minutes plus tard, il arrivait sur les lieux du nouveau drame. Les clones étaient déjà sur place.

— La série continue, fit Grondin en se penchant pour se gratter derrière le genou gauche. Trois autres victimes.

— Trois ?

— Deux étudiants et un jeune professeur.

— Encore le vampire ?

— Oui. On a joint la colocataire de la fille. Les deux jeunes étaient censés passer la soirée dans une nouvelle discothèque, le Goth Club. Et on a découvert ça dans une des poches du garçon.

Il montra à Théberge un carton d'allumettes avec un G rouge sur fond noir.

— Rondeau est parti là-bas, continua Grondin.

— Vous avez trouvé un message ?

— Oui.

Il sortit un sac de polythène et l'éclaira avec sa lampe de poche.

Lorsque le peuple de la nuit sortira de l'ombre,
la lumière du jour prendra la couleur du sang.
Après l'arrogance de l'argent et des comptables,
la présomption de la jeunesse et des universitaires…

Jos Public, vengeur du peuple

— On dirait que la piste des gestionnaires vient de prendre du plomb dans l'aile, fit Théberge.

— Vous pensez qu'il a un programme ? qu'il veut s'en prendre à différentes catégories de personnes ?

— C'est ce qu'on veut nous laisser croire, semble-t-il.

— Vous avez des doutes ?

— Sachez que seuls les croyants, les concepteurs de programmes scolaires et les esprits éteints peuvent s'offrir le luxe de ne pas avoir de doutes et de pérorer dans l'absolu. Je dirais même…

Théberge fut interrompu par l'arrivée de son vieil ami Pamphyle, le médecin légiste.

— Alors, comment va la santé ? dit ce dernier en s'adressant à Théberge.

— J'aurais besoin d'une greffe d'estomac, répondit ce dernier en passant la main sur sa poitrine à la hauteur du diaphragme.

— Vous êtes trop vieux pour ce genre d'amusement, répondit le médecin. Ça prendrait du sang neuf à la brigade des homicides.

— Si c'est du sang neuf que vous cherchez, vous allez être déçu. Ils n'ont rien laissé.

— Je sais.

— Vous les avez examinés ?

— De façon sommaire.

— Et… ?

— Identiques aux précédents. La clientèle se standardise. De nos jours, même les morts suivent la mode… Vous avez des suspects ?

— On a pensé à la Croix-Rouge.

— C'est Héma-Québec, maintenant.

Théberge commença par consacrer une dizaine de minutes à chacune des victimes pour s'entretenir avec elles et faire connaissance. À chacun des trois jeunes, il expliqua qu'il ferait son possible pour trouver le coupable. Mais qu'il aurait besoin de leur aide. De sentir leur présence. Parce que l'affaire devenait de plus en plus compliquée. Ce qu'il redoutait, c'était que leur mort ait été une façon de brouiller les pistes. Que le meurtrier les ait choisis au hasard. Ce qui rendait leur mort plus injuste. Plus absurde… dans la mesure où il pouvait y avoir des degrés dans l'absurdité de la mort, bien sûr… Et puis, s'ils avaient été choisis au hasard, ils ne pourraient pas lui apprendre grand-chose.

Il passa ensuite une partie de la nuit à discuter avec les clones et à expédier les formalités qui accompagnaient nécessairement la découverte d'une victime de mort violente.

À quatre heures cinq, quand il rentra chez lui, il lui restait moins de trois heures de sommeil.

MASSAWIPPI, 7 H 46

En pénétrant dans son bureau, F aperçut un carré lumineux qui pulsait dans le coin inférieur gauche de son ordinateur. Probablement Claudia. Elle s'assit devant le clavier, posa les mains sur les touches d'identification et prononça son nom.

Son identité confirmée, elle établit le contact vidéo.

Le visage de Claudia s'afficha immédiatement dans la cloison de plexiglas qui séparait le bureau de la salle de séjour.

— Déjà debout ! fit Claudia.

— Comme vous voyez ! Et vous, les grandes vacances, c'est pour bientôt ?

— Quand le travail est aussi agréable, le besoin de vacances est moins urgent.

— Vous en êtes où, avec les autorisations ?

— C'est une question d'heures.

— Et le bilan ?

— Pour les liens des politiques avec les yakusas, on a toute l'information dont on a besoin : bandes vidéo de rencontres, relevés bancaires de versements d'argent, témoignages signés sous serment… Pour le trafic de filles et d'enfants, on va pouvoir fermer trois réseaux, deux en provenance de la Corée et un autre de Thaïlande. L'équipe locale a fait un excellent travail. En ce qui a trait au trafic d'organes…

— Pour les arrestations autorisées, comment est-ce que ça s'est réglé, finalement ?

— Quatre politiciens du parti au pouvoir, dont un des ministres qui menaient la charge contre l'Institut. Deux directeurs de banques à Tokyo. Plusieurs yakusas…

— Personne du MITI ?

— Quelques-uns dans une section qui supervise les prêts aux banques. Mais personne d'important.

— Beaucoup d'étrangers ?

— Une foule de Coréens et de Thaïlandais. Deux Chinois. Un Français.

— Du côté des yakusas ?

— Deux membres des équipes d'intervention en font partie. Il y en a un qui appartient aux 41 Fleurs de Lotus et l'autre aux Dragons jaunes. Mais ils ne savent pas que nous sommes au courant de leurs relations. Tant qu'on s'attaque à d'autres groupes que les leurs, ils se comportent en policiers modèles. Ils ont même une grande facilité à trouver de l'information !

— Du côté du ministère ?

— C'est de là que vient le principal danger. Pour l'instant, le ministre donne l'impression de collaborer, mais je suis certaine qu'il se prépare à dissoudre le groupe et à couper toute relation avec l'Institut.

— À cause de ce qui s'est passé dans les médias ?

— En partie. L'affaire des Palestiniens n'a pas aidé non plus.

— Ça peut nous créer des problèmes de procéder tout de suite, sans avoir un portrait complet de leur organisation ?

— Je ne pense pas. Leurs réseaux sont compartimentés. Si nous agissons tout de suite, ils vont croire que la police est satisfaite de ce qu'elle a trouvé et qu'ils vont avoir la paix pour un bon moment. Ça va nous donner le temps d'infiltrer d'autres réseaux, de remonter d'autres filières.

— Officiellement, est-ce que vous avez encore les autorisations nécessaires pour intervenir ?

— Oui, mais j'ai décidé de retarder le déclenchement de l'opération. On a eu des complications de dernière minute.

— Quel genre de complications ?

— Des détails imprévus à régler. À un des endroits, ils ont entrepris des réparations. Des équipes de travailleurs se relaient vingt-quatre heures sur vingt-quatre. À l'autre…

— Si vous vous limitiez aux deux premiers endroits ?

— Ce sont les deux endroits que nous avons découverts avec l'aide des yakusas infiltrés dans nos équipes.

— Je vois…

— Je me sentirais plus confiante avec au moins un des deux autres.

— Il vous reste combien de temps ?

— Avant que le ministre fasse marche arrière et retire l'autorisation ?

— Oui.

— Probablement quelques jours. Aujourd'hui, pour préparer les médias, il a fait une dénonciation publique de l'Institut et il a promis d'agir. Mais sans rien mentionner de concret. Il doit être en train d'assurer ses arrières avant de porter des accusations publiques et de donner des noms…

— Vous jouez avec le feu.

— Je trouve plus dangereux d'y aller avec seulement deux endroits.

F s'efforça de faire disparaître toute trace de contrariété dans sa voix.

— D'accord, dit-elle. C'est vous qui êtes sur place. C'est vous qui êtes en mesure d'évaluer le mieux la situation. Mais procédez le plus rapidement possible. Et vous n'avez pas besoin de me contacter avant de déclencher l'opération : aussitôt que vous estimez être prête, allez-y.

— Entendu.

— N'oubliez pas de donner à l'équipe que vous laisserez sur place les moyens d'être autosuffisante.

— C'est-à-dire ?

— Un accès à l'Institut pour les deux personnes qui vont s'occuper de la relève.

— Quel niveau ?

— Accès niveau trois.

RADIO-CANADA, 8 H 04

… LA VAGUE DE TERREUR QUI S'EST ABATTUE DEPUIS QUELQUES SEMAINES SUR LE QUÉBEC S'EST INTENSIFIÉE. TROIS NOUVELLES VICTIMES ONT ÉTÉ DÉCOUVERTES AU COURS DE LA NUIT. CLAUDE-ALEXANDRE PAGÉ A LES DÉTAILS. BONJOUR, CLAUDE-ALEXANDRE !

— BONJOUR, BENOÎT.

— EST-CE QUE VOUS AVEZ LES NOMS DES VICTIMES, CLAUDE-ALEXANDRE ?

— NOUS AVONS LES NOMS, BENOÎT, MAIS NOUS NE POUVONS PAS ENCORE LES DÉVOILER SUR LES ONDES PARCE QUE LES PROCHES DES VICTIMES N'ONT PAS TOUS ÉTÉ INFORMÉS.
— D'APRÈS CE QUE VOUS NOUS AVEZ DIT, IL S'AGIRAIT DE VICTIMES BEAUCOUP PLUS JEUNES QUE LES PRÉCÉDENTES.
— EN EFFET, BENOÎT. LES TROIS SONT DANS LA VINGTAINE. DEUX ÉTUDIAIENT À L'UQAM ET REVENAIENT D'UNE DISCOTHÈQUE À LA MODE QUAND ILS ONT ÉTÉ SURPRIS PAR LEURS AGRESSEURS. LE TROISIÈME EST UN JEUNE PROFESSEUR UNIVERSITAIRE.
— EST-CE QUE LES POLICIERS ONT CONFIRMÉ QU'IL S'AGIT BIEN DE VICTIMES DU VAMPIRE ?
— L'INSPECTEUR GRONDIN, QUE NOUS AVONS RENCONTRÉ TÔT CE MATIN, NOUS A AFFIRMÉ QUE LES TROIS NOUVELLES VICTIMES PRÉSENTENT LES MÊMES MARQUES QUE LES PRÉCÉDENTES. PAR CONTRE, ELLES N'ONT AUCUN RAPPORT AVEC LE MILIEU FINANCIER.
— EST-CE QUE ÇA NE VIENT PAS DÉMOLIR L'HYPOTHÈSE VOULANT QUE L'AFFAIRE SOIT PRINCIPALEMENT LIÉE AU MILIEU DE LA FINANCE ?
— TOUT À FAIT, BENOÎT. IL EST MAINTENANT CLAIR QUE LE VAMPIRE, S'IL S'AGIT BIEN D'UN VAMPIRE, NE VISE PAS UNIQUEMENT LES GESTIONNAIRES. J'AI D'AILLEURS APPRIS DE SOURCE CONFIDENTIELLE QU'UN MESSAGE LAISSÉ SUR LES LIEUX DE L'AGRESSION LE CONFIRME.
— DIRIEZ-VOUS QUE LES GESTIONNAIRES SONT MAINTENANT HORS DE DANGER ? QUE LES JEUNES SERAIENT LA NOUVELLE CIBLE DU VAMPIRE ?
— IL EST ENCORE TROP TÔT POUR LE CONFIRMER.
— EST-CE QU'IL FAUT S'ATTENDRE À CE QUE LE VAMPIRE FASSE DE NOUVELLES VICTIMES PARMI LES JEUNES ET LES UNIVERSITAIRES ?
— LA POLICE SE PRÉPARE EFFECTIVEMENT À CETTE ÉVENTUALITÉ. S'IL FAUT EN CROIRE L'INSPECTEUR GRONDIN...

MONTRÉAL, 8 H 41

Théberge ferma le volume de la télé. C'était la troisième fois qu'il écoutait l'extrait du bulletin de nouvelles.

Après la prédiction de Grondin que le Vampire s'en prendrait probablement à d'autres jeunes ou à des universitaires, les médias seraient hystériques. Enfin, plus hystériques qu'à l'habitude. Quant à la réaction du directeur et du maire, Théberge n'osait même pas y penser.

Ce n'était qu'une question de temps, songea-t-il, avant que les universités l'appellent pour réclamer des mesures de sécurité à la grandeur des campus.

Théberge fut tiré de ses réflexions par un signal sonore en provenance de l'ordinateur. Un message venait d'entrer par courrier électronique. L'adresse d'origine était celle d'un rerouteur situé en Australie.

> Une cérémonie aura lieu à minuit demain soir dans un local attenant au Goth Club, sous la direction de Vladimir Dracul. Vous y trouverez les responsables des meurtres attribués à des vampires. Si vous arrivez assez tôt, vous pourrez prévenir d'autres morts. Ils ont trahi l'idéal qu'ils professent. Je ne veux plus être complice de leurs crimes.

Se pouvait-il que toute cette histoire soit une affaire de secte ?... La dénonciation par un membre qui avait des scrupules était plausible. Mais elle tombait trop bien. Tout semblait subitement se mettre en place pour désigner des coupables qui élimineraient toute référence aux gestionnaires.

Théberge était sceptique. Ce qui ne l'empêcherait pas d'explorer cette nouvelle piste. Les vampires sont comme les dieux, avait-il expliqué aux clones : ce n'est pas parce qu'ils n'existent pas que leurs croyants ne sont pas dangereux... Et puis, cela lui permettrait de ne plus avoir le directeur et le maire sur le dos pendant quelques jours.

Le policier s'assit devant son ordinateur, ouvrit le logiciel de communication et composa le numéro d'accès prévu pour les échanges d'information : il avait hâte de voir ce que l'imperturbable Steel penserait de ces développements. Et de la référence au Goth Club.

Théberge avait déjà entendu parler de l'endroit. La discothèque était fréquentée par une clientèle « gothique », lui avait dit son informateur.

Pour le policier, le mot « gothique » évoquait les ogives élancées des cathédrales européennes. Son informateur lui avait expliqué qu'il s'agissait plutôt d'un mouvement inspiré de l'atmosphère des romans anglais des XVIIe et XVIIIe siècles. Ces romans se caractérisaient par des ambiances sombres, des atmosphères morbides et débouchaient à divers degrés sur des scènes d'horreur.

Les romans mettant en scène des vampires faisaient également partie du courant gothique.

Dans son incarnation récente, le gothique se manifestait par des maquillages blafards, des vêtements noirs et une utilisation large de la thématique des films d'horreur.

La sonnerie du téléphone le ramena à des préoccupations plus immédiates. Un journaliste désirait faire une entrevue avec lui sur « l'explosion de criminalité qui ravageait la ville ».

MONTRÉAL, 9 H 47

Blunt prit connaissance des informations que Théberge avait expédiées à Hurt. Puis il amena à l'écran un message que Jones XXIII lui avait envoyé au cours de la nuit.

> Une cérémonie est prévue pour demain soir. L'adresse sera connue quelques heures avant la rencontre.

Il réécouta ensuite l'entrevue qu'avaient accordée les clones au reporter de la télévision.

La conclusion de toutes ces informations semblait aller de soi. Avec l'arrivée de l'an 2000, la chose n'avait rien pour surprendre : une secte avait décidé de profiter de l'occasion pour régler ses comptes avec le reste de l'univers.

Mais Blunt se méfiait des évidences. Il introduisit le nom des nouvelles victimes dans un des moteurs de recherche de l'Institut. Une demi-heure plus tard, il avait la quasi-certitude qu'aucun des trois jeunes n'était relié, de façon familiale ou autre, au monde financier. L'hypothèse de la secte semblait se confirmer.

Blunt se rendit dans la salle de go. Il s'assit devant l'ensemble des gobans et il entreprit de faire le point sur l'ensemble de la situation.

Ces trois dernières victimes démolissaient l'hypothèse d'un complot visant le monde financier. C'était maintenant au tour des jeunes et des universitaires.

D'autres catégories de personnes pourraient suivre, si on se fiait aux points de suspension à la fin du message...

Mais peut-être s'agissait-il d'une diversion ? Peut-être voulait-on détourner l'attention du public et de la police du monde financier ? Mais alors, pourquoi avoir commencé par les désigner explicitement comme cibles lors des premiers attentats ?

L'explication qui s'accordait le mieux avec la vision qu'il avait de la situation, c'était que le vampire, après avoir éliminé les cibles réelles, s'en prenait maintenant à d'autres pour brouiller les pistes. Une opération de prise de contrôle financière devenait une croisade d'illuminés.

Blunt fut tiré de ses réflexions par les cris de Jacquot Fatal. Les deux chats devaient avoir entrepris le siège de sa cage.

— Alerte ! Alerte !... Arrière, sales bêtes !... Alerte !... Bas les pattes !

Blunt se leva pour aller au secours du perroquet. Dans le corridor, il se heurta à Kathy.

— Ton portable clignote sur ton bureau, dit-elle. J'ai l'impression que quelqu'un essaie de te joindre.

LCN, 9 H 50

> ... DU DRAME SURVENU AUX PETITES HEURES DU MATIN DANS LE QUARTIER HOCHELAGA. UN ADOLESCENT A ÉTÉ PRIS À PARTIE ET BATTU À MORT PAR UNE BANDE DE JEUNES QUI L'AVAIENT PRIS POUR UN MEMBRE DU GROUPE DES VAMPIRES. L'ADOLESCENT, UN ADEPTE DU MOUVEMENT GOTHIQUE, ÉTAIT HABILLÉ DE MANIÈRE...

MONTRÉAL, 9 H 52

Blunt activa le logiciel de communication téléphonique.

— Oui ?

— Ici Théberge.

— Vous venez à peine de parler à Hurt. Seriez-vous en manque de confidents ?

— Épargnez-moi vos plaisanteries douteuses. Pour l'humour au ras des pâquerettes, je suis servi : je viens de parler au maire. Je dois même le rencontrer en personne dans une demi-heure.

— Vous m'appelez pour quoi, au juste ?

— Hurt m'a donné votre numéro. Il dit que vous voudriez entendre directement ce que j'ai à dire.

— Je vous écoute.

— Je viens de recevoir un message par courrier électronique. On m'avise que les vampires tiendront une cérémonie demain soir et que j'y trouverai les responsables des crimes.

— En quoi puis-je vous être utile ?

— J'ai téléphoné à Hurt pour savoir si le message venait de lui. Il m'a répondu que non, mais que je devais vous appeler.

— Il a bien fait. Hurt n'est pas encore au courant, mais j'allais justement communiquer avec lui à ce sujet. Avec vous aussi, d'ailleurs.

— Pour me dire quoi ?

— Qu'il y aura effectivement une cérémonie demain soir.

— Vous tenez ça d'où ?

— Un agent que nous avons infiltré dans le groupe… La vôtre, votre information, elle vient d'où ?

— Un membre qui affirme avoir des remords.

— Vous avez des doutes ?

— Le doute est l'essence même de l'activité intellectuelle.

— Que comptez-vous faire ?

— Vous avez des suggestions ?

— Pas nécessairement. Mais j'aimerais être informé de ce que vous allez entreprendre… À cause de notre agent.

— Avec le directeur et le maire sur mon dos, je n'ai pas les moyens de patienter. Il est probable que nous allons faire une perquisition.

— Pendant la cérémonie ?

— Oui.

— Je comprends. Je vous envoie le dossier que nous avons colligé sur Yvan Dracul.

— Vous avez trouvé beaucoup de choses ?

— Rien que vous puissiez utiliser directement dans votre enquête, je pense. Mais ça brosse un portrait du personnage qui explique certaines choses… et qui soulève des questions dérangeantes.

— Je subodore la réticence sous la trame de vos propos.

— Un profil comme le sien n'explique pas la série de meurtres. À mon avis, il faut qu'il y ait quelqu'un d'autre avec lui.

— D'où votre idée d'infiltrer leur groupe. Je suppose que la descente de ce soir va compromettre vos plans.

— Non. Ça pourrait même faire bouger les choses.

— Le proverbial coup de pied dans la fourmilière ?

— Plutôt une diversion. S'il s'agit vraiment d'une offensive financière, il est utile qu'ils croient nous avoir bernés. Qu'ils pensent nous avoir convaincus qu'il s'agit d'une affaire de vampires.

Dix minutes plus tard, Théberge était plongé dans la lecture du dossier que Blunt lui avait envoyé par courrier électronique.

Comme prévu, il contenait peu de choses sur l'affaire en cours proprement dite. Mais, avec le dossier de Dracul, il aurait du matériel à balancer au directeur, pour lui donner l'impression que l'enquête progressait.

CKAC, 11 H 42

LE SUJET D'AUJOURD'HUI NOUS EST IMPOSÉ PAR L'ACTUALITÉ. COMBIEN DE JEUNES EXISTENCES DEVRONT ÊTRE FAUCHÉES DANS LA FLEUR DE L'ÂGE AVANT QUE LES FORCES POLICIÈRES, EN D'AUTRES OCCASIONS SI PROMPTES À L'UTILISATION DE LA MATRAQUE OU DE LA GÂCHETTE, NE SE DÉCIDENT À FAIRE CE QUE LEUR NOM MÊME LES ENJOINT DE FAIRE : POLICER LES RUES DE LA VILLE ?

MAIS, AVANT DE DISCUTER LA RESPONSABILITÉ OU L'IRRESPONSABILITÉ DES FORCES SUPPOSÉES DE L'ORDRE, NOUS ALLONS NOUS PENCHER SUR LA QUESTION FONDAMENTALE QUE SOULÈVE CETTE REGRETTABLE AFFAIRE : LES

VAMPIRES EXISTENT-ILS VRAIMENT ? S'AGIT-IL D'ÊTRES RÉELS, DONT L'EXISTENCE EST AVÉRÉE ET PALPABLE ? NE SONT-CE QUE DES FANTASMES ADOLESCENTS AUTOUR DESQUELS S'EXCITE LA FOULE CRÉDULE DES ESPRITS NAÏFS, TOUJOURS EMPRESSÉE DE PRÊTER FOI AUX BALIVERNES CONCOCTÉES PAR HOLLYWOOD ET SES APPENDICES COMMERCIAUX ?
NOUS PASSONS MAINTENANT À UN PREMIER APPEL…

MONTRÉAL, 11 H 45

Quand il entra dans le bureau du directeur, l'inspecteur-chef Théberge comprit tout de suite que c'était une journée difficile pour son supérieur. Il n'était pas encore dix heures et ce dernier triturait déjà son sac anti-stress avec sa main gauche.

— J'ai lu votre rapport, fit ce dernier.

— Vous avez sans doute été ébloui. J'avais pourtant recommandé des verres fumés pour la lecture.

— Vous voulez vraiment courir le risque d'une perquisition avec des motifs aussi minces ?

— Ce sera un grand spectacle éducatif. Le maire va être content, la population rassurée de voir ses taxes à l'œuvre et la crainte sera instillée au cœur des malfrats putatifs… Peut-être même découvrirons-nous des preuves !

— Et vous confiez l'enquête aux clones ?

— Le maire les adore.

— Il a toujours eu un faible pour les plantes.

— S'il arrive quelque chose, ce sera à cause de son choix à lui… Au fait, il n'est pas encore arrivé ?

— Il est parti faire le tour des bureaux ! Pour avoir un contact direct avec les travailleurs et sentir l'atmosphère de travail !

— Lui avez-vous parlé de la perquisition de demain soir ?

— Je vous en laisse le plaisir. Vous vous entendez si bien…

Il fut interrompu par l'arrivée du maire, une fleur à la boutonnière, le sourire qui lui remontait les joues.

— Ça fait plaisir à voir, dit-il. Ça bourdonne d'activité à tous les étages.

— Une vraie petite ruche, enchaîna Théberge. On devrait vendre du miel à l'entrée.

— Je suis déçu de votre attitude négative, répondit le magistrat, qui avait l'air sincèrement peiné. Ce n'est pas étonnant que vos enquêtes les plus importantes piétinent.

— J'applique les préceptes d'un célèbre philosophe romain, répliqua le policier : *Festina lente.*

— Ce qui veut dire ?

— Hâte-toi lentement. Ça permet d'éviter les faux pas, les retours en arrière et les recollages indus de pots cassés.

— Pour ma part, je vois plus de lenteur que de hâte. En fait, je vois une enquête au point mort.

— Vous allez être satisfait, coupa le directeur. Nous allons agir dès demain.

— Agir ?

— L'inspecteur-chef Théberge a une piste sérieuse dans l'affaire du vampire.

Il lui tendit le rapport que Théberge lui avait remis sur Dracul.

— Regardez, dit-il. C'est instructif.

Le maire ne semblait pas certain de devoir prendre connaissance du document.

— Je peux vraiment ? demanda-t-il.

— Tant que vous ne répétez à personne ce que vous aurez lu.

Le maire ouvrit le dossier avec la circonspection d'un croyant qui entre dans un temple païen.

> Vladimir Dracul, alias Billy Gadget, alias Roméo Sombrero, alias Herbert von Drag, alias le comte Richard Cœur de Dragon, alias John Smith, alias Ricky Goldmine, alias Octavio Diaz, alias Bison Suave...

— Vous connaissez son vrai nom ? demanda le maire avant de terminer la page de pseudonymes.

— Raoul Lepitre, répondit le directeur.

— Vous êtes sûr que ce n'est pas un autre pseudonyme ?

— Né à Montpellier en 1951. Études en arts dramatiques. Trente-six métiers. Jusqu'à ce qu'il découvre son don.

— Son don ?

— Monter de vraies pièces de théâtre. Avec de vraies personnes. Dans de vraies situations… Il semble avoir la capacité d'organiser des groupes autour de n'importe quelle sorte de projet. Des clubs d'investissement, des voyages organisés, des pyramides de vente, des groupes d'études sur le chamanisme amérindien, des œuvres d'aide aux démunis, des concours d'artistes amateurs, des groupes paramilitaires *survivalists*… Le club de vampires est son dernier-né.

— Est-ce que ce ne serait pas ce qu'ils appellent, dans les films américains, un *con man* ?

— Oui.

— En français, ça se traduit par politicien, ironisa Théberge.

— Vous, comptez-vous chanceux d'avoir une perquisition à faire ce soir ! répliqua le maire. Et priez pour que les deux affaires se règlent rapidement. L'opinion publique est à la veille de demander des comptes.

— Ouïrais-je des menaces ?

— Je vous dis simplement que l'opinion publique s'impatiente.

— Et quand elle s'impatiente, il faut lui trouver un os pour la faire patienter, bien sûr !

— Si on revenait à notre sujet, fit le directeur.

Le regard des deux autres se tourna vers lui. Le chef du SPCUM prit sa balle anti-stress et commença à la triturer de la main gauche. Après un moment, il s'adressa au maire.

— À cause du caractère particulièrement grave de la situation, dit-il, vous avez été informé à l'avance de notre intervention. Vous devez comprendre que la moindre indiscrétion pourrait ruiner nos efforts.

— Je comprends.

— Bien. Est-ce qu'il y a d'autres sujets dont vous voulez discuter ?

— Le Vengeur.

— Ce soir, nous découvrirons peut-être si lui et le vampire ne sont qu'une seule et même personne, intervint Théberge.

— Et si jamais le vampire n'était pas le Vengeur, ce que je pense hautement improbable... ou s'il vous échappe...

— Compte tenu de l'estime que vous avez pour les clones, répondit le directeur, l'inspecteur-chef Théberge a choisi de leur confier la direction de cette intervention. Vous n'avez donc pas à vous inquiéter.

— Vous m'en voyez ravi. J'espère que vous soutiendrez sans réserve leurs efforts.

— Bien entendu.

Un quart d'heure, plus tard, le maire sortait du bureau. Le directeur poussa un soupir de soulagement.

— Il n'a rien vu, dit-il.

— Ça nous laisse un délai de vingt-quatre heures.

— J'espère pour vous que cette perquisition sera fructueuse. Malgré toute l'estime que j'ai à votre endroit, si jamais il fallait un bouc émissaire à sacrifier sur l'autel de l'opinion publique, comme dit le maire...

— C'est réconfortant de se sentir appuyé.

— Vous avez tout mon appui. Tant que je n'ai pas à choisir entre vous et moi, vous avez mon appui inconditionnel.

CKAC, 11 H 56

AVANT DE VOUS DONNER LE RÉSULTAT DE NOTRE SONDAGE, NOUS ALLONS PRENDRE UN DERNIER APPEL... OUI, JE VOUS ÉCOUTE...

— MONSIEUR PROULX?

— C'EST BIEN MOI. VOUS ÊTES?

— MONSIEUR MADORE. DE DRUMMONDVILLE.

— MONSIEUR MADORE, BONJOUR. QU'AVEZ-VOUS À NOUS DIRE POUR NOUS ÉCLAIRER SUR LA QUESTION D'AUJOURD'HUI?

— MOI, JE SUIS D'ACCORD QUE C'EST DES EXTRATERRESTRES. JE SUIS D'ACCORD AVEC ÇA.

— POUVEZ-VOUS NOUS FAIRE CONNAÎTRE L'ARGUMENTAIRE QUI SOUS-TEND VOTRE ADHÉSION À CETTE POSITION?

— PARDON?
— POURQUOI PENSEZ-VOUS QUE LES VAMPIRES SONT DES EXTRATERRESTRES?
— C'ÉTAIT MARQUÉ DANS UN LIVRE.
— DE QUEL LIVRE S'AGIT-IL?
— CELUI QUE J'AI LU.
— J'IMAGINE, OUI. IL AVAIT UN TITRE, CE LIVRE?
— OUI. MAIS JE NE M'EN SOUVIENS PAS.
— AVEZ-VOUS UNE INDICATION QUE VOUS POUVEZ NOUS DONNER SUR CE LIVRE?
— BEN... C'ÉTAIT UN LIVRE IMPRIMÉ ASSEZ GROS. PARCE QUE, VOUS COMPRENEZ, J'AI DES LUNETTES POUR VOIR DE LOIN, MAIS DE PROCHE, IL FAUT QUE JE LES ENLÈVE.
— UN LIVRE ÉCRIT ASSEZ GROS...
— OUI. ET, SUR LA COUVERTURE, IL Y AVAIT DES LETTRES CABOSSÉES.
— CABOSSÉES?
— OUI. ÇA FAISAIT UNE BOSSE EN DESSOUS DES DOIGTS.
— VOUS VOULEZ DIRE EMBOSSÉES?
— C'EST ÇA, DES LETTRES FAITES EN BOSSÉ!
— VOUS AVEZ D'AUTRES RAISONS POUR PENSER QUE LES VAMPIRES SONT DES EXTRATERRESTRES?
— OUI. IL Y A UNE ÉMISSION DE TÉLÉVISION, AUSSI. ON EN VOIT.
— UN FILM, VOUS VOULEZ DIRE?
— NON. UNE ÉMISSION FAITE EN SÉRIE. MAIS C'EST PAS EXACTEMENT DES VAMPIRES. ILS LES MONTRENT JUSTE DE TEMPS EN TEMPS. MAIS ILS ONT DES YEUX DE VAMPIRES. C'EST TRÈS IMPRESSIONNANT.
— JE SUIS DÛMENT IMPRESSIONNÉ.

MONTRÉAL, 12 H 14

Dominique écoutait distraitement l'émission de Gilles Proulx. Ça créait un fond sonore pendant qu'elle passait en revue la comptabilité du bar.

... LES RÉSULTATS. D'APRÈS NOTRE SONDAGE, EFFECTUÉ AUPRÈS DE DEUX CENTS RÉPONDANTS, SOIXANTE-DIX-SEPT POUR CENT AFFIRMENT QUE LES VAMPIRES EXISTENT ET VINGT-TROIS POUR CENT PENSENT QU'ILS N'EXISTENT PAS. PLUS DE SEIZE POUR CENT CROIENT QU'IL S'AGIT DE CRÉATURES SEMBLABLES À CELLES MISES EN SCÈNE DANS LES FILMS ET VINGT ET UN POUR CENT AFFIRMENT QU'IL S'AGIT D'EXTRATERRESTRES. UN AUTRE...

La sonnerie du téléphone interrompit le travail de Dominique. Après avoir jeté un coup d'œil en direction du membre de l'escouade fantôme qui prenait un café au comptoir, elle se leva pour répondre et elle activa le bouton MAIN LIBRE.

— Oui ?

— Salut, poupée !

... DIX-HUIT POUR CENT CROIENT PLUTÔT QU'IL S'AGIT D'UNE LIGNÉE QUI S'EST DÉTACHÉE DE L'ESPÈCE HUMAINE ET QUI A CONTINUÉ D'ÉVOLUER DE FAÇON INDÉPENDANTE. ENFIN, ONZE POUR CENT PENSENT QU'IL S'AGIT DE L'INCARNATION MODERNE DU DÉMON.

— Qui parle ?

— Tu ne me reconnais pas ? Je suis pourtant du genre à laisser ma marque !

Un éclat de rire ponctua la repartie.

— Qu'est-ce que vous voulez ? reprit Dominique.

— Récupérer ce qui est à moi.

POUR CE QUI EST DES ACTES DE VAMPIRISME QUE NOUS AVONS CONNUS À MONTRÉAL, VOICI COMMENT SE RÉPARTISSENT LES AVIS DE CEUX POUR QUI LES VAMPIRES RIMENT AVEC FARIBOLES ET BILLEVESÉES. TRENTE-QUATRE POUR CENT PENSENT QU'IL S'AGIT D'ACTES COMMIS PAR DES CRIMINELS QUI VEULENT MASQUER LEURS MÉFAITS. VINGT-NEUF POUR CENT INVOQUENT L'EXISTENCE DE SECTES. À CE SUJET...

Le policier interrogea Dominique du regard. Sans émettre un son, il articula ostensiblement le mot « motard ».

Dominique acquiesça d'un battement des cils.

— Je ne vois pas de quoi vous voulez parler, fit-elle. Si vous me disiez clairement qui vous êtes et ce que...

— Arrête de me prendre pour un cave ! Tu sais ce que je veux ! Et tu peux dire à tes amis les flics qu'ils perdent leur temps s'ils essaient de me retrouver... *Ciao, bambina !*

Un déclic mit fin à la conversation.

Dominique resta figée pendant quelques secondes. Cette expression... Il n'y avait qu'une seule personne qui l'avait déjà appelée ainsi.

— C'était le même ? demanda le policier.

— Oui.

ENFIN, VINGT-SIX POUR CENT CROIENT À L'EXISTENCE D'UN COMPLOT GOUVERNEMENTAL ET POLICIER POUR ENTRETENIR LE MYTHE DE LEUR EXISTENCE ET DÉTOURNER L'ATTENTION DU PUBLIC DES VRAIS PROBLÈMES.

MONTRÉAL, 19 H 15

— Alors, comment vont les millions ? demanda Chamane, au moment où Yvan entrait dans la maison.

— Ils ressemblent de plus en plus à des milliards.

— Le marché s'emballe ?

— Pas le marché, les clients. Encore aujourd'hui, on a reçu un compte de quatre cent vingt millions. C'est le deuxième cette semaine. Deux clients d'UltimaGest.

— Tu veux dire qu'ils ont perdu près d'un milliard de comptes pendant la semaine ?

— Oui.

— Ouch !… Je pensais que c'étaient de bons gestionnaires.

— Ils ont une année un peu difficile. Pas si difficile que ça, en fait. Ils sont même un peu au-dessus de la moyenne. Mais par rapport aux dernières années, où ils étaient parmi les deux ou trois premiers centiles… Toi, de ton côté ?

— J'ai des trucs à te montrer.

— Sur les compagnies ?

— En partie. On se fait venir de la pizza ?

— Si tu veux.

— Viens dans le bureau. Je vais d'abord te montrer ce que j'ai. On mangera après.

Chamane s'installa devant son ordinateur principal, fit disparaître une série de fenêtres en les repoussant sur l'écran de gauche.

— Premièrement, dit-il, les systèmes de protection des compagnies sont à peu près identiques. Je suis presque certain qu'ils ont été montés par le même programmeur.

— Comment tu peux savoir ça ?

— On reconnaît son style. Mais ce n'est pas le plus intéressant.

Pendant qu'ils parlaient, Chamane pianotait sans interruption sur le clavier, faisant apparaître l'une après l'autre toute une série de fenêtres.

— Je suis parti de l'idée de la comparaison entre les fournisseurs, dit-il, et j'ai essayé quelque chose.

— Quelque chose d'autre ?

— Tu vas voir…

— Mais les fournisseurs…

— Les Bots s'en occupent… Regarde ! Je pense que ça va t'intéresser.

Sur l'écran, Chamane fit apparaître la page d'accueil du réseau interne de la Hoffmansthal Credit Bank de Zurich.

— Tu n'as pas peur d'être découvert ? demanda Yvan quand il réalisa ce que l'autre voulait faire.

— Pour le système, je suis *God*. C'est normal que *God* se promène où il veut.

— *God* ?

— Je te l'ai expliqué l'autre jour. Il y a des niveaux dans les accès privilégiés. Cet après-midi, j'ai modifié le programme de base pour que le sysop soit rétrogradé au rang de grand vizir. Lui, il va continuer à penser qu'il est God, mais il y a un autre niveau au-dessus de lui qui contrôle l'ensemble du système. Un niveau auquel je suis seul à avoir accès.

— Il ne peut pas s'en apercevoir ?

— Pas avant quelques jours. Peut-être une semaine. Et quand il va s'en apercevoir, il va falloir qu'il fasse un FMR !

— C'est quoi, ça ?

— Un *full metal reset*. Tu effaces tout et tu remontes l'ensemble des systèmes à partir des *back-ups*. Le bordel intégral.

— Toi, est-ce que tu peux l'effacer sans que ça paraisse ?

— Mon niveau de contrôle ? Je peux tout faire disparaître avec une simple commande. Sans que ça paraisse, c'est plus compliqué, par contre. Je ferai ça cette nuit. Je vais seulement laisser une *back door* invisible.

— Et s'ils s'aperçoivent que tu es en train de jouer dans leur réseau ?

— Je suis branché sur une série de comptes bidon et de *remailers*. Ça me donne un délai minimum de vingt-trois minutes. Et ça, c'est vraiment le minimum. Il n'y a aucun danger.

— Quel rapport avec notre enquête, les banques ?

— J'ai découvert où allait une bonne partie de l'argent.

Yvan se contenta de le regarder d'un air interrogateur.

— Il n'y a pas que les fournisseurs qui siphonnent l'argent des compagnies, reprit Chamane. En faisant des comparaisons, j'ai trouvé qu'elles avaient toutes des dettes importantes. Et en creusant un peu plus, j'ai découvert qu'elles payaient toutes des montants élevés en remboursements. Alors, j'ai suivi la piste de l'argent.

— Et tu as abouti…

— À la Hoffmansthal Credit Bank. Dans tous les cas. Je me suis dit que ça méritait que je regarde ça d'un peu plus près.

— Je suis impressionné.

— Attends, ce n'est pas fini.

Il ouvrit successivement quelques fenêtres, jusqu'à ce qu'une matrice de chiffres apparaisse à l'écran.

— Devine ce que c'est.

La première colonne de la matrice contenait des noms de code de compagnies à numéro. Dans les suivantes, il y avait des séries de chiffres dont la première ligne expliquait la nature : montant de la dette, taux, échéance, paiement hebdomadaire, pénalité de rééchelonnement…

— Je suis dans l'ordinateur de Garth Semler, dit Chamane.

— Qui est-ce ?

— Le président de la Hoffmansthal Credit Bank. D'après ce que j'ai eu le temps de voir, c'est lui qui supervise personnellement l'ensemble des prêts institutionnels.

— Et les compagnies qu'on avait identifiées ? demanda Yvan.

— Elles sont toutes là. Ce sont leurs numéros qui sont dans la première colonne. Mais il y a une chose qui devrait te frapper dans le tableau. Deux, en fait. Même moi, je m'en suis aperçu.

— Les taux d'intérêt, dit Yvan après s'être approché de l'écran. Sauf dans certains pays en développement, il n'y a plus de taux comme ça... C'est le double de ce qui est offert sur le marché.

— Exact !... Pour la deuxième chose, ça prend un peu de calcul.

Yvan se pencha de nouveau sur les chiffres.

— OK, dit-il au bout d'un moment. C'est vraiment pervers.

— Le montant du remboursement...

— Ça couvre presque uniquement les intérêts. À l'échéance, la dette est à peine entamée.

— Ce que je ne comprends pas, c'est pourquoi il faut ce genre d'arrangement financier.

— Moi, ce qui m'intrigue, c'est la pénalité qui s'ajoute au principal quand ils rééchelonnent leur dette. Attends une minute...

Yvan sortit une calculatrice de sa poche.

— Ça y est, dit-il quelques instants plus tard en montrant un chiffre à Chamane. J'ai trouvé la formule qui donne la pénalité de rééchelonnement.

— C'est quoi ?

— Le montant remboursé depuis l'octroi du prêt ou de la dernière consolidation... multiplié par deux ! C'est la recette pour une dette perpétuelle. Avec ça, pourvu que tu rééchelonnes de temps en temps, tu peux payer pendant vingt ans et tu te retrouves plus endetté qu'au début.

— C'est légal ?

— Il y a sûrement des pays où ça l'est. Ils font comme les cartes de crédit et les compagnies de finance : ils obligent à rembourser une partie du capital pour satisfaire aux exigences de la loi, puis ils consolident au bout d'un certain temps pour ramener la dette à son niveau antérieur. Ou l'augmenter.

— Des compagnies de finance pour les compagnies !

— Ce que je ne comprends pas, c'est que des compagnies qui pourraient être rentables acceptent de s'embarquer dans ce genre d'aventure.

— Il y a deux choses que j'aimerais vérifier, dit Yvan.

— Quoi ?

— D'abord, je voudrais voir ce qu'il y a dans les dossiers personnels du président.

— Pas de problèmes. On va emprunter son identité pour faire le tour du réseau.

— Deuxièmement, je voudrais la liste des transactions interbancaires.

— Toutes les transactions de la banque ?

— Ce que tu peux. Au moins les trois derniers mois.

— Les dossiers de Semler font à peine quatre cents megs. Je vais les télécharger tout de suite. Comme ça, tu pourras les regarder à ton aise.

Ses doigts s'activèrent sur le clavier pendant quelques secondes.

— Et pour les transactions ? demanda Yvan.

— Je vais utiliser une machine que j'ai dans un *gigacenter*, pas loin. La banque a un tuyau…

— *Gigacenter* ? Tuyau ?

— Des centres d'hébergement qui sont connectés sur les *backbones* du réseau. Tu peux y louer de l'espace pour installer des machines à haute performance. Tu es connecté directement sur les grosses autoroutes de l'Internet. J'ai monté le cœur du réseau de l'Institut avec ça.

— Et les tuyaux ?

— Des lignes à haute densité. Sur les T1, il passe approximativement un point cinq mégabits seconde. Une T3, c'est vingt-huit lignes T1. À la banque, c'est ce qu'ils ont comme sortie, une T3. Ça fait environ quarante-cinq megs seconde.

— Et tu veux faire quoi ?

— Je vais télécharger leur site au complet et je vais le copier sur une de nos machines. Tu pourras te promener dessus comme si tu étais dans le système de la banque.

— Tu peux faire ça ?

— Le seul problème, c'est que tu ne pourras pas suivre leurs transactions en direct. Pour ça, il faudrait que tu te branches sur leur système.

— Tu vas télécharger tout le contenu de leur ordinateur ! Ça va te prendre combien de temps ?

— Ça ne sera pas trop long… Mais avant, il faut s'occuper d'une urgence.

— Quoi ?

— La pizza !

MONTRÉAL, 21 H 09

C'était parti pour être une mauvaise soirée. Le bar était rempli de têteux. Ils sirotaient leur bière, gardaient les yeux rivés sur la scène et refusaient toutes les offres des filles pour danser. La section VIP était à peu près vide.

— Ils ne sont pas gênés, ils sont congelés, fit une danseuse en passant à côté de Dominique.

— Je vais vous donner un coup de pouce pour les faire fondre.

Elle alla dire deux mots à l'annonceur, puis elle retourna derrière le bar, au bout du comptoir. Trois danseuses l'y attendaient.

— C'est au pic à glace qu'il va falloir les attaquer, fit l'une d'elles.

— En tout cas, moi, je ne fais plus de scène, dit une autre. S'ils veulent me voir, qu'ils paient.

— Avez-vous vu à la 17 ? Ça fait une demi-heure qu'il se touche en regardant les filles.

— S'il peut venir, qu'on en finisse.

— Dégueulasse !

Dominique fit un geste de la main pour les apaiser.

— Du calme, les filles, dit-elle. J'ai fait ma part, à vous de faire la vôtre.

Candy!… Une bonne main d'applaudissements pour Candy!

De maigres applaudissements répondirent à l'exhortation de l'annonceur.

— Ils ne peuvent pas applaudir, ils ont les mains occupées.

— Ils se pensent dans un club vidéo.

Pour les trente prochaines minutes, la direction vous offre un shooter *gratuit avec chaque danse aux tables. Un* shooter *gratuit, les* boys.

— Maintenant, c'est à vous, dit Dominique en s'adressant aux filles.

— *Good move!*

— Allez, les filles! fit une des danseuses. On va les réveiller!

— C'est pas les réveiller, qu'il faut, c'est les ressusciter!

Quelques minutes plus tard, presque toutes les filles dansaient pour des clients et la section VIP était à moitié pleine.

Dominique se tourna vers Geneviève, qui venait d'arriver.

— Je te pensais en amour, toi!

— Moi aussi.

— Oups…

— Il travaille tous les soirs avec Yvan sur son affaire de banque! Au cours des derniers jours, on s'est parlé plus souvent par ordinateur qu'autrement.

— Je pensais que ça t'intéressait, l'informatique? Tu aurais pu rester avec eux.

— Ils travaillent sur des dossiers confidentiels. Une sorte d'enquête sur des compagnies qui feraient des fraudes.

— Yvan m'en a parlé.

— Ce n'est pas comme ça que j'imaginais mes soirées. Je me demande si je ne devrais pas recommencer à danser.

— Pour le punir ? Il me semblait que c'était pour toi que tu avais arrêté.

— Je sais… Au fond, ce n'est pas lui, c'est moi… Le spectacle m'inquiète. Ça n'avance pas… Il manque encore trois chansons et il y en a deux qu'il faudrait réécrire au complet.

Geneviève vit tout à coup le visage de Dominique changer.

Elle se retourna et aperçut un motard portant les couleurs des Raptors qui s'approchait. Les yeux noirs, perçants, semblaient totalement étrangers au sourire qui flottait sur ses lèvres.

— Alors ? fit le Raptor en s'adressant à Dominique. Ne me dis pas que tu ne me reconnais pas, maintenant ?

— Qu'est-ce que tu fais ici ?

— Ce que n'importe quel mâle normal vient faire ici. Prendre un verre. Examiner la marchandise.

Il s'assit sur un banc à côté de Geneviève.

— Toucher un peu, pour vérifier la qualité du stock, ajouta-t-il en mettant une main sur la cuisse de la jeune femme.

Geneviève se leva brusquement et alla se réfugier derrière le bar.

— Nerveuse, la petite. Ça doit être encore plus intéressant dans les loges.

Il mit un billet de cent dollars sur le comptoir.

— Je la réserve pour la prochaine heure.

— Elle ne travaille pas.

— Ben tiens… Juste à la regarder, on voit tout de suite que c'est de la viande à danseuse. Regarde sa façon de se tenir.

— Ça suffit ! Je t'ai demandé ce que tu étais venu faire !

— Comme ça, tu me reconnais, maintenant…

— Que je te reconnaisse ou non n'a aucune importance.

— Tu peux te compter chanceuse que je sois venu avec de bonnes intentions. À ta place, j'en profiterais.

— Il n'y a rien à toi ici.

— Le contrat est encore valide. Donne-moi une bière !

— Sors d'ici !

— Il n'y a rien que tu peux faire pour changer ce qui existe.

— Sors d'ici immédiatement !

Dominique avait élevé la voix. Assez pour que les deux membres de l'escouade fantôme, qui s'étaient discrètement approchés, se plantent directement derrière le motard.

— Il y a un problème ? demanda l'un des deux.

— Aucun problème, répondit Dominique. Monsieur allait partir. Si vous voulez l'accompagner à la porte.

— Tu as tort de profiter de la situation, fit le motard. Tu ne pourras pas m'empêcher de récupérer ce qui m'appartient.

Les deux ex-flics le prirent simultanément par un bras. L'un d'eux lui appuya un bout de métal dans le dos.

— C'est préférable de nous suivre, dit-il.

— D'accord, d'accord…

Puis il tourna la tête vers Dominique.

— *Ciao bambina !*

Quand il fut sorti, Geneviève vit que Dominique tremblait. Elle lui servit un cognac.

— Qui est-ce ? demanda-t-elle.

— Quelqu'un que j'espérais ne jamais revoir.

— Qu'est-ce qu'il veut récupérer qui lui appartient ?

— Ce qu'il veut récupérer…

Dominique avala son cognac d'une gorgée.

— … c'est moi.

— Toi ?

— Je t'expliquerai. Pour le moment, il faut que j'appelle Théberge.

MONTRÉAL, 22 H 06

« Quelque chose de méga capital », avait dit Chamane dans son message. « Hurt m'a dit de vous contacter tout de suite. »

Une demi-heure plus tard, au café Les trois mutantes, Blunt écoutait les explications du *hacker*, sous l'œil attentif d'Yvan.

Il tomba rapidement d'accord avec les deux jeunes : la Hoffmansthal Credit Bank était probablement un pivot majeur du réseau de blanchiment d'argent. C'était une découverte importante. La question était de savoir quoi en faire. Une action trop rapide pouvait tout bousiller. Surtout que les rapports des U-Bots commençaient à peine à arriver. Il avait besoin de réfléchir à la question.

Chamane promit de tout faire pour ne pas éveiller les soupçons de la banque.

Après la rencontre, Blunt retourna chez lui à pied. La marche lui permit d'intégrer ce que lui avait appris le jeune *hacker* dans le plan d'ensemble de la lutte contre le Consortium.

En arrivant, il trouva un mot de Kathy. Elle était partie chercher les deux nièces, qui arrivaient par le train de New York. Il était sommé de ne pas dormir lorsqu'elles reviendraient.

Blunt se rendit dans la pièce de go pour ajouter des pierres sur quelques gobans, après quoi il téléphona à F.

MASSAWIPPI / MONTRÉAL, 23 H 16

F écouta le rapport sans l'interrompre. La voix mesurée de Blunt ne manquait jamais d'évoquer pour elle la douceur froide et tranquille qu'elle associait aux pièces du jeu de go.

— Qu'est-ce que vous suggérez ? demanda-t-elle, une fois qu'il eut terminé.

— Ne rien faire, le temps qu'on continue de remonter la filière.

— Ça peut prendre combien de temps ?

— Ça dépend de ce qu'ils vont trouver.

— Je suis d'accord, pourvu que ça se fasse assez rapidement. L'opération au Japon va nous donner un peu de munitions, mais avec ce qui se prépare…

— La pression augmente ?

— Dans les médias, ça s'est calmé un peu. Faute de nouvelles victimes… Mais les agences de renseignements ont sauté sur l'occasion : elles ont toutes formé des équipes spéciales d'intervention pour débusquer les membres de la *rogue agency*, comme on nous appelle maintenant. La réaction est plus forte que je n'avais anticipé.

— Que dit Tate ?

— Lui, il n'a pas le choix de collaborer avec nous. Mais, s'il nous arrivait quelque chose, il ne pleurerait pas longtemps… C'est en France que c'est le plus hystérique. La majorité des gens du milieu sont convaincus que nous sommes réellement impliqués dans les réseaux de pédophiles. La thèse officielle est que nous nous en servions pour financer nos opérations clandestines. Comme la CIA le faisait avec le trafic de drogue. Claude ose à peine communiquer avec nous.

— En Allemagne, ça ne doit pas être mieux.

— Non. Dans toute l'Europe, en fait, l'Institut est devenu synonyme de corruption. Même en Israël !

— Il faut dire que leur plan est très bon. Ils nous attaquent là où nous sommes le plus vulnérables.

— À savoir ?

— Notre but est de demeurer dans l'ombre. En nous mettant toutes sortes d'attentats sur le dos, ils nous placent devant le choix d'intervenir publiquement pour les contredire – et de devoir nous expliquer de long en large sur l'ensemble de nos opérations – ou de ne rien faire et d'accréditer par notre silence leur version des faits.

— Une chose est certaine, ça ne pourra pas continuer très longtemps. Déjà, deux de nos informateurs de premier niveau ont décidé de suspendre temporairement leur collaboration… L'idéal, ce serait de mener à terme l'opération de Claudia au Japon puis, dans les semaines suivantes, d'attaquer leur réseau financier.

— Je ne peux pas dire quand on sera prêts. Il n'y a encore aucun lien solide entre ce qui se passe à Montréal et ce que les jeunes ont découvert au niveau international.

— Du côté des banques ?

— Chamane s'en occupe. Avec la Hoffmansthal Credit Bank, on a peut-être trouvé l'endroit où disparaît une bonne partie de l'argent perdu par les compagnies. Par contre, pour ce qui est des fournisseurs…

— Et les actionnaires ? Ceux qui regarnissent les coffres à mesure ?

— Ça aussi, ça reste à faire.

— Les compagnies qui ont l'air de gagner beaucoup d'argent m'intriguent. Particulièrement celle qui s'occupe d'or et de pierres précieuses. La… comment elle s'appelle, déjà ?

— Gems & Gold International Retailing ?

— C'est ça… Vous avez prévu y jeter un coup d'œil ?

— Oui. De votre côté, si vous pouviez utiliser quelques-unes de vos sources privilégiées.

— Je vais voir ce que je peux faire.

— Je pensais surtout à MultiGestion Capital International et à la Hoffmansthal Credit Bank.

— Où en sommes-nous, pour l'ensemble de l'opération ?

— Tout ce que je peux dire, c'est qu'on progresse. Sur les gobans, la situation commence à bien se dessiner.

— Espérons que vos simulations soient toujours aussi efficaces.

Sans rien comprendre à la manière dont Blunt s'y prenait pour représenter les différentes opérations de l'Institut sur de multiples jeux de go, elle devait admettre que l'exercice, jusqu'à ce jour, s'était avéré concluant.

— Encore quelques pierres à poser, dit Blunt, et tout va s'éclaircir.

— Je vous le souhaite. Ou, plutôt, je nous le souhaite… De mon côté, je m'occupe de ce que vous avez demandé. Vous, vous tâchez de profiter de la visite de vos nièces. Elles arrivent aujourd'hui, n'est-ce pas ?

— Par le train de New York. Kathy est partie les chercher.

— Je suppose que tous vos cadeaux sont achetés.

— Je m'en occupe demain matin.

— Une chance que vous planifiez vos opérations un peu mieux que votre vie privée !

— Je sais… les cordonniers mal chaussés…

Il avait à peine raccroché que le perroquet saluait à sa manière l'arrivée de Kathy et des nièces.

— Alerte ! Alerte !… Tous aux abris !

Cinq minutes plus tard, elles ressortaient avec Blunt. Les nièces tenaient à faire la tournée des bars avec les « ancêtres ». Elles avaient consulté des amis de Montréal par courrier électronique au cours des dernières semaines et elles avaient une longue liste d'endroits à visiter.

Blunt avait eu beau jeter un regard à Kathy, dans l'espoir qu'elle comprenne sa demande muette de soutien, cette dernière avait renchéri sur la suggestion des deux adolescentes.

— Merveilleux ! avait-elle dit en s'adressant à Blunt. Pense à tous les endroits qu'elles vont nous faire découvrir ! Si on ne se surveille pas, la routine va nous embaumer vivants.

Blunt savait que ce n'était pas un danger. Rien ne pourrait jamais entamer la vitalité et l'énergie de Kathy. Mais il ne servait à rien d'argumenter. C'était une de ces situations où la seule solution était de suivre, en feignant de le faire un peu à contrecœur, pour leur permettre de s'amuser de lui. Cette forme de rituel faciliterait la reprise de contact, après plusieurs mois d'absence.

> Le statut social est un des principaux moyens de manipulation. Paradoxalement, c'est souvent avec ceux qui ont déjà un statut relativement intéressant que ce procédé est le plus efficace. De ce point de vue, le statut social semble créer une intoxication analogue à celle que produisent les drogues.
> L'utilisation la plus simple consiste à promettre à quelqu'un l'obtention d'un statut supérieur à celui qu'il a en échange d'un service. Cette amélioration peut prendre la forme d'un avancement professionnel ou d'une nomination, ce qui se traduit habituellement par un avantage économique.
>
> Leonidas Fogg, *Pour une gestion rationnelle de la manipulation*, 4- Asservir par les passions.

JEUDI, 30 SEPTEMBRE 1999

BERNE, 8 H 23

— De la part de monsieur Semler, dit le messager en remettant à Hubert Grégoire une enveloppe matelassée.

— Ce n'est pas pour moi, fit ce dernier après avoir examiné l'adresse sur l'enveloppe.

— Monsieur Semler devait aller la porter à une cliente importante, mais il a eu un empêchement. Il vous demande de le remplacer. Vous devez la remettre en mains propres à madame Ute Breytenbach.

— Qui ?

— Ute Breytenbach. Elle habite en Bavière. Ses coordonnées sont dans cette enveloppe. Avec vos billets d'avion.

Il lui tendit une deuxième enveloppe, plus petite et blanche, celle-là.

— En Bavière ?

— Je vous amène à l'aéroport. Une limousine vous prendra à Francfort pour vous conduire directement chez la cliente.

— Mais…

— Monsieur Semler a dit qu'il savait pouvoir compter sur vous. En échange de ce service, il vous offre une semaine de vacances payées, à l'endroit de votre choix.

— Il faut que je prévienne…

— Votre nouvelle amie ? On s'en est déjà occupé.

— C'est la seule chose que j'ai à faire : remettre une enveloppe à une cliente ?

— Oui. Vous lui remettez l'enveloppe en mains propres, vous faites la conversation pendant quelques minutes pour être poli, puis vous revenez.

— Je ne comprends pas pourquoi il a besoin que ce soit moi.

— Je ne connais pas ses raisons, mais je suis certain qu'elles sont bonnes, compte tenu de ce que ça va lui coûter… Si vous ne vous dépêchez pas, vous allez rater l'avion.

— D'accord, j'arrive.

— Inutile d'emporter quoi que ce soit. Vous pourrez acheter ce qu'il vous faut à l'aéroport : chemise, articles de toilette…

— Vous savez où demeure la cliente ?

— Pas précisément. Monsieur Semler a parlé d'une sorte de manoir, situé dans un immense domaine au cœur de la Forêt-Noire.

MONTRÉAL, 6 H 46

Chamane travaillait depuis une demi-heure à compiler les rapports des U-Bots lorsque l'icône du courrier électronique s'afficha sur l'écran.

Un message de Geneviève, se mit-il à espérer. Elle avait disparu du Net depuis la veille au soir. Il n'arrivait pas à la joindre sur ICQ et elle n'avait pas répondu au courrier électronique qu'il lui avait envoyé.

Quand il cliqua sur l'icône, un seul mot s'afficha sur l'écran: Kalithernum5. Un des nombreux pseudonymes de celui qui était principalement connu sous le nom de Collide Bot.

Chamane se tourna vers l'ordinateur qui était dédié à l'UnderNet et entra sur le réseau. Aussitôt, un message se téléchargea. Pour l'encodage, Collide Bot avait utilisé une clé à deux mille quarante-huit bits. Chamane doutait de l'utilité d'une telle précaution, mais Collide Bot avait toujours été le plus paranoïaque du groupe.

Une fois décompressé et décrypté, l'envoi faisait cinq cent trente-six megs. Il s'agissait d'un dossier assez volumineux sur une compagnie appelée Gems & Gold International Retailing. Heureusement, les deux premières pages de texte présentaient un répertoire des documents.

- SIÈGE SOCIAL ET ACTIONNAIRES
- ORGANIGRAMME ET ADMINISTRATION
- ÉTATS FINANCIERS
- LIENS BANCAIRES
- APPROVISIONNEMENT, FOURNISSEURS
- POINTS DE VENTE

Yvan en aurait pour des jours à tout analyser, songea-t-il.

Un deuxième groupe de documents portait sur une compagnie dont le nom attira immédiatement son attention: Global Sex Products.

En parcourant l'information, il comprit qu'il s'agissait d'un réseau international de clubs de strip-tease, de bars de danseuses, de cinémas érotiques, de clubs vidéo et de sex-shops.

Par curiosité, il ouvrit le document qui donnait la liste des établissements. Comme il l'espérait, ils étaient classés par pays. Il alla immédiatement à la rubrique Canada. Il y avait neuf établissements, tous dans la région de Montréal.

Spider Club
L'Engrenage
Le Gothic
Le Donjon du sexe
Boom Club
Le Corps à corps
Hot Shot
Super Teen
Skin Game

Il referma le document, satisfait de ne pas y avoir trouvé le Palace.

Avec ce qu'il avait obtenu des U-Bots, Chamane avait maintenant du matériel sur les cinq compagnies déficitaires qui avaient été choisies pour la première analyse ainsi que sur deux des compagnies qui faisaient de l'argent.

Sans entrer dans le détail des documents, il se mit à construire un organigramme pour voir si les groupes étaient reliés entre eux.

Une heure et demie plus tard, il n'avait pu découvrir que deux points communs : le *holding* qui gérait ces compagnies, MultiGestion Capital International, et une banque… la Hoffmansthal Credit Bank ! Comme pour les compagnies qu'il avait examinées la veille, c'était cette banque qui détenait l'essentiel des prêts qui leur étaient accordés.

Chamane se tourna vers l'ordinateur situé à sa droite, appuya sur la touche qui activait le logiciel téléphonique, fit dérouler le répertoire de numéros jusqu'à celui de Hurt et le sélectionna.

Quelques secondes plus tard, l'icône de Hurt apparaissait à l'écran.

— Oui ?

— Chamane. J'ai des choses intéressantes à te montrer.

— Tu peux me les envoyer par courrier électronique ?

— Tout de suite, si tu veux. Je vais te résumer mes conclusions sur une page ou deux. À mon avis, Yvan va en avoir pour des semaines.

— Tu lui en as donné une copie ?

— Pas encore. Mais je suis censé le voir à l'heure du dîner.

— De mon côté, si j'ai besoin de toi, je te joins où ?

— Au même numéro. J'ai toujours mon cellulaire avec moi.

Après avoir raccroché, Chamane se tourna vers l'ordinateur de gauche, où l'icône du courrier électronique s'était de nouveau mise à clignoter.

Il cliqua dessus et la photo de Geneviève apparut. Enfin ! Un message ! Chamane se dépêcha de l'ouvrir.

> J'ai pris un break d'Internet, mais ça ne veut pas dire que je veux prendre un break de toi. Ce soir, je vais souper chez Dominique. Yvan est censé venir. Tu es invité... si tu n'as pas trop de travail.

Chamane archiva le message.

Il ouvrit ensuite la fenêtre EXPÉDITION, créa un dossier, y déposa tous les documents recueillis par les U-Bots et déposa le dossier sur l'icône Hurt. Ils furent immédiatement dupliqués, encodés et expédiés au destinataire.

Il rédigea ensuite un résumé de ses conclusions, qu'il déposa également sur l'icône de Hurt.

Puis il retrouva le message de Geneviève et le relut, ne sachant pas comment l'interpréter. Était-ce vraiment une invitation ? Ses messages antérieurs étaient plus longs, plus personnels. Mais peut-être était-elle simplement pressée ? Avec les filles, c'était toujours compliqué. Quand il verrait Yvan, tout à l'heure, il lui en parlerait.

CBV, 8 H 31

> NOUVEAU COUP D'ÉCLAT DU VENGEUR. HIER SOIR, IL A RENDU PUBLIQUES LES DÉLIBÉRATIONS À HUIS CLOS DU COMITÉ EXÉCUTIF DE LA VILLE. VOICI UN EXTRAIT DE LA CASSETTE QU'IL A REMISE À DIFFÉRENTS MÉDIAS. SELON TOUTE VRAISEMBLANCE, LES VOIX QUE VOUS ALLEZ ENTENDRE SONT CELLES DU MAIRE, DE LA PRÉSIDENTE DU COMITÉ EXÉCUTIF ET D'UN AUTRE MEMBRE.
>
> *— ET VOUS SAVEZ POURQUOI ILS NE RÉUSSISSENT PAS À ATTRAPER LE VENGEUR ? PARCE QU'ILS METTENT TOUTES LEURS RESSOURCES SUR CE SATANÉ VAMPIRE !*

— IL FAUDRAIT LEUR FAIRE COMPRENDRE QUE LE VENGEUR EST « LA » PRIORITÉ. IL N'Y A AUCUNE COMMUNE MESURE ENTRE QUELQUES MEURTRES ET UNE ATTAQUE CONTRE LES INSTITUTIONS FONDAMENTALES DE NOTRE SOCIÉTÉ.

— JE SUIS BIEN D'ACCORD, MAIS J'AI PEUR QUE NOS ÉLECTEURS NE VOIENT PAS LES CHOSES DU MÊME ŒIL. À CHAQUE MEURTRE, C'EST DES VOTES QU'ON RISQUE DE PERDRE.

— FUCK *LES VOTES! ON POURRA TOUJOURS LES RÉCUPÉRER! DE TOUTE FAÇON, IL N'Y A PAS D'OPPOSITION. IL FAUT À TOUT PRIX S'OCCUPER DE CET EMMERDEUR DE JOS PUBLIC.*

— VOUS POURRIEZ EN PARLER AU DIRECTEUR DE LA POLICE.

— LES POLICIERS SE FOUTENT CARRÉMENT DU VENGEUR. IL Y A SEULEMENT LES MEURTRES QUI LES EXCITENT.

REGRETTANT LE MANQUE DE JUGEMENT DES DIRIGEANTS MUNICIPAUX ET DÉNONÇANT L'EMPIÉTEMENT DES LUBIES PERSONNELLES SUR LE SOUCI DU BIEN PUBLIC, LE VENGEUR A DÉCRÉTÉ UNILATÉRALEMENT UNE TRÊVE. IL SUSPEND JUSQU'À NOUVEL ORDRE SA LUTTE CONTRE – ET JE CITE – « L'ARROGANCE ET L'IRRESPONSABILITÉ DES DIRIGEANTS ET BUREAUCRATES DE TOUT ACABIT », AFIN DE PERMETTRE AUX FORCES POLICIÈRES DE SE CONSACRER À TEMPS PLEIN À LA RECHERCHE DES CRIMINELS QUI SÈMENT DES CADAVRES DANS LA VILLE.

NORTH HATLEY, 8 H 39

Un point rouge clignotait dans le coin supérieur droit de l'écran.

Voyant qu'il avait reçu le message de Chamane, Hurt se mit automatiquement en mode Institut : Steel prit le devant de la scène, rapidement rejoint par Sharp.

Après Hurt, Steel était celui qui passait le plus de temps branché sur l'extérieur. L'analyste froid et méthodique constituait le meilleur rempart contre les chocs imprévus et les agressions du monde extérieur.

Après avoir lu le message, Steel ouvrit les documents qui y étaient annexés et commença à les parcourir. Le premier était un diagramme de l'ensemble des compagnies reliées à MultiGestion Capital International.

Petreanu. Darius Petreanu.

À l'intérieur de Hurt, ce fut la consternation. Buzz venait de parler. Lui qui se contentait habituellement de marmonner de façon incompréhensible.

La chose ne lui était arrivée que deux fois. Quelques années auparavant, il avait identifié les composantes de Dreams Come True ainsi que certains de ses dirigeants. Plus récemment, il avait révélé le nom du Consortium.

— Que fait Darius Petreanu ? demanda Steel.

Il est au centre.

— Quel centre ?

Pour toute réponse, Buzz prit brusquement le contrôle du corps de Hurt et se mit à dessiner sur la tablette quadrillée qui traînait sur le bureau.

Vingt-trois minutes plus tard, il avait dessiné un réseau compliqué de cases qui s'étendait sur des dizaines de feuilles. Il se mit alors à inscrire des lettres et des chiffres dans les cases, à dessiner des flèches entre elles, puis, au centre d'une des cases, il écrivit *D.P.* Au centre d'une autre, il inscrivit *U.B.*

Sur la dernière feuille, il écrivit: *Pipeline financier (SH).*

Puis il redonna le contrôle du corps à Steel et recommença à marmonner.

Steel passa méthodiquement en revue les organigrammes dessinés par Buzz. Très vite, il reconnut plusieurs des initiales. Certains des chiffres, aussi.

La deuxième chose qui lui sauta aux yeux, ce fut l'organisation de l'organigramme. On aurait dit trois constellations imbriquées par leurs centres respectifs, avec une quatrième qui les surplombait.

Dans le premier groupe, toutes les flèches individuelles menaient vers la case centrale. De là partait un faisceau serré de flèches en direction de la deuxième constellation. Une fois à l'intérieur, chaque ligne éclatait en plusieurs flèches qui se dirigeaient vers autant de cases.

De chacune de ces cases partaient ensuite deux flèches: l'une, pointillée, vers le centre de la deuxième constellation; l'autre, en double trait, vers une des cases de la troisième constellation.

Dans la troisième constellation, chaque case était reliée par une ligne grasse à la case centrale, où était inscrit un nom : Petreanu.

Au centre de la deuxième constellation était inscrit le nom de Claude Brochet. Dans celui de la première constellation, où tous les carrés étaient en pointillé, il y avait d'inscrit : Ute Breytenbach.

Steel demeura un long moment immobile, à examiner le résultat du travail de Buzz. Il y avait tout lieu de croire que l'organigramme représentait la partie financière du Consortium.

Du carré central, où était inscrit le nom de Petreanu, partait une flèche unique qui traversait verticalement la constellation III et qui montait dans un immense cercle rempli de petits cercles : au centre de cette quatrième constellation, où aboutissait la flèche verticale, étaient inscrites deux lettres : SH.

Safe Heaven…

À l'intérieur de Hurt, les voix s'étaient mises à discuter de façon fiévreuse. Tenait-on enfin un moyen de régler des comptes avec Body Store ?

Zombie suggérait de tout oublier, pour ne pas attirer l'attention sur eux. Sharp et Nitro, pour leur part, avaient de la difficulté à contenir leur impatience. Aaargh, qui n'avait pas donné signe de vie depuis un an, s'agita dans son sommeil. Quant au Curé, il distribuait les reproches à tous vents : il blâmait Nitro pour sa violence, Zombie pour son inconscience, Sharp pour son ironie inutile, Steel pour sa froideur…

Steel et Hurt agirent de concert pour rétablir la paix intérieure. Le premier en expliquant aux uns et aux autres qu'il n'était pas question de partir en guerre, que leur rôle se limitait à traiter des informations ; le deuxième en prenant le contrôle du corps et en imposant un rythme respiratoire propre à faciliter l'émergence d'un état méditatif.

Peu à peu, la tension s'apaisa. Hurt jugea quand même utile de poursuivre l'exercice pendant un certain temps encore avant de communiquer avec F.

MONTRÉAL, 10 H 04

Théberge raccrocha le combiné d'un geste exaspéré. Le maire venait de l'appeler pour se plaindre du nouvel exploit du Vengeur. Quatorze minutes de récriminations. Théberge l'avait chronométré.

Comme s'il avait le temps de s'occuper de celui qui avait caché un micro dans la salle du Conseil de l'hôtel de ville ! La perquisition au club de vampires était pour la nuit même et il avait encore un tas de paperasses à remplir !

Heureusement, les clones étaient là pour prendre charge de l'opération. Son fidèle Crépeau les accompagnerait, prêt à ramasser les éventuels pots cassés ou à gérer les crises, s'il s'en présentait. Car l'inspecteur-chef Théberge était réquisitionné pour la soirée. Son épouse ne lui aurait pas pardonné de la laisser seule.

Pour fêter le cinquantième anniversaire de sa sœur, elle s'était mise en frais d'offrir un grand souper à l'ensemble de la famille. Or, ses frères et sœurs ne manquaient jamais une occasion de lui rappeler – à mots couverts – qu'elle avait marié son policier de mari malgré leur opposition. Chaque fois qu'elle se retrouvait seule à une réunion de famille, ils y faisaient allusion, s'inquiétant de ses longues soirées de solitude, sympathisant avec elle pour tout ce qu'elle devait supporter.

Le souper était pour madame Théberge l'occasion de leur river leur clou. De leur montrer à tous qu'elle avait avec son mari une vie normale. Qu'elle n'était pas à plaindre. Qu'elle avait la chance de vivre avec une personne éminemment désennuyante, qui avait plus d'esprit que le reste de la famille réunie.

C'était d'ailleurs un de ses plaisirs, que de voir la belle-famille, qui assimilait les policiers à des brutes épaisses, confondue par l'étendue des connaissances et la faconde de son mari. Eux, les supposés professionnels éduqués !... Théberge ne ratait jamais une occasion de se faire plaisir, et de faire plaisir à sa femme, en soulignant de façon débonnaire leur ignorance, dans un langage fleuri et luxuriant.

En privé, son jugement sur eux était moins nuancé : « Des sphincters à deux neurones. »

C'est pourquoi il était hors de question qu'il rate le souper. L'injure aurait été suffisante pour que sa femme le condamne au sofa du salon pour les quarante années à venir. Avec interdiction de le changer pour un autre plus confortable !

L'ultime compromis avait été de permettre qu'on puisse le joindre par téléavertisseur en cas d'urgence. Mais uniquement pour consultation.

Pendant que Théberge continuait de remplir les formulaires et les mémos nécessaires à la tenue de l'opération, son œil vérifiait fréquemment l'horloge. Les clones avaient plus d'une demi-heure de retard et il fallait qu'il revoie l'ensemble de l'opération avec eux. Ça risquait de ne pas lui laisser beaucoup de temps pour s'occuper du problème de Dominique.

Un sourire affleura brièvement sur ses lèvres. Il avait hâte de voir la nouvelle excuse que les clones auraient inventée pour justifier leur retard. Une crise d'asthme ou d'eczéma de Grondin, une entrevue impromptue de Rondeau avec les journalistes… Il comprenait mieux la portée de l'adjectif que Lefebvre avait utilisé pour décrire sa vie avec les clones.

« Divertissante », avait-il dit. Ils rendaient la vie divertissante.

MONTRÉAL, 10 H 26

Poitras était d'humeur sombre. Son capital sous gestion avait encore fondu de six cents millions au cours de la semaine. Deux comptes qu'il n'avait jamais imaginé perdre. Les deux clients avaient allégué la performance ordinaire de l'année en cours pour justifier leur décision. Les transferts seraient effectifs au début du trimestre suivant. Entre-temps, il était prié de ne faire aucune transaction dans ces comptes.

Il regardait les chiffres défiler sur Bloomberg sans parvenir à se concentrer. Après dix années de performance remarquable, il suffisait d'une année qui n'était même pas mauvaise, qui se situait même un peu au-dessus de la performance moyenne des gestionnaires, et on le virait.

Curieusement, les deux clients avaient utilisé le même argument. Presque dans les mêmes termes. Puisqu'aucun gestionnaire ne pouvait surperformer indéfiniment, ils préféraient se retirer tout de suite, au premier signe de fléchissement, avant les années de mauvaise performance qui allaient nécessairement suivre !

Il fut tiré de ses réflexions par son adjointe.

— Sur la quatre. Le président du comité de retraite d'Alcatrol.

Poitras fit un signe de tête pour signifier qu'il prenait l'appel.

— Allô, Paul ?

— Comment ça va ?

— Bien.

— Écoute, je t'appelle pour te prévenir. J'ai peur que ce ne soit pas une très bonne nouvelle.

— Je t'écoute.

— À la prochaine réunion du comité, on va probablement changer de gestionnaire pour les obligations.

— À cause de la performance de cette année ?

— D'une certaine manière, oui. Normalement, il n'y aurait pas de raison de changer, mais un des membres du comité de placement a réussi à déstabiliser le comité de retraite. C'est le VP finances de la compagnie, celui qui connaît le mieux le placement. Les autres ont tendance à se fier à lui… Il a évoqué leur responsabilité fiduciaire, les possibilités de poursuite… Il leur a dit que tous les gros clients étaient en train de partir de chez vous. Que ça voulait sûrement dire quelque chose.

— Laisse-moi deviner : il leur a dit que, puisqu'aucun gestionnaire ne peut surperformer indéfiniment, il était préférable de se retirer tout de suite, au premier signe de fléchissement, avant les années de mauvaise performance qui allaient nécessairement suivre.

— Quelqu'un t'en a déjà parlé ?

— Non.

— J'ai eu l'impression de réentendre le discours du vice-président pendant la réunion.

— Ce sont les mêmes termes qui ont été employés chez deux autres gros clients que j'ai perdus. J'ai l'impression qu'il y a quelqu'un qui m'a pris comme cible.

— Tu es sérieux ?

— Malheureusement, oui. Comment ça s'est terminé ?

— Ils étaient prêts à prendre le vote sur-le-champ. Comme le point n'était pas formellement à l'ordre du jour, on a décidé de reporter la décision à la prochaine réunion.

— Est-ce que tu peux me dire sur quoi il se fonde, ton VP finances, pour aboutir à ses conclusions ?

— Il a commencé par sortir les mois négatifs des sept dernières années.

— Les mois ? Mais les années sont toutes positives ! J'ai toujours ajouté plus de valeur que la moyenne des gestionnaires. Même cette année, au total, c'est positif. Pas beaucoup, mais quand même. Sur une moyenne mobile de trois, quatre ou cinq ans, j'ai toujours dépassé les objectifs que vous m'avez fixés !

— Je le sais bien. Mais il a dit qu'on pouvait voir une tendance se développer dans les mois négatifs. Que ça expliquait le rendement ordinaire de cette année et que ça baisserait encore l'année prochaine. Que c'était comme une bombe : on ne savait pas quand ça cesserait de baisser un peu pour carrément s'écrouler.

— Et c'est là qu'il vous a dit qu'il fallait savoir congédier ses gestionnaires à temps, pour éviter les années de grosse perte ?

— Oui.

— À cause d'une tendance dans les mois négatifs ?

— Oui.

— Il a pris ça où, cette théorie-là ?

— Il a rencontré quelqu'un dans un colloque.

— Ça ne tient pas debout.

— Peut-être. Mais le comité de retraite a été assez impressionné pour décider de ne pas courir de risques.

— Écoute, je te remercie de me prévenir.

— J'ai décidé de t'appeler parce que je ne trouve pas correcte la façon de te traiter. J'ai demandé qu'ils te reçoivent à la prochaine réunion, pour que tu puisses expliquer ce que tu fais et répondre aux questions, mais ils n'ont rien voulu savoir.

— Une dernière question…

— Oui.

— Est-ce que tu sais où les fonds vont aller ?

— Hope Fund Management. Selon le VP finances, c'est la nouvelle firme qui a le vent dans les voiles. Il a convoqué un de leurs responsables marketing pour la prochaine réunion.

Poitras ne savait pas si Hope Fund Management avait le vent dans les voiles, mais avec les comptes que la compagnie lui avait enlevés au cours des dernières semaines, elle allait certainement améliorer son bilan.

— Écoute, reprit l'homme d'Alcatrol, je te souhaite quand même bonne chance.

— Merci.

— D'ici la prochaine réunion, je vais voir si je peux faire quelque chose… Remarque, si tes rendements étaient mauvais, je serais le premier à vouloir te virer. Mais là…

— Je comprends. Si c'est possible, tiens-moi au courant.

— Compte sur moi.

Après l'appel, Poitras demeura plusieurs minutes immobile, le regard vaguement attentif aux jeux d'ombre et de lumière sur les flancs du mont Royal, supputant des hypothèses.

Le montant des pertes dépassait largement le milliard. Un autre compte qui allait aboutir chez Hope Fund Management. Est-ce qu'une simple stratégie de marketing pouvait expliquer ça ?… Il connaissait bien Christopher Hope. C'était un gestionnaire sérieux, qui avait toujours préféré faire ses preuves sur le terrain de la gestion plutôt que de mettre sur pied des campagnes de marketing tapageuses. Mais, récemment, il y avait eu des changements à l'intérieur de la firme. Est-ce qu'il pouvait y avoir un lien?... De toute manière, ça n'expliquait pas les quatre cents millions qui se retrouvaient chez Jarvis Taylor Dowling pour les mêmes raisons. Exactement les mêmes raisons.

Poitras songea alors aux événements de 1998 qui avaient mené à l'attentat contre Gabrielle. Il avait joué un rôle non négligeable dans la démolition du réseau criminel. Pouvait-il s'agir d'une vengeance?

Mais comment procédaient-ils? De quelle sorte de levier disposaient-ils pour être capables d'influencer des groupes aussi différents que Hydro-Québec et Alcatrol?... S'il avait reçu des menaces, subi des pressions pour vendre son entreprise, il aurait compris qu'on s'en prenne à lui. Mais rien de tout cela n'avait eu lieu. Simplement, il perdait des clients. Un par un... Et à partir du plus gros par ordre décroissant!

Ça venait de le frapper. S'il lui fallait une autre preuve qu'il ne s'agissait pas d'un hasard... Il décida d'appeler Hurt sur-le-champ.

NORTH HATLEY, 10 H 48

En entendant la voix de Poitras au téléphone, Hurt se mit en mode *friendly user*, comme l'avait baptisé Chamane: un mélange de Slick, de Radio et du Clown, avec parfois un peu de Zombie.

— Qu'est-ce qui se passe? Il n'y a plus de marchés à dévaliser et tu te demandes quoi faire de ta peau?

— C'est vrai que les marchés sont un peu difficiles depuis l'été, mais ça devrait s'améliorer d'ici quelques mois. Toi, comment ça va?

— La cohabitation pacifique se consolide!

C'était le terme qu'utilisait le plus souvent Hurt pour décrire les nouveaux rapports que ses personnalités apprenaient à établir entre elles. Pas la coexistence pacifique de la guerre froide, avait-il un jour expliqué à Poitras, mais pas l'union sans réserve. Il avait alors forgé le terme de cohabitation pacifique.

— Tu as des nouvelles de Gabrielle ?

— Je la vois tout à l'heure.

— Transmets-lui mes meilleurs vœux.

— Sûr.

Un bref silence suivit.

— Je ne sais trop comment te demander ça, dit finalement Poitras, mais… est-ce que tu sais si Body Store s'est manifesté, récemment ?

Hurt bascula immédiatement en mode Institut. La voix détachée et un peu froide de Steel répondit par une question.

— Tu me demandes ça pour une raison particulière ?

— Il se passe de drôles de choses de mon côté.

Après avoir écouté la narration des événements que lui fit Poitras, Steel se déclara d'accord avec lui. Ces clients qui disparaissaient par ordre d'importance, ça ne pouvait pas être une coïncidence…

— Tu as du nouveau de ton côté ? demanda Poitras.

— Peut-être. Buzz s'est manifesté.

— Buzz !

— Je préfère attendre un peu avant d'en parler.

— D'accord. Mais tu me tiens au courant, s'il se passe quelque chose.

— Promis. Tu as toujours ton garde du corps ?

— Si on peut l'appeler comme ça, répondit Poitras, qui ne put s'empêcher de sourire.

— Aussi bien ne prendre aucun risque.

— Je te reviens d'ici vingt-quatre heures.

— J'attends ton appel.

Après avoir raccroché, Hurt se sentait partagé entre l'excitation de voir la piste de Body Store se réchauffer et l'inquiétude qu'évoquaient en lui les souvenirs liés à ce groupe de criminels.

Il était clair que ce qu'avait découvert Chamane permettrait à l'Institut de leur porter un coup sérieux. Surtout avec le schéma que Buzz venait de lui livrer. Par contre, s'il fallait en croire Poitras, Body Store était en train de préparer sa revanche. Restait à voir lequel des deux prendrait l'autre de vitesse.

Il décida de se rendre immédiatement rencontrer F pour lui faire un rapport. Avant de partir, il envoya une note à Poitras par courrier électronique, pour lui demander l'information disponible sur les deux compagnies qui avaient hérité de ses comptes.

Il envoya aussi un message à Chamane pour lui demander de monter un dossier sur les principaux actionnaires et dirigeants de la Mutuelle canadienne d'assurances.

MONTRÉAL, 12 H 23

Théberge se rendit à sa place habituelle, au bout du bar. La barmaid se matérialisa devant lui avec une Molson Ex.

— Dominique est dans le bureau, dit-elle. Elle devrait arriver d'une minute à l'autre.

Le policier acquiesça d'un hochement de tête et parcourut la salle du regard.

Il n'y avait plus aucune place de libre. Plusieurs clients buvaient leur bière debout, une épaule appuyée contre le mur. Même au bar, qui était en retrait, donc plus éloigné des deux scènes, et pour cette raison moins populaire, il ne restait qu'une seule place.

Un cauchemar pour la surveillance, songea Théberge. Une chance qu'il avait fait promettre à Dominique de demeurer derrière le bar.

Élodie et Maude! Une bonne main d'applaudissements! Yeah!... Et maintenant, scène centrale, Natacha! Scène surélevée, Sharon!

La voix de Mick Jagger prit possession de la place.

— Alors, comment vous trouvez le changement?

Théberge se retourna vers le bar. Dominique le regardait en souriant.

— C'est ma dernière trouvaille, reprit-elle.

Théberge balaya le bar des yeux, cherchant la trouvaille en question.

Dominique le regardait avec un air pétillant d'humour, presque moqueur, attendant de voir comment il réussirait à se débrouiller avec l'indice qu'elle lui avait fourni.

— Je donne ma langue au chat, finit par dire Théberge. Et le reste de mon corps à la médecine, si jamais elle en veut.

— Scène centrale, scène surélevée.

Le regard de Théberge s'éclaira.

— Non !

— Avec ça, j'ai réglé mon problème de chicane entre les filles.

Depuis le jour où elle avait fait installer la scène numéro deux, les danseuses n'avaient pas cessé de se plaindre. Elles voulaient toutes être sur la scène principale. La deuxième scène leur paraissait une corvée. Plus petite, située dans la section qui était toujours la deuxième à se remplir, elle était non seulement moins prestigieuse, mais aussi moins payante.

Les filles écourtaient leurs danses et se contentaient souvent d'arpenter la scène en se déshabillant, leurs mouvements ayant peu de rapports avec la musique et encore moins avec la séduction.

— Une scène surélevée, ça fait plus prestigieux qu'une scène numéro deux. Les clients aussi ont bien réagi. Il y a autant de monde aux deux endroits maintenant.

— L'attrait de la nouveauté.

— Tant que ça dure !...

Théberge prit une gorgée de bière.

— Vous avez eu d'autres nouvelles de votre motard ? demanda-t-il en posant son verre.

— Non.

— Pour la danseuse, ils réclament toujours un quart de million ?

— Oui, mais ce n'est pas la danseuse, le problème. C'est moi.

— Vous !

— Ça remonte à l'époque où j'étais étudiante. Je venais de terminer le secondaire et je commençais le cégep. J'ai rencontré un motard. Un membre des Raptors.

— Et c'est lui qui vient vous relancer ? Après plus de vingt ans ?

— Vous savez comment ils fonctionnent avec les filles ! Au début, tout est beau. Tu as l'impression d'être avec un vrai homme, pas avec un étudiant de l'école. Puis il te fait goûter à la dope. Tu te ramasses avec des dettes…

— Classique.

— Dans mon cas, la période de rêve a duré deux semaines. Il a commencé par me faire danser dans un bar qui leur appartenait. Au début, c'était une sorte de jeu. Puis il m'a dit que ça ne rapportait pas assez. Qu'il fallait que je travaille sérieusement si je voulais continuer d'avoir ma ration de drogue. Travailler sérieusement, ça voulait dire monter au deuxième étage avec des clients. La chambre était un genre de garde-robe avec un lit. J'ai refusé… et j'ai passé quatre jours à l'hôpital.

— Et après ?

— Je suis retournée au club.

— Tu es retournée au club !

— Autant j'avais peur de lui, autant j'avais peur de ce qui m'arriverait si j'essayais de me sauver… La cicatrice que j'ai sur l'épaule, c'est un tatouage que j'ai fait enlever. Il marquait toutes ses filles avec ses initiales.

— Son nom, c'est quoi ?

— Crazy Boy. Donald Crazy Boy Duchesne.

Dominique fit une pause pour prendre une gorgée de bière.

— Les premiers jours après l'hôpital, il a été presque gentil. Il m'a fait travailler derrière le bar. Puis, quand les marques qu'il m'avait faites ont été disparues, il m'a réintégrée parmi les danseuses. Pendant trois ou quatre semaines, les choses se sont passées à peu près normalement. Sauf que je prenais de plus en plus de dope. Que mes dettes augmentaient. Un jour, il m'a dit que je n'avais plus le choix : pour rembourser mes dettes et continuer d'avoir de la dope, il fallait que j'amène des clients au deuxième étage.

Dominique s'interrompit. Elle prit une longue respiration.

— C'est là qu'il m'a montré une série de photos, poursuivit-elle. Toutes des filles défigurées. Des filles qui avaient refusé de lui obéir. Il y en avait une que j'avais connue. Elle dansait dans le club la semaine où j'étais arrivée. Puis elle avait disparu. Il m'a dit qu'il l'avait vendue à une relation d'affaires de New York, pour un bordel où les filles travaillent avec un sac sur la tête et passent une cinquantaine de clients par jour… C'est ce jour-là que je me suis enfuie. Avec le peu d'argent que j'avais réussi à mettre de côté et celui que j'ai trouvé en fouillant dans ses affaires, je me suis cachée pendant quatre mois. Au début, je sortais seulement le soir, pour aller m'acheter de quoi manger au dépanneur. Puis j'ai commencé à faire des marches, à me promener dans les centres commerciaux. Là, je me sentais en sécurité : Crazy Boy avait horreur des magasins. Chaque fois qu'il voulait quelque chose, il envoyait une fille le chercher pour lui.

— Ce que je ne comprends pas, c'est comment vous avez pu retourner dans un bar de danseuses.

— C'était tout ce que je savais faire, danser. Et j'avais entendu parler du Palace. On m'avait dit que c'était un endroit correct, où il n'y avait pas de drogue et qui appartenait aux flics… J'ai commencé par surveiller les filles qui entraient. Le quatrième jour, j'en ai reconnu une. Le lendemain, je me suis installée près de la porte et, quand elle est arrivée, je l'ai abordée. C'est elle qui m'a présentée à Dupré.

— Vous n'aviez pas peur que Crazy Boy vous retrouve ?

— Oui. Mais il fallait que je gagne ma vie. Et puis, les motards ne mettaient jamais les pieds là… Quand j'entrais ou que je sortais, j'étais toujours déguisée. Un jour, j'ai rencontré une fille qui avait travaillé dans un bar des Raptors. Elle m'a dit que Crazy Boy était parti aux États-Unis. Il avait été promu dans leur groupe d'élite : les Deadly Ones.

— Vous avez dû vous sentir soulagée !

— Oui, mais je savais que je ne pourrais pas danser toute ma vie. J'avais trop vu de filles qui pensaient qu'elles étaient encore bonnes pour un autre mois. Puis un autre mois. Et qui étaient forcées d'aller vers des bars de seconde zone. Et qui finissaient leur vie dans les bars de *truckers* à se taper les camionneurs qui prennent un *break* pour couper leur voyage en deux… C'est terrible à dire, mais on ne se voit jamais vieillir avant qu'il soit trop tard. C'est pour ça que je me suis remise aux études. Puis il y a eu Semco. Ensuite, Dupré m'a offert de travailler autrement que comme danseuse… Et je suis encore ici après vingt ans. Même si j'ai presque terminé ma thèse de maîtrise en sociologie.

— Je comprends mieux pourquoi vous avez toujours voulu aider les filles qui essayaient de s'en sortir.

— Il y a des groupes de femmes qui travaillent dans une autre perspective. Elles voudraient qu'on interdise les danses contact, qu'on oblige les filles à se soumettre à des contrôles réguliers, qu'on multiplie les inspections… La seule raison qui les retient de demander la fermeture de tous les bars, c'est la peur de ne pas avoir l'air assez modernes. J'en ai connu des dizaines comme ça, à l'université. On a souvent leurs maris ou leur chums comme clients !

— Est-ce qu'elles sont au courant de ce que vous faites ?

— Certaines, oui.

— Ça ne les dérange pas ?

— Elles rationalisent ça en disant qu'il faut du monde pour ramasser les dégâts sur le terrain en attendant que leur solution règle le problème. Pour elles, je suis une sorte de cataplasme sur une fracture.

— Vous n'avez pas beaucoup d'estime pour vos petites camarades, on dirait.

— Ça dépend lesquelles. Celles qui travaillent sur le terrain font un travail fantastique. Vous êtes bien placé pour le savoir. Mais celles qui pensent que la désapprobation morale et les dénonciations suffisent…

— Pour en revenir à votre motard… Vous ne l'aviez jamais revu ?

— Non.

— Qu'est-ce qu'il vous a dit exactement ?

— Que je lui appartenais. Qu'il ne renoncerait jamais à ce qui était à lui.

— À votre avis, c'est uniquement par bravade ?

— Si vous le connaissiez, vous ne poseriez pas la question.

— Je vais communiquer avec le chef des Raptors. Je peux peut-être m'entendre avec lui pour qu'il le contrôle…

— Contrôler Crazy Boy ? Vous pouvez toujours rêver !

— L'escouade fantôme a déjà réglé des problèmes semblables pour certaines de vos filles. Je ne vois pas pourquoi elle ne pourrait pas le faire pour vous.

— Qu'est-ce qu'ils vont faire ?

— Ils vont s'occuper du problème. Pour les détails, il m'apparaît indiqué de les laisser à ceux qui s'en occupent.

Autant Théberge refusait de croire à la justice expéditive, autant il était en mesure de constater les déficiences croissantes du système judiciaire.

Avec les prisons engorgées, les juges toujours contents de souligner les irrégularités techniques dans l'élaboration de la preuve, les salaires des procureurs de la Couronne qui décourageaient les meilleurs candidats, les grands criminels qui se payaient les meilleurs avocats et les médias prêts à souligner la moindre bavure policière, il était de plus en plus rare que les membres du crime organisé se voient infliger des peines significatives. Et plus rare encore qu'ils purgent une portion significative de leur peine.

Aussi, dans certains cas, l'escouade fantôme prenait-elle directement la situation en main. Éliminer un criminel était une chose, mais le piéger pour qu'il se fasse éliminer par d'autres criminels en était une autre. Il suffisait de lancer quelques rumeurs, de faire semblant de vouloir le protéger, de s'inquiéter publiquement à son sujet, pour que le milieu se charge rapidement de lui régler son compte.

— Je m'en occupe tout de suite, reprit Théberge. Je vous donne des nouvelles aussitôt que j'en ai.

— D'accord.

— Et vous, continuez de prendre les précautions que je vous ai recommandées.

— Oui, oui…

> Le statut n'est pas toujours lié à des considérations monétaires. Ainsi, l'appartenance à certains clubs privés, les décorations civiques, les prix artistiques ou l'admission dans l'entourage de personnes haut placées peuvent s'avérer de puissantes sources de motivation pour des personnes en quête de reconnaissance. Pour s'en convaincre, il suffit d'observer les luttes et les magouilles qui entourent l'attribution d'un prix Nobel, l'obtention du titre de Lord ou l'octroi d'une simple distinction académique.
>
> Leonidas Fogg, *Pour une gestion rationnelle de la manipulation*, 4- Asservir par les passions.

Jeudi, 30 septembre 1999 (suite)

Massawippi, 13 h 42

Prévenue de l'arrivée de Hurt par le système de surveillance, F lui ouvrit la porte avant qu'il ait eu le temps de sonner.

— Seul ? fit-elle, étonnée.

— Jones 7 est resté en méditation dans le jardin. Il s'est assis en position de lotus à côté d'un carré de fleurs.

F haussa les yeux et les épaules, comme pour signifier que plus rien de ce que pouvaient faire les Jones ne la surprenait.

Elle entraîna Hurt au salon.

— Alors ? fit-elle. Qu'est-ce qu'il y a de si important ?

— Buzz s'est manifesté.

— Buzz !

Il posa sur la table le dossier qu'il avait apporté.

Malgré son impatience, F se contenta de jeter un regard en direction du dossier et elle demanda à Hurt de lui expliquer ce qui se passait.

— Blunt vous a parlé de ce que Chamane avait trouvé ? demanda-t-il.

— Oui.

— C'est quand j'ai examiné les documents de Chamane que ça s'est produit.

— Qu'est-ce qu'il a dit ?

— « Petreanu. Darius Petreanu »... Puis il a ajouté qu'il était au centre.

— C'est tout ?

— Il n'a rien dit d'autre. Mais il a dessiné un immense organigramme.

— Qui représente ?

— D'après moi, c'est le schéma de leur organisation pour laver de l'argent. Chamane est en train de vérifier ça avec son ami. Je leur en ai envoyé une copie.

Hurt ouvrit la chemise cartonnée, sortit les feuilles et les mit dans l'ordre où Buzz les avait placées. Puis il lui montra l'organigramme synthèse qu'il avait réalisé sur son ordinateur.

F resta un long moment sans rien dire, à examiner l'organigramme.

— Est-ce qu'il y a autre chose que le schéma ? finit-elle par demander.

— Pour le nom, j'ai fait un peu de recherche.

— Petreanu ?

— Oui. Je suis presque certain que c'est le financier suisse dont le nom est apparu dans l'enquête sur Ute Breytenbach.

— Et il serait relié à Brochet ?

— C'est ce que suggèrent les feuilles. Ça recoupe aussi des informations que Chamane a trouvées.

— Je sais, Blunt m'en a parlé.

— Il y a autre chose : il se pourrait que Body Store soit en train de se manifester à Montréal.

— À Montréal ?

— Poitras m'a téléphoné. Il y a quelqu'un qui s'en prend à ses clients. Il est en train de les perdre un après l'autre, à partir du plus important en descendant.

Hurt lui raconta sa conversation avec Poitras. Il expliqua ensuite les recoupements que Chamane avait effectués entre les compagnies reliées à MultiGestion Capital International.

— Pas d'autres nouvelles de Buzz depuis qu'il a vu ces documents ?

— Il continue de marmonner comme avant.

— Je ne vous retiendrai pas plus longtemps. Il faut que je prenne le temps de digérer ça, que je voie quelle suite on peut y donner. Profitez-en pour aller voir Gabrielle. On se reverra au souper.

Dès que Hurt fut sorti, F relut le rapport de Chamane, s'efforçant de retrouver par elle-même les recoupements que Buzz et Hurt avaient établis. Elle ne doutait pas de leurs conclusions, mais elle voulait s'assurer de bien en saisir la logique. Et puis, elle découvrirait peut-être un ou deux détails qui leur avaient échappé.

BAVIÈRE, 20 H 11

Hubert Grégoire nota au passage l'inscription gravée dans la pierre, au-dessus de la porte d'entrée du domaine, mais sans réussir à y trouver une signification : NWK.

La limousine le déposa devant la porte d'entrée. Une femme en livrée de domestique lui répondit.

— *Ja ?*

— J'ai rendez-vous avec madame Ute Breytenbach. J'ai des documents importants à lui remettre.

— *Frau Breytenbach ? Ein moment bitte !*

Pendant qu'il attendait, Grégoire observa les urnes alignées sur les tablettes, le long des murs de la salle d'attente. Il y avait des noms de toutes les nationalités.

— Vous vous intéressez à nos donateurs ? fit brusquement une voix féminine derrière lui.

— Vos donateurs ?... Je ne savais pas...

— C'est une façon de ne pas oublier ce qu'ils nous ont apporté.

— Je comprends.

— Vous avez quelque chose pour moi ?

— Oui.

Il lui tendit l'enveloppe matelassée. La femme la prit et l'ouvrit.

— C'est bien ce que je pensais, dit-elle après avoir parcouru la première page de la pile de documents. Vous pouvez venir avec moi, un instant ?

— C'est que… je suis un peu pressé.

— Vous avez bien quelques minutes, répliqua la femme avec bonne humeur. Je vais vous montrer quelque chose pendant que je prépare ma réponse pour votre employeur. Vous allez voir, ce sera l'expérience de votre vie. Et je pèse mes mots !

Intrigué, Grégoire lui emboîta le pas.

— C'est ici, dit-elle en arrivant dans un hall.

Elle s'écarta et laissa Grégoire franchir une porte qui menait dans une sorte de cour intérieure.

— C'est un peu frais aujourd'hui, reprit la femme, mais je vous promets que vous allez rapidement avoir très chaud.

MONTRÉAL, 15 H 14

— Qu'est-ce que vous voulez encore ? demanda Bone Head avec mauvaise humeur.

— Vous êtes en passe de devenir un de nos habitués, répliqua Théberge. Est-ce que c'est la qualité de la nourriture qui vous a fait revenir aussi rapidement ?

— Si vous vous cherchez du monde pour écouter vos *jokes* de flic, vous devriez aller ailleurs.

— Mon plus grand désir serait d'être ailleurs, vous pouvez en être assuré.

— Qu'est-ce qui vous empêche de partir ?

— Écoute, Bone Head, la journée n'est pas encore finie et j'ai déjà parlé deux fois au maire, trois fois à son secrétaire et une fois au directeur. Je ne mentionne même pas les journalistes et recherchistes de tout acabit qui téléphonent aux quinze minutes pour savoir s'il y a du neuf dans « l'affaire du vampire ». Alors, pour les discussions stériles, on se reprendra une autre fois, si tu veux !

— Vous êtes trop stressé, ironisa Bone Head. Vous devriez prendre des vacances… Regardez-moi ! Je suis en pleine forme. Dans trois mois, quand je vais sortir, je vais péter le feu.

— À condition que tu n'aies pas attaqué un gardien d'ici là !

— On a une entente !

— On avait une entente. Avait… Imparfait de l'indicatif. Aussi appelé imparfait historique ou de clôture. Il indique une action dont la durée est reléguée dans le passé.

— C'est quoi, votre problème ?

Le visage du Raptor avait perdu toute trace d'humour.

— J'apprécie la créativité, reprit Théberge, mais j'ai des réserves lorsqu'on l'utilise à des fins déplaisantes. Ça m'indispose. Et quand je suis indisposé, je peux devenir très créatif, moi aussi.

— Créatif… Ça veut dire quoi, encore, cette affaire-là ?

— Je parle de la créativité de tes petits camarades. Tu dois pourtant savoir de quoi il s'agit !

— J'ai autre chose à faire que jouer aux devinettes.

— D'accord, on laisse tomber les devinettes : je veux qu'ils laissent le bar de Dupré en paix. Et ça inclut de ne pas harceler son personnel.

— Qui ?

— Ton style s'améliore : deux questions en une… Qui est la victime de harcèlement ? Dominique Weber, la gérante. Qui l'a menacée ? Crazy Boy.

— Crazy Boy !

— Je constate que ce patronyme titille les reliquats de neurones qui te servent de cerveau.

— Il est revenu ?

— Depuis assez longtemps pour avoir fait des appels de menace à madame Weber. Depuis assez longtemps pour la relancer au bar et l'avertir qu'il viendrait la récupérer : que désormais, ce serait lui qui s'occuperait d'elle.

— Si c'est une affaire personnelle…

— Justement, c'est une affaire personnelle. Si madame Weber est importunée une seule fois encore, je te prédis que tu vas devenir très agressif. Tu vas attaquer toute une série de gardes et tu vas te retrouver en tôle pour un minimum de dix ans… histoire de me donner le temps de penser à ce qui va suivre.

— Vous ne pouvez pas !

— Oh si, je peux. Et quand les Skulls vont apprendre que les Raptors ont perdu leur meilleur spécialiste en explosifs pour les dix prochaines années… Au fond, il suffirait d'arrêter Silent One et Little Combo pour que tous vos spécialistes soient à l'ombre. Il est assez facile à provoquer, Little Combo. Avec un peu d'imagination… Et pour Silent One, on trouvera bien quelque chose.

— Vous n'avez pas le droit !

— Et pourquoi donc ?

— C'est… c'est illégal !

— Il est rassurant de constater la haute opinion que tu as de la moralité des forces de l'ordre. Mais, comme tu l'évoquais candidement tout à l'heure, il est des circonstances où les affaires personnelles prennent le pas sur le reste.

Le Raptor resta un moment silencieux.

— Il n'y a pas de moyens de contrôler Crazy Boy, finit-il par dire. C'est un Deadly One.

— Finalement, je pense que tu ne resteras pas longtemps ici.

— Qu'est-ce que vous voulez dire ?

— On va te transférer dans la partie contrôlée par les Skulls.

— Vous êtes une ordure.

— Évidemment que je suis une ordure. Mais une ordure avec de bonnes raisons. C'est pour ça qu'on nous appelle des flics. Pour nous distinguer des autres ordures... Alors ?

— Il n'y a pas dix manières d'arrêter quelqu'un comme Crazy Boy.

— Je fais confiance à ta créativité.

— Vous réalisez ce que vous me demandez ?

— Moi ? Je ne demande rien. Je te préviens simplement de désagréments éventuels, s'il advenait que madame Weber soit de nouveau importunée. Elle ou quiconque relié à l'établissement qu'elle dirige.

— Ça risque de prendre un certain temps.

— Plus ça prend de temps, plus les risques d'accrochage avec les gardes augmentent.

— Pas besoin d'insister, j'ai compris.

— Enfin, des propos constructifs !

— Je peux téléphoner ?

— Bien sûr.

— Sans être écouté, précisa Bone Head.

Théberge sortit son cellulaire de sa poche.

— Il n'y a pas d'écoute électronique, dit-il.

— Qu'est-ce qui me dit que je peux vous faire confiance ? Que ce n'est pas une façon de me piéger ?

— La même chose qui fait que tu peux être sûr que tu vas avoir des accrochages si je dis que tu vas en avoir.

— OK, je m'en occupe, dit Bone Head en prenant le cellulaire. Mais à une condition.

— Tu n'es pas en position de poser des conditions.

— Je veux trois jours dans les roulottes de visite.

— Il faut remplir des paperasses, que ça passe au comité d'approbation...

— Ce n'est pas nécessaire que ce soit une visite officielle.

— Pour ça, il faudrait que je donne quelque chose en échange au directeur de la prison.

Bone Head réfléchit un instant.

— Le nom de celui qui a passé le jeune, le mois dernier, ça l'intéresserait ?

Théberge ne put dissimuler sa surprise.

L'affaire avait fait la une des médias. Un jeune contrevenant de vingt-deux ans, sans casier judiciaire, avait été placé temporairement avec les récidivistes à cause du manque d'espace.

Le lendemain matin, il avait été retrouvé mort, la gorge tranchée, présumément avec un couteau artisanal. L'examen du corps avait révélé qu'il avait été violé à plusieurs reprises, avant et après sa mort.

— En échange, je veux trois jours, reprit Bone Head. À compter de demain.

— Il va falloir autre chose qu'une simple dénonciation.

— L'endroit où il cache le couteau, ce serait suffisant ?

— Après un mois, je ne sais pas s'ils vont pouvoir trouver des traces de sang. Normalement oui, mais…

— Il a aussi gardé la montre du jeune. Elle est avec le couteau dans la cachette.

— Si les choses sont vraiment comme tu le dis, tu auras tes trois jours.

— Ils étaient deux. Je vous donne le nom de celui qui a la montre et le couteau. Il faut que vous vous arrangiez pour que la découverte ait l'air accidentelle et pour lui faire donner le nom de l'autre.

— D'accord.

— Je veux aussi trois jours pour neutraliser Crazy Boy.

— Ce n'était pas dans l'entente de départ.

— Si vous êtes incapable de la protéger pendant trois jours, on se demande vraiment pourquoi vous êtes payés !

— Bone Head, n'étire pas trop ta chance.

— Mettez-la dans un avion. Envoyez-la à Paris, en Chine…

— D'accord, tu as trois jours. Mais tu auras la roulotte de visite quand Crazy aura cessé d'être un problème.

— Le jour même, insista Bone Head.

— Je vais voir le directeur et prendre les arrangements pour que tu sois transféré dans l'heure qui suivra la résolution de notre petit problème. Ça te va ?

— OK. Vous pouvez sortir pendant que je téléphone.
— Il reste un détail.
— Quoi ?
— Le nom que tu es censé me donner.

LASALLE, 18 H 27

Jerry Silent One Carter sortit de sa Porsche, replaça sa veste de cuir et se dirigea vers le garage. Avec sa chemise blanche, sa cravate, son jean et ses bottes de cow-boy, il ressemblait davantage à une caricature d'homme d'affaires texan qu'au principal homme de main des Raptors.

Par la porte ouverte du garage, il vit s'approcher l'homme qu'on lui avait demandé de raisonner. Il savait que c'était inutile : personne n'avait jamais réussi à faire changer Crazy Boy d'idée. Mais il allait essayer. Par respect pour lui. Pour ce qu'il avait fait pour les Raptors. On lui devait bien ça.

Après, bien sûr, il faudrait envisager une autre solution.

— Salut.

— Une Porsche, une cravate... À quand la moumoute ?

— Relaxe, Crazy.

— Qu'est-ce que tu viens faire ?

— Éclaircir un malentendu.

— Quel malentendu ?

Silent One s'approcha de quelques pas.

— C'est quoi, le malentendu ? répéta Crazy Boy en s'appuyant contre le cadre de la porte. Sa main droite disparut derrière le mur.

L'autre s'immobilisa.

— Pas de panique. C'est seulement une question de contrat.

— Je t'écoute.

— Tu connais une fille qui s'appelle Dominique, il paraît.

— Il y a des tas de filles qui s'appellent Dominique.

— La propriétaire du Palace.

— C'est pas elle, la propriétaire. C'est les flics.

— Justement.

— C'est une affaire privée.

— Quand un bar appartient aux flics, ça ne peut pas être une affaire privée.

— Ça n'a rien à voir avec le bar. C'est seulement la fille.

— Ça ne sert à rien de jouer sur les mots. L'entente dit qu'on ne leur fait aucun problème. Et ça inclut le personnel.

— Tu as peur des flics, maintenant ?

— Ce n'est pas une question de peur, c'est une question de contrat.

— Un contrat avec les flics ! Tu sais ce que j'en fais, de ton contrat ?

— *Come on !*

— C'est une fille qui est à moi. Je l'ai achetée et je vais la récupérer.

— *Jesus Christ*, sois raisonnable ! C'est juste une peau !... Tu peux choisir celle que tu veux dans le club pour la remplacer, si ça prend ça pour que tu te tiennes tranquille.

— C'est pas une question de peau, c'est une question d'honneur. Il n'est pas question qu'une fille qui m'appartient foute le camp et qu'elle s'en tire.

— Ça fait plus de dix ans !

— Elle m'avait volé du fric avant de se sauver.

— Les intérêts du club doivent passer avant les intérêts privés.

— Tu penses que j'ai peur d'eux ! *They're just fucking suits*.

— Tu ne pourras pas dire que tu n'as pas été averti.

— Qu'est-ce qu'ils vont faire ? M'envoyer une lettre d'avocat ?

Silent One ne put s'empêcher de sourire.

— Crazy, Crazy... dit-il, sur le ton qu'on prend pour raisonner un enfant. Tu sais que je n'ai rien contre toi.

Au contraire... Mais la *business* doit toujours passer avant les sentiments. Penses-y.

— Ils n'oseront rien faire contre moi.

— Peut-être que tu as raison. Peut-être pas... *Take care !*

— C'est ça. *Take care !*

Crazy Boy regarda Silent One réintégrer sa Porsche et disparaître.

Ils n'oseraient pas. Jamais ils ne s'attaqueraient à un membre des Deadly Ones. En tout cas, pas sans prendre de précautions. Sans consulter New York. Et alors, il serait trop tard.

Une fois qu'il aurait réglé ses comptes avec la fille, ça ne servirait plus à rien de l'éliminer. Il y aurait moyen de trouver un arrangement.

MONTRÉAL, 19 H 40

Mélanie et Stéphanie, les deux nièces de Blunt, soupesaient les cadeaux que Kathy avait déposés sur la table du salon, essayant d'en deviner le contenu. Il y avait également deux enveloppes.

Mélanie prit celle à son nom et la montra à sa sœur.

— Il n'a pas eu le temps, dit-elle.

— Tu veux dire qu'on va avoir de l'argent ?

— On dirait bien.

— Quand on était jeunes, il était plus attentif.

— Il dit qu'il manque de temps, maintenant.

— Je ne sais pas si Kathy a eu droit à une enveloppe, elle aussi, à son anniversaire.

— Il n'oserait pas.

— Tu penses ?

— On ne sait jamais. Il est tellement occupé.

Blunt les regardait avec un sourire amusé. Elles avaient beau avoir grandi, être inscrites à l'université et passer l'essentiel de leur temps en Californie, quand elles revenaient le voir, elles retrouvaient leur rôle d'adolescentes turbulentes et euphoriques.

— Si c'est ce que vous souhaitez, je peux remplacer les enveloppes par des cadeaux, fit Blunt.

Les deux nièces le regardèrent d'un œil méfiant.

— Je pense que c'est du bluff, dit Stéphanie à sa sœur.

— Probablement. Mais il est assez tordu pour…

— Tu penses ?

— Avant de choisir les cadeaux, demanda Mélanie en s'adressant à Blunt, on peut savoir combien il y a dans l'enveloppe ?

— Si vous prenez les cadeaux, vous ne saurez jamais ce qu'il y avait dans l'enveloppe.

— C'est injuste.

— Non, c'est du poker. Il faut payer pour voir. Et ce n'est pas moi qui ai parlé de bluff le premier.

— D'accord, dit Stéphanie. On garde les enveloppes.

— Mais tu aurais pu soigner davantage la présentation, fit sa sœur.

— Des enveloppes de couleur.

— Ou les mettre dans une boîte, avec un bel emballage.

— Oui. Pour nous faire une surprise.

— C'est supposé être une fête.

— J'ai préféré mettre l'argent dans l'enveloppe, répliqua Blunt. La prochaine fois, je le saurai, que vous préférez les emballages au contenu. Je saurai où mettre l'argent.

Il fut interrompu par les premières notes d'une pièce de koto.

— Le téléphone, dit-il. Il faut que j'aille dans le bureau.

— On te donne dix minutes, déclara Stéphanie.

— Si tu penses qu'on va te laisser te sauver !

— Dix minutes. Sinon, on ouvre la porte de la salle de go aux chats.

— D'accord. Dix minutes.

Blunt referma la porte derrière lui, mais pas assez rapidement pour empêcher les chats de se précipiter dans le bureau.

Mic sauta d'un seul bond sur le cinquième rayon de la bibliothèque pendant que Mac s'installait à côté de l'ordinateur pour surveiller l'écran.

Blunt décrocha le combiné tout en observant du coin de l'œil les deux chats, qui semblaient maintenant transformés en bibelots.

— Oui ?

— Je suis désolée de vous déranger, fit la voix amusée de F. Je suis certaine qu'avec vos deux nièces vous avez amplement à vous occuper.

— Toute diversion est la bienvenue.

— J'ai fait quelques vérifications. J'ai aussi examiné le rapport de Hurt.

— Et…

— Compte tenu de ce que Buzz a trouvé…

— Buzz ?

— Hurt est censé vous avoir tout transmis.

Blunt jeta un coup d'œil en direction de l'ordinateur. Dans le coin gauche de l'écran, une icône verte clignotait.

— J'ai du courrier que je n'ai pas encore regardé, dit-il. Donnez-moi un instant.

Il se dirigea vers l'appareil et appuya sur quelques touches.

— Vous disiez ? reprit-il.

— Compte tenu des informations fournies par Buzz, je pense qu'il faut réviser notre stratégie.

— Vous voulez suspendre l'opération au Japon ?

— Non. Mais, pour le reste, il y a des pistes qu'il faut prendre le temps d'explorer…

— Ce qui veut dire retarder Money Trap.

— L'opération va prendre plus d'ampleur que prévu. Ça veut dire davantage de préparation.

— Vous voulez que je regarde ça quand ?

— Aussitôt que vous pouvez. Je suis certaine que, après avoir pris connaissance des nouvelles informations, vous allez immédiatement avoir du travail pour Chamane et les Jones.

— Mes nièces m'ont conscrit: je suis de corvée pour m'occuper d'elles.

— Vous n'avez qu'à négocier.

— Facile à dire.

— Je suis certaine que vous allez trouver une solution.

— Je ne suis pas sûr qu'elles connaissent le sens du mot négocier. Ce serait plutôt le mot « décréter » qui ferait partie de leur langage courant.

— Profitez-en pour enrichir leur vocabulaire.

— Elles sont surtout sensibles à l'enrichissement de leur compte en banque.

Blunt raccrocha, saisit délicatement Mic d'une main pour l'arracher au rayon de la bibliothèque sans provoquer de catastrophe. Il prit ensuite Mac de l'autre main, sortit du bureau, trouva le moyen de fermer la porte avec un pied et se dirigea vers la cuisine pour négocier avec ses deux nièces.

Quelques minutes plus tard, il avait obtenu un sursis. Elles lui accordaient une partie de la soirée, mais elles tenaient à ce qu'il soit libre à partir de vingt-trois heures trente. À minuit, elles recevaient leurs cadeaux et ensuite elles l'amenaient faire une tournée des bars avec Kathy.

Il avait deux heures et demie pour lire le rapport de Hurt et penser à un nouveau plan d'action.

MONTRÉAL, 22 H 17

Dominique avait refusé l'offre des jeunes de la reconduire chez elle. Après cette soirée de repos, loin des problèmes du bar, une longue marche lui ferait le plus grand bien. Pour le retour, elle avait donné congé au membre de l'escouade fantôme qui insistait pour l'accompagner: elle avait besoin de marcher seule, de se sentir libre, légère. Ce n'était pas tout à fait comme des vacances, mais c'était tout ce qu'elle pouvait s'offrir pour le moment.

En arrivant devant sa maison, Dominique vit que la porte de l'entrée était demeurée entrebâillée. Par réflexe, elle jeta un regard aux alentours: personne.

Elle ouvrit la porte.

Tous les meubles étaient renversés. Des graffitis peints en rouge barbouillaient les murs.

BITCH

YOU'RE DEAD MEAT

I'LL BE BACK FOR YOU

« Crazy Boy », songea-t-elle immédiatement. Il savait où elle demeurait.

Les sofas du salon étaient éventrés. Dans la cuisine, les chaises étaient fracassées et le vaisselier renversé sur le plancher de céramique. Le réfrigérateur gisait sur le côté, la porte ouverte.

Sa chambre n'avait pas été épargnée : le contenu des tiroirs et de la garde-robe avaient été renversés sur le lit. Un contenant de peinture rouge avait ensuite été versé sur le tout.

Dominique avait envie de vomir. Elle se dirigea vers la salle de bains. Tous ses produits de beauté avaient été projetés sur les murs, par terre ou dans le lavabo. La porte de la douche était démolie.

Elle songea soudain que l'auteur du saccage était peut-être encore dans la maison, caché quelque part, à l'attendre. Ou dehors. Tout près. Embusqué dans une auto…

Elle se précipita sur le balcon.

Tout avait l'air calme. Aucune automobile inconnue n'était garée à proximité.

Sans réfléchir davantage, elle se précipita chez sa voisine de gauche, où les lumières étaient encore allumées.

Dix minutes plus tard, enveloppée dans une robe de chambre que lui avait prêtée Louise, elle commençait à se remettre du choc. Elle téléphona aux policiers.

Une équipe fut immédiatement dépêchée sur les lieux pour faire les constatations d'usage. Par contre, on ne pouvait pas la mettre en contact avec Théberge : il avait donné des ordres stricts pour ne pas être dérangé.

Elle eut beau dire que c'était urgent, qu'il avait demandé d'être informé sans délai s'il arrivait quelque chose, on ne put que lui promettre de l'avertir aussitôt qu'il se manifesterait. En attendant, elle pouvait toujours laisser un message dans sa boîte vocale.

À la fin, Dominique se résigna à leur donner le numéro de téléphone de sa voisine, qui avait décrété qu'elle la gardait pour la nuit.

De nos jours, la flatterie et le statut social ne suffisent plus toujours à satisfaire le désir de valorisation. Dans l'imaginaire collectif, la célébrité, la possession d'une image publique forte et positive, est maintenant le nec plus ultra de la valorisation. Il est cependant peu réaliste d'espérer offrir cette célébrité à beaucoup de gens. En conséquence, trois stratégies sont recommandées pour exploiter ce désir.
La première, applicable dans un nombre restreint de cas, consiste à faciliter la carrière d'une personne œuvrant déjà dans les médias ou sur le point d'y œuvrer.

Leonidas Fogg, *Pour une gestion rationnelle de la manipulation*, 4- Asservir par les passions.

VENDREDI, 1ER OCTOBRE 1999

MONTRÉAL, 0 H 08

Grondin prit le heurtoir et frappa deux coups à la porte. Un visage de femme s'encadra dans le judas. Un visage très blanc sur lequel se découpait le maquillage noir des yeux et des lèvres.

— Oui ?

— Inspecteur Grondin. SPCUM.

— Que voulez-vous ?

— Nous avons un mandat de perquisition.

— Vous vous trompez sûrement d'endroit.

— Vous ouvrez ou je fais ouvrir.

— Un instant.

La femme dont ils avaient aperçu le visage était habillée d'une combinaison et d'une cape noires. Derrière elle, un corridor menait à une porte rouge.

— Je suis certaine que c'est un malentendu, dit-elle.

— Vladimir Dracul est ici ?

— Oui.

— Il faut que nous lui parlions. Si vous voulez bien nous conduire à lui.

— Vous ne pouvez pas, répondit la femme en tentant de leur bloquer le chemin.

— Et pourquoi donc ?

— Il préside une cérémonie.

— Une messe noire ?

— Vous nous voyez à travers vos préjugés.

Rondeau, qui n'avait encore rien dit, décida qu'il en avait assez d'attendre.

— Écoutez, ma p'tite dame. On n'a pas toute la nuit. Le mandat dit qu'il faut perquisitionner, alors bougez votre petit cul et laissez-nous faire notre travail.

— Je ne suis pas votre petite dame !

— Ma grosse dame, si vous voulez. Je suis accommodant.

— Vous… vous n'avez pas le droit !

— Ça peut se passer de façon courtoise ou comme dans les films policiers. À vous de choisir, mon petit cul.

— Je ne suis pas votre petit cul !

— Dracul est là-bas, derrière cette porte ?

— Oui, mais vous ne pouvez pas…

— Je suis donc je peux, répliqua Rondeau.

Et, pour le prouver, il écarta la femme d'un geste large du bras et entraîna Grondin à sa suite. La dizaine de policiers qui les accompagnaient leur emboîta le pas.

La porte rouge, au fond du corridor, débouchait sur une immense salle dont le plafond était à plus de six mètres. De la musique d'orgue couvrit leur entrée.

Au centre de la salle, sur un autel recouvert d'un drap blanc, une jeune femme était étendue. Un homme se tenait debout près d'elle. Comme le reste de l'assistance, il avait le dos tourné aux policiers.

Seul Dracul, de l'autre côté de l'autel, les avait vus entrer. Il fit un signe et la musique s'interrompit.

Rondeau prit immédiatement la parole.

— Désolé d'interrompre cette charmante réunion, mes petites souris chauves, mais nous allons vérifier si vous n'avez pas de cadavres dans vos placards.

Les gens se retournèrent. Ils avaient tous des costumes et des maquillages de vampires.

— Qu'est-ce que ça signifie ? protesta Dracul en se dirigeant vers Rondeau.

— Ça signifie qu'on va examiner vos fonds de tiroirs pour voir si les vampires ont fait de nouvelles victimes.

— Vous êtes ridicule !

— Pour une messe noire, je me serais attendu à ce que la victime soit moins habillée.

— C'est un mariage.

— Un mariage… Est-ce que la mariée est aussi vivante à la fin de la cérémonie ?

— Ce sont des noces de sang. C'est l'union la plus profonde et la plus noble qui soit.

— Vous êtes sûr que vous avez le droit de faire ça ?

— Et vous, vous avez un mandat pour entrer de la sorte dans une propriété privée ?

Rondeau se tourna vers Grondin, qui se frottait le dos contre le mur.

— Tu as les papiers ?

— Un instant. Je finis de me gratter…

Après avoir lu le mandat, Dracul accepta de laisser les policiers perquisitionner. Crépeau, jouant le rôle du bon flic, le prit à part pour l'assurer que tout se déroulerait de façon propre. Que les enquêteurs ne resteraient pas plus longtemps que nécessaire.

Dracul informa alors l'assistance du léger contretemps. C'était une méprise à mettre sur le compte de l'aveuglement et des préjugés populaires. Dès que la perquisition serait terminée, la cérémonie se poursuivrait.

Vingt minutes plus tard, Rondeau revenait dans la grande salle, où Crépeau et deux autres policiers surveillaient les membres du club.

— Bingo ! dit Rondeau.

— Qu'est-ce que ça veut dire ? demanda Dracul, subitement inquiet.

— Ça veut dire qu'on n'a pas trouvé de squelette, répliqua le policier. Le corps est encore entier. Il lui manque juste un peu de sang.

— C'est impossible !

— Il n'était pas très bien caché. C'est comme les feuillets.

— Quels feuillets ?

— Ceux qui dénoncent les hommes d'affaires, les jeunes, les universitaires et les étrangers voleurs de jobs… Il y en avait pour une bonne dizaine d'attentats !

— C'est un coup monté. Je veux parler à un avocat.

— Je vous le conseille. Vous pourrez l'appeler dès qu'on sera au poste.

— Vous n'allez quand même pas m'arrêter !

— Pour un simple cadavre ? Bien sûr que non. Ce serait excessif… Allez, on embarque tout le monde.

BROSSARD, 1 H 03

Aucun des invités n'était encore parti et la femme de l'inspecteur Théberge rayonnait. Le souper avait été mémorable : des plats tous plus réussis les uns que les autres, des vins bien choisis, de l'humour dans les discussions… En plus, son mari avait gagné toutes les joutes verbales amorcées par ses beaux-frères. Il s'était même permis de reprendre le mari de Lise, le docteur en sociologie, sur une citation de Durkheim. Que demander de plus ?

Quand le téléavertisseur vibra dans la poche de Théberge, il se leva, s'approcha de son épouse et lui murmura à l'oreille qu'il descendait à son bureau, au sous-sol, pour quelques minutes.

Voyant son air contrarié, il répéta.

— Quelques minutes. Promis. Sur la tête de ce que j'ai de plus cher au monde.

— C'est censé me rassurer? répliqua sa femme en passant la main dans son cou.

Théberge descendit dans son bureau et, sans prendre le temps de s'asseoir, il composa le numéro qui était indiqué sur le téléavertisseur.

— Succès sur toute la ligne, fit d'emblée Grondin.

— C'est-à-dire?

— L'affaire est classée.

— L'affaire des vampires?

Le ton de Théberge trahissait une certaine incrédulité.

— Nous avons un cadavre. Nous avons le vampire en chef. Nous avons des messages pour les prochains attentats. Nous avons un nombre important de complices... À l'heure où je vous parle, ils sont déjà sous les verrous ou sur le point de l'être.

— Ça signifie combien de personnes? demanda Théberge, subitement inquiet.

— Cinquante-quatre. En incluant les deux qui allaient être sacrifiées.

— Vous avez arrêté celles qui allaient être sacrifiées!

— Elles n'étaient pas sacrifiées complètement. C'était une sorte de cérémonie.

— J'ai bien compris? Vous avez arrêté tout le monde?

— Quand on a découvert le cadavre...

— Un cadavre récent?

— Une dizaine d'heures, d'après votre ami Pamphyle. Il était dans un cabanon, assis sur le siège d'une tondeuse auto-portée.

— Une tondeuse auto-portée? reprit Théberge.

— J'ai regardé dans le dictionnaire. Ils parlent aussi de tondeuse à siège et de tracteur à tondeuse. Mais je préfère tondeuse auto-portée... Ça fait plus « technologie moderne ».

— Je suis désolé d'interrompre votre envolée lexicographique, fit Théberge, mais, le cadavre, vous avez son identité?

— Non.

— Les gens que vous avez arrêtés, ils sont connus du service ?

— À part Dracul, personne. Uniquement des gens qui n'ont pas de casier judiciaire. La plupart semblaient être là par curiosité. Pour vivre une expérience… Alors, on va leur en donner une, comme dit l'inspecteur Rondeau !

— Il y a quelque chose que je devrais savoir avant demain matin ?

— Non… Ah, peut-être. Connaissez-vous un certain Jules Butor ?

Le fils de son beau-frère, songea Théberge.

— Ça se pourrait, dit-il.

— Il dit qu'il vous connaît. Qu'il est parent avec vous.

— Il a quel âge ?

— Début de la vingtaine. Vous voulez que je vérifie ?

— Avec son adresse et le nom de son père.

Quelques secondes plus tard, Grondin lui transmettait l'information demandée.

— Bien, se contenta de répondre Théberge.

— Qu'est-ce que je fais ?

— Inspecteur Grondin, sachez que je n'ai jamais confondu la curiosité légitime et l'ingérence intempestive. Que je connaisse ou non cet individu ne peut changer en rien le comportement que vous aurez à son endroit. J'ajouterai que je serais fortement marri, si je devais apprendre qu'un suspect, appréhendé dans l'exercice normal et légitime de vos fonctions, devait connaître un traitement de faveur à cause de relations invoquées, réelles ou imaginaires, avec ma personne. On se comprend bien ?

— Très bien, inspecteur-chef.

— Je veux un rapport préliminaire sur mon bureau demain avant-midi. Si possible avant neuf heures.

— Très bien, inspecteur-chef.

En se rassoyant à la table, Théberge dut affronter le regard interrogateur de la famille.

— Une bonne nouvelle, dit-il. Puisque nous sommes entre amis, je peux bien vous le dire. Il semblerait que nous ayons arrêté le vampire qui sévissait depuis quelque temps dans la région.

Autour de lui, les questions et les exclamations se multiplièrent.

— Je ne peux rien vous dire de plus pour l'instant, fit le policier. Pour la bonne raison que je ne sais pas grand-chose de plus. Je vais revoir tout ça demain matin.

La conversation continua de rouler sur les vampires.

Madame Théberge, inquiète de la lueur d'amusement qui brillait dans les yeux de son mari, se pencha vers lui pour lui demander à voix basse ce qui se passait.

— Je t'expliquerai tout à l'heure, se contenta-t-il de répondre à voix basse, sans remuer les lèvres.

Il s'adressa ensuite au mari de sa belle-sœur, qui était assis juste en face de lui, de l'autre côté de la table.

— Toi, qu'est-ce que tu en penses, des gens qui s'amusent à jouer aux vampires ?

— Tu connais mon opinion sur l'administration de la justice.

— Je sais. Mais quand les gens se prennent pour des vampires, il me semble que c'est clair qu'ils sont malades, non ?

— Aujourd'hui, tout le monde est malade et plus personne n'est responsable de rien.

Suivit une longue tirade sur la responsabilisation et la nécessité d'une justice plus sévère, qui obligerait les gens à répondre de leurs actes.

Cette sortie, toute la famille l'avait entendue des dizaines de fois. Le beau-frère ne ratait jamais une occasion de la servir à Théberge. Partisan avoué, et de longue date, de l'éducation à la dure, des sentences exemplaires et de la peine de mort, il ne comprenait pas qu'un policier, qui fréquentait par définition des criminels, puisse avoir un avis différent.

Théberge l'écoutait sans parler. Au lieu des signes d'impatience habituels, il affichait une sorte de sourire retenu.

Sa femme se tourna de nouveau vers lui pour lui demander à voix basse ce qu'il manigançait.

Pour toute réponse, Théberge adressa une nouvelle question à son interlocuteur.

— Selon toi, ce serait quoi, la meilleure façon de prévenir ce genre de problème ?

— L'éducation, bien sûr. Si les parents n'avaient pas abdiqué leurs responsabilités et que l'école n'était pas devenue athée…

— Tout le monde n'a pas, comme toi, les moyens d'envoyer ses enfants dans une école privée catholique.

— Je le sais bien. Et c'est dommage.

Théberge sentit la main de sa femme sur sa cuisse. Le bout des ongles commençait à se resserrer sur sa peau.

— Dis-moi ce que tu manigances, l'entendit-il murmurer.

Il eut un geste maladroit et renversa une fourchette par terre. En se penchant pour la ramasser, il murmura quelques mots à sa femme :

— Ça va être drôle, demain, quand il va me demander d'intervenir…

— Quoi !

— Chut !… Le jeune n'a probablement rien fait de grave. Mais ça va être intéressant de voir la tête de son père.

LONDRES, 13 H 25

Darius Petreanu n'était jamais arrivé à se départir d'un certain malaise quand il rencontrait Ute Breytenbach. Dans l'organisation, il y avait des rumeurs voulant que les mauvaises nouvelles étaient toujours précédées de rencontres amicales chez la déléguée spéciale de la direction.

Le financier ne voyait aucun motif pouvant justifier ce type de mauvaise nouvelle, mais ce n'était en rien une garantie. Son prédécesseur, Hideo Kami, ne s'était douté de rien, avant qu'on décide de l'éliminer.

Il passa à la réception de l'hôtel prendre la clé qui l'attendait, se dirigea vers l'ascenseur dont la porte était ouverte et introduisit la clé dans la serrure donnant accès au trente-troisième étage.

Il fut accueilli par une domestique en costume traditionnel japonais qui le guida vers une des suites.

Ute l'y attendait, assise en tailleur devant une table basse où était déposé le nécessaire pour la cérémonie du thé.

— Si vous voulez prendre place, dit-elle. Aïka va préparer le thé pour nous.

Petreanu observa tout le rituel en silence. Sensible aux raffinements de la culture japonaise, il fut touché par le sentiment de maîtrise qui se dégageait des moindres gestes de la vieille femme. Ils composaient une symphonie fluide où chaque geste était effectué de façon à la fois nette, souple et sans fioritures. Jusqu'aux pauses qui semblaient obéir aux mêmes contraintes de rigueur et de discipline.

— Aïka fait partie d'une famille qui effectuait la cérémonie du thé à la cour impériale du temps de la dynastie Ming, dit Ute après la première gorgée.

— Madame, je suis impressionné, fit Petreanu en inclinant la tête en direction de la vieille femme.

Celle-ci répondit en inclinant la tête à son tour.

— Aïka ne comprend que le japonais, expliqua Ute. Nous pouvons parler en toute discrétion.

— Bien.

— Je dois d'abord vous transmettre les compliments de monsieur Fogg. Votre négociation pour le Club de Londres a comblé ses attentes.

— Je suis persuadé que l'opération s'avérera profitable.

Avec les conditions imposées pour le rééchelonnement de sa dette, ce pays n'avait aucune chance de pouvoir s'acquitter de ses obligations. Les clauses de pénalité joueraient. Au bout du compte, il n'aurait d'autre choix que de céder une part importante de ses richesses naturelles pour acquitter ses arrérages sur le remboursement d'intérêts.

Quant au principal, on en effacerait un certain pourcentage, pour que la dette demeure gérable. Les prêteurs, quant à eux, pourraient déclarer cette radiation comme perte et s'en faire rembourser la plus grande partie en vertu des dispositions fiscales de leur propre pays.

Puis le cycle recommencerait. La dette continuerait de croître. La valeur de la monnaie du pays chuterait. La situation serait mûre pour une autre vague de privatisations, à des coûts encore plus avantageux compte tenu de l'effondrement de la monnaie locale.

Leonidas Fogg avait vraiment toutes les raisons d'être satisfait, se dit Petreanu.

— Je vous trouve bien songeur, fit Ute.

— Je pensais aux négociations.

— Pour ma part, je voudrais faire le point avec vous sur l'opération du Québec. Jessyca m'a laissé entendre que les choses allaient bien pour le recrutement de clients.

— Assez bien, oui.

— Quand pensez-vous atteindre le volume d'actifs visé ?

— À la fin de l'année, environ soixante et un milliards devraient être passés sous notre contrôle. Ça inclut les clients de nos firmes ainsi que les contrats de gestion qui vont nous être donnés par la Caisse de dépôt et d'autres institutions : banques, assurances, fonds mutuels…

— Et si jamais nous voulions faire disparaître ces fonds, il vous faudrait combien de temps ?

— Quand le logiciel de réinvestissement sera terminé, quelques minutes. Probablement moins.

— Bien. Les opérations de transfert elles-mêmes commencent quand ?

— Au début de l'année, normalement. En même temps que l'implantation des nouvelles politiques de placement dans les comptes des clients. Les tests sont presque tous terminés.

— Quand le programme sera prêt à fonctionner, je procéderai au paiement convenu.

Petreanu se mit alors à penser au milliard de dollars américains qui serait déposé dans la série de comptes dont il avait donné la liste à Ute, au moment où il avait conclu l'entente.

En échange, il s'engageait à livrer au Consortium, clé en main, un réseau capable de blanchir une vingtaine de milliards par année. Le module de Montréal, comme il l'appelait, était la clé de voûte du réseau : il chapeauterait tous les autres modules et permettrait de faire circuler les fonds en contrôlant l'ensemble des transferts financiers. Le blanchiment de l'argent était une chose, mais il fallait ensuite que l'argent se retrouve de façon plausible aux bons endroits. C'était de cette fonction particulière que s'occuperait le module de Montréal. En plus de permettre la supervision de l'ensemble du réseau.

MONTRÉAL, 8 H 31

Théberge appuya sur le bouton pour arrêter le café de couler.

La première tasse de la journée. Faite avec la nouvelle cafetière espresso que son épouse venait de lui offrir.

Il l'avait trouvée sur la table de la cuisine en se levant. « Un cadeau de Noël en avance », avait écrit sa femme dans la carte. « Pour tous les efforts que tu as faits hier… et que tu feras ce soir. »

La perspective d'avoir un vrai café et de pouvoir jouer avec son nouveau jouet l'avait soutenu pendant le trajet jusqu'au bureau.

Après avoir goûté sa première gorgée de vrai café – la première au travail en vingt-sept ans de carrière – Théberge ouvrit la télé, syntonisa Le Canal Nouvelles comme bruit de fond et il se mit à lire le rapport que les clones lui avaient laissé.

Plus il avançait dans sa lecture, plus ses sourcils se fronçaient. Connaissant peu les personnalités publiques de la métropole, les clones n'avaient évidemment rien vu.

Dans certains cas, ce n'étaient pas les personnalités elles-mêmes qui étaient impliquées, mais leurs enfants. Comme le fils de Simon Butor, son beau-frère.

Il leva les yeux du rapport et aperçut le voyant qui clignotait sur son téléphone. Comme il allait appuyer sur le bouton pour prendre le message, son attention fut accaparée par la télévision.

> LES POLICIERS DU SPCUM ONT PROCÉDÉ CETTE NUIT À L'ARRESTATION DU PRINCIPAL SUSPECT DANS L'AFFAIRE DE VAMPIRES QUI A ÉBRANLÉ LA MÉTROPOLE AU COURS DES DERNIERS MOIS. L'INDIVIDU EN QUESTION, VLADIMIR DRACUL, A ÉTÉ APPRÉHENDÉ AU COURS D'UNE PERQUISITION ALORS QU'IL PRÉSIDAIT UNE CÉRÉMONIE DEVANT UNE CINQUANTAINE DE DISCIPLES.
>
> LE CORPS D'UNE NOUVELLE VICTIME A ÉTÉ DÉCOUVERT SUR LES LIEUX. NOUS NE POUVONS PAS DÉVOILER SON IDENTITÉ POUR LE MOMENT, LA FAMILLE N'AYANT PAS ENCORE ÉTÉ PRÉVENUE.
>
> SELON NOS INFORMATIONS, TOUS LES PARTICIPANTS AURAIENT ÉTÉ ARRÊTÉS ET AMENÉS AUX LOCAUX DE LA POLICE POUR INTERROGATOIRE. LA PLUPART AURAIENT PAR LA SUITE ÉTÉ RELÂCHÉS. ON RETROUVERAIT PARMI EUX DES PERSONNALITÉS CONNUES.
>
> QUESTIONNÉ À CE SUJET, L'INSPECTEUR RONDEAU A AFFIRMÉ QUE TOUS LES SUSPECTS AURAIENT UN TRAITEMENT ÉGAL, QUEL QUE SOIT LEUR STATUT. POUR EMPLOYER L'EXPRESSION IMAGÉE DE L'INSPECTEUR RONDEAU, QUE JE CITE :
>
> « LA QUALITÉ DU SAC À ORDURES NE CHANGE RIEN AUX ODEURS QUI S'EN DÉGAGENT. ET C'EST VRAI MÊME SI LE SAC À ORDURES PASSE SOUVENT À LA TÉLÉ ! »

En entendant cette repartie de Rondeau, Théberge ne put s'empêcher de sourire. C'était une réplique qu'il aurait aimé avoir faite. Difficile d'avoir une meilleure preuve que Rondeau se servait de sa maladie comme couverture pour balancer des vannes à qui il voulait, en toute impunité.

En tant que supérieur des clones, Théberge ne pouvait s'empêcher de voir leurs frasques comme autant de sources d'embêtements. Mais il comprenait Lefebvre d'avoir développé, à son corps défendant, une sorte d'affection pour eux. En cette période de culs serrés, de rectitude politique et de lèvres pincées, une telle candeur dans la description de la réalité avait quelque de chose de rafraîchissant. De toute évidence, l'enfance de l'inspecteur Rondeau n'avait pas été stérilisée par des émissions à la *Passe-Partout*.

Son esprit revint au message qu'annonçait le voyant lumineux. Il décida d'attendre et d'aller immédiatement voir Dracul.

LONDRES, 14 H 38

— Vous êtes toujours satisfait du travail de Brochet ? demanda Ute.

— Toujours.

— Monsieur Fogg a soulevé la question de sa fiabilité. Comme il devient un rouage de plus en plus important de votre organisation, il faudrait peut-être songer à prendre certaines mesures.

— Comme... ?

— Le stimulateur cardiaque. Il suffirait que des irrégularités se manifestent dans son rythme cardiaque au cours de la prochaine visite médicale. Aujourd'hui, il y a beaucoup de gens qui se font poser un stimulateur par mesure préventive. Elton John, récemment...

— Tant que vous n'insistez pas pour que, moi, je m'en fasse poser un !

— Vous, on vous fait confiance, protesta Ute avec un sourire exagéré.

— Une confiance qui m'étonne parfois.

— Nous aurions des raisons de nous méfier ?

— Non. Mais, compte tenu du traitement réservé aux autres directeurs...

Cela avait toujours intrigué Petreanu. Pourquoi était-il le seul membre du comité des directeurs de filiale à ne pas avoir ce que le Consortium appelait des « dissuadeurs » ? Certains avaient même dû se prêter à des opérations risquées pour se faire implanter dans le cerveau l'équivalent d'un bouton d'autodestruction. D'autres avaient des stimulateurs cardiaques piégés. Pour quelle raison le Consortium avait-il accepté son exigence de ne rien avoir ?

Parce qu'il était indispensable à leurs plans, lui avait-on répondu. Le Consortium ferait donc en sorte de se rendre également indispensable. Financièrement indispensable.

Toutefois, l'homme d'affaires helvétique avait de la difficulté à admettre cette explication. Il soupçonnait le Consortium d'avoir sur lui d'autres moyens de contrôle. Des moyens qu'il préférait tenir cachés.

À plusieurs reprises, il avait tenté de sonder Ute à ce sujet, mais sans résultats.

— Nous avons choisi de nous rendre indispensables, fit Ute, reprenant presque textuellement la réponse qu'elle lui avait faite lors d'une rencontre précédente.

— Je sais.

— Nous avons d'ailleurs toutes les raisons de nous réjouir de cette confiance, d'après ce que je peux voir. L'opération de couverture que vous avez menée avec Brochet et sa partenaire a fonctionné de façon tout à fait satisfaisante.

— À propos de sa partenaire… est-il nécessaire qu'elle continue d'être associée d'aussi près à notre travail ?

— Vous voulez parler de son association avec Brochet ?

— Oui.

— Je pense que c'est une excellente idée pour rendre leurs rencontres plus facilement explicables. Ça réduit également le temps de réaction, dans les cas où il a besoin de ses services.

« Ça fait aussi quelqu'un pour surveiller continuellement par-dessus son épaule », songea Petreanu. Il faudrait qu'il en reparle à Brochet. Il y avait certainement une façon de se débarrasser d'elle.

— Vous êtes décidément très songeur aujourd'hui, fit Ute. On dirait que vous n'êtes pas d'accord avec cette collaboration.

— Je n'ai aucune objection de principe. Je me demande simplement si elle est nécessaire. Une fois l'implantation achevée, l'équipe de madame Hunter n'aura plus beaucoup de travail.

— Qui sait ? Après la chasse aux gestionnaires, son équipe va se spécialiser dans la chasse aux clients. Et puis, il va falloir s'assurer de tenir tout ce beau monde au pas.

— Pour les clients, je veux bien. Mais, une fois que nos entreprises auront atteint leur taille optimale, nous n'aurons plus de compagnies à recruter. La charge de travail va diminuer.

— Je suis certaine que les filles de Jessyca trouveront de quoi meubler leurs loisirs. Il y aura toujours des politiciens, des juges ou des journalistes dont il faudra s'occuper. Des policiers à ramener à la raison…

— Si vous croyez que c'est utile…

— Monsieur Fogg le croit.

— Puisque monsieur Fogg le croit. Comme disent les Américains : *Money talks*…

— Vous connaissez la suite du proverbe ?

— *People follow.*

— *Leaders follow*… Je préfère cette variante. Elle décrit à la perfection la stratégie du Consortium. Pourquoi acheter les gens un par un ? Il est tellement plus facile et plus économique d'acheter ceux qui les dirigent. Ça s'appelle la « démocratie subventionnée ». Les gens choisissent librement leurs contremaîtres, puis on achète les contremaîtres.

— C'est une citation de Fogg ?

— Une citation approximative. Tirée du traité sur la manipulation.

MONTRÉAL, 9 H 52

Dracul continuait de protester de son innocence, mais il avait finalement requis l'assistance d'un avocat. Théberge ne pouvait l'interroger avant que ce dernier arrive.

Il demanda aux clones s'ils avaient appris quelque chose de neuf depuis la veille.

— Rien, résuma Rondeau.

— Il parle sans arrêt, expliqua Grondin, mais seulement pour défendre son droit à la liberté d'expression et dire qu'il est persécuté à cause de ses croyances.

— Et le cadavre ?

— Il affirme qu'il a été mis là par quelqu'un d'autre pour le faire accuser. Que leurs cérémonies ne font jamais de morts.

— Des nouvelles de Pamphyle ?

— À première vue, c'est le même mode d'opération. Les traces sont au même endroit. Mais il ne veut rien dire de plus avant d'avoir terminé l'autopsie.

— Aussitôt que vous avez quelque chose, vous m'appelez.

MONTRÉAL, 10 H 21

De retour à son bureau, Théberge remarqua de nouveau le voyant lumineux sur son téléphone.

« Le message », songea-t-il.

Comme il s'apprêtait à soulever le combiné, la sonnerie se fit entendre.

— Théberge, j'écoute !

— Je suis heureux de vous parler. Allez-vous m'expliquer ce qui se passe ?

Le maire !

— Vous devriez être heureux, fit Théberge. Nous avons mis sous les verrous l'auteur présumé des crimes diaboliques qui ont ravagé la métropole. Ça va être la joie dans les chaumières et le délire dans les tribunes téléphoniques.

— Était-il nécessaire d'arrêter la moitié de la ville par la même occasion?

— Vous exagérez un tantinet, votre Honneur. D'après les rapports que je viens de consulter, il n'y a eu que cinquante-quatre arrestations.

— Ça fait huit appels que j'ai depuis le matin. Des amis ou des connaissances qui me téléphonent pour se plaindre qu'un des leurs a été arrêté.

— Vous avez de drôles de fréquentations.

— Vous devriez savoir qu'on ne fait pas toujours ce qu'on veut avec ses enfants.

— En effet, je devrais le savoir.

Un moment de silence suivit.

— Ce n'est pas ce que je voulais dire, reprit le maire. Mais les jeunes, parfois…

— La plupart des gens ont été relâchés ou vont l'être cet avant-midi.

— Je suis heureux de l'apprendre.

— Mais ça ne changera rien au fait qu'ils risquent d'être poursuivis. On a quand même trouvé un cadavre sur les lieux. La chose peut vous paraître bénigne, mais, par comparaison, écraser les orteils de la progéniture de quelques notables me paraît un problème mineur.

— Je ne vous demande pas de ne pas faire votre travail. Je vous signale simplement qu'une cinquantaine d'arrestations, dont celle de plusieurs citoyens en vue, ça me paraît exagéré.

— Ce sont les clones qui dirigeaient l'opération. Après avoir découvert une nouvelle victime, ils ont jugé que les arrestations étaient nécessaires pour obtenir rapidement le plus de témoignages possible. Je vois mal pourquoi je remettrais en cause leur décision. En interrogeant les prévenus, ils ont pu identifier les trois organisateurs du groupe. Tous les autres seront relaxés au plus tard cet avant-midi.

— S'il y a des poursuites, je ne pourrai pas vous couvrir.

— S'il y a des poursuites, je suis certain que les clones se feront un plaisir de décrire la cérémonie qu'ils ont interrompue, le cadavre qu'ils ont découvert sur place, de même que les autres cadavres qui ont été découverts dans la ville… Je doute que les parents soient intéressés à ce que leur progéniture soit publiquement associée à ces choses.

— Vous me garantissez que tout le monde sera libéré?

— Je vous garantis que tous ceux qui étaient de simples spectateurs, attirés par une curiosité malsaine et délétère, seront remis en liberté… quel que soit le sens de ce mot.

— Remarquez, je ne veux pas interférer.

— C'est ce que vous faites depuis tantôt, mais, comme je suis bon prince, je vais mettre ça sur le compte d'une noble préoccupation pour la santé morale de la ville.

— Théberge, vous ne me rendez pas la tâche facile.

— Mon travail est d'investiguer sur les délits portés à mon attention, de débusquer des suspects et de procéder aux arrestations idoines le cas échéant – pas de vous rendre la tâche facile. Cela dit, je peux vous rassurer: votre neveu a été relaxé ce matin. Quand il aura votre âge, ça lui fera une expérience pittoresque à raconter aux *Détecteurs de mensonges*. Au temps de sa période «gothique».

— C'est le terme qu'ils utilisent?

— Dans certains groupes.

— Je vois.

Théberge songea à répliquer que la chose lui paraissait improbable. Qu'il ne «voyait» pas pourquoi le maire se mettrait subitement à «voir» ou à comprendre quelque chose. Mais il se contenta de couper court à la conversation.

— C'est beau tout ça, dit-il, mais les plaisirs les plus suaves doivent se terminer un jour. Et comme j'ai promis à madame Théberge de rentrer tôt… Il y a autre chose dont vous vouliez m'entretenir?

— Pas pour le moment. Mais j'aimerais que vous me teniez informé s'il y a de nouveaux développements dans cette affaire.

— Promis. Je n'arrêterai personne d'autre de votre famille sans vous le dire.

— Théberge !

— Je plaisantais.

Après avoir raccroché, Théberge regarda pendant plusieurs secondes le voyant lumineux qui clignotait toujours. Les messages semblaient se multiplier d'eux-mêmes sur son répondeur. S'il y avait quelque part dans l'univers une preuve de l'existence de la génération spontanée, elle était là, sur le coin de son bureau. Un instant, il fut sur le point de se préparer un autre café pour se donner du courage. Puis il se dit que ce serait sa récompense après s'être acquitté de la corvée.

Le message de Dominique était le troisième.

LONDRES, 15 H 27

Fogg toussota à quelques reprises et reprit une bouffée d'oxygène.

— Que pensez-vous de Petreanu ? demanda-t-il finalement.

Par le truchement d'une caméra cachée, Xaviera Heldreth et lui venaient d'assister à sa rencontre avec Ute.

— Je ne crois pas qu'il soit encore vraiment dangereux, répondit cette dernière.

— Mais… ?

— Quand le système sera rodé, il faudra prendre des mesures pour s'assurer de sa discrétion.

— Je suis de votre avis. Mais c'est dommage. Il est rare de rencontrer un esprit à la fois aussi raffiné, aussi créateur et aussi dénué de scrupules. Il va me manquer.

— Je n'aime pas le regard qu'il a lorsqu'il pense qu'on ne le voit pas. Il saisirait la première occasion de prendre le contrôle du Consortium en liquidant tous ceux qui sont sur son chemin.

— Bien sûr. C'est ce qu'ils feraient tous.

— Je veux dire que lui, il est assez infatué de lui-même pour croire qu'il a des chances, alors qu'il ne contrôle presque rien.

— Avouez qu'ils sont quand même plus faciles à contrôler quand ils sont comme lui !

— Je suppose.

— Et Brochet ? Que pensez-vous de notre *greedy little bastard* ?

— Lui ! Vous ne songez quand même pas à lui pour prendre la relève ?

— Que diriez-vous si vous aviez à le décrire en quelques mots ?

— C'est l'équivalent de Petreanu, mais avec moins de créativité et beaucoup moins d'envergure.

— Donc, plus facile à contrôler.

— Il rêve d'une seule chose : être entretenu.

— Ce qui nous donne une prise supplémentaire sur lui.

— Pour gérer le réseau pendant l'intérim, ça peut toujours aller. Ute a d'ailleurs effectué des vérifications en ce sens. Mais lui confier une filiale… Il ne serait pas de taille à faire face aux crises qui risquent de se produire.

— Vous n'avez pas renoncé à votre autre solution, à ce que je vois, dit Fogg avec un sourire.

— Uniquement à titre de solution de secours.

— Et c'est par hasard qu'il s'agit encore d'une femme ?

Fogg amorça un rire qui s'acheva dans une quinte de toux. Il prit une nouvelle bouffée d'oxygène.

— Vous ne ratez jamais l'occasion de placer vos pions, reprit-il. Si j'étais le moindrement paranoïaque…

— Vous n'allez pas recommencer !

— Bien sûr que non. Même si ce serait probablement la solution, dans mon état… De tout recommencer à zéro !

— J'ai eu des nouvelles du projet. Les trois nouveaux centres de recherche seront prêts à fonctionner d'ici un mois.

— Vous leur avez transféré les budgets ?

— Oui. Compte tenu des sommes impliquées, chacune des compagnies pharmaceutiques est convaincue d'être la seule dans la course.

— C'est préférable ainsi. Elles ne passeront pas leur temps à saborder mutuellement leurs recherches ou à faire sauter les laboratoires des autres pour être la première à commercialiser son produit.

Xaviera Heldreth se leva et examina les moniteurs qui montraient en direct les modifications des signes vitaux de Fogg.

— Il y a un autre sujet dont je veux vous parler, dit-elle, mais compte tenu de votre état aujourd'hui… Si vous préférez…

— Allez-y ! répondit Fogg d'une voix un peu haletante. Le corps s'excite un peu, mais l'esprit reste clair.

— Il s'agit de Y2-KEY.

— Des problèmes ?

— Je ne pense pas. Mais un de nos surveillants a repéré des tentatives de pénétration dans plusieurs succursales du réseau.

— Quelqu'un se douterait de quelque chose?

— C'est encore très limité. Probablement un *hacker* qui a décidé de tester les testeurs. C'est tout à fait dans leur mentalité.

— Les testeurs ?

— Ceux qui vérifient les ordinateurs en prévision du bogue de l'an 2000… Je n'ai pas pris de chance, j'ai augmenté le budget de surveillance du réseau informatique.

— Sage précaution. On ne se méfie jamais trop de ceux qui s'amusent à bricoler les ordinateurs des autres !

Cette fois, Fogg réussit à mener son rire à terme. Il prit toutefois la précaution de le faire suivre d'une bouffée d'oxygène.

— Aujourd'hui n'est pas une très bonne journée, dit-il. Mais les nouvelles sont excellentes. Je sens que demain la carcasse ira mieux.

— J'en suis certaine. Et les recherches vont certainement aboutir assez rapidement.

— Je serai le dernier à m'en plaindre.

— Je vous laisse.

— Un instant encore, dit Fogg. Il y a autre chose…

Il fit une pause, se concentra sur sa respiration.

— Dites-moi, reprit-il, qui avons-nous sur la liste des contacts possibles de l'Institut ?

— De façon certaine ? Ulysse Poitras. Il y a aussi ce policier, à Québec, qui a déjà profité de leur aide, l'inspecteur Lefebvre.

Les traits de Fogg s'illuminèrent subitement.

— Voilà ! dit-il. Voilà où il faut regarder !

— L'inspecteur Lefebvre ?

— Non. Pas la personne de l'inspecteur Lefebvre : la façon de procéder de l'Institut. À Québec, il y a quelques années, au Japon, partout, ils cherchent à établir des contacts directs au niveau local. Il faut trouver leur contact à Montréal.

— Je ne vois qu'une personne.

— Exactement ! Celui qui dirige les enquêtes sur les histoires de vampires. C'est lui qu'ils vont approcher, si ce n'est pas déjà fait.

— L'inspecteur-chef Théberge !

MONTRÉAL, 12 H 15

Théberge entra dans l'appartement d'Yvan Semco avec une boule au creux de l'estomac. Dominique avait eu beau lui dire qu'elle n'avait rien, il connaissait sa tendance à minimiser le danger et à dissimuler ses problèmes.

Ce qu'il avait lu dans le rapport, avant de quitter le bureau, laissait peu d'illusions sur le motif du saccage. Son expérience lui disait qu'il ne s'agissait pas d'une intimidation ordinaire reliée à son travail auprès des danseuses. Tout, dans cette affaire, était personnel. L'agression la visait personnellement.

En apercevant Dominique, il sentit son niveau de stress baisser. Elle avait l'air de tenir le coup.

— Comme vous voyez, dit-elle, je suis encore en un seul morceau. Vous n'avez pas à vous inquiéter.

— Je préfère ne pas attendre que vous soyez en plusieurs morceaux avant de m'inquiéter.

— Je lui ai déjà dit que ça finirait mal, ses histoires d'aider des danseuses contre les motards, intervint Yvan. Mais elle refuse de m'écouter.

— Ce n'est pas lié aux motards, répliqua Dominique.

— Vous voyez ! répliqua Yvan en s'adressant à Théberge. Essayez de lui faire entendre raison. Moi, elle ne m'écoute pas !

— Je serais plutôt d'accord avec elle, fit doucement Théberge.

— Quoi !

— Ce n'est pas une scène de représailles. C'est une scène d'intimidation. Et de vengeance.

— Vous pensez que les motards n'ont pas toutes les raisons de se venger ?

— Je veux dire que c'est personnel.

— C'est pourtant un motard qui a fait ça ! protesta-t-il en se tournant vers Dominique. Toi-même, tu me l'as dit !

— C'est un motard, oui. Mais pour des raisons personnelles. Ça remonte à près de vingt ans. Je l'ai connu après mon secondaire.

— Tu le connais !

Dominique jeta un coup d'œil interrogateur en direction de Théberge, Ce dernier l'encouragea d'un bref hochement de tête.

— Il est préférable de tout lui raconter, dit-il.

— Me raconter quoi ? fit Yvan.

— Les aventures de ma folle jeunesse, fit Dominique en esquissant un sourire plus ou moins convaincu.

Elle raconta alors à Yvan comment elle avait connu Donald Crazy Boy Duchesne.

— À l'époque, dit-elle, il était un *hang around* des Raptors. Il m'a repérée à l'entrée du cégep, où il avait une équipe de *pushers*. Je savais ce qu'il faisait, mais je me disais que ce n'était pas grave. Si les gens voulaient fumer du hasch ou de la mari, c'était de leurs affaires. Même Trudeau avait avoué en avoir fumé... Quand il m'a proposé de faire un tour sur sa moto, j'étais aux anges. Un vrai gars. Avec une vraie moto. Et du vrai fric. Si un gars comme ça s'intéressait à moi, ça voulait dire que j'étais une vraie femme... Un mois plus tard, je partais avec lui. J'ai tout laissé derrière moi. Mes amies du cégep ont dû se demander ce qui m'était arrivé...

— Tu ne les as jamais revues ? demanda Yvan.

— Non. On est débarqués dans un hôtel de Montréal. Pendant trois jours, ç'a été le party. On a fait l'amour, on a fait venir des repas par le service aux chambres et on a fumé de la dope. Le troisième soir, il m'a amené dans un bar de danseuses, au nord de Montréal. Il m'a dit qu'il fallait que je voie ça. Sur le coup, j'ai trouvé ça valorisant : il connaissait toutes les filles, mais c'était avec moi qu'il était. Puis il m'a demandé si j'aimerais ça, danser. Je n'arrivais pas à le prendre au sérieux. Comme j'avais pas mal fumé, j'ai fini par accepter. Pour le fun. Juste pour lui. À sa table. Il m'a fait danser pendant le reste de la soirée.

— Je suppose qu'il a invité d'autres gars à la table, fit Théberge.

— Il y avait d'autres gars avec lui, oui, mais j'étais trop partie pour que ça me dérange. Après tout, c'était juste pour le fun... À la fin de la soirée, il m'a amené dans une chambre, au-dessus du club. Il m'a dit que, pendant les prochains jours, il allait être très occupé. Je resterais là en l'attendant. Si je voulais, je pourrais danser. Mais je n'étais pas obligée. Puis il est parti.

— Parti ? fit Yvan, comme s'il ne comprenait plus.

— Il est revenu une dizaine de jours plus tard. Comme il ne m'avait pas laissé d'argent, il a fallu que je danse pour me payer à manger, payer les cigarettes... J'aurais pu téléphoner chez nous, mais j'avais trop honte. Je me disais que je gagnerais assez d'argent pour m'en sortir puis que j'inventerais une histoire pour expliquer mon absence... Le premier soir, pour me donner du courage, le portier m'a donné de la coke. Puis je me suis mise à en acheter. Pour me mettre dans l'atmosphère. Comme l'argent rentrait, je n'avais pas de problème pour payer... J'ai fait ça en l'attendant. Puis, quand il est revenu, il était avec une autre fille... C'est ce soir-là qu'il m'a battue, ajouta Dominique en se tournant vers Théberge. Parce que j'ai refusé de monter à l'étage avec un client.

— Et tu n'es pas partie ? fit Yvan.

— J'étais à l'hôpital... Ensuite, j'avais trop peur. Il m'a dit qu'il me réintégrait parmi les danseuses mais que, si j'essayais de m'enfuir, il me rattraperait et me tuerait. Il m'a fait faire un tatouage sur l'épaule. Sa marque. Pour que les autres rabatteurs sachent que je lui appartenais. Que je travaillais pour lui... Je me suis mise à prendre de plus en plus de drogue. Pour supporter le travail. Je lui donnais une bonne partie de ce que je gagnais et mes dettes augmentaient... C'est quand il m'a dit qu'il ne pouvait plus m'avancer d'argent, qu'il faudrait que je fasse quelque chose de plus payant, que j'ai compris: ça devenait urgent que je m'en sorte. J'ai pris mon courage et je me suis sauvée...

— Tu ne l'as jamais revu ? demanda Yvan

— Jamais. J'ai entendu dire par une danseuse qu'il était parti aux États-Unis.

— Et tu as été travailler au Palace...

— Plus tard. Pour gagner de l'argent rapidement et pouvoir retourner aux études.

— Et tu as rencontré mon père.

— Et j'ai rencontré ton père... Le reste de l'histoire, tu le connais.

Un silence suivit.

— Il n'est plus question que vous alliez où que ce soit sans protection, fit Théberge.

— Vous ne voulez quand même pas que je me promène partout avec un garde du corps ?

— L'idéal serait que vous ne vous promeniez pas du tout. Que vous partiez en voyage pendant une semaine.

— Il est hors de question que je traîne un fantôme avec moi vingt-quatre heures sur vingt-quatre. Qu'il y en ait au club, je ne dis pas. Mais…

— Si vous partiez… Une semaine à Paris…

— C'est quand même mieux qu'un voyage en civière jusqu'à la morgue, renchérit Yvan.

Dominique se tourna vers lui.

— Tu ne vas pas t'y mettre toi aussi ! Toute ma vie, je me suis battue pour que personne ne me contrôle. Si je pars ou si je me promène avec un garde du corps, c'est comme si j'acceptais qu'il contrôle ma vie… Je ne vais certainement pas passer le reste de ma vie avec un ange gardien !

— Je peux vous promettre que ça ne durera pas très longtemps, fit Théberge. Je peux utiliser le téléphone ?

— Bien sûr.

Quelques instants plus tard, Théberge amorçait une conversation téléphonique sous l'œil intéressé de Dominique et d'Yvan.

— Vincent ? Gonzague… À toi aussi. Je me suis dit que tu apprécierais… Tu as raison, ce n'est pas seulement pour… Bien sûr que je sais que tu détestes ça. Je ne le ferais pas si ce n'était pas absolument nécessaire… Je veux une entrevue privée avec un de tes pensionnaires. Vraiment privée… Quand ? Cet après-midi. D'ici une heure. Tu peux arranger ça ?

Il écarta le récepteur de son oreille et le regarda d'un œil critique. On pouvait entendre les protestations dudit Vincent.

— Il a toujours aimé se faire tirer l'oreille, expliqua Théberge en aparté. Ça flatte son sentiment d'importance.

Il rapprocha le combiné de son oreille pour écouter la fin de la tirade.

— … Je sais très bien ce que je te demande. Je suis prêt à t'octroyer certaines compensations… Il me reste encore un certain nombre de truites arc-en-ciel… Vincent, tu es un exploiteur. Un de ces jours, tu vas te retrouver derrière les barreaux de l'institution que tu diriges !…

D'accord, j'irai les préparer moi-même. Mais tu fournis le vin… Bon, j'en apporte une et tu fournis l'autre. Tu ne veux pas une livre de chair, avec ça ?… Pourquoi je te dis ça ? Ça s'appelle une référence culturelle… Ce n'est pas parce qu'on est flic que ça dispense de s'élargir les horizons… L'individu en question, c'est Bone Head… Bien sûr que je le sais. Mais je pensais que tu étais le directeur de l'endroit, pas le valet de chambre des prisonniers… OK, promis… Je me rends tout de suite là-bas.

Quand il eut raccroché, il se tourna vers Dominique.

— Autant s'attaquer au problème à la source. D'ici quelques jours, les choses devraient rentrer dans l'ordre.

— Qu'est-ce que vous allez faire ?

— Faire preuve de créativité… Et vous, j'espère que vous allez faire preuve de discrétion.

L'octroi d'un plus grand temps d'antenne, d'une fonction plus prestigieuse ou d'une meilleure visibilité sont les bonbons habituels avec lesquels on manipule les gens qui vivent pour (et de) leur image médiatique. Dans le domaine artistique, le manipulateur peut favoriser l'accès à une galerie d'art, à un théâtre, à une maison d'édition ou à une salle de spectacle plus prestigieuse. Il peut aussi faire miroiter des contrats de télévision mirobolants.

Dans ces domaines, tout le monde a son prix et ce prix est habituellement assez facile à trouver: c'est tout ce qui permet de faire gonfler davantage l'ego de la victime.

Leonidas Fogg, *Pour une gestion rationnelle de la manipulation*, 4- Asservir par les passions.

VENDREDI, 1ER OCTOBRE 1999 (SUITE)

MONTRÉAL, 13 H 44

Yvan ne voulait pas laisser Dominique seule. Il avait attendu l'arrivée des deux membres de l'escouade fantôme avant d'aller retrouver Chamane. Blunt leur avait fixé rendez-vous pour une réunion avec Poitras.

À l'idée de rencontrer le dirigeant d'UltimaGest, Yvan était nerveux. Il y avait bien sûr sa réputation, mais il y avait surtout le fait que Hope Fund Management venait de lui ravir trois clients.

La réunion avait lieu dans une suite de l'hôtel Germain, rue Mansfield. Poitras le recommandait fréquemment à des clients ou à des amis de passage à Montréal.

Blunt présenta Chamane à Poitras comme un jeune crack de l'informatique. Puis il se tourna vers Yvan.

— Vous connaissez peut-être Yvan Semco ? dit-il. Il fait le même travail que vous, mais pour un compétiteur.

Poitras lui tendit la main.

— Vous travaillez pour qui ?

— Hope Fund Management.

— Hope Fund Management... Une boîte qui a le vent dans les voiles, on dirait.

Yvan avait à peine perçu une ombre dans le regard de Poitras, une légère hésitation dans sa poignée de main.

— On ne se débrouille pas trop mal, répondit-il.

— On m'a dit des choses étonnantes au sujet de votre nouveau vice-président au développement des affaires.

— C'est quelqu'un de très particulier, se contenta de répondre Yvan.

Blunt coupa court à leur échange.

— Je suis désolé de vous bousculer, dit-il, mais le temps risque d'être un facteur crucial.

Il poursuivit son explication en s'adressant de façon plus spécifique à Poitras.

— Les deux jeunes ont découvert un réseau financier pour le moins surprenant. J'aimerais avoir votre avis.

Sur un signe de Blunt, Yvan ouvrit la mallette qu'il avait apportée et tendit les dossiers qu'elle contenait à Poitras.

Celui-ci commença immédiatement à les parcourir. À quelques reprises, il releva les yeux des documents pour jeter un regard à Yvan.

Quand il eut terminé, il s'adressa à Blunt.

— Ce que j'aimerais savoir, dit-il, c'est comment vous avez pu vous procurer tout ça. Toujours vos mystérieux amis ?

— Dans le cas présent, nous sommes surtout redevables à ces deux jeunes explorateurs du Net. Chamane s'est occupé de la recherche proprement dite et Yvan a reconstruit la structure du réseau à partir des informations.

Poitras se tourna vers Yvan.

— Impressionnant, dit-il. Très clair.

Yvan se sentit rougir.

Poitras se tourna ensuite vers Chamane.

— Quant à vous, fit-il avec un sourire, j'aimerais savoir comment vous avez pu mettre la main sur autant de documents confidentiels.

— Ce n'est pas très compliqué, commença à répondre Chamane, toujours heureux de parler métier. Les gens…

— Ce que je voudrais savoir, moi, l'interrompit Blunt en s'adressant à Poitras, c'est ce que vous, vous en pensez.

— Je pense que notre jeune ami a raison, dit-il avec un geste en direction d'Yvan. C'est une immense machine à laver. Il y aurait beaucoup de détails à vérifier, mais pour l'ensemble je ne vois pas ce que ça pourrait être d'autre.

— Avec un système comme ça, on pourrait recycler combien ?

— Par année, facilement un ou deux milliards… Probablement beaucoup plus.

— Ça peut tenir combien de temps ?

— Tant que personne ne fait de recoupements à l'échelle internationale… je ne sais pas, des années… Sûrement des années…

— Il y a encore des points que je ne comprends pas, intervint Yvan.

Il prit la liasse de dossiers, fouilla dans une des annexes et montra un chiffre du doigt.

Poitras parcourut rapidement la page.

— Je vois ce que vous voulez dire.

— La compagnie a l'air normale, reprit Yvan. Toute sa comptabilité balance. Elle ne perd pas d'argent. Elle n'en fait pas de façon anormale. Ses marges bénéficiaires sont dans la moyenne de l'industrie. La croissance est bonne sans être extravagante.

— Gems & Gold International Retailing. Des bijouteries… Vous avez regardé du côté des approvisionnements ?

— Oui. Là aussi, tout est normal. Les prix de ses fournisseurs sont dans la moyenne du marché.

Le visage de Poitras s'éclaira tout à coup.

— J'ai déjà vu quelque chose de semblable quelque part, dit-il.

Il se tournant vers Blunt.

— Est-ce que votre organisation a encore du personnel aux quatre coins de la planète ?

— Vous pensez à quoi ?

— J'irais voir du côté des approvisionnements. Je ferais vérifier la capacité de production des producteurs de matière première. Si vous avez besoin de preuves, normalement, c'est là que vous devriez les trouver.

— J'aurais dû y penser ! fit soudainement Yvan.

Les trois autres le regardèrent.

— C'est évident ! reprit-il. Vous ne voyez pas ?

Blunt et Chamane échangèrent un bref regard.

— Tout est faux, reprit Yvan.

Il se tourna vers Poitras.

— N'est-ce pas ? ajouta-t-il.

Celui-ci hocha la tête en souriant. S'ils étaient deux à être parvenus à la même conclusion, il y avait des chances que leur hypothèse soit fondée.

Yvan se mit alors à expliquer de quelle manière fonctionnait, à son avis, le réseau international de Gems & Gold International Retailing. Comment il était, à lui seul, une vaste machine à recycler de l'argent.

Quand il eut terminé, Blunt se recula dans son fauteuil pour digérer l'information.

— Si vous avez raison, ça fait une autre branche du réseau qui est prête à être cueillie.

— Il vous en reste encore beaucoup à explorer ? demanda Poitras.

— Parmi les compagnies qui ne perdent pas d'argent, répondit Yvan, au moins trois : Global Sex Products, Y2K Crisis Management et le Groupe F.O.G.G. Mais il y a trente-sept autres compagnies que nous n'avons même pas commencé à regarder.

— Parmi celles qui en perdent ? demanda Blunt.

— Oui…

— Elles sont toutes liées à MultiGestion Capital International ?

— Oui… Pour en revenir à Global Sex Products, fit Chamane, c'est un réseau de sex-shops, de boîtes de strip-tease, de bars de danseuses et de producteurs de matériel pornographique. Le siège social est à Hambourg… J'ai été voir, tout à l'heure : ce ne sera pas très compliqué d'obtenir l'information qu'on veut.

— Et le groupe F.O.G.G. ? demanda Blunt.

— Aucune idée, répondit Yvan.

— Le brouillard total, ajouta Chamane.

— Je n'en ai jamais entendu parler, fit Poitras.

— D'après un autre document, reprit Chamane, ce serait l'actionnaire principal de la Hoffmansthal Credit Bank, avec trente-quatre pour cent des actions… Mais je n'ai rien pu trouver sur cette compagnie.

— Moi, ce qui m'intrigue le plus, fit Yvan, c'est le Y2K Crisis Management. Je ne vois pas comment ils peuvent s'en servir pour blanchir de l'argent.

— Je n'ai pas eu le temps d'examiner la compagnie en détail, répondit Chamane.

— Qu'est-ce qui peut bien les avoir amenés à acheter autant de compagnies spécialisées dans la réparation du bogue de l'an 2000 ? demanda Poitras.

— Et à conserver des noms différents pour toutes les compagnies, ajouta Blunt.

— Peut-être que les compagnies font de fausses réparations, suggéra Yvan.

— C'est trop évident, répondit Chamane. On saurait tout de suite où trouver les responsables… Mais je vais quand même vérifier.

MONTRÉAL, 14 H 09

En sortant de Parthenais, Théberge n'était pas mécontent de sa performance. Bone Head avait littéralement explosé lorsque le policier lui avait annoncé qu'il n'aurait pas droit à la roulotte des visites et qu'il serait transféré dès le lendemain matin dans la section de la prison contrôlée par les Skulls.

— On avait une entente ! avait-il protesté.

— C'est ce que je pensais, moi aussi.

— C'est de l'abus de pouvoir.

— Je suis d'accord. C'est effectivement de l'abus de pouvoir que de se prendre pour Attila et d'aller saccager l'appartement d'une femme que vous vous êtes engagés à laisser tranquille.

— Pas la fille du Palace ?

— Qui d'autre ?

— *Shit !*

— La qualité artistique des fresques murales laissait à désirer, mais l'identité de l'auteur était très claire… Alors je me suis dit, dans mon *in petto* intime : je n'ai pas Crazy Boy sous la main, mais j'ai son chef. Est-ce qu'un général n'est pas censé être responsable de ce que font ses soldats ?

— Crazy Boy fait partie des Deadly Ones. Je n'ai aucun pouvoir sur lui.

— Je me fous totalement des arcanes organisationnelles de votre joyeuse association de baroudeurs motorisés !… Tu étais censé voir à ce qu'on foute la paix à madame Weber !

— Vous m'avez donné trois jours !

— Un délai de trois jours. Pas un permis de chasse de trois jours.

— Vous êtes cinglé !

— Possible. Mais mon espérance de vie est nettement plus attrayante que la tienne.

Après dix minutes supplémentaires de discussion, Bone Head avait promis de faire accélérer les démarches pour s'occuper de Crazy Boy.

En gage de bonne volonté, Théberge avait accepté de retarder son transfert dans la partie de la prison contrôlée par les Skulls. Mais il voulait des résultats. S'il arrivait quoi que ce soit à Dominique Weber, Bone Head serait le premier à payer de sa personne.

MONTRÉAL, 14 H 36

— Tu peux t'en occuper en priorité ? demanda Blunt.

— M'occuper de quoi ? demanda Chamane.

— Vérifier si les ordinateurs des clients de Y2K Crisis Management passent l'an 2000.

— Pour toutes les compagnies qui leur appartiennent ?

— Un échantillon de clients dans un échantillon de compagnies.

— Les prochains jours, j'avais prévu passer plus de temps avec Geneviève.

— Tu peux utiliser les Bots.

— Tu connais leur tarif.

— Fais comme d'habitude.

— Limiter les dégâts, tu veux dire ?

Blunt fit un signe d'assentiment.

— Je ne peux pas passer ma vie à limiter les dégâts !

Blunt ignora la remarque et se tourna vers les autres.

— Je vais m'occuper de Gems & Gold International Retailing, dit-il. Pour les institutions financières, chacun essaie de se renseigner de son côté. Yvan va continuer de nous informer de ce qui se passe chez Hope Fund Management… Chamane s'occupe déjà de Y2K Crisis Management…

— Et F.O.G.G. ? demanda Poitras.

— F.O.G.G… Si vous trouvez quelque chose, tant mieux. Mais la priorité, pour le moment, ce sont les compagnies sur lesquelles on a une prise.

Il se leva. Les deux jeunes l'imitèrent.

— Avant que vous partiez, reprit Poitras, il y a une chose que j'aimerais savoir.

Il s'adressa à Yvan.

— Comment vous y êtes-vous pris pour aller chercher mes plus gros clients ?

C'était la dernière chose dont Yvan souhaitait parler avec Poitras.

— Je n'en ai aucune idée, dit-il. Tout s'est passé exclusivement avec le nouveau vice-président.

— Brochet ?

— Oui. À l'intérieur, nous avons été surpris, nous aussi. Je veux dire… avec les résultats que vous aviez obtenus…

— Et vous n'avez pas eu d'explication ?

— Rien. Brochet nous a seulement dit que c'était normal, quand une boîte était bien gérée. Qu'il fallait s'attendre à l'arrivée d'autres clients importants.

— Et sa publicité ? Un rendement de un et demi pour cent au-dessus de la Bourse… Comment peut-il promettre ça à ses clients ?

— Je ne sais pas. Il nous a dit qu'il avait un modèle mathématique secret. Quelque chose de très sophistiqué qui fonctionnait en partie à base de logique floue, en partie à base d'équations non linéaires.

— De la logique floue…

Poitras fit une pause.

— Savez-vous s'il a des parts dans d'autres compagnies de gestion ? demanda-t-il finalement.

— Brochet ? Je ne sais pas s'il a des parts. Mais il a dîné à plusieurs reprises avec le président de Jarvis Taylor Dowling. Peut-être qu'il veut les acheter…

— Jarvis Taylor…

Poitras avait prononcé le nom comme s'il s'agissait d'une révélation.

Il leur expliqua les régularités qu'il avait observées dans la désertion de ses clients. À quel point les raisons qu'ils avaient invoquées pour leur départ se ressemblaient.

— Ce que je ne comprends pas, fit Blunt, quand Poitras eut terminé, c'est comment ils peuvent s'y prendre pour aller les chercher aussi vite. Est-ce que les promesses de rendement supérieur seraient suffisantes ?

— C'est un argument de poids, admit Poitras. Dans la mesure où on peut croire à cette promesse… Mais il y a quelque chose dans le comportement de ceux à qui j'ai parlé que je saisis mal.

— Peut-être qu'on a fait pression sur eux, suggéra Yvan. Personnellement, je veux dire.

— Je vais faire vérifier ça, fit Blunt en regardant sa montre.

— J'ai loué la suite pour toute la semaine, fit Poitras. Vous n'aurez qu'à prendre une clé à la réception. Si on a besoin de se revoir, ce sera plus simple. Sisyphe restera ici en permanence. Il servira de répondeur, si besoin est.

— Sisyphe ?

Poitras désigna le Jones qui était assis par terre, en tailleur, le dos appuyé au mur.

— Il paraît qu'ils prennent un nom approprié pour chacune de leur tâche, expliqua-t-il.

L'intimé ouvrit brièvement les yeux, pour montrer que la remarque ne lui avait pas échappé, avant de replonger dans son monde intérieur. Cette nouvelle tâche le sortirait de l'agitation continuelle du bureau de Poitras et il pourrait consacrer davantage de temps à la méditation.

MASSAWIPPI, 16 H 43

F jugea approprié de se servir un porto.

Les informations obtenues à partir des découvertes de Chamane et des révélations de Buzz étaient spectaculaires. Quelques points importants demeuraient obscurs, comme le rôle de Y2K Crisis Management et du groupe F.O.G.G., mais le portrait global de l'organisation était suffisamment clair pour convoquer une réunion des petits amis et préparer une nouvelle vague d'opérations.

Le plus ahurissant était sans doute la mine de renseignements que les Jones avaient permis à Chamane d'obtenir. En s'infiltrant comme employés d'entretien dans les banques ciblées, ils avaient pu, juste en examinant le contenu des poubelles et les papiers qui traînaient sur les bureaux, trouver tous les mots de passe et toute l'information dont le jeune *hacker* avait eu besoin. Pénétrer les ordinateurs avec un maximum de discrétion avait ensuite été pour lui un jeu d'enfant.

L'Institut aurait bientôt les moyens de rétablir sa crédibilité auprès des gens qui comptaient, songea F. Et cela, sans avoir à quitter la clandestinité.

Mais, avant d'intervenir, elle tenait à mieux comprendre le lien existant entre le réseau international découvert par l'équipe de Hurt et ce qui se passait depuis plusieurs mois dans le milieu financier de Montréal.

Un point auquel personne ne semblait s'être intéressé était le rôle que jouaient les Raptors. Pourquoi s'en prenaient-ils à la gérante du bar où le vice-président de la Caisse de dépôt était mort ? Était-ce une coïncidence ?... Par ailleurs, l'arrestation de Dracul permettrait peut-être de jeter un peu de lumière sur cette étrange histoire de vampires...

En attendant d'en savoir plus sur cette question, elle préparerait le terrain avec les petits amis et elle suivrait le déroulement des événements au Japon. Claudia ne pouvait plus attendre. La situation politique devenait trop instable. Il fallait agir avant que tous les gens liés de près ou de loin à l'Institut soient discrédités, comme en Europe et aux États-Unis.

Revenant au document que lui avait transmis Blunt, elle souligna les noms de Théberge et du jeune Semco. C'étaient deux contacts qui méritaient d'être cultivés. Théberge donnerait plus de profondeur aux relations de l'Institut avec la police locale. Quant à Semco, il pourrait constituer, avec Chamane, une remarquable équipe d'assistants pour Hurt et Blunt.

Après une hésitation, elle souligna un troisième nom, celui de Dominique Weber. Compte tenu de son expérience, la gérante du Palace pourrait s'avérer une antenne précieuse dans le milieu. Elle pourrait aussi, avec le temps, développer de solides compétences dans l'évaluation et le *debriefing* d'agents.

Ce qui était moins clair, par contre, c'était son intérêt pour ce genre de travail. Elle s'était déjà donné une mission et il ne serait pas facile de l'amener à en changer. Il serait sans doute préférable de ne pas chercher à l'intégrer immédiatement dans les opérations de l'Institut. Il suffirait de garder le contact avec elle, de l'aider dans son travail auprès des jeunes danseuses, quitte à lui demander occasionnellement des services, comme l'Institut le faisait déjà avec ses contacts dans différents corps policiers.

Décidément, le Rabbin avait eu raison quand il lui avait dit que la tâche la plus importante et la plus difficile d'un chef de réseau n'était pas de faire son travail, mais de s'assurer qu'il y aurait des gens après lui pour le faire.

TQS, 17 H 34

> … UNE JOURNÉE TRISTE POUR LA FAMILLE DE SÉBASTIEN PARENT. CET HOMME DE QUARANTE-TROIS ANS, QUI TRAVAILLAIT COMME INFORMATICIEN À LA MUTUELLE CANADIENNE D'ASSURANCES, LAISSE DANS LE DEUIL SA FEMME AINSI QUE DEUX ENFANTS, ÂGÉS DE ONZE ET QUATORZE ANS.
> SÉBASTIEN PARENT EST LA VICTIME LA PLUS RÉCENTE DE CELUI QU'ON APPELLE MAINTENANT « LE VAMPIRE DE MONTRÉAL ». SON CORPS A ÉTÉ RETROUVÉ CETTE NUIT LORS D'UNE PERQUISITION DANS UN ENDROIT OÙ AVAIT LIEU UNE CÉRÉMONIE À CARACTÈRE VAMPIRIQUE.
> UNE CINQUANTAINE DE PARTICIPANTS ONT ÉTÉ APPRÉHENDÉS AU COURS DE LA PERQUISITION. PARMI EUX FIGURE VLADIMIR DRACUL, QUI S'EST FAIT CONNAÎTRE AU COURS DES DERNIERS MOIS PAR SA PARTICIPATION À PLUSIEURS ÉMISSIONS CULTURELLES ET DE VARIÉTÉS.
> INTERROGÉ À SAVOIR SI L'ENSEMBLE DES CRIMES COMMIS AU COURS DES DERNIERS MOIS POUVAIT ÊTRE ATTRIBUÉ AUX ACCUSÉS…

NORTH HATLEY, 19 H 17

Par la fenêtre du Pilsen, Hurt pouvait entendre les canards sur la rivière. Selon leur habitude, ils cancanaient pour quêter de la nourriture aux quelques touristes installés à la terrasse du restaurant.

Hurt avait à peine entamé sa Grolsch lorsque Chamane et Poitras arrivèrent. Automatiquement, il se mit en mode Institut.

— Comment était la route ? demanda Steel.

— Des travaux sur une dizaine de kilomètres, répondit Chamane. Rien de grave.

Poitras fit le tour du restaurant du regard. L'étage du bas était presque désert. Au-dessus, par contre, il y avait davantage d'activité. Le va-et-vient des serveurs dans l'escalier en témoignait.

Chamane sortit un cartable de la mallette qu'il avait apportée.

— C'est la nouvelle synthèse, dit-il. On est partis du schéma fourni par Buzz et on a élaboré. Blunt tient à ce qu'on en parle avec toi. Il est déjà au courant, mais il attend ta recommandation avant de décider.

— Je vais regarder ça tout de suite, répondit Hurt. Profitez-en pour commander quelque chose.

Chamane avait largement entamé son assiette de nachos lorsque Hurt referma le cartable.

— Alors ? demanda Poitras.

— Rien. Je veux dire, aucune réaction de Buzz.

— L'analyse, qu'est-ce que tu en penses ?

— Très claire. Si on réussit à démolir leur réseau financier, ça va leur porter un dur coup. Mais ça risque de couper la meilleure piste que nous avons. Et, même pour le réseau, qui nous dit qu'il n'est pas beaucoup plus vaste que ce qu'on a découvert ?

— C'est vrai.

— Ceux qui sont derrière tout ça vont savoir qu'on est sur leur piste.

— Ça peut jouer dans les deux sens, répondit Poitras. Ça peut les pousser à commettre des erreurs.

— On sait comment l'argent entre dans le système, on sait par où il passe et on connaît le nom de l'endroit où il va. Mais…

— Mais quoi ?

— On n'a pas encore grand-chose sur les compagnies qui génèrent l'argent à blanchir. On ne sait pratiquement rien sur les actionnaires et sur les moyens qu'ils utilisent pour injecter de l'argent dans les compagnies déficitaires… Ce qui se passe à Montréal n'est toujours pas très clair non plus.

— Si on attend trop longtemps, ils risquent de s'apercevoir qu'ils ont été infiltrés et de modifier tout leur système.

— Le réseau de bijouteries, ils ne peuvent pas changer ça du jour au lendemain.

— Ils peuvent le fermer, le temps de faire le ménage, d'effacer toutes les traces et de trouver quelques boucs émissaires.

— Dans les banques, par contre, fit Hurt, c'est vrai qu'ils peuvent tout changer en peu de temps.

La discussion se poursuivit pendant une dizaine de minutes sans que les trois hommes parviennent à s'entendre sur un plan qui les satisfasse complètement. Ils étaient toutefois d'accord avec Poitras : plus on attendait, plus les risques de dérapage croissaient. Il fallait agir le plus rapidement possible. Mais rapidement, cela voulait dire au moins un mois de délai. Probablement plus. Car il faudrait frapper simultanément partout sur la planète. Ce qui impliquait que F réussisse à convaincre ses petits amis non seulement de la pertinence de l'opération, mais aussi de la nécessité d'agir partout en même temps – et cela, dans un climat médiatique où l'Institut figurait désormais au rang des pires organisations terroristes de la planète !

Par contre, ce délai n'avait pas que des mauvais côtés : on pourrait le mettre à profit pour en découvrir le plus possible sur l'ensemble des quarante-deux compagnies répertoriées. Quant aux événements de Montréal, Hurt recommandait de cibler Brochet : d'abord essayer de le relier aux attentats attribués à des vampires et aux attaques contre les gestionnaires, histoire de l'ébranler, puis aborder carrément avec lui le sujet de sa participation au réseau de blanchiment d'argent. Peut-être se mettrait-il à table ?

Lorsque Chamane s'absenta pour aller aux toilettes, Poitras et Hurt en profitèrent pour parler de Gabrielle.

— Tu vas en profiter pour aller la voir ? demanda Hurt.

— Oui.

— Elle va mieux. Elle passe de plus en plus de temps avec le jardinier. Il lui a donné des exercices pour travailler sa vie intérieure.

— Elle ne parle plus de suicide ?

— Non, mais…

— Qu'est-ce qu'il y a ?

— Rien que je pourrais définir clairement. Sa façon d'être… C'est comme si elle était déjà ailleurs. Enfin, pas vraiment ailleurs. Mais pas complètement là. Comme s'il y avait quelque chose de changé en elle.

— Avec l'expérience qu'elle a vécue…

— C'est autre chose. Tu verras par toi-même, ajouta-t-il au moment où Chamane revenait.

— Il va falloir que j'y aille bientôt, dit ce dernier en s'assoyant.

— Je ne vous retiens plus, fit Hurt. On a fait le tour de ce qu'on avait à examiner.

— Il y a une dernière chose dont je voudrais parler, fit Chamane. Buzz.

En guise de réponse, Hurt se contenta de le regarder.

— Est-ce qu'il y aurait moyen de l'enregistrer ? poursuivit Chamane.

— Buzz ne parle jamais à l'extérieur, finit par répondre Hurt.

— On ne pourrait pas s'arranger pour qu'il parle ? Juste quelques minutes.

— Personne n'a de contrôle sur Buzz.

— C'est dommage.

— Pourquoi ?

— J'avais pensé à quelque chose.

— Et il faut absolument l'enregistrer ?

— Il me faudrait quelques minutes de son monologue… C'est le schéma que j'ai fait, l'autre jour, qui m'a donné une idée. Si Buzz est l'équivalent d'une KeyProm, ça veut dire qu'il y a une clé pour avoir accès à son contenu. Dans le cas de Buzz, ça fonctionne comme s'il y avait plusieurs clés et que les clés étaient des schémas.

— Tu m'as déjà expliqué ça.

— Mais une KeyProm, c'est aussi programmé pour donner du *garbage* quand on utilise une mauvaise clé.

— Tu penses que les marmonnements de Buzz sont du *garbage* ?

— Oui. Et le *garbage*, il faut qu'il le prenne quelque part. Alors, je me suis dit…

La discussion se poursuivit pendant quelques minutes encore, après quoi Chamane et Poitras retournèrent à Montréal. Hurt s'était engagé à faire son possible pour procurer au jeune *hacker* un extrait du monologue de Buzz. Il ne pouvait rien promettre, mais il essaierait de trouver quelque chose.

MONTRÉAL, 21 H 42

Le souper offert par madame Théberge avait eu une conséquence inattendue. Le policier et son épouse avaient dû accepter l'invitation de l'autre sœur de la jubilaire, qui ne voulait pas être en reste. Les mêmes personnes se retrouvaient donc autour d'une table, pour une deuxième soirée consécutive.

Pour l'occasion, l'inspecteur-chef Théberge s'était muni de fermes résolutions et de comprimés antiacide. La conversation intensive avec sa voisine de table faisait partie de sa stratégie pour limiter ses excès gastronomiques.

Il en était à lui expliquer les détails de sa recette d'oie aux pommes lorsque la maîtresse de maison apparut derrière lui.

— Il y a quelqu'un pour vous à la porte.

— Pour moi ?

— Un policier. Il dit que c'est urgent.

Théberge se dirigea vers la porte, accompagné du regard désapprobateur de sa femme. Un autre incident qui allait alimenter le discours familial sur Gonzague. « Il n'est presque jamais là. Et même quand il est là, il n'est pas vraiment là : il y a toujours un crime quelque part, un suspect à interroger… Aucune vie familiale. »

Parfois, la femme de Théberge avait l'impression de jouer le rôle de Marge, dans les *Simpsons*, avec ses deux sœurs qui s'acharnaient sans cesse sur son mari.

— Alors ? demanda Théberge avec impatience.

— On a reçu ça pour vous.

Le policier lui tendit un colis qui ressemblait à une boîte à chaussures emballée dans du papier de fête.

— Un cadeau ? fit Théberge sans comprendre.

— C'est arrivé par messager.

— Pas d'expéditeur ?

— Non.

Théberge soupesa la boîte. On aurait dit une boîte vide tellement elle était légère. Il la secoua et sentit le choc de quelque chose de léger contre le carton.

— Ils l'ont examinée et ce n'est pas une bombe, fit le policier.

— Vous transmettrez mes remerciements à l'équipe de déminage pour cette délicate attention, fit Théberge en lui signifiant son congé.

Il revint à la salle à manger avec le cadeau dans les mains. Il avait beau chercher, il ne voyait pas qui pouvait lui faire ce type de surprise.

— Un cadeau, expliqua-t-il en posant la boîte à côté de sa chaise.

— Vous ne l'ouvrez pas ?

— Allez, ouvrez-le !

La belle-sœur qui les recevait à dîner était la plus insistante.

— Vous nous faites languir, dit-elle. Je suis certaine que c'est quelqu'un que vous avez aidé et qui veut vous faire une surprise.

— Ou un criminel repenti, ironisa son beau-frère.

— Ouvrez-le !

— Allez, ouvrez-le !

Comme ils s'y mettaient tous, Théberge se releva.

— Peuple en délire, dit-il, comme je suis bon prince et que les *desiderata* de mon hôtesse sont pour moi des ordres, je vais procéder à l'extraction dudit cadeau de son enveloppe. Toutefois…

Il fit une pause de quelques secondes.

— Toutefois, reprit-il, je tiens à être absous par avance et exempté de tout blâme, de tout commentaire insidieux et de toute remarque subtilement malveillante, si le contenu dudit cadeau s'avérait ne pas satisfaire aux exigences de la rectitude politique, aux arrêts du code canadien de la publicité, à la morale vaticane ou à toute autre manifestation de jansénisme attardé et de morale victorienne.

Il prit le cadeau, le déballa sans façon et découvrit une boîte de carton sur laquelle il y avait une illustration de bol à salade.

— Notre mystérieux ami a un sens aiguisé du recyclage, commenta Théberge.

Il ouvrit la boîte et regarda à l'intérieur.

— Alors, qu'est-ce que c'est ?

— Vous allez nous le montrer ?

— Nous avons aussi le droit de voir.

Théberge sortit le morceau de cuir sur lequel était cousu un morceau de tissu représentant un vélociraptor. Il le montra aux autres.

Le cuir avait été coupé sans ménagement et on pouvait voir facilement les coups de couteau.

— Qu'est-ce que c'est ? demanda une des belles-sœurs. On dirait un insigne de motard.

— Tu connais ça ! fit son mari, surpris.

— Un reportage que j'ai vu à la télé, se dépêcha-t-elle de répondre.

— C'en est un, enchaîna Théberge. Ce sont les couleurs des Raptors.

— C'est une blague ? demanda le beau-frère qui avait réagi aux connaissances inattendues de sa femme.

— Si c'est une blague, je la trouve de mauvais goût.

— Pendant un souper de famille !

— Je vous plains, ma chère, toujours à la merci de ce genre de surprise.

Théberge regarda sa femme. La remarque lui avait été adressée par une de ses sœurs.

— Ce n'est peut-être pas une blague, intervint le beau-frère, caustique. C'est peut-être un avertissement.

— Berthold, voulez-vous dire qu'il pourrait y avoir du danger ? lui demanda sa femme, soudain inquiète.

— Je ne sais pas, moi. C'est à votre expert en cuisine qu'il faut le demander.

— Il n'y a aucun danger, coupa Théberge avec une certaine brusquerie.

Le silence se fit autour de la table.

— Quand un nouveau membre est admis dans un club, reprit-il, on lui remet ses couleurs. Sont associées à cette cérémonie différentes pratiques à caractère érotico-scatologique – qui ont maintenant tendance à tomber en désuétude, il est vrai – et dont j'épargnerai la description à vos chastes oreilles. Ce qu'il faut savoir, c'est que tout membre doit porter ses couleurs à toute activité officielle du groupe et qu'il doit tout faire pour les défendre.

— Alors, comment se fait-il… ?

— L'individu qui portait ces couleurs est probablement décédé. On voulait que je le sache. C'est la seule explication.

— C'est horrible.

— Au contraire, c'est la meilleure nouvelle de la journée, fit Théberge. L'individu en question faisait du trafic de drogues, recrutait des mineures pour la prostitution et il était connu comme un des principaux assassins du groupe à l'échelle de l'Amérique. Récemment, il avait proféré des menaces de mort contre une femme que je connais, il avait saccagé son appartement et, pour tout vous dire, je trouve particulièrement jouissif qu'il soit refroidi.

— C'est un meurtre ! objecta le Berthold. De voir un policier se réjouir d'un meurtre, je trouve ça pour le moins…

— Vous, le cultivateur de billevesées juridiques et autres insignifiances patentées, je vous interdis de me faire la leçon. Je vous suggère plutôt d'économiser vos conseils à des fins domestiques.

— Vous n'avez pas le droit de me parler sur ce ton ! Si vous ne retirez pas immédiatement vos paroles…

— Vous allez faire quoi ? M'intenter un procès pour usage insultant de la vérité ? J'en ai assez de vous et de votre hypocrisie en complet Armani. Avant de mépriser les autres, vous devriez vous souvenir de ce que vous nous avez dit sur la responsabilité parentale et vous occuper de ce qui se passe chez vous. Ce n'est pas ma progéniture à moi qui batifole dans des cérémonies de vampirisme où on ramasse des cadavres !

— Vous n'avez pas le droit ! Vous n'avez pas le droit !

— Si j'ai bien compris, mon brave Berthold, votre apprenti vampire a le droit de batifoler dans l'hémoglobine, mais moi, je n'ai pas le droit de dire qu'il le fait ! Belle morale !

Le beau-frère, étranglé de fureur, se leva et sortit en entraînant sa femme.

— Viens, dit-il. On n'a rien à voir avec de telles gens !

— Vous pourriez au moins me remercier, lui lança alors Théberge.

— Et pourquoi donc ?

— Pour avoir accéléré la mise en liberté de votre progéniture, ce matin. Ils parlaient de le garder en cellule par mesure de prudence.

Quand il fut sorti, Théberge ajouta, en guise de conclusion.

— Le bon côté de la chose, c'est qu'il y a de fortes chances que nous ayons arrêté l'auteur de ces « horribles meurtres », comme on dit à la télé.

Il jeta ensuite un coup d'œil en direction de sa femme, craignant un peu sa réaction face à son éclat.

Elle se contenta de lui mettre discrètement une main sur la cuisse et de lui faire un imperceptible clin d'œil.

— C'est vous qui l'avez arrêté ! s'exclama une des belles-sœurs qui restaient. Personnellement !

— Pas personnellement. Je me suis contenté de planifier l'opération. Un chef doit savoir faire confiance à son équipe.

En prononçant la dernière phrase, il songea aux clones et il se demanda jusqu'où cette confiance pouvait aller sans devenir assimilable à une tentative de suicide professionnel.

Théberge fut tiré de ses réflexions par une avalanche de questions.

— Va-t-il y avoir d'autres arrestations ?

— Êtes-vous certain d'avoir arrêté tous les responsables ?

— Est-ce que ça veut dire qu'on peut maintenant se promener en sécurité dans les rues ?

— Comment avez-vous fait pour découvrir son identité ?

— À la télévision, ils ont dit qu'il y avait une secte avec des centaines de membres…

Pendant le reste de la soirée, la conversation tourna autour de la secte de vampires. Théberge s'en tira avec des déclarations vagues et des phrases ambiguës.

Quand on lui demanda ce qui allait arriver à Jules, le fils de Berthold, il banalisa l'événement.

— Une frasque de jeunesse. Rien de grave. Il ne se doutait pas de ce que faisaient les dirigeants du groupe. Il prenait ça pour une sorte de spectacle du genre : « Ce soir, on fait peur aux bourgeois ! »

— Une cérémonie de vampirisme ! Tout de même ! Vous êtes certain qu'il n'est pas… contaminé ?

— Vous pouvez en être certaine. Tant qu'il n'est pas inscrit en Droit, il n'y a rien d'irréparable !

La deuxième stratégie, plus simple à mettre en œuvre, est d'octroyer à quelqu'un le proverbial quart d'heure de gloire auquel tout le monde est censé avoir droit. Il s'agit d'un moyen qui peut être efficace avec des gens ordinaires, particulièrement les accros des tribunes téléphoniques ou de ce type d'émissions. En échange d'une visibilité ponctuelle (*spot* télé, photo dans le journal), ils pourront consentir à rendre des services, à livrer de l'information, à répandre de fausses rumeurs…

Leonidas Fogg, *Pour une gestion rationnelle de la manipulation*, 4- Asservir par les passions.

Samedi, 2 octobre 1999

Massawippi, 9 h 14

Avant de prendre une décision finale sur le plan d'attaque contre le Consortium et convoquer une réunion des petits amis, F avait tenu à discuter avec Bamboo. En un peu moins d'une demi-heure, elle lui résuma les dossiers sur lesquels elle s'était penchée depuis la veille.

— Vous avez négligé vos exercices au cours des derniers jours, lui répondit Bamboo, lorsqu'elle eut terminé.

— C'est tout ce que vous avez à me dire ! Je vous parle de l'avenir de l'Institut et vous me parlez de mes exercices !

— Vous êtes moins centrée. C'est pour ça que vous sentez davantage le besoin de tout vérifier personnellement. Et de tout me faire revérifier.

— Je suppose que vous allez me dire de reprendre contact avec mon moi profond ! ironisa F. Que tout redeviendra clair…

— Il y a des années que vous ne me consultez plus sur le déroulement des opérations. Je ne peux que m'en étonner, que me demander ce qui a changé en vous pour que vous fassiez subitement appel à moi pour ce genre de choses.

— Sur cette opération-là, je me sentirais plus à l'aise si j'avais votre avis.

— Avez-vous des raisons de ne pas vous fier à l'analyse que Hurt et Blunt vous ont soumise ?

— Non.

— Alors, pourquoi hésitez-vous à accepter leur recommandation ?

— Parce que l'avenir de l'Institut se joue et que je suis inquiète.

— Qu'est-ce qui vous inquiète de façon plus particulière ?

— La réaction a dépassé mes prévisions. Je désirais que l'Institut devienne une institution souterraine, marginale. Je m'attendais à des problèmes avec les autorités officielles. C'était même une bonne chose : ça ajoutait de la crédibilité à notre disparition officielle. Mais de là à ce qu'on soit rangés sur la liste alpha ! De là à voir la tête de mes plus proches collaborateurs mise à prix !

— Officiellement, l'opération du Japon n'a rien à voir avec l'Institut. Je me trompe ?

— Non. Nos agents sont là uniquement pour donner une assistance technique.

— Il n'y a donc rien qui s'oppose à ce qu'elle soit déclenchée.

— C'est ce que je me suis dit.

— En paraissant vous concentrer sur le trafic d'organes et d'esclaves sexuelles, vous les amenez à croire que vous ignorez les autres aspects de leur organisation.

— Je sais. Mais les contacts avec les petits amis deviennent de plus en plus difficiles.

— Raison de plus pour ne pas perdre de temps. Amorcez votre autre opération pendant qu'ils sont encore réceptifs.

— Est-ce que je devrais leur parler de tout ce qui se passe à Montréal ?

— Centrez vos explications sur la personne de Brochet : c'est lui, le lien, d'après ce que vous m'avez dit. Lui seul est lié à la fois à MultiGestion, au milieu financier montréalais et à cette curieuse madame Weber qui s'occupe d'un bar de danseuses.

— Il nous manque encore beaucoup d'éléments. Nous ne connaissons toujours pas le rôle précis de Montréal dans l'ensemble de leur réseau.

— Faites confiance à l'inspecteur-chef Théberge. Je suis sûr qu'il va obtenir des résultats intéressants…

— Et sur Y2K Crisis Management ?

— Avouer craindre un grave danger, dont vous n'avez par ailleurs aucune idée, ce n'est probablement pas le meilleur moyen de paraître contrôler la situation et d'inspirer confiance à vos petits amis.

— Je sais. Mais, s'il y a quelque chose qui se prépare pour le 31 décembre à minuit, chaque jour qui passe diminue nos chances de le trouver.

— Sur ce sujet, je partage l'avis de Blunt. Donnez du temps à Chamane et à son groupe de jeunes *hackers*.

— Vous croyez qu'ils ont des chances de réussir ?

— En tout cas, ils sont votre meilleure carte…

— Je ne vous ai jamais vu aussi optimiste.

— Il s'agit d'un optimisme méthodologique. Le pessimisme tend à avoir des répercussions négatives… Cela dit, je ne comprends toujours pas pour quelle raison vous aviez besoin de mon avis. À moins que ce soit uniquement pour vous payer le luxe de jouer à l'avocat du diable !

— C'est vrai que ça fait du bien, de temps en temps, d'être celle qui soulève les problèmes plutôt que celle qui les règle.

Un sourire amusé apparut sur le visage de F.

— C'est bien ce que j'avais compris, fit Bamboo Joe en lui rendant son sourire.

TOKYO, 22 H 37

Dissimulée dans la camionnette qui servait de centre de coordination, Claudia regardait les trois responsables d'équipe qui allaient attaquer la maison.

Elle était raisonnablement sûre d'eux. Pour leurs hommes, elle était moins certaine. Aussi, ces derniers avaient-ils été tenus dans l'ignorance de leur objectif.

La résidence de Matsumo Kami était située au milieu d'un parc défendu par un périmètre de murs de ciment de huit pieds surmontés de barbelés. Claudia avait opté pour une attaque simultanée par trois des côtés du parc.

Après avoir revu avec elle le plan d'intervention, les trois responsables de groupe sortirent de la camionnette pour aller se mettre en position avec leurs équipes.

Les événements survenus aux États-Unis, en France et en Israël avaient amené les autorités japonaises à dissoudre les équipes d'intervention. Le ministre en avait pris la décision en fin d'après-midi. Toutefois, les papiers officiels décrétant cette dissolution étaient immobilisés pour la fin de semaine, quelque part dans la filière bureaucratique. Et, tant que les formalités n'étaient pas toutes remplies, les équipes d'intervention pouvaient continuer de fonctionner.

Claudia avait été avisée de la situation dans les minutes qui avaient suivi la décision du ministre. Elle avait alors consulté les agents placés en observation près des cibles qui posaient problème. À la cible trois, tout était réglé: les ouvriers avaient terminé les réparations. La voie était libre. À la cible quatre, il restait encore quelques clients, mais il y avait de bonnes chances que tout se déroule bien. Elle avait alors décidé d'agir en fin de soirée.

Lorsqu'elle donna le signal de l'assaut, des opérations similaires seraient déclenchées à la banque où travaillait Kami, à sa maison de montagne ainsi qu'à son casier dans un club de golf.

Les trois équipes n'eurent aucune peine à franchir le mur et à s'approcher de la maison. Dans la camionnette,

Claudia suivait les opérations par relais vidéo. Au moment où l'équipe qui avait pris position le long de la façade tenta de forcer la porte d'entrée, les trois équipes furent prises comme cibles par un feu croisé de tireurs embusqués dans les arbres et les bosquets de la propriété.

« Un piège », songea immédiatement Claudia. Elle songea à ordonner un retrait immédiat de toutes les équipes. Puis elle décida de tenter une dernière chose.

— Leader un, ne vous occupez que de l'objectif principal et revenez immédiatement.

— Entendu.

L'objectif était situé dans le bureau de Kami. Il s'agissait du tiroir où se trouvaient les documents qu'il utilisait pour faire chanter différents hommes politiques.

Au moment où elle allait s'informer de la position des autres équipes, dont le rôle était de couvrir la sortie de l'équipe un, une immense explosion souffla l'ensemble de la maison. L'instant d'après, des impacts de balle martelaient la carrosserie blindée de la fourgonnette.

Claudia donna immédiatement au conducteur l'ordre de partir : les trois autres véhicules suffiraient à assurer la retraite des équipes. Pour l'instant, la priorité était de se mettre à l'abri. Il était impensable qu'un membre de l'Institut soit appréhendé sur les lieux de l'intervention.

Pendant que la fourgonnette s'éloignait, des rapports des autres interventions commencèrent à arriver par radio. À la maison de campagne et au club de golf, un scénario similaire s'était déroulé : tireurs embusqués, explosions, pertes importantes dans chacune des équipes…

À la banque, par contre, tout s'était passé sans accroc : la plupart des documents financiers recherchés avaient été saisis. Ils étaient conservés dans un coffret de sécurité au nom de Matsumo Kami.

Le trajet vers le quartier général de l'Institut, en banlieue de Tokyo, prit une demi-heure. Claudia eut le temps de faire un bref résumé des différents rapports d'opération. Elle l'expédia alors à F sans attendre, en utilisant le système de communication par satellite intégré à son ordinateur portable.

Sur le strict plan de la collecte de renseignements, l'opération était un succès. L'équipe de la banque avait effectué un travail impeccable. Du point de vue politique, par contre, c'était un fiasco. Le lendemain, ce qui intéresserait les médias japonais, ce ne seraient pas les réseaux de trafic d'organes et d'esclaves sexuelles démasqués par les forces policières, mais l'ampleur des dégâts causés par les interventions ainsi que l'identité des responsables de ces bavures. S'il fallait que le nom de l'Institut y soit encore mêlé…

NORTH HATLEY, 10 H 53

Hurt était rentré chez lui à deux heures du matin et il s'était immédiatement dirigé vers sa boîte de récapitulation.

À six heures, il en était sorti pour se rendre à la salle de méditation. Pendant plus d'une heure, il avait guetté la silhouette des collines, de l'autre côté du lac, pour voir apparaître le jeu d'ombres et de couleurs à mesure que le jour illuminait la forêt. Puis il s'était mis à rêver.

Au réveil, non seulement se sentait-il calme et serein, comme à l'habitude après ce genre d'exercice, mais une forme particulière de satisfaction le faisait sourire. Il avait trouvé le moyen de procurer à Chamane un enregistrement de Buzz. Même si Buzz ne parlait jamais par la bouche de Hurt.

Il avait ensuite pris le temps de déjeuner puis il avait procédé à l'enregistrement.

— Oui ? fit la voix ensommeillée de Chamane.

— Je te réveille ?

— Pour me réveiller, il faudrait que j'aie eu le temps de m'endormir.

— J'ai trouvé une solution à ton problème.

— Quel problème ?

— Buzz.

— Buzz?... Buzz!

— Je t'envoie une copie de l'enregistrement vocal par courrier électronique.

— Je m'en occupe aujourd'hui même.

MONTRÉAL, 11 H 34

Geneviève avait insisté pour accompagner Dominique. Théberge avait pour sa part tenu à ce qu'un membre de l'escouade fantôme les accompagne. Par précaution. Même s'il n'y avait probablement plus de danger.

En arrivant à son appartement, Dominique fit rapidement le tour des pièces pour mesurer l'ampleur des dégâts. Elle entreprit ensuite de récupérer ses effets personnels qui pouvaient l'être.

— Inutile de ramasser, dit-elle à Geneviève. La compagnie de nettoyage va s'en occuper.

— Tu vas être encore capable de vivre ici?

— Après le nettoyage, je vais tout redécorer.

— Moi, de savoir que quelqu'un peut entrer...

— Avec tous les dispositifs de sécurité que Théberge veut installer, je vais être plus en sécurité ici qu'à l'intérieur d'un poste de police!

— Je ne pourrais pas rester ici toute seule plus de deux minutes.

— Pourquoi est-ce que tu tenais à venir?

— Je ne voulais pas te laisser seule. Et puis, j'ai pensé que ça pourrait me donner des idées pour le décor d'une des chansons.

— Laquelle?

— Celle sur les trous dans le mur, la vaisselle cassée et les poupées en morceaux.

— As-tu fini par lui trouver un titre?

— On a un titre de travail, mais j'aime autant attendre avant d'en parler. Je suis certaine qu'on va trouver mieux.

— Où est-ce que vous en êtes rendus, pour le spectacle?

— Il y a quatre chansons de montées. Les autres voulaient qu'on remette le reste à plus tard, mais j'ai insisté pour qu'on respecte les délais qu'on s'était donnés… Deux des autres chansons sont à peu près terminées et on a une bonne idée de leur mise en scène.

— Avez-vous toujours l'intention de faire une courte pièce de théâtre à l'intérieur du spectacle ?

— Oui. Notre problème, c'est la transposition. La version originale se passait dans un genre de café-resto.

Dominique jeta un coup d'œil circulaire sur la chambre à coucher.

— Voilà ! dit-elle. Je pense que j'ai récupéré ce que je voulais.

— Tu vas demeurer où ? Chez Yvan ?

— J'ai réservé une suite au Bonaventure pour une semaine. Peut-être dix jours. Le plus gros du travail devrait être fait d'ici là. Ils nettoient cet après-midi et je rencontre le décorateur demain matin.

— La facture risque d'être salée.

— Les assurances vont payer la majeure partie des réparations.

— Est-ce que je t'avais dit que j'avais revu Angie il y a deux jours ?

— Non. Tu l'as revue où ?

— En allant chercher du lait au dépanneur. Elle travaille au Spider Club, maintenant. Deux autres des filles sont rendues là.

— En plus de Jennyfer ?

— Oui. Angie dit qu'elles font toutes pas mal d'argent. Plusieurs filles ont des clients réguliers qu'elles rencontrent en dehors du bar. Elles en parlent comme de leur fonds de retraite.

— La direction les laisse faire ?

— Angie a entendu dire que la direction se réservait le droit d'approuver leur choix.

Pendant un moment, Dominique se contenta de regarder la jeune femme.

— Est-ce qu'ils prélèvent une commission ? finit-elle par demander.

— Elle dit que non.

— Il y a un seul type de boîte qui peut faire ça.

— C'est ce que je pensais aussi. Mais les filles ont un seul régulier. Il paraît que c'est seulement pour les protéger que la direction tient à approuver les choix. Ils ne veulent pas qu'elles se fassent ramasser par des motards ou des *pimps*.

— Je ne comprends pas. Du point de vue d'une gérante, c'est la pire chose qui puisse arriver. Elle va perdre toutes ses filles.

— Il n'y en a aucune qui est partie.

— Pourtant, c'est le rêve de toutes les filles, de se trouver un gars qui a du fric pour la sortir du milieu.

— D'après Angie, elles n'y pensent même pas. Elles voient les réguliers comme le glaçage sur le gâteau.

— Eh bien… Toi, avec Chamane, comment ça va ?

— Il est arrivé d'une réunion au milieu de la nuit. Il dit qu'il n'a jamais eu autant de travail depuis qu'il est avec Yvan.

— A-t-il trouvé quelque chose sur Brochet ?

— Il ne m'a parlé de rien.

RDI, 12 H 06

… PUIS RELÂCHÉES QUELQUES HEURES PLUS TARD. L'OPÉRATION POLICIÈRE S'EST DÉROULÉE DANS UN ANCIEN LOCAL COMMERCIAL ADJACENT AU GOTH CLUB, UNE DISCOTHÈQUE DE L'OUEST DE LA VILLE. LES POLICIERS ONT TOUTEFOIS REFUSÉ DE DIRE S'IL EXISTAIT UN LIEN ENTRE CET ÉTABLISSEMENT, QUI EXPLOITE LA THÉMATIQUE DES VAMPIRES À DES FINS ÉROTIQUES, ET LES ACTIVITÉS DE LA SECTE.

LE CHEF PRÉSUMÉ DE LA SECTE, VLADIMIR DRACUL, CONTINUE DE PROTESTER DE SON INNOCENCE MALGRÉ LES PREUVES ACCABLANTES QUI ONT ÉTÉ DÉCOUVERTES.

SELON DES INFORMATIONS OBTENUES PAR RADIO-CANADA, LA SECTE SERAIT RESPONSABLE D'UNE DIZAINE DE MEURTRES. LES VICTIMES AURAIENT ÉTÉ ENLEVÉES POUR ÊTRE SACRIFIÉES LORS DES CÉRÉMONIES DU GROUPE.

PAR AILLEURS, LES FAUX MESSAGES ATTRIBUÉS AU VENGEUR, DE MÊME QUE LA SÉLECTION DES VICTIMES DANS LE MILIEU DES AFFAIRES, AURAIENT CONSTITUÉ UNE STRATÉGIE DE DIVERSION POUR ÉGARER LES RECHERCHES.

MONTRÉAL, 13 H 08

Théberge jeta un coup d'œil au dossier ouvert sur son bureau, puis releva la tête vers Dracul, de son vrai nom Raoul Lepitre.

Même s'il avait parcouru le dossier à plusieurs reprises, le policier ne parvenait pas à imaginer l'accusé portant ce nom, tellement son personnage de vampire lui collait à la peau.

— Si j'ai bien compris, dit-il, vous refusez toujours l'assistance de l'avocat qui vous a été assigné ?

— Je n'ai pas besoin d'un fonctionnaire qui me croit coupable !

— Comme vous voulez... Bien sûr, vous réalisez que votre déposition contredit toutes les preuves que nous avons trouvées chez vous ?

— C'est un complot. Vous avez planté des preuves parce qu'il vous faut un coupable. J'ai vu comment vous faites à la télévision !

— Nous ne sommes pas dans un divertissement familial concocté pour une boîte à images ! Et si nous avions planté des preuves, ce serait d'une bêtise inénarrable, parce que du sang, ça permet de faire des tests d'ADN. On verrait tout de suite que ce n'est pas le sang des victimes qui était dans le bassin.

— Qui me dit que ce n'est pas le leur que vous avez mis là ?

— Pour cela, il faudrait que nous l'ayons trouvé quelque part. Et si nous l'avions trouvé, nous aurions des indices sérieux sur les coupables : nous n'aurions pas besoin d'en fabriquer.

— À moins que vous vouliez protéger les vrais coupables.

Théberge resta un instant sans répondre.

— Et le journal qu'on a retrouvé dans votre ordinateur ? reprit-il finalement. Celui qui raconte chacun des enlèvements et qui donne des détails que nous n'avons pas fournis aux médias ?

— C'est la preuve que vous connaissez les vrais coupables et que vous voulez m'utiliser comme bouc émissaire.

— Même chose pour les dossiers sur les personnes enlevées, je suppose ?

— Si vous êtes capables de trafiquer mon ordinateur, vous pouvez avoir planté des dossiers dans mon bureau.

— Cela va de soi, admit Théberge.

C'était le problème avec la logique paranoïaque, songea-t-il. Elle pouvait intégrer presque n'importe quel fait nouveau et maintenir quand même une explication cohérente.

Ce qui dérangeait le plus le policier, toutefois, c'était que Dracul ne lui semblait pas capable de monter ce genre d'opérations. Cabotiner dans les talk-shows, jeter de la poudre aux yeux dans les cérémonies avec les fidèles, ressasser avec conviction toute une série de lieux communs mystico-ésotériques amalgamés à des simplifications pseudo-scientifiques – ça, oui. Mais planifier des enlèvements, mettre sur pied une équipe pour les réaliser, saigner à mort une dizaine de personnes, dont plusieurs jeunes… Théberge avait des doutes. Plus que des doutes, en fait : ce genre d'opération demandait un tout autre type de profil psychologique.

Autant Dracul paraissait à l'aise dans l'univers des médias, du spectacle et de la simulation, autant il était difficile à imaginer à la tête d'une organisation criminelle.

— Reparlez-moi de cette technique pour les cérémonies, fit Théberge.

— Je vous l'ai dit. On peut percer n'importe quel vaisseau, même la carotide ou la jugulaire. Il suffit de savoir comment procéder.

— Qui vous a montré cette technique ?

— Combien de fois va-t-il falloir que je vous le répète ? Une femme que j'ai rencontrée…

— Dont vous ne voulez pas me fournir le nom.

— Vous avez harcelé assez de gens comme ça. Je ne vous permettrai pas d'en importuner d'autres… Pour qui me prenez-vous ?

— Moi, je ne fais que recueillir des preuves. Il n'est pas de mon ressort de vous juger. Mais, si voulez mon avis, vous feriez bien de vous trouver un bon avocat.

Il se tourna vers le policier qui accompagnait le prisonnier.

— Ramenez-le à sa cellule.

Tant qu'on ne tenait pas compte de la personnalité de Dracul, le dossier était clair, les preuves convaincantes et sa culpabilité faisait peu de doutes. Mais il y avait Dracul… Et il y avait cette mystérieuse femme qui lui avait appris la technique de la perforation, comme il disait, et dont il refusait de parler.

En cour, Dracul n'aurait aucune chance : les corps retrouvés chez lui, son journal dans l'ordinateur, ses dossiers sur les victimes, la collection d'objets ayant appartenu aux victimes, soigneusement rangée dans ses tiroirs… Son seul espoir était que la liste des victimes continue de s'allonger pendant qu'il était en prison. Et encore, on pourrait toujours argumenter que ses disciples avaient pris la relève.

La thèse du complot, que défendait Dracul, n'était pas si absurde qu'elle le paraissait. Bien sûr, son accusation contre les policiers était ridicule. Mais il y avait eu un appel anonyme pour le dénoncer, confirmé il est vrai par les mystérieux associés de Lefebvre. Se pouvait-il que ce soient eux qui aient planté les preuves ?

Il décida d'en toucher un mot à Lefebvre. Mais avant, il fallait qu'il appelle un de ses contacts dans les médias. La désinformation était un jeu qui pouvait se jouer à deux.

— *Celik speaking !*

— J'ai envie d'une pizza. Avez-vous dîné ?

— Bien sûr. Le samedi, j'ai toujours le temps de dîner. Mais vous pouvez m'offrir un café.

— À l'endroit habituel, dans une demi-heure.

Depuis des années, le journaliste était un des principaux critiques de l'administration municipale et du Service de police de la CUM. La rumeur voulait que ses articles n'aient pas été étrangers à la démission du précédent directeur de la police. Ce serait la dernière personne que l'on soupçonnerait de recevoir des informations confidentielles d'un haut dirigeant du SPCUM.

Théberge l'avait rencontré lorsque Celik avait débarqué dans son bureau pour une enquête sur une histoire de meurtre reliée à la guerre des motards. Le policier avait tout de suite aimé les qualités personnelles de celui qu'il connaissait déjà comme un bon journaliste. Il lui avait donné les informations qu'il jugeait pouvoir lui donner, indiquant les questions auxquelles il ne voulait pas répondre. Et il avait invité le journaliste à venir le rencontrer, quand l'affaire serait terminée, pour qu'il lui explique ses raisons de retenir certaines informations.

Contrairement à ce qu'il attendait, Celik était venu. Il avait même été d'accord avec une partie de ses raisons. Par la suite, les rapports entre les deux hommes s'étaient poursuivis, plus fréquents et plus ouverts à mesure qu'ils apprenaient à se faire confiance.

PARIS, 19 H 12

— Et alors, le Japon ?

Marie-Josée Coupal détestait les mauvaises nouvelles, mais ce qu'elle détestait encore plus, c'était d'avoir à en annoncer. Particulièrement à la déléguée spéciale de la direction.

Ute Breytenbach, que la plupart des gens dans l'organisation connaissaient sous le pseudonyme de Queen Bee, inspirait un mélange superstitieux de crainte et de respect. Si vous aviez à la rencontrer, c'était que les choses allaient très bien pour vous – ou très mal.

Jusqu'à maintenant, Marie-Josée Coupal estimait être dans les bonnes grâces de Ute. Cette dernière avait particulièrement apprécié son travail pour mettre sur pied Meat Shop.

La meilleure stratégie, décida-t-elle, était de tout lui dire sans détour.

— Il y a eu un os, fit-elle. Les perquisitions ont eu lieu comme prévu au bureau et à la résidence de Kami. Mais ils ont aussi perquisitionné son casier au club de golf et un casier secret qu'il avait à la banque.

— Vos informateurs n'étaient pas au courant ?

— Les ordres détaillés ont été communiqués aux équipes d'intervention juste avant l'opération. On a réussi à intervenir à la dernière minute au club de golf, mais la banque nous a échappé.

— Ça veut dire qu'ils avaient d'autres informations que celles qu'on a fait couler.

— Oui.

— Les dommages sont importants ?

— Ils ont ce qu'il faut pour démolir tous les réseaux d'importation d'organes.

— Pour les filles ? Les réseaux d'approvisionnement ?

— Même chose. Y compris celui de Séoul.

— Nos amis, les Dragons jaunes, ne seront pas très heureux. On leur avait promis la filière coréenne.

— Avec l'élimination du groupe de Kami, ils ont maintenant la voie libre. C'est toujours ça.

— Et l'Institut ?

— Cinq ou six morts, plusieurs blessés. Le coordonnateur local a été arrêté. Des mandats d'arrêt internationaux devraient être émis dans les heures qui viennent contre ceux qui se sont échappés.

— Les deux femmes qui supervisaient les équipes, avez-vous eu une confirmation de leur identité ?

— Non. Mais j'ai supposé qu'elles étaient bien celles que nous pensions. J'ai fait en sorte qu'elles soient incluses dans les mandats d'arrêt.

— Des choses du côté du gouvernement ?

— Nos agents à la Diète attendent que les médias commentent la nouvelle pour ressortir le projet de loi déclarant l'Institut organisation illégale et faisant de l'appartenance à l'organisation un crime. Il y a eu un peu de retard. Les articles de journaux et les textes des bulletins de nouvelles étaient prêts, mais il a fallu les adapter.

— Les médias ont assez de matériel pour alimenter la campagne d'opinion ?

— Oui. Les caméras étaient bien positionnées et les journalistes étaient aux premières loges. Tout s'est déroulé sous leurs yeux.

— Ça ne paraîtra pas suspect ?

— Les journalistes ont l'habitude d'avoir des contacts dans les milieux policiers et criminels. Ils ont reçu une information leur disant d'être à tel endroit, à telle heure. Qu'ils assisteraient à des événements dignes d'intérêt. Ils n'ont pas pris de chance : ils y sont allés.

Ute se leva pour aller regarder le spectacle de la ville par la baie vitrée.

— Si tout se déroule comme vous le prévoyez, dit-elle, personne ne vous reprochera d'avoir égaré quelques points de vente ou quelques sources de marchandise.

— Je vous remercie.

— Ou d'avoir laissé échapper deux agents de l'Institut.

Cette fois, la responsable de Meat Shop jugea préférable de ne rien répondre. Les deux femmes auxquelles les yakusas infiltrés dans l'équipe d'intervention avaient fait référence, une Occidentale et une Asiatique, étaient probablement deux des agents de l'Institut que le Consortium recherchait le plus activement : Claudia Maher et Kim.

Marie-Josée Coupal enchaîna sur un aspect du dossier plus susceptible de la faire bien paraître aux yeux de la déléguée spéciale.

— Nos amis de Londres, New York, Paris et Bruxelles sont déjà avertis, dit-elle. Ils vont tous reprendre la nouvelle dans leur pays et relancer le débat sur l'Institut.

— Je n'en attendais pas moins, se contenta de répondre Ute.

Puis elle enchaîna, sur un ton subitement plus chaleureux, presque complice.

— On m'a dit que vous aviez un nouveau mari.

— Vous êtes bien renseignée.

— Une fortune appréciable, ce qui ne gâte rien !

— Ce n'est pas désagréable, mais ses relations dans l'industrie pharmaceutique me semblent beaucoup plus intéressantes.

— C'est un des principaux axes de développement du Consortium. Auriez-vous des visées sur ce secteur ?

— Pas du tout. Il s'agit d'un investissement strictement personnel.

FORT MEADE, 15 H 19

... RELIÉES À LA GUERRE QUE SE LIVRENT DIFFÉRENTES ORGANISATIONS CRIMINELLES POUR LE CONTRÔLE DE L'INDUSTRIE DU SEXE, PARTICULIÈREMENT DE LA PROSTITUTION ENFANTINE.

LES QUATRE ATTENTATS ONT ÉTÉ EXÉCUTÉS DE FAÇON SIMULTANÉE ET ONT ENTRAÎNÉ LA MORT D'AU MOINS VINGT-TROIS PERSONNES. LE PLUS SPECTACULAIRE A ÉTÉ MARQUÉ PAR LA DESTRUCTION TOTALE DE LA RÉSIDENCE DE MATSUMO KAMI, UN HOMME D'AFFAIRES CONNU ET RESPECTÉ DE TOKYO.

LE SORT SEMBLE S'ACHARNER SUR LA FAMILLE DE MONSIEUR KAMI PUISQUE, L'ANNÉE DERNIÈRE, HIDEO KAMI, SON ONCLE, ÉTAIT DISPARU DANS L'ÉCRASEMENT DE SON AVION PRIVÉ. SON ÉPOUSE ET DEUX DE SES ENFANTS ÉTAIENT ÉGALEMENT DÉCÉDÉS LORS DU DRAME.

DE SOURCES PROCHES DU MINISTÈRE DE L'INTÉRIEUR, NOUS AVONS APPRIS QUE L'INSTITUT, LA MYSTÉRIEUSE AGENCE DE RENSEIGNEMENTS DÉJÀ ASSOCIÉE À DES ATTENTATS AUX ÉTATS-UNIS ET EN EUROPE, SERAIT IMPLIQUÉE DANS LA MORT DE MATSUMO KAMI. DEUX AGENTS DE L'INTERNATIONAL INFORMATION INSTITUTE AURAIENT EN EFFET INFILTRÉ ET MANIPULÉ UN GROUPE D'INTERVENTION POLICIÈRE POUR LES AMENER À COMMETTRE CES ATTENTATS.

SELON LES EXPERTS, IL S'AGIRAIT DE REPRÉSAILLES ORCHESTRÉES EN RÉPONSE AU REFUS DE MATSUMO KAMI DE PAYER DES REDEVANCES À UN PUISSANT GROUPE DE YAKUSAS, LES 41 FLEURS DE LOTUS. IL SEMBLERAIT QUE L'INSTITUT AIT RÉALISÉ UNE ALLIANCE AVEC CE GROUPE CRIMINEL POUR LE PROTÉGER, EN ÉCHANGE DE QUOI LES YAKUSAS LUI REMETTAIENT UN POURCENTAGE SUR LE LUCRATIF TRAFIC DE LA PORNOGRAPHIE ENFANTINE.

CETTE IMPLICATION CRIMINELLE DE L'INSTITUT, SI ELLE EST AVÉRÉE, AURAIT LE MÉRITE D'EXPLIQUER DE QUELLE MANIÈRE L'AGENCE REBELLE RÉUSSIT À SE FINANCER, BIEN QUE SON BUDGET AIT ÉTÉ SUPPRIMÉ PAR LE GOUVERNEMENT AMÉRICAIN IL Y A QUELQUES ANNÉES.

Tate baissa le volume du moniteur.

Tokyo, maintenant !... Comme il connaissait les Japonais, ils allaient déposer une protestation officielle à l'ambassade des États-Unis et monter l'affaire en épingle. Dans les délicates négociations qu'ils poursuivaient avec les États-Unis sur l'ouverture de leurs frontières aux produits américains, ce serait un atout majeur.

Le Président, aiguillonné par le secrétaire au Commerce, piquerait sûrement une crise. Il exigerait des résultats. Et rien ne servirait de lui rappeler que, pendant de nombreuses années, c'était lui qui avait protégé F.

Tate songea que sa propre position deviendrait plus difficile. On lui enlèverait la supervision des recherches sur l'Institut. Il ne serait plus en mesure de détourner les enquêtes. Ce ne serait alors qu'une question de temps avant que F soit débusquée par une des autres agences.

La directrice de l'Institut avait beau avoir des informateurs un peu partout, la pression deviendrait trop forte. Si son élimination devenait un enjeu dans les relations diplomatiques et commerciales des États-Unis, on la trouverait. Et comme elle risquerait d'être une source considérable d'embarras pour le Président, on disposerait d'elle.

En soi, cette éventualité n'inquiétait pas particulièrement Tate. C'était une solution logique au problème. Sauf que si F tombait, il y avait de fortes chances qu'il tombe lui aussi. Et ça, il trouvait ça beaucoup plus troublant.

Il se tourna vers le clavier de son ordinateur, ouvrit une adresse électronique qui n'avait jamais servi et dactylographia le message prévu pour requérir une prise de contact urgente.

MONTRÉAL, 15 H 25

À partir des informations recueillies dans les archives de trois compagnies appartenant à Y2K Crisis Management, Chamane avait dressé une première liste de clients. Ceux-là, ce serait lui qui s'en occuperait.

Il répartit ensuite les autres compagnies en sept dossiers, auquel il joignit le même texte d'accompagnement. Le mandat était résumé en une question.

> Les ordinateurs réparés par ces compagnies vont-ils effectuer de façon adéquate le passage à l'an 2000 ?

Chamane recommanda finalement aux U-Bots de travailler en mode « furtif plus ». Il était crucial non seulement de ne pas être identifié, mais aussi de ne pas être détecté.

Son message expédié, Chamane se tourna vers l'enregistrement que lui avait envoyé Hurt.

Il l'écouta une fois attentivement. Puis une autre fois à vitesse plus lente. Il répéta l'opération à plusieurs reprises, à différentes vitesses. Sans résultats.

Son intuition l'avait-elle trompé ?

Il avait pensé au personnage de Mumbles, qui marmonnait de façon apparemment incompréhensible, jusqu'à ce que Dick Tracy ait l'idée d'enregistrer ce qu'il disait et de le faire jouer au ralenti.

Il se souvint alors d'un truc qu'il avait appris dans un cours sur la publicité. Le professeur prétendait que l'inconscient pouvait faire toutes sortes de choses surprenantes, comme discerner un symbole au milieu d'un fouillis visuel ou lire un texte à l'envers.

La première écoute à l'envers, il la fit à vitesse normale. Au cours des trois minutes quinze de l'enregistrement, il parvint à déceler quelques mots, dans un anglais très *british*.

Pourquoi acheter les gens un par un ?

Il réécouta ensuite la bande, toujours à l'envers, en variant la vitesse, ce qui lui permit de découvrir plusieurs autres mots.

Après une heure et demie de travail, il se retrouva avec un texte qui semblait cohérent, réparti en quarante et un segments entrecoupés de sons qu'il ne parvenait pas à déchiffrer. On aurait dit une sorte de recueil de pensées sur la politique.

Le premier segment était assez court.

Pourquoi acheter les gens un par un ?
Il est beaucoup plus facile et beaucoup plus économique d'acheter ceux qui les dirigent.

Chamane relut le texte à deux reprises avant de se remettre au travail. Hurt allait en faire, une tête !

MASSAWIPPI, 16 H 38

Le visage de Claudia s'afficha sur le plexiglas qui séparait le bureau de la salle de séjour. Quelques minutes plus tôt, son rapport était arrivé par relais satellite et F avait eu le temps de le parcourir.

— Où en êtes-vous ? demanda-t-elle immédiatement.

— La plupart des survivants ont été arrêtés. J'ai réussi de justesse à me rendre au refuge.

— Ils vous attendaient.

Ce n'était pas une question. La chose allait de soi. Rien d'autre ne pouvait expliquer les groupes armés qui les avaient accueillis ni la rapidité avec laquelle les médias avaient réagi.

— Je pense savoir d'où ça vient.

— Vos amis des Dragons jaunes ?

— Oui. Malheureusement, ils sont morts tous les deux.

— J'ai pris connaissance du rapport. On a assez de matériel pour prouver l'implication de plusieurs fonctionnaires et hommes politiques. Ça devrait nous donner un levier suffisant pour calmer le gouvernement et faire recadrer l'information.

— Une chance qu'ils n'avaient pas prévu notre intervention à la banque et qu'ils sont arrivés trop tard au club de golf.

— J'ai déjà acheminé les informations clés à certains agents d'influence que nous avons là-bas. D'ici un jour ou deux, le discours officiel devrait changer.

— Entre-temps, c'est le délire anti-étrangers. J'ai hâte d'être sortie du pays.

— Vous serez évacuée par Hokkaido. La route deux.

— D'accord. Je n'ai pas eu le temps d'écouter les médias internationaux. Comment ça se passe ?

— CNN parle déjà de l'implication d'une agence de renseignements américaine à la solde des yakusas. Je viens de recevoir un message de Tate : il veut que je le rappelle d'urgence. J'ai l'impression qu'il commence à sentir la pression.

— Qu'est-ce que vous allez faire ?

— Je vais lui envoyer une bonne partie de ce que vous avez trouvé.

— Ça va lui permettre de se faire du capital politique.

— Ça va surtout lui permettre de calmer les politiciens : ils vont pouvoir utiliser les preuves de l'implication de personnages haut placés dans le trafic d'organes et l'importation de jeunes Coréennes pour contrer le chantage des Japonais. Ils sont en plein milieu de négociations commerciales avec eux. Je suis certain que c'est ça qui les fait paniquer…

— Ce que je ne comprends pas, c'est pourquoi les deux membres des Dragons jaunes nous ont trahis. Ça va contre leurs intérêts.

— Il y avait peut-être un autre agent dans le groupe d'intervention.

— Au service de qui ?

— Peut-être qu'un des Dragons jaunes était un agent double.

— Encore la question : au service de qui ?

— Des 41 Fleurs de lotus. Ou mieux : de quelqu'un pour qui discréditer l'Institut est plus important que la perte de trois réseaux de prostitution enfantine et de pornographie qui rapportent annuellement des millions… Sans compter le réseau de trafic d'organes.

— Le Consortium ?

— Ça expliquerait la présence rapide des médias. Ça expliquerait aussi le fait que les médias japonais font déjà un lien avec les activités « criminelles » de l'Institut à l'étranger.

— Ils auraient sacrifié leurs réseaux pour ça ?

— À mon avis, ils ne prévoyaient pas les sacrifier. Les preuves que vous auriez pu trouver au domicile de Kami et à son bureau auraient été sans valeur. Ce sont les documents découverts à la banque et au club de golf qui sont essentiels. Là où ils ne vous attendaient pas… Vous avez eu une bonne intuition quand vous avez décidé d'attendre.

— Ils nous avaient quand même donné Kami et plusieurs hommes politiques.

— Ça leur permettait de les transformer en victimes de l'Institut… Ils devaient penser que vous aviez seulement l'information qui vous était transmise par leurs agents infiltrés. Ils ont sous-estimé les résultats de votre travail.

— Peut-être…

— Heureusement que nos informateurs avaient découvert le coffret bancaire secret de Kami, ainsi que sa participation au club de golf. Sans eux…

— Je les ai mis en sommeil. Ils ont l'autorisation d'envoyer des rapports s'ils le jugent absolument nécessaire, mais j'ai rompu tout contact avec eux.

— Sage décision. Pour l'instant, nous nous contenterons d'utiliser sporadiquement deux de nos agents d'influence, lorsque ce sera indispensable. Je ne vous retiens pas plus longtemps. Il faut que vous vous rendiez à Hokkaido.

— À bientôt.

Le visage de Claudia disparut et fut remplacé par un carré lumineux dans la cloison de plexiglas. Puis la lumière disparut à son tour.

F se dirigea vers le bureau. Il lui restait à envoyer une copie du rapport de Claudia à Blunt et à Hurt avant de parler à Tate.

MONTRÉAL, 16 H 51

Claude Brochet raccrocha avec irritation. Cette fois, au moins, on lui avait répondu. Mais c'était pour lui dire que Crazy Boy n'était plus disponible. Il était reparti aux États-Unis. Une urgence. On ne savait pas quand il reviendrait. Ça pourrait être assez long… Si c'était une question d'affaires, un autre membre des Raptors pouvait le rencontrer.

Brochet déclina l'offre. Il ne voyait pas comment un autre motard pourrait prendre la relève. Pour le moment, il n'aurait pas le choix de relâcher la pression sur Dominique. Mais elle ne perdait rien pour attendre, songea-t-il.

Il avait quelque chose en réserve pour elle.

MASSAWIPPI, 16 H 54

Un écran se découpa dans le plexiglas transparent et la figure de Tate y apparut.

— Ce n'est pas trop tôt, fit d'emblée le directeur de la NSA.

— Les fonctionnaires travaillent le samedi, maintenant ? se moqua F.

— Vous avez des problèmes, se contenta de répliquer Tate.

— J'ai continuellement des problèmes.

— Les Japonais vont déposer une lettre de protestation pour ce qui est arrivé à Tokyo.

— Vous vieillissez, Tate. Avant, il aurait fallu plus qu'une lettre de protestation pour vous rendre nerveux.

— J'ai besoin d'une information précise sur l'implication de ressortissants américains dans cette affaire.

— Deux personnes. L'une a quitté le Japon il y a quelques jours. L'autre est présentement à bord d'un avion qui fait route vers l'Australie. Aucune trace n'a été laissée sur place. Satisfait ?

— Les médias semblent d'un avis différent.

— Les médias comptaient sur des preuves plus accablantes. Leurs articles étaient prêts avant que les événements se produisent. Examinez les textes et vous verrez qu'ils se ressemblent étrangement, malgré leur apparente diversité.

— Vous avez été infiltrés !

— Oui. D'une façon légèrement différente de ce que nous avions prévu.

— Le Président va me demander des arguments pour répondre aux Japonais.

— J'ai peut-être quelque chose pour vous.

F s'approcha de son bureau et appuya sur une courte séquence de touches sur le clavier de l'ordinateur.

— Je vous envoie à l'instant un dossier qui devrait lui fournir quelques armes, reprit-elle.

— Elles ont besoin d'être bonnes. On est en train de négocier un accord économique pour permettre aux entreprises américaines d'avoir accès aux marchés japonais. Leurs délégués se sont mis à parler de nouvelles concessions.

— Je suis certaine que vous y trouverez tous les arguments nécessaires.

— Je l'espère pour vous.

— Vous avez des raisons particulières de vous inquiéter ?

— Je suis convoqué pour demain à un souper de travail sur le redéploiement des agences de renseignements. Les militaires et le secrétaire d'État seront présents. Je serai en minorité.

— Tâchez de survivre.

— Et vous ?

— Ils ne peuvent pas grand-chose contre moi. Pour l'instant, la priorité est de maintenir la collecte de données sur les compagnies dont je vous ai fourni la liste, à la réunion des petits amis.

— Je suis certain qu'ils vont décider de mettre sur pied une opération d'envergure pour vous débusquer.

— Laissez-les parler. Le temps qu'ils finissent par s'entendre sur tous les aspects techniques, nous serons prêts à agir.

— Je vous le souhaite.

MONTRÉAL, 17 H 54

Hurt lisait le rapport de Claudia lorsque le voyant du logiciel de communication se mit à pulser. Il activa le lien audio-vidéo et le visage de Chamane s'afficha à l'écran de son ordinateur portable.

— Je t'envoie un fichier, dit simplement ce dernier.

— À quel sujet ?

— Buzz. J'ai réussi à le décoder.

— C'était... codé ?

— La KeyProm ! Tu te rappelles ce que je t'ai expliqué ?

Hurt se contenta de hocher la tête en guise d'assentiment.

— Quand tu n'as pas le bon code, poursuivit Chamane, au lieu de ne rien faire, elle envoie du *garbage*. Sauf que le *garbage*, elle ne peut pas le produire à partir de rien. Alors, je me suis dit que c'était peut-être du contenu rendu méconnaissable à force d'être trituré.

Hurt pianota sur le clavier pour faire apparaître le texte que lui avait envoyé Chamane.

— Qu'est-ce que c'est ? demanda-t-il après quelques secondes.

— On dirait des bouts de réflexions sur le pouvoir et la manipulation. J'ai remarqué qu'il y a des répétitions.

— Comment tu expliques ça ?

— À mon avis, Buzz fonctionne à partir d'un texte de base dans lequel il découpe des morceaux pour ensuite les transformer.

— Tu as trouvé ça comment ?

Chamane lui expliqua de quelle manière il était parvenu à déchiffrer l'enregistrement.

— Buzz peut parler pendant des heures, répondit Hurt lorsque Chamane eut terminé son explication. Des journées entières, en fait. Tu imagines le temps que ça va prendre pour décoder tout ce qu'il dit ?

— Si on est chanceux, il s'agit d'un système en boucle. Il fonctionne à partir d'un texte limité, dont il permute chaque fois l'ordre des morceaux et la vitesse de débit en fonction d'un algorithme.

— Et les trous entre les morceaux ?

— Aucune idée. Peut-être que je n'ai pas assez de matériel. Tu pourrais m'en envoyer d'autre ?

— Je vais essayer.

— Tu ne m'as pas dit comment tu as fait pour l'enregistrer.

— C'est un secret.

MASSAWIPPI, 18 H 30

Les six écrans s'affichèrent simultanément sur la cloison de plexiglas. La réunion des petits amis pouvait commencer.

— Messieurs, nous sommes au complet, dit F.

Dans chacun des pays, les six personnes pouvaient voir la figure des cinq autres sur leur ordinateur. F, quant à elle, n'était qu'une voix. Seul Claude, de la DGSE, et Tate, de la NSA, l'avaient déjà rencontrée en personne.

— Avant de passer à l'ordre du jour prévu, fit le représentant du Japon, j'aimerais qu'on aborde la question de la pertinence de nos rencontres. Pour un temps, du moins.

— Je suis d'accord avec cette suggestion, répondit aussitôt F.

Attaquer le sujet directement ne pouvait qu'aider à circonscrire les craintes et les réticences qui commençaient à surgir parmi les membres du groupe.

— Compte tenu des événements qui sont survenus dans votre pays au cours des dernières heures, poursuivit-elle, je comprends votre préoccupation. Si vous nous faisiez un bilan.

Le Japonais s'empressa de brosser un tableau de la dernière opération de l'Institut et des incidents qui s'étaient produits.

— Tous les médias condamnent l'intervention d'une agence étrangère sur le territoire national, dit-il en conclusion. Notre ambassadeur va remettre une note de protestation officielle au président des États-Unis. Nous allons également demander, j'en ai bien peur, que le nom de l'Institut soit inscrit sur la liste alpha. Dans de telles conditions, je pense qu'il serait sage de suspendre nos activités, le temps que la poussière retombe.

— Les médias ont-ils mentionné les résultats des perquisitions ? se contenta de répondre F.

Sur l'écran, le visage du chef des services secrets japonais demeura impassible, mais son débit se fit plus lent.

— De quels résultats parlez-vous ?

— Des hommes politiques et des banquiers impliqués avec les yakusas dans le trafic d'organes. Des réseaux de prostitution enfantine qui ont été démolis. Des détails sur les réseaux d'approvisionnement coréens et thaïlandais. De la liste des établissements qu'ils contrôlent à la grandeur du pays.

— Il n'y a rien de tout ça nulle part, fit le Japonais, qui semblait maintenant peser chacun de ses mots. Ni dans les médias, ni dans les rapports que j'ai reçus… La version officielle est qu'il s'agit d'une série d'attaques qui avaient pour but d'aider les Dragons jaunes à prendre le contrôle de la prostitution et de la pornographie enfantine.

— Il y avait quatre opérations simultanées, reprit F. Deux ont échoué. Une a été un demi-succès et la dernière a réussi au-delà de nos espérances. Je vous expédie immédiatement une copie informatique du dossier. Cela vous donnera le temps de vous préparer. Le Président va en remettre une copie à votre ambassadeur, en réponse à sa lettre de protestation.

— Vous voulez dire que l'intervention a réussi ? fit le représentant britannique.

— Sur le plan opérationnel, oui. Les trois réseaux sont fermés. Du point de vue des médias, par contre…

— Le Parti libéral démocrate a annoncé une manifestation populaire devant l'ambassade américaine, intervint le Japonais. Je les ai rarement vus réagir aussi rapidement.

— Peut-être qu'ils étaient préparés à l'avance.

— Vous voulez dire que…

F leur expliqua les conclusions auxquelles elle était parvenue, à savoir que le Consortium leur avait tendu un piège, mais que celui-ci s'était en partie retourné contre eux parce que l'Institut disposait de plus de renseignements que ce que le groupe criminel leur avait refilé.

— Ça expliquerait pourquoi les médias français ont réagi aussi vite, eux aussi, fit Claude.

— Même chose pour CNN, dit Tate. Le Consortium a monté cette opération au niveau mondial comme une campagne de presse. Ce qu'il nous faudrait, c'est une contre-campagne. Trouver quelque chose de plus percutant, de plus médiatique… Au Japon, on pourrait recentrer les médias sur les réseaux qui ont été dévoilés et sur le rôle des personnalités en vue dans ce trafic.

— Il est trop tard pour cette stratégie, répondit F. Dans le dernier bulletin d'informations de CNN, il y a quelques minutes, ils expliquent que l'Institut a monté tout un réseau de fausses preuves pour incriminer des Japonais à leur place et brouiller les pistes.

— Merde !

— Mon opinion aussi, approuva le Britannique.

— Ce n'est pas nécessairement mauvais qu'ils pensent avoir gagné, fit alors F. Je n'ai rien contre l'idée d'une contre-attaque, mais je pense qu'on pourrait la faire sur un tout autre terrain, en profitant en plus de l'effet de surprise, s'ils pensent nous avoir démolis.

Pendant une vingtaine de minutes, elle leur exposa les détails de l'opération Money Trap en insistant sur le rôle de MultiGestion Capital International et des banques, mais sans mentionner Y2K Crisis Management.

Puis elle leur dit ce qu'elle attendait d'eux, s'ils acceptaient son plan.

— Cela dépasse le mandat sur lequel nous nous étions entendus, fit le représentant britannique. On est loin de Body Store et du trafic d'organes.

— Par contre, on peut toucher leur organisation à un point vital, rétorqua Claude. L'argent.

— Si c'est vrai, c'est trop gros pour qu'on laisse passer ça, intervint Tate. Mais il faut dissocier l'enquête de l'Institut. Il est hors de question de maintenir les unités spéciales.

— Je suis tout à fait d'accord, répondit F. Il suffirait que vous vous partagiez le travail.

Quinze minutes plus tard, ils avaient convenu d'un plan d'opération. Dans un premier temps, chacun des petits amis mettrait sur pied une équipe de quelques personnes chargées de compléter les renseignements découverts par l'Institut sur les premières compagnies examinées et de préparer des plans d'intervention.

De son côté, l'Institut poursuivrait son travail sur les compagnies qui n'avaient pas encore fait l'objet d'un examen approfondi. Il ferait circuler les nouveaux renseignements à mesure qu'ils seraient découverts et il agirait comme centre de coordination pour assurer le suivi de la préparation des opérations. Car, s'il y avait un élément crucial dans ce plan, c'était la nécessité que toutes les opérations soient déclenchées simultanément.

Quand la réunion fut terminée, F se dirigea vers le salon, où elle se servit un porto.

Déterritorialiser l'Institut, lui avait suggéré Bamboo. Pour qu'il échappe aux influences liées à tel ou tel pays, à tel ou tel groupe d'intérêts.

D'une certaine manière, elle avait réussi : son agence avait perdu une grande partie de son pouvoir d'intervention directe pour devenir principalement un organe de traitement d'information, un lieu de concertation et d'influence. Mais, pour ce qui était de se soustraire aux pressions, c'était une autre histoire : au lieu de subir celles d'un pays ou d'un groupe de pression particulier, l'Institut était maintenant la cible de plusieurs pays et l'objet d'une campagne de propagande internationale.

Bamboo, à qui elle avait exprimé de ses inquiétudes, lui avait répondu que les choses progressaient au contraire de façon satisfaisante. Qu'il était normal que l'Institut et la situation dans laquelle il évoluait se transforment. Qu'il faudrait peut-être de nouveau orchestrer la disparition de l'Institut. De façon plus radicale, cette fois.

Ce serait la condition de sa survie.

> La troisième stratégie consiste à faire miroiter une promesse de célébrité que l'on sait ne pas pouvoir se réaliser. L'essentiel est alors d'évaluer avec justesse la crédulité de la victime et ses capacités de représailles.
>
> Leonidas Fogg, *Pour une gestion rationnelle de la manipulation*, 4- Asservir par les passions.

Dimanche, 3 octobre 1999

TF1, 13 h 01

Le terrorisme a de nouveau frappé hier au Japon. Sept personnes ont trouvé la mort dans un attentat perpétré contre la résidence d'un riche banquier de Tokyo, monsieur Matsumo Kami.
La victime est décédée dans l'explosion qui a détruit sa demeure. Au même moment, des attaques similaires se déroulaient à son bureau et au club de golf qu'il fréquentait.
Selon les autorités japonaises, une organisation internationale clandestine connue sous le nom de l'Institut serait à l'origine de ces actions.
Je rappelle à nos téléspectateurs qu'il s'agit de la même organisation qui a été impliquée, ici même en France, dans les affaires Pothiers et Bricaut. Le nom de l'Institut a aussi été associé aux réseaux de pédophiles récemment mis au jour dans plusieurs pays de la Communauté européenne.
Cette affaire aura des répercussions demain dans l'hémicycle, s'il faut en croire le porte-parole du Front national. Ce dernier entend en effet adresser des questions pressantes au ministre de l'Intérieur sur les mesures que l'État va mettre en œuvre pour assurer la protection des Français – et je cite – « contre ce fléau qui nous vient des États-Unis ».

NORTH HATLEY, 8 H 17

Hurt examinait le couteau de style Bowie sur lequel il travaillait depuis plusieurs semaines. C'était la dernière pièce que Helmut Hoefgen lui avait commandée, quelques jours à peine avant l'attaque dont Gabrielle avait été victime. Par la suite, Hurt avait été forcé de disparaître et il n'avait plus donné signe de vie à son ami. Ce dernier devait continuer à parcourir la planète pour son employeur, un riche émir du Bahreïn.

Même s'il doutait de revoir un jour Helmut, Hurt avait travaillé sur le projet. Il s'agissait d'un couteau dont la poignée pivotait dans l'axe de la lame, dégageant deux ouvertures par lesquelles on pouvait tirer une balle de calibre 22.

Le principal défi technique résidait dans la conception du mécanisme, qui devait empêcher toute action des percuteurs tant que l'axe de la poignée n'était pas parfaitement perpendiculaire avec celui de la lame.

Depuis qu'il s'était réfugié à North Hatley, Hurt avait cessé tout contact avec le milieu de la coutellerie d'art. La seule exception était José. Il discutait avec lui par Internet, une ou deux fois par semaine.

Tant que les tueurs du Consortium seraient à sa recherche, il n'était plus question pour Hurt de participer à une exposition. Mais il continuait à fabriquer des lames, à créer des modèles. Plus tard, quand les choses se seraient tassées, il enverrait peut-être ses meilleures pièces à José pour qu'il les expose. Toutefois, pour le moment, il était hors de question qu'il coure ce genre de risque. Ou qu'il le fasse courir à son ami.

Pour se reposer, Hurt laissa son regard dériver vers la fenêtre panoramique, par laquelle il pouvait voir une grande partie du lac. À l'intérieur de lui, les voix étaient calmes. C'était toujours le cas lorsqu'il travaillait dans l'atelier et que Sweet assumait le contrôle.

Seul le marmonnement feutré de Buzz se faisait entendre. Hurt pouvait également sentir, tout près du marmonneur, la présence muette de Tancrède. Ce dernier enregistrait tout. En permanence. Puis il répétait ce qu'il avait entendu.

Exceptionnellement, Tancrède avait accepté de se manifester à l'extérieur. Prenant le contrôle du corps de Hurt, il répétait à vitesse accélérée ce qu'il avait enregistré.

Hurt avait décidé de prendre quatre ou cinq échantillons par jour. Le soir, il les transmettait à Chamane. Il avait hâte de voir ce que le jeune *hacker* pourrait en tirer.

De penser à Chamane amena Hurt à regarder l'horloge fixée au mur. Une ombre de contrariété passa sur son visage : il lui restait moins d'une heure avant de partir pour Montréal. Encore une journée où il n'aurait presque pas de temps à lui pour travailler dans l'atelier.

LCN, 9 H 04

> ... ON IGNORE CEPENDANT QUELLES ACCUSATIONS SERONT PORTÉES CONTRE RAOUL LEPITRE, ALIAS VLADIMIR DRACUL. LE PORTE-PAROLE DU SPCUM S'EST BORNÉ À DIRE QUE LA TRÈS GRANDE MAJORITÉ DES PARTICIPANTS IGNORAIENT LA VÉRITABLE NATURE DES ACTIVITÉS QUI SE DÉROULAIENT À CET ENDROIT.
> LE JOURNALISTE DONALD CELIK POSE POUR SA PART, DANS L'ÉDITION D'AUJOURD'HUI DE LA *GAZETTE*, DES QUESTIONS TROUBLANTES SUR CETTE AFFAIRE.
> « D'OÙ VIENT L'ARGENT NÉCESSAIRE POUR FINANCER UNE TELLE ORGANISATION ? DEMANDE-T-IL. LE DÉNOMMÉ DRACUL ÉTAIT-IL UN SIMPLE EXÉCUTANT ? QUI EST VRAIMENT DERRIÈRE TOUT ÇA ? »
> EN RÉPONSE À CES QUESTIONS, LE JOURNALISTE SOULÈVE, À LA FIN DE SON ARTICLE, UNE HYPOTHÈSE PLUS TROUBLANTE ENCORE. « ET SI, CONTRAIREMENT À CE QU'ON VOUDRAIT NOUS LAISSER CROIRE, C'ÉTAIT L'HISTOIRE DE VAMPIRES QUI ÉTAIT... »

MONTRÉAL, 9 H 06

Théberge était satisfait du travail de Celik. Ceux qui se cachaient derrière Dracul seraient sérieusement contrariés. Peut-être cela les amènerait-il à commettre une erreur.

> « ... une couverture ? Si le véritable enjeu était à chercher dans l'univers feutré et discret de la gestion financière ? »

Après avoir écouté la fin de l'enregistrement, Théberge ferma la télévision à l'aide de la télécommande et s'étira longuement avant de prendre le dossier contenant l'interrogatoire de Dracul.

Ce dernier continuait de nier toute implication dans la mort de la victime découverte sur les lieux de la perquisition. Par contre, il ne faisait aucune difficulté pour reconnaître les diverses pratiques d'échange de sang entre les membres du club.

Le passage de l'interrogatoire qui intriguait le plus Théberge était celui où Dracul parlait de la femme qui l'avait initié à ces pratiques.

> — C'est elle qui m'a enseigné la façon de perforer la jugulaire et la carotide.
> — La femme dont vous ne pouvez pas dire le nom ?
> — Oui. En réalité, c'est très simple. Il suffit de percer un trou avec une aiguille. Ensuite, pour refermer, on appuie juste assez fort pour contrer la pression du sang. Puis on attend que l'hémostase se fasse.
> — L'hémostase ?
> — Que le sang coagule. Il faut cependant faire attention de ne pas appuyer trop fort. Si on écrase la veine, ça bloque la circulation. Pour la jugulaire, il faut un maximum de deux ou trois minutes. Pour la carotide, il en faut une dizaine.

Le policier interrompit sa lecture. Il se rappelait le ton respectueux, presque passionné, que prenait la voix de Dracul lorsqu'il parlait de cette femme. Elle avait une « force de présence », avait-il dit, que seule pouvait expliquer une longue pratique du sang. Son existence était précieuse. Elle guidait ceux qui, comme lui, avaient déjà effectué un certain cheminement. Même s'il avait connu son véritable nom, il ne l'aurait jamais dénoncée. Aujourd'hui, il comprenait mieux les raisons de sa prudence.

Comment Dracul, qui avait une grande expérience en matière d'arnaques, pouvait-il s'être fait avoir de la sorte ? Une chose était certaine, la femme qui l'avait embarqué dans cette histoire n'était pas la dernière venue.

Il faudrait manœuvrer avec prudence, songea le policier. Surtout si cette femme avait derrière elle, comme l'affirmait Steel, toute la puissance d'une vaste organisation financière.

Mais, pour l'instant, il fallait qu'il remonte à la cuisine. Ce n'était pas en restant dans son bureau, au sous-sol, qu'il pourrait préparer les crêpes dominicales de madame Théberge.

FORT MEADE, 9 H 28

John Tate attaqua son croissant et lut le mémo interne qui était arrivé dans sa messagerie au cours de la nuit. Microsoft acceptait d'installer un système de cryptage de puissance réduite sur ses logiciels destinés à l'exportation. Cela faciliterait le travail du réseau d'écoute qu'opérait la NSA à la grandeur de la planète.

Bonne nouvelle, donc.

Pour ce qui était des *back doors*, la compagnie refusait de continuer de les installer sur les nouvelles versions du système d'exploitation. Elle acceptait cependant que la dernière vérification du prototype pour la production en série soit effectuée sous la responsabilité d'une équipe de la NSA.

Tate sourit.

À mots couverts, on lui disait qu'il pouvait installer lui-même toutes les *back doors* qu'il voulait, mais que la compagnie tenait à la possibilité de dénier toute implication dans cette affaire, si jamais la chose devenait publique.

Tout en avalant les dernières bouchées de son croissant, Tate lut ensuite l'article du *Washington Post*. Il n'avait pas encore touché à son café.

Après le compte rendu des événements du Japon, le journaliste procédait à des recoupements avec d'autres affaires dans lesquelles l'Institut avait été impliqué.

> DANS LES DERNIERS MOIS, CETTE ORGANISATION A FINANCÉ UN ATTENTAT DES EXTRÉMISTES PALESTINIENS, ELLE A POUSSÉ AU SUICIDE UN MINISTRE SUISSE ET UN BANQUIER FRANÇAIS, ET ELLE A ASSASSINÉ UN HAUT GRADÉ DE L'ÉQUIPE DES SERVICES SECRETS CHARGÉE DE PROTÉGER LE PRÉSIDENT DES ÉTATS-UNIS. LES ACTIVITÉS DE CETTE ORGANISATION VONT DE LA PROSTITUTION AU TRAFIC D'ORGANES, EN PASSANT PAR L'ALIMENTATION DES RÉSEAUX EUROPÉENS DE PÉDOPHILES.
>
> IL Y A QUELQUES ANNÉES, À L'ÉPOQUE OÙ CETTE ORGANISATION AVAIT UN STATUT OFFICIEL, ELLE AVAIT PROVOQUÉ UNE VAGUE D'ASSASSINATS SUR LE TERRITOIRE AMÉRICAIN. IL S'AGISSAIT D'UNE RIPOSTE À DES ACTIVITÉS ILLÉGALES QU'ELLE AVAIT MENÉES EN THAÏLANDE, CONTRE UN GANG LOCAL QUI VOULAIT LUI DISPUTER LE CONTRÔLE DU TRAFIC D'ORGANES.

L'article se terminait par une exhortation aux autorités de prendre les moyens nécessaires pour neutraliser ce groupe de criminels avant qu'ils mettent la vie d'autres citoyens américains en danger.

Tate poussa un soupir et enleva le couvercle sur son verre de café.

Avant qu'il ait le temps de prendre une gorgée, le téléphone sonna. Celui qui était relié à la Maison-Blanche.

— Bonjour, monsieur le Président.

— Bonjour, Tate. Vous avez lu les journaux ce matin ?

— Comme tous les matins.

— Si c'était ce que vous aviez en tête quand vous m'avez assuré que l'Institut maintiendrait un profil discret !

— Je sais.

— Est-ce qu'il y avait des agents américains sur place ?

— Pas à ma connaissance.

— Je veux un rapport complet au plus tard à treize heures. Je dois rencontrer l'ambassadeur du Japon un peu plus tard en après-midi.

— Ce sera fait.

— Et je veux quelque chose pour répondre à la lettre de protestation officielle qu'il ne manquera pas de me remettre. Je veux aussi un os à jeter aux médias.

Avant que Tate ait eu le temps de répondre, la communication avait été coupée.

Tate jeta un coup d'œil en direction du *New York Times*, qui reprenait sensiblement les mêmes affirmations et le même point de vue que le *Washington Post*. La principale différence entre les deux journaux tenait à l'insistance que le *Times* accordait aux « mystérieux terroristes » et à leurs rapports avec les grandes agences de renseignements américaines.

Il revint alors au rapport du groupe de travail sur les logiciels Microsoft. Au moins, il y avait un domaine où les choses continuaient de bien aller.

CKAC, 11 H 53

… TOUTE CETTE OPÉRATION EST-ELLE UN *FRAME UP* DESTINÉ À CALMER LA POPULATION ? LE CAMARADE DRACUL SERAIT-IL UN BOUC ÉMISSAIRE COMMODE – À CAUSE DE SON COMPORTEMENT BIZARROÏDE – QUE L'ON AURAIT TROUVÉ POUR CAMOUFLER NOTRE IGNORANCE DES VÉRITABLES AUTEURS DE CES CRIMES ?

SI CE NE SONT PAS DES VAMPIRES, COMME LE LAISSE ENTENDRE L'ARTICLE DE CELIK, DE QUOI S'AGIT-IL ? D'UNE GUERRE QUE SE LIVRENT DIFFÉRENTS GANGS POUR METTRE LA MAIN SUR LE MONDE FINANCIER ?

FAUT-IL S'ATTENDRE À D'AUTRES VICTIMES ? PEUT-ON ENCORE CROIRE LES POLICIERS QUAND ILS AFFIRMENT AVOIR RÉGLÉ L'AFFAIRE ?… JE PASSE À UN PREMIER APPEL. ALLÔ, JE VOUS ÉCOUTE…

MONTRÉAL, 12 H 30

Au café Second Cup de la gare centrale, l'inspecteur-chef Théberge sirotait un cappuccino. Autour de lui, presque toutes les tables étaient occupées.

Hurt s'assit devant le policier.

— Désolé du retard, dit-il. Je n'arrivais pas à me trouver une place de stationnement.

— Les joies du centre-ville.

— J'ai tenu à parler avec vous en personne parce qu'il y a des décisions à prendre.

— À quel sujet ?

— D'abord une question rapide, si vous permettez. Que pensez-vous de ce Dracul ? Êtes-vous certain qu'il est votre coupable ?

— Il y a beaucoup d'éléments de preuve contre lui.

— Assez pour vous convaincre ?

— J'y pensais justement, cet avant-midi. Il y a quelque chose qui ne fonctionne pas.

— Quelque chose qui ne fonctionne pas…

— Je me suis demandé s'il n'y avait pas quelqu'un derrière lui.

— Le Vengeur ?

— Ridicule. Ce saltimbanque à la pédagogie surréaliste n'a rien à voir dans toute cette affaire. Les messages qui l'incriminent sont de la poudre aux yeux.

— Et Brochet ? Que pensez-vous de Brochet ?

— Vous croyez qu'il peut être lié à Dracul ?

— Nos informations tendent à montrer qu'il serait non seulement lié à une organisation internationale, mais situé au cœur des événements survenus récemment dans le milieu financier montréalais.

— Vous parlez de quoi, précisément ?

— Je parle des deux gestionnaires de la Caisse de dépôt qui sont morts. Je parle des clients d'UltimaGest qui quittent sans raison cette compagnie pour Hope Fund Management. Je parle des sommes massives qui arrivent chez ce gestionnaire depuis que Brochet y travaille. Je parle du volume de leurs transactions qui a récemment explosé.

— Est-ce que vous avez assez de preuves pour justifier une intervention ?

— Pour justifier une intervention ? Probablement. Mais nous ne voulons pas faire tomber uniquement Brochet. Ceux qui sont derrière lui nous intéressent davantage.

— Qu'est-ce que vous proposez ?

— Mettre sur pied une surveillance étendue de Brochet et de ses éventuels complices. Pour cela, j'ai besoin de votre aide.

— Vous voulez une implication officielle de la police ?

— Je pensais plutôt à la collaboration de l'escouade fantôme. Pour ma part, je peux faire appel à un certain nombre de volontaires.

Hurt jugea préférable de ne pas préciser que les volontaires en question étaient des moines zen. Quiconque n'avait pas été témoin des exploits des Jones ne pouvait pas avoir une idée réaliste de leurs talents.

— Vous voulez suivre Brochet ? demanda Théberge.

— Lui, les principales personnes avec qui il est en contact, de même qu'un certain nombre de gestionnaires des firmes où il y a eu des victimes.

— Vous pouvez me parler de ce qui se prépare ?

— Pour le moment, je peux seulement vous dire que l'affaire a des dimensions internationales et qu'il s'agit de beaucoup plus que de quelques gestionnaires québécois. Mais il nous manque encore des éléments. C'est pour achever de les trouver que nous avons besoin de votre aide.

— Et vous pensez que les meurtres supposément commis par des vampires seraient liés à ça ?

— C'est ce que je pense.

— L'opération pourrait durer combien de temps ?

— Je ne peux pas vous le dire.

— Tout ce que nous aurions à faire, ce serait de surveiller Brochet et ses petits copains ?

— Il y aurait aussi un certain nombre de bars de danseuses.

Théberge recula légèrement sur sa chaise. Son œil devint méfiant.

— Rassurez-vous, s'empressa de préciser Hurt. Le Palace ne fait pas partie de la liste.

TOKYO / SYDNEY, 22 H 06

L'avion n'atterrirait à Sydney que plusieurs heures plus tard. Claudia revint à la copie du *Daily Yomiuri* qu'elle avait prise avant de monter dans l'appareil. Elle avait lu l'article à trois reprises déjà.

AMERICAN SPIES: SABOTAGE MISSION

La première partie de l'article résumait la version officielle des événements : des attentats avaient été perpétrés par un groupe d'officiers du renseignement sous la coupe d'agents américains. Ceux-ci avaient profité de programmes internationaux de coopération pour infiltrer différentes organisations japonaises et y recruter des membres.

Jusque-là, rien de neuf, songea Claudia. Les vieux réflexes xénophobes avaient joué. Mais la suite de l'article était beaucoup plus inquiétante. L'auteur se demandait s'il fallait voir dans cette attaque contre un membre respecté de la communauté économique et financière une indication du rôle qu'avaient joué les services secrets américains dans la guerre économique que se livraient les deux pays.

L'article se terminait en soulevant l'hypothèse que la crise financière qui avait frappé le Japon, au début des années quatre-vingt-dix, puisse avoir été secrètement programmée par des agents américains infiltrés.

Pourquoi une telle insistance à accuser les États-Unis ? se demandait Claudia. Leur besoin de protéger la réputation de dirigeants japonais en détournant l'attention vers des étrangers était-il seul en cause ?

Elle regarda un instant vers le hublot, le temps de voir que la couverture nuageuse continuait de bloquer toute visibilité. Puis elle repassa dans sa tête le film de l'opération. Il était clair que la résidence de Kami avait été piégée. Et le piège avait été conçu de manière à faire un nombre significatif de victimes. On avait même prévu des tireurs embusqués pour éliminer l'équipe de contrôle qui était demeurée à l'intérieur de la fourgonnette. Seules des fuites pouvaient expliquer une préparation aussi minutieuse.

Claudia aurait aimé demeurer sur place pour régler ce problème. L'opération avait coûté la vie aux deux personnes qu'elle avait entraînées pour prendre la relève et diriger l'équipe locale de l'Institut. Mais les ordres de F étaient formels. Ce dossier devrait attendre. Dès son arrivée à Sydney, elle repartait pour l'Europe. Avec l'aide de Moh et Sam, elle allait reprendre la direction de l'enquête sur Ute Breytenbach. C'était la nouvelle priorité.

Pour tromper son impatience et calmer son agitation intérieure, Claudia ferma les yeux, visualisa les pièces du Tangram et commença à les assembler mentalement pour créer des formes.

MONTRÉAL, 13 H 51

Yvan ouvrit son portable pour prendre connaissance des nouvelles instructions de ses clients. Le travail à domicile avait des avantages, mais il avait aussi des inconvénients. Tous les jours, même le dimanche, il devait vérifier s'il y avait des transactions à effectuer pour le compte des clients privés. Lorsqu'il y en avait, il devait les faire dans les meilleurs délais.

Trois clients s'étaient manifestés. Plus de huit cent cinquante millions allaient sortir de leurs comptes. Une somme à peu près équivalente venait d'y entrer.

C'était une journée typique, selon Brochet. Pourtant, plusieurs des transactions lui semblaient étranges. Par exemple, un des clients avait préféré vendre une grande partie de ses titres boursiers américains, quitte à encourir des frais de transaction importants, plutôt que d'utiliser l'argent qu'il conservait dans un compte de marché monétaire.

C'était d'ailleurs une autre incongruité qui avait frappé Yvan : plusieurs des clients conservaient jusqu'à la moitié de leurs fonds sur le marché monétaire. Certains avaient même placé la totalité de leur compte sur le marché monétaire japonais, qui donnait un taux d'intérêt inférieur à un pour cent. S'ils espéraient une amélioration du yen, pourquoi ne pas jouer directement le yen sur le marché des devises ?

Pour toute explication, Brochet lui avait indiqué, le premier jour, que la plupart des clients n'avaient qu'une très petite partie de leurs fonds en dépôt chez eux. Qu'il était inutile de chercher à comprendre leurs décisions, car on ne pouvait avoir aucune idée de leur stratégie globale.

Yvan n'avait pas insisté. Depuis qu'il soupçonnait le rôle probable de Brochet dans la mort de son père, il avait tendance à écourter le plus possible les rencontres avec son patron.

S'il avait eu des doutes, après que Brochet lui eut annoncé sa promotion, il n'en avait plus. Les transferts financiers qu'il effectuait quotidiennement étaient, selon toute apparence, des opérations de blanchiment. Chaque fois qu'il voyait Brochet, il devait lutter contre l'impulsion de le prendre au collet et d'exiger qu'il lui dise la vérité.

Quand il en avait parlé à Chamane et à Steel, ce dernier s'était contenté de répondre de sa voix paisible, presque froide, que ce serait contreproductif.

US SPIES IN TOKYO

Le message repassait régulièrement sur la bande-annonce de Bloomberg. Un peu plus tôt, à l'occasion d'une entrevue, un journaliste avait fait un rapprochement entre l'affaire du Japon et le scandale des Contras, au Nicaragua: une autre opération des services secrets américains qui avait explosé à la figure des dirigeants du pays.

Yvan détourna les yeux du poste de télé et se mit à songer aux raisons qui l'avaient amené à choisir de passer sa vie dans le monde financier.

Intellectuellement, cet univers était proche de celui des mathématiques, lequel l'avait toujours fasciné par sa rigueur, par sa beauté et par l'élégance de ses constructions théoriques. Cependant, des mathématiques à la finance, il y avait un monde. L'argent, c'était à la fois beaucoup plus et beaucoup moins que des chiffres.

Le facteur qui avait sans doute le plus joué, dans son choix, était la promesse qu'il avait faite à Dominique, peu de temps après la mort de son père, de s'occuper d'elle quand il serait grand. Il l'avait assurée qu'elle ne serait plus obligée d'aller travailler tous les soirs et qu'elle ne manquerait plus jamais d'argent.

Toutefois, il y avait un autre motif, plus trouble, qu'il commençait seulement à pressentir : le désir de venger son père et, en même temps, de se venger de lui. D'accomplir ce que son père avait voulu faire, de réaliser son rêve, mais en mieux, sans tomber à la première tentative d'arnaque, sans crouler sous la pression et se suicider pour fuir l'adversité.

Lui, il n'abandonnerait pas ceux qu'il aimait.

WASHINGTON, 14 H 45

L'ambassadeur japonais salua le Président d'une inclinaison du buste et se dirigea vers le fauteuil que lui désignait son hôte d'un geste de la main.

— Vous prendrez bien un thé, dit-il. Vous êtes un de mes rares invités avec qui je peux partager ce plaisir.

Avant que l'ambassadeur ait eu le temps de répondre, le Président fit signe à l'agent des services secrets qui avait accompagné l'ambassadeur d'aller attendre à l'extérieur. Il prit ensuite la théière sur la petite table ronde et il remplit les deux tasses.

Le Japonais goûta une première gorgée de thé, émit quelques remarques approbatrices puis redéposa sa tasse. Transmettre une lettre de protestation officielle était une chose, être grossier en était une autre. Pour une fois qu'un Occidental s'efforçait de se montrer civilisé.

— Je crois savoir ce qui vous amène, fit le Président. Et je trouve important de dissiper tout malentendu entre nous.

— Je suis entièrement de votre avis.

— Vous croyez probablement qu'une de mes agences s'est mise à pratiquer la danse de l'éléphant dans vos magasins de porcelaine.

— Mon gouvernement serait enclin à le penser. Il m'a demandé de vous remettre une lettre de protestation contre les agissements d'un certain nombre de vos ressortissants.

— Vous voulez parler des attentats qui sont survenus au cours des derniers jours ?

— Exactement. Nos informations nous laissent croire que les terroristes pourraient appartenir à une de vos agences de renseignements. Sur ce point, je suis bien sûr prêt à entendre vos explications.

— Bien sûr. Et votre gouvernement entend faire la lumière sur ce point avant de conclure notre accord de collaboration économique, je suppose ?

— Ce serait préférable.

— Monsieur l'ambassadeur, je tiens d'abord à vous assurer qu'aucune agence de ce pays n'a été autorisée à effectuer ce type d'opération sur votre territoire.

— Ce ne serait pas la première fois que vos *cowboys*, comme les appellent vos médias, se passeraient d'autorisation. Mon gouvernement tient à ce que les coupables soient publiquement identifiés et punis. Il tient également à ce que des excuses officielles soient présentées, s'il devait s'avérer que les coupables font partie d'une organisation gouvernementale américaine.

Le Président regarda longuement l'ambassadeur. Celui-ci soutint son regard sans sourciller. Puis il sortit une enveloppe de son porte-documents et la posa sur la table.

— Advenant que nous nous montrions compréhensifs dans la négociation des accords économiques, dit le Président, je suppose que vous êtes prêts à certains aménagements sur cette malheureuse affaire.

— On m'a en effet enjoint de manifester de la souplesse et de ne pas perdre de vue la qualité de nos relations à long terme.

Le Président prit de nouveau un certain temps avant de répondre.

— Ce pays s'est construit sur une certaine conception de la justice, finit-il par dire. Nos ancêtres ont quitté l'Europe pour fonder un pays où les droits de tous seraient garantis et où la justice ne serait pas à la solde des puissants. Je serais donc malvenu de vous inciter à compromettre vos principes.

L'ambassadeur se mit à fixer plus intensément son interlocuteur. Quel coup fourré lui préparait-il ?

— Puisque vous tenez à ce point à ce que justice soit publiquement rendue, poursuivit le Président, je vais vous donner la copie d'un dossier que mes services ont préparé. Il sera remis aux médias en même temps que votre lettre officielle de protestation et que nos excuses.

Le Président tendit à l'ambassadeur un dossier, que celui-ci prit sans l'ouvrir.

— Je suis certain que vous êtes déjà au courant de la plupart de ces détails, ajouta le Président.

L'ambassadeur ne pouvait pas connaître le quart des informations qui étaient dans le dossier. Les lui remettre dans une simple chemise cartonnée, sans qu'il ait à briser un sceau officiel pour y avoir accès, lui permettrait de le parcourir tout en lui laissant la possibilité de dénier toute connaissance de son contenu. Cela lui permettrait probablement de renforcer sa position à l'interne.

Le geste avait également pour effet de lui signifier qu'il n'était pas visé par la réplique américaine.

— De quoi s'agit-il ? demanda l'ambassadeur.

— De la description détaillée des réseaux d'importation de jeunes esclaves sexuelles coréennes et du réseau de trafic d'organes que l'opération contre Kami a permis de mettre au jour.

— Vous admettez donc…

— Je n'admets rien. Mon gouvernement est entré en possession de ces renseignements lors d'un échange d'informations avec un de ses partenaires. Connaissant votre désir d'aller au fond de cette affaire, je vous les remets.

— C'est très généreux de votre part.

— Vous y trouverez évidemment la liste complète des personnalités politiques, des hauts fonctionnaires et des hommes d'affaires japonais impliqués, ainsi qu'une synthèse des preuves disponibles contre eux. Cela inclut les numéros de comptes bancaires, les montants versés à chacun et le nombre approximatif des victimes de ces trafics. Il y a également, si ma mémoire est bonne, une assez longue liste des clients qui faisaient vivre chacun de ces réseaux.

— Que comptez-vous faire de toute cette information ?

— Comme le nom de plusieurs ministres japonais apparaît sur cette liste, mon gouvernement serait enclin à considérer toute cette histoire comme un problème relevant des affaires internes du Japon. À moins que vous décidiez d'en faire un problème international, bien entendu.

Le Japonais remit discrètement la lettre de protestation dans son porte-documents, en compagnie du dossier que venait de lui donner le Président.

— Il est toujours agréable de régler ses différends de façon civilisée, dit-il. Je savais que j'avais raison de venir vous voir.

— De façon tout à fait officieuse, je peux vous confirmer que des mesures énergiques seront prises pour éviter que des éléments incontrôlés ne viennent de nouveau perturber nos relations.

— Je transmettrai ce message à mes supérieurs en même temps que les documents. De façon officieuse, bien entendu.

— Transmettez-leur également mes amitiés.

— Je n'y manquerai pas.

Lorsque l'ambassadeur fut parti, le président se mit à fulminer.

— Une agence virtuelle, qu'elle disait ! Seulement du renseignement ! Je vais lui en faire, moi, du virtuel !

MONTRÉAL, 17 H 04

Hurt descendit de la fourgonnette de Chamane, heureux de se dégourdir les jambes. Il était à l'étroit dans l'aire de travail que le *hacker* s'était aménagée à l'arrière du véhicule, mais il avait profité de la protection des vitres opacifiées.

Au troisième sous-sol, il prit l'ascenseur qui le déposa à quelques mètres des locaux d'UltimaGest. Pour les employés, il était un client dont Poitras s'occupait personnellement. Un des rares comptes privés qu'il acceptait de gérer.

— Quelles nouvelles ? demanda Poitras avant même que Hurt ait eu le temps d'enlever son manteau.

— J'ai un service à te demander.

— Tu veux te lancer dans les placements ?

Hurt ne put s'empêcher de sourire.

— Non, rassure-toi, dit-il. C'est à propos de Brochet. J'aimerais que tu voies ce que tu peux trouver sur ceux qui sont derrière lui. Mais discrètement.

— Tu veux que je contacte Hope ?

— Non. Pas tant qu'on ne saura pas à quoi s'en tenir à son sujet… Je t'ai apporté une liste de compagnies.

Hurt déposa une feuille de papier sur le bureau. Poitras l'examina.

— J'ai déjà vu ces noms-là. Ça fait partie de ce que Chamane a trouvé, non ?

— Oui. Ce sont celles qui nous donnent le plus de difficulté.

— D'accord, je vais voir ce que je peux faire.

— Inutile de dire que toi seul peux voir cette liste, poursuivit Blunt. Qu'un de tes employés t'aide dans tes recherches sur l'une ou l'autre des compagnies, ça ne pose pas de problèmes. Mais il ne faudrait pas que quelqu'un se mette à faire de recoupements.

Poitras examina la liste.

— Je peux utiliser mes contacts à l'étranger ?

— J'y compte bien. Mais discrètement.

— Qu'est-ce que je dois chercher ? Des indices d'activités de blanchiment ?

— Non. Surtout pas. Ça, il y en a d'autres qui s'en occupent. Ce que j'aimerais que tu essaies de trouver, ce sont les personnes qui sont derrière ces compagnies. Pour l'instant, j'ai un seul nom : Darius Petreanu.

— Il me semble que j'ai déjà entendu ce nom-là.

— Vois ce que tu peux trouver.

— J'ai combien de temps ?

— Un mois. Peut-être plus. Tout va dépendre de la façon dont les choses se dérouleront.

TQS, 17 H 32

... LE GOTH CLUB A ÉTÉ RASÉ, CET APRÈS-MIDI, PAR UN VIOLENT INCENDIE. L'ÉDIFICE EST UNE PERTE TOTALE.

LA DISCOTHÈQUE, FRÉQUENTÉE PAR DE JEUNES ADEPTES DU STYLE GOTHIQUE, ÉTAIT SITUÉE À PROXIMITÉ DU LOCAL OÙ RAOUL LEPITRE, ALIAS VLADIMIR DRACUL, A ÉTÉ ARRÊTÉ IL Y A DEUX JOURS...

MONTRÉAL, 18 H 11

Le policier se présenta au poste de garde, à l'entrée de la prison de Parthenais.

— Nouveau ? lui demanda le préposé.

— Avant, j'étais à Québec.

— Qu'est-ce qui t'amène au milieu de la nuit ?

— Théberge ! Il veut voir le vampire !

— Tu parles de Dracul ?

— Oui. Il faut que je l'amène à son bureau. Il veut l'interroger.

— C'est toi qui le ramènes après ?

— As-tu déjà vu des gradés se taper notre travail à notre place ?

— Ça !...

MASSAWIPPI, 21 H 07

Gunther avait accepté d'aider F à faire le point, à la condition expresse que la discussion ait lieu autour d'un verre de porto. Elle commença par lui présenter les décisions qu'elle avait prises : Claudia en Europe, Théberge et Hurt pour s'occuper des gestionnaires locaux, les Jones et l'escouade fantôme à la surveillance de Brochet et des bars de danseuses, Chamane, les U-Bots et Poitras sur la piste des compagnies... La priorité était désormais le réseau de blanchiment.

— Et tes petits amis ? demanda Gunther.

— Je leur ai envoyé à chacun une liste de compagnies à mettre sous enquête et j'ai suspendu les réunions jusqu'à nouvel ordre... Ils en ont assez pour effectuer le travail, mais ils ne peuvent pas reconstruire le portrait d'ensemble. Si tout va bien, je ferai une réunion de mise en commun dans cinq ou six semaines. D'ici là, je transmettrai à chacun les résultats de Chamane et des U-Bots qui les concernent.

— Et les vampires ?

— Les vampires... J'imagine que notre bon inspecteur Théberge va s'en occuper.

— Je serais porté à croire qu'ils jouent un rôle plus essentiel que tu ne l'imagines.

F lança à Gunther un regard surpris.

— Tu ne penses tout de même pas qu'il s'agit réellement d'une affaire de vampires ? dit-elle.

— Les problèmes que tu as à régler ont toujours été des affaires de vampires.

Gunther la regardait en souriant, comme s'il attendait qu'elle lui pose une question.

— D'accord, fit F après un moment. Pourquoi est-ce que ce sont des affaires de vampires ?

— Parce qu'il s'agit toujours de gens qui veulent vivre de l'énergie des autres.

— De l'énergie des autres...

— Cette énergie peut prendre la forme du sang, du travail, de biens matériels... Ou celle de leurs désirs, de leurs idées... Souvent de leur argent. La forme peut en être plus ou moins abstraite, plus ou moins condensée mais, en dernière analyse, il s'agit toujours d'accaparer l'énergie des autres.

Sur ce, Gunther prit une gorgée de porto.

— Ça vient d'où, cette idée-là ? lui demanda F.

— Une ville, ce n'est rien d'autre que des équipements pour réguler des flux : énergie, gens, information, marchandises... Transport et stockage... Ton Consortium, comme tu l'appelles, il a le même problème. Toi aussi, d'ailleurs, avec l'Institut. Tu aurais intérêt à regarder les organisations comme des ensembles intégrés de systèmes hydrauliques qui ont des problèmes de dynamique des fluides.

— Supposons que tu aies raison...

— J'ai raison.

— D'accord, j'admets que tu as raison. Mais je fais quoi ?

— Tu ne vois pas ? Qu'est-ce qui arrive, dans une ville, quand un des systèmes tombe en panne ?… Prends les égouts. Ou mieux, l'électricité !

— Tu veux dire que, si je bloque un des principaux réseaux, c'est tout le système que je peux paralyser ?

— Exactement.

— Donc, en m'attaquant en priorité au réseau de blanchiment d'argent…

— Tu peux paralyser tout le système. Tu as fait le bon choix.

— Gunther, tu es un amour.

— Comme chaque fois que je te dis que tu as raison !

— Mufle !

— Architecte ! Il ne faut pas confondre.

RDI, 23 H 46

> … RAOUL LEPITRE, QUI S'ÉTAIT FAIT CONNAÎTRE SOUS LE NOM DE VLADIMIR DRACUL, A ÉTÉ RETROUVÉ MORT, IL Y A QUELQUES INSTANTS, DEVANT LA RÉSIDENCE DE L'INSPECTEUR-CHEF THÉBERGE. LA DÉPOUILLE PORTAIT LES MÊMES MARQUES À LA GORGE QUE LES PRÉCÉDENTES VICTIMES DU VAMPIRE ET ELLE ÉTAIT COMPLÈTEMENT VIDÉE DE SON SANG. UN MESSAGE DU VENGEUR A ÉGALEMENT ÉTÉ RETROUVÉ, ÉPINGLÉ SUR LE CADAVRE :
>
> « VOILÀ DE QUELLE MANIÈRE IL FAUT TRAITER LES ANIMAUX DANGEREUX. AVEC LES MONSTRES, ON NE DISCUTE PAS. »
>
> LA POLICE N'A AUCUNE IDÉE DES RAISONS POUR LESQUELLES LE CADAVRE A ÉTÉ DÉPOSÉ DEVANT LA RÉSIDENCE DE L'INSPECTEUR-CHEF THÉBERGE NI DE L'IDENTITÉ DE…

TRIMESTRE 4

LA MORT AUX YEUX DE CHAT

Les individus les plus délicats à manipuler sont évidemment les déséquilibrés à tendance meurtrière qui feraient n'importe quoi pour occuper les devants de la scène médiatique. Lorsqu'on utilise de tels individus, il est impératif de n'avoir avec eux que des contacts indirects.

Leonidas Fogg, *Pour une gestion rationnelle de la manipulation*, 4- Asservir par les passions.

MARDI, 28 DÉCEMBRE 1999

MONTRÉAL, 8 H 42

L'hiver avait fini par recouvrir de neige le mont Royal. Assis à son bureau, Ulysse Poitras laissait son regard errer sur les flancs de la montagne. Il avait l'impression que son hiver à lui durait depuis un an.

Une année pourrie !

Il ne pouvait résumer autrement les douze derniers mois. Il avait hâte de laisser 1999 derrière lui. Pourtant, les rendements qu'il avait obtenus n'étaient pas si mauvais. Il avait une performance légèrement supérieure à celle de la moyenne des gestionnaires. Mais les actifs qu'il gérait avaient fondu de deux virgule un milliards. Et l'hémorragie n'était pas terminée. Plusieurs clients avaient amorcé une réévaluation de leurs mandats.

La veille, Poitras avait accompagné sa femme et les enfants à l'aéroport. Il les rejoindrait à Paris dans une semaine. C'était déjà assez frustrant de rester au bureau pour monter la garde, au cas où le bogue de l'an 2000 frapperait, il n'allait pas de surcroît écourter d'une semaine les vacances de sa famille !

Lorsque le téléphone sonna, il négligea de répondre. Puis, à la troisième sonnerie, il se rappela que son adjointe était en congé.

— Oui ?

— Toujours au poste, à ce que je vois !

— Graham ! Je te croyais mort !

— Les médecins n'ont pas réussi à m'achever. Je devrais être bon pour quelques années encore.

— Quelques années… tu veux dire…

La voix de Poitras était subitement devenue inquiète.

— Rassure-toi : pour l'instant, je suis en pleine forme, répondit le Britannique. La seule chose, c'est qu'ils ne savent pas pour combien de temps. Ils ne peuvent rien garantir.

— Tu vas tous les enterrer.

— Tu sais, c'est une chose intéressante que de s'habituer à vivre de façon temporaire.

— Pour ma part, je ne déteste pas une certaine permanence.

— Toute vie est temporaire, cher ami ! Il faut s'y faire !… Mais ce n'est pas pour ça que je t'appelle. J'ai vu ton message quand je suis rentré, il y a deux jours. Dans quoi est-ce que tu as encore mis les pieds ?

— J'aimerais bien le savoir.

— J'ai suivi ton conseil et j'ai procédé de façon très discrète.

— Et alors ?

— Brochet est une sorte de *fixer* pour Petreanu. Il travaille pour lui depuis plus de dix ans.

— Et Petreanu ?

— Il est très près du Club de Londres. Il a aussi travaillé pour le FMI et la Banque mondiale. Ce serait lui qui aurait mis au point les politiques d'ajustement structurel.

— Le merveilleux programme qui a ruiné la plupart des pays qui en ont profité ?

— Si tu regardes ça du point de vue des investisseurs, ils ont récolté des milliards en paiement d'intérêts, ils ont envahi leurs marchés intérieurs, ils ont mis la main sur leurs richesses naturelles et les pays sont toujours aussi endettés. Ce n'est pas un mauvais résultat.

— Et s'ils faisaient la même chose dans nos pays ?

— Tu crois qu'ils oseraient ?

— Peut-être pas exactement de la même façon…

— Je t'envoie par Internet ce que j'ai trouvé sur les compagnies.

— Je te remercie.

— As-tu l'intention de lancer un *hedge fund* qui parie sur les compagnies qui vont disparaître ?

— Pourquoi tu me demandes ça ?

— Parce que, si ce n'est pas le cas, je comprends tes problèmes passés en matière de sélection de titres. Tes compagnies, c'est de loin la plus belle collection de *losers* que j'ai vue.

— Pourtant, année après année, les actionnaires investissent du nouveau capital et tout baigne dans l'huile.

— Si c'est ce que je pense, tu oublies que les informations viennent de moi.

— Entendu.

— Tu es positionné comment, pour la fin de l'année ?

— Je n'ai presque rien changé. Je suis juste un peu plus long en court terme, au cas où il se présenterait des occasions. De toute manière, ce n'est plus le temps de bouger. Ça fait au moins deux semaines qu'il n'y a presque plus de volume sur le marché.

— Tout le monde attend le bogue !

— Je dirais plutôt que tout le monde attend que tout le monde ait fini d'attendre le bogue !

— Tu penses qu'il va y avoir des problèmes ?

— Avec tout l'argent qu'on a mis là-dessus ? J'espère que non !

— J'ai l'impression que le principal problème, ce sera d'avoir été obligé de faire des copies papier de tout par mesure de sécurité. Tu imagines les tonnes de papier qu'on a gaspillées !

— J'avais pris une position longue dans le secteur des pâtes et papier !

Après avoir raccroché, Poitras jeta un regard en direction du journal *Les Affaires* qui traînait sur sa table de travail. La première page était consacrée à Brochet, que le journal qualifiait « gestionnaire de l'avenir ».

Il se tourna ensuite vers l'ordinateur : les informations de Graham Pye commençaient à entrer.

RDI, 9 H 03

L'ARTICLE D'ANTOINE SAVARY A RELANCÉ LA CONTROVERSE CE MATIN SUR L'AFFAIRE DRACUL.

LE JOURNALISTE DE *LA PRESSE*, CITANT DES SOURCES CONFIDENTIELLES, PRÉTEND QU'IL EXISTE PLUSIEURS AUTRES VAMPIRES DANS LA VILLE DE MONTRÉAL. CE SERAIENT EUX QUI AURAIENT ASSASSINÉ, OU FAIT ASSASSINER, RAOUL LEPITRE, ALIAS VLADIMIR DRACUL. SON ÉLIMINATION, QUI VISAIT À L'EMPÊCHER DE FAIRE DES RÉVÉLATIONS COMPROMETTANTES, AURAIT ÉTÉ FACILITÉE PAR DES ÉLÉMENTS POLICIERS QUI SERAIENT PROCHES DU GROUPE DE VAMPIRES.

L'AUTEUR DE L'ARTICLE SOULIGNE NOTAMMENT L'OMNIPRÉSENCE DE L'INSPECTEUR-CHEF THÉBERGE TOUT AU LONG DE CETTE AFFAIRE. CHARGÉ DEPUIS LE DÉBUT DE SUPERVISER L'ENSEMBLE DES ENQUÊTES RELIÉES À CETTE SÉRIE DE MEURTRES, IL AURAIT MANIFESTÉ À PLUSIEURS REPRISES DES RÉTICENCES À ENVISAGER LA CULPABILITÉ DE DRACUL. ET CELA, MÊME APRÈS QU'ON EUT DÉCOUVERT UNE VICTIME SUR LES LIEUX OÙ DRACUL DIRIGEAIT UNE CÉRÉMONIE.

AUTRE ÉLÉMENT TROUBLANT, CE SERAIT GRÂCE À UNE RÉQUISITION PORTANT LE NOM DE L'INSPECTEUR-CHEF THÉBERGE QUE L'ON AURAIT EXTRAIT DRACUL DE SA PRISON, LA NUIT OÙ IL A ÉTÉ ASSASSINÉ. BIEN QU'UNE ENQUÊTE INTERNE AIT BLANCHI LE POLICIER, IL EST PERMIS DE S'INTERROGER SUR…

MONTRÉAL, 9 H 16

Les préparatifs pour le bogue de l'an 2000 avaient repris dès le lendemain de Noël. Il restait encore des photocopies à faire, des systèmes à vérifier, des écrans à surveiller, au cas où il se passerait quelque chose d'inattendu.

Christopher Hope avait profité du fait que plusieurs des employés devaient venir au bureau à un moment ou un autre avant janvier pour convoquer une réunion du personnel.

Il balaya du regard le personnel de la firme qu'il avait contribué à construire. C'était la dernière fois qu'il les rencontrait en tant que président.

— J'ai toujours détesté les discours, dit-il. Je serai donc bref. À partir du premier janvier, je n'occuperai plus aucune fonction à l'intérieur de cette compagnie. Elle est pour moi comme un enfant que j'aurais mis au monde. Et les enfants, un jour ou l'autre, doivent apprendre à suivre leur propre route.

Il s'interrompit pour boire une gorgée d'eau. Quand il reprit la parole, sa voix avait retrouvé toute sa fermeté.

— Sans vous tous, cette compagnie ne serait jamais devenue ce qu'elle est. Je ne vous en remercierai jamais assez. D'autres prendront maintenant la relève. Pour ma part, je demeurerai président du conseil, poste que j'ai accepté de conserver à la demande de monsieur Brochet. Mais il ne faut pas croire que c'est une manière de demeurer à l'intérieur de l'entreprise. Désormais, je vais m'occuper principalement de ma famille. L'âge venant, on réalise qu'on a très peu de temps à passer sur terre, que l'avenir est incertain et que les jours vécus avec ceux qu'on aime sont toujours trop peu nombreux. Je n'ai pas vu grandir mes enfants, j'entends ne pas faire la même erreur avec mes petits-enfants.

Il se tourna vers Brochet.

— Je cède maintenant la parole à mon successeur.

Brochet laissa passer les applaudissements avant de commencer.

— C'est à la fois un honneur et un défi inquiétant de prendre la succession de quelqu'un comme Christopher Hope. Sous sa gouverne, les actifs sous gestion ont atteint plus de onze milliards. Je pense que ça mérite d'être souligné.

Une nouvelle série d'applaudissements répondit à son injonction.

— Comme tout le monde le sait, reprit Brochet, c'est le premier milliard qui est le plus difficile à réunir. Grâce au travail de mon prédécesseur – et de vous tous –, je me trouve maintenant à la tête d'une firme en plein essor. Aussi, je me fixe comme objectif, pour l'année qui vient, de franchir le cap des vingt-cinq milliards.

Les employés échangèrent des regards vaguement dubitatifs, vaguement surpris.

— Je sais qu'il s'agit d'un objectif ambitieux, reprit Brochet. Mais nous prendrons les moyens nécessaires pour les réaliser. Comme première mesure, je vous annonce que nous offrirons sous peu toute une gamme de produits « indice plus ». Si les choses se déroulent tel que je le prévois, nous ne serons pas obligés de faire des OPA sur nos concurrents : nous nous contenterons de rafler tous leurs clients !

Brochet s'interrompit un instant, comme s'il cherchait ses mots.

— Mais, avant de vous faire part plus en détail des nouvelles orientations que j'aimerais donner à cette compagnie, je vais d'abord m'acquitter d'une tâche des plus agréables.

Il fouilla dans la poche droite de son veston, en sortit une clé et la remit à Hope.

— Mon cher Christopher, ceci est la clé d'une villa en Grèce. La compagnie vous l'offre. Vous avez largement mérité cette modeste marque de reconnaissance. Veuillez croire que cette première décision à titre de président a été pour moi très agréable à prendre.

Hope avait l'air abasourdi. Il ne semblait pas savoir quoi répondre.

Brochet profita de la nouvelle vague d'applaudissements et d'expressions de joie pour se pencher vers lui.

— Vous voyez, murmura-t-il, collaborer avec nous n'a pas que des inconvénients. Continuez de faire ce qu'on vous dit et vous n'aurez pas à le regretter.

Puis il se retourna vers l'assistance.

— Cette première décision, reprit-il, se veut une illustration de la manière dont je conçois mon rôle : m'assurer que, pour chacun de vous, le travail soit plus agréable et plus enrichissant… à tous points de vue.

Des bouteilles de champagne firent leur apparition sur le bureau. Deux femmes en uniforme de traiteur se mirent à distribuer des flûtes.

Brochet leur laissa le temps de servir tout le monde puis porta un toast à Hope.

— À un homme intègre et visionnaire qui a su nous montrer la voie ! dit-il.

Le champagne coula pendant une dizaine de minutes puis Brochet reprit la parole.

— Je me permets d'abuser encore quelques instants de votre patience, dit-il. Je suis persuadé que vous ne serez pas déçus.

Les conversations s'éteignirent progressivement.

— Vous n'êtes pas sans savoir que la mondialisation a transformé l'économie et les marchés financiers en un véritable champ de bataille. Et qui dit guerre, dit lutte pour le contrôle de l'information. Aussi, je vous annonce une série de réformes structurelles qui ont pour but de compartimenter davantage notre travail, de manière à rendre les tentatives de pénétration plus difficiles : cloisonnement des activités, compartimentation des données, resserrement des protocoles d'accès, remplacement des réunions générales par des rencontres plus réduites impliquant uniquement les gens directement concernés… La sécurité du système informatique sera également haussée d'un cran et une nouvelle agence de sécurité sera embauchée pour réévaluer la sécurité des lieux et recommander de meilleures mesures de surveillance.

Des murmures accueillirent la déclaration.

— Je sais très bien que de telles mesures risquent de vous occasionner quelques inconvénients, poursuivit Brochet sur un ton compréhensif. Aussi, une politique de valorisation du personnel sera implantée en même temps que cette réforme : je vous annonce une augmentation de cinquante pour cent du salaire de tout le personnel ainsi que des avantages sociaux du système des bonis. Des contrats à long terme, des contrats garantis bien entendu, seront disponibles pour les employés qui le désirent… Dans un proche avenir, un programme d'achat d'options sur les actions de la compagnie sera également mis sur pied.

Un silence de quelques secondes suivit cette cascade d'annonces. Puis les questions fusèrent.

Brochet ne pouvait cacher sa satisfaction : tout le monde avait un prix.

— Madame Hunter se fera un plaisir de répondre à vos questions, dit-il. En tant que nouvelle vice-présidente au soutien du personnel et au recrutement, elle aura la responsabilité d'appliquer la nouvelle politique d'aide aux employés. Sa principale tâche sera de vous rendre la vie agréable et de vous aider à régler vos problèmes, de quelque nature qu'ils soient. Vous pourrez ainsi consacrer le meilleur de vous-même à votre travail… Elle aura également comme tâche de s'assurer que nous n'embaucherons que les plus performants afin de maintenir le niveau d'excellence auquel vous avez hissé cette compagnie.

LONDRES, 15 H 18

L'approche du nouveau millénaire semblait l'avoir vivifié. Il n'avait plus besoin de la canne pour marcher.

Xaviera Heldreth approcha son fauteuil à côté du sien. Pour passer en revue les activités du Consortium, ils utilisaient habituellement l'écran géant situé devant le bureau de Fogg.

— Vous avez quelque chose de neuf sur l'Institut ? demanda Fogg.

— Non. Les agences américaines n'arrivent pas à s'entendre entre elles sur la manière de les débusquer.

— Peut-être qu'il faudrait de nouvelles victimes pour les motiver ? Ça mettrait de la pression dans les médias.

— J'y ai pensé. Notre agent à Washington est censé me contacter aujourd'hui. Si les choses ne débloquent pas, je vais prendre des mesures en conséquence.

— Ces gens de l'Institut deviennent vraiment contrariants. Une enquête sur madame Breytenbach à Guernesey, des questions ici et là sur Petreanu et Brochet... Il y a même eu quelques questions sur F.O.G.G. Enterprises ! Je ne sais pas comment ils ont fait.

— Vous êtes certain qu'il s'agit d'eux ?

— Dans notre position, il faut toujours tenir le pire pour acquis. C'est une règle de survie... Où en sommes-nous avec la surveillance de Théberge ?

— Encore aucun contact. Mais son entourage s'active beaucoup autour de Brochet.

— Il se doute de quelque chose?

— Brochet ? Non. À part les quelques visites de Théberge, il n'a rien vu. Mais Jessyca est au courant. Elle va utiliser les vieilles obsessions de Brochet pour contre-attaquer. Peut-être que ça amènera l'Institut à se manifester...

MONTRÉAL, 10 H 23

Brochet quitta la réunion pour se rendre à son bureau. Il sélectionna le numéro inscrit dans la mémoire 23 et commanda l'appel.

— Oui ?

— Savary ? Il faut que je vous voie. Soyez chez Ferreira à midi trente.

Il raccrocha sans attendre la réponse.

Théberge avait voulu jouer les trouble-fête : il verrait ce qu'il en coûtait de s'en prendre à Claude Brochet !

Le fait que le policier persiste à enquêter sur les fonctionnaires décédés, qu'il refuse de considérer l'affaire comme terminée avec la mort de Dracul, qu'il vienne le relancer au bureau pour lui demander s'il avait subi des pressions... tout cela avait convaincu Jessyca de la nécessité d'agir. Elle avait alors facilement accepté son plan pour « s'occuper » de Théberge et détourner l'attention du milieu des gestionnaires. Cela s'inscrivait dans la série des diversions précédentes.

La nouvelle année s'annonçait décidément favorable. Cela méritait d'être fêté. Il y avait trop longtemps qu'il s'était privé de voir Norbert. Il reprit le téléphone.

Quelques instants plus tard, il demandait qu'on lui réserve la soirée du 30 à partir de vingt-trois heures trente. Avant de fêter le passage à l'an 2000, il importait de terminer l'année de façon vraiment satisfaisante.

LONDRES, 15 H 54

— Qu'est-ce que vous comptez faire ? demanda Xaviera Heldreth.

— La première chose est de ne plus remettre les pieds à Guernesey et de cesser de traiter avec les banques où ils ont enquêté.

— Je pensais bien qu'on en finirait avec eux au Japon, mais ils ont presque réussi à retourner la situation.

— Il faut faire en sorte que les Américains se décident à agir. Eux seuls ont les moyens de les éliminer.

— Et pour nos membres qui font l'objet d'enquêtes ?

— Leur avenir avec nous me semble peu prometteur, vous ne croyez pas ?

— On pourrait les utiliser comme leurres pour amener l'Institut à se découvrir.

— Avec tout ce qu'ils savent, c'est risqué. À mon avis, il est préférable d'en disposer aussitôt que nous leur aurons trouvé des remplaçants adéquats.

— Je n'accepterai jamais de sacrifier Ute.

— Pour votre madame Breytenbach, nous trouverons quelque chose. Mais avouez que son comportement nous facilite de moins en moins la tâche.

— Je sais… Vous voulez que je m'occupe des deux autres ?

— Comme il vous plaira. Mais je vous tiens personnellement responsable de madame Breytenbach.

— Entendu.

— Où en sommes-nous avec le centre financier ?

— Les tests de transferts ont tous été réussis et les projets pilotes fonctionnent sans heurts. Le programme complet de gestion sera lancé au début de l'année comme prévu.

— Bien… Pour revenir à ce dont nous discutions tout à l'heure, assurez-vous que Y2-KEY est pleinement opérationnel et que vous n'avez vraiment plus besoin de Petreanu avant d'en disposer.

— Et Brochet ?

— Du moment que votre madame Hunter est en mesure d'assurer la relève, vous êtes libre d'en faire ce que vous voulez… à condition que ça n'ait pas l'air d'une exécution.

— Entendu.

— Un accident serait hautement préférable.

— C'est ce que j'avais compris.

MONTRÉAL, 11 H 53

Poitras descendit par l'ascenseur jusqu'au stationnement sous l'édifice et entra dans la fourgonnette de Chamane garée à côté de la sortie. Il se rendit immédiatement dans la partie arrière du véhicule, à l'abri des vitres opacifiées.

Une dizaine de minutes plus tard, Chamane et lui descendaient dans la cour arrière d'une maison de l'avenue De Lorimier. À l'intérieur, Hurt, Blunt et Semco attendaient leur arrivée.

Sur la grande table de la salle à manger, Hurt avait installé cinq ordinateurs portables.

— C'est probablement notre dernier portrait de groupe, dit-il.

C'était le nom qu'ils avaient donné aux réunions où ils mettaient en commun leurs données sur l'empire de MultiGestion Capital International.

Chamane s'activa sur son clavier. Il était relié par satellite à son ordinateur principal, chez lui. Après quelques instants, les mêmes tableaux apparurent sur les écrans des cinq appareils.

— La synthèse a été effectuée par Yvan, dit Chamane. Je vais le laisser faire la présentation.

Ce dernier enchaîna sans attendre.

— Les résultats intègrent les travaux faits par les autres équipes, dit-il.

Les équipes…

Tout comme Chamane, Yvan les connaissait uniquement sous ce nom. Compte tenu des renseignements qu'elles avaient recueillis, il devinait qu'elles opéraient à l'étranger. Mais il n'en savait pas davantage. Seuls Hurt et Blunt étaient au courant que ces mystérieuses équipes appartenaient aux « petits amis » de F.

— Nous avons maintenant un dossier complet sur trente-huit des quarante-deux compagnies appartenant à MultiGestion. Dans chacun des cas, le schéma est le même : les compagnies ont le même réseau de fournisseurs, qui leur chargent tous le gros prix. Elles ont les mêmes banques, qui leur chargent toutes des intérêts usuraires. Et elles sont toutes déficitaires. Année après année, les actionnaires injectent du nouveau capital.

— Les quatre autres ? demanda Hurt.

— Elles ne sont pas déficitaires. Deux ont des activités très concentrées. Les deux autres…

— Est-ce que ce sont les quatre que vous avez mis dans le bas du tableau ? demanda Hurt en examinant l'écran de son portable.

— Oui. Global Sex Products… Y2K Crisis Management… SSS et F.O.G.G.

— La première, c'est la compagnie qui exploite la nouvelle série de bars à Montréal ? demanda Blunt.

— Oui.

— Vous n'avez rien trouvé d'incriminant sur eux ?

— Absolument rien. Chamane a eu accès à la comptabilité consolidée de la compagnie. Les établissements européens sont très rentables, surtout en Allemagne et en Hollande. Ils permettent à la compagnie de subventionner l'implantation du nouveau réseau à Montréal.

— Pour ce qui est de leurs activités, reprit Hurt, il n'y a aucune trace de trafic de drogue. Une équipe des Jones surveille les établissements depuis près de deux mois.

— Y2K Crisis Management a le même profil, poursuivit Yvan. Chamane et ses amis ont fait des tests. Leur service est impeccable. D'après l'échantillon analysé, tous les systèmes qu'ils ont réparés passent l'an 2000. Leurs profits sont raisonnables et leur comptabilité a l'air d'être sans failles. Une compagnie modèle.

— SSS ? demanda Hurt.

— Ça, c'est curieux. Il y a uniquement un poste budgétaire pour déterminer l'évolution annuelle de son actif dans les avoirs de MultiGestion. Rien d'autre.

— J'ai eu beau chercher, enchaîna Chamane, il n'y a aucune trace de leur comptabilité.

— Et F.O.G.G. ?

— Toujours rien.

— Pour les trente-huit autres compagnies, est-ce qu'on a ce qu'il faut pour lancer l'opération ?

— Sans problème, fit Poitras. J'ai tout révisé au cours des deux dernières semaines. Elles ont peu de chances de s'en tirer. À mon avis, la plus belle prise sera Gems & Gold International Retailing. Leur réseau couvre l'ensemble des États-Unis et une partie de l'Europe.

— Du côté des fournisseurs, reprit Yvan, toutes les compagnies ont des bilans en apparence irréprochables. La plupart sont des filiales de compagnies-mères situées dans des paradis fiscaux. Les frais de franchise absorbent la presque totalité de leurs profits, mais il leur en reste assez pour être viables.

— Et les compagnies-mères ? demanda Poitras.

Chamane fit apparaître un nouveau diagramme sur les écrans.

— En se guidant sur les schémas de Buzz, dit-il, Yvan a réussi à construire une représentation globale du réseau. Les compagnies-mères sont dans la troisième constellation : ce sont elles qui doivent retourner l'argent aux actionnaires qui investissent dans les compagnies déficitaires de première ligne. Le transit se fait probablement par le groupe SH, auquel seul Petreanu semble avoir accès.

— C'est donc un seul réseau intégré ? fit Poitras.

— D'après ce qu'on comprend, la première constellation est celle qui disperse et recycle les revenus illicites par le biais des compagnies déficitaires. La deuxième regroupe les fournisseurs. La troisième est celle qui récupère les profits par l'intermédiaire des compagnies-mères et les retourne aux producteurs de revenus par le biais de SH.

CKAC, 12 H 02

JOS PUBLIC, LE VENGEUR AUTOPROCLAMÉ DU PEUPLE, S'EST MANIFESTÉ CE MATIN. DANS UN MESSAGE ADRESSÉ AUX MÉDIAS, IL AFFIRME QUE, POUR CÉLÉBRER L'ARRIVÉE DU MILLÉNAIRE, IL VA REPRENDRE SA LUTTE CONTRE LA BÊTISE BUREAUCRATIQUE, LES PRIVILÈGES INJUSTIFIABLES ET L'ARBITRAIRE ABUSIF.

DANS UN AUTRE DOMAINE MAINTENANT, LE MAIRE DE MONTRÉAL A TENU À RÉITÉRER SA POSITION RELATIVEMENT À...

MONTRÉAL, 12 H 17

Brochet était arrivé depuis une dizaine de minutes lorsque Savary se présenta à sa table.

— Je vous invite, dit Brochet en soulevant son verre de porto.

— Je ne suis pas à vendre.

— Pourquoi est-ce que j'achèterais quelqu'un que je contrôle déjà ?... Non... je voulais simplement vous faire goûter aux avantages d'une saine collaboration.

— Qu'est-ce que vous voulez ?

— D'abord que vous preniez place et que vous commandiez un repas décent. Ça vous changera des petits sandwiches immangeables et de la piquette habituelle des conférences de presse.

Le journaliste ouvrit le menu.

— Mes sources m'ont appris que le vampire recommencerait à frapper dans les prochains jours, reprit Brochet.

— Comment pouvez-vous savoir ça ?

— Un ex-membre du club. Il ne veut plus participer aux activités parce que ça lui pose des problèmes de conscience. Mais il a gardé des contacts.

— Je peux le voir ?

— C'est malheureusement impossible. Et puis, si vous ne le connaissez pas, vous ne pourrez pas révéler son identité.

— Qu'est-ce qu'il a à dire, cet informateur ?

— Il va y avoir une cérémonie. Bientôt.

— Vous voulez que je fasse quoi ? Que je la prédise ?... Je ne suis pas Jojo Savard.

— Savard... Savary...

Le journaliste ignora la tentative d'humour de Brochet.

— Je ne peux rien faire de votre information, dit-il.

— Mon informateur croit également que vous devriez vous intéresser à la gérante du Palace.

— Le bar de danseuses ?

— Oui. C'est une amie de l'inspecteur-chef Théberge. Il y a peut-être un lien avec le fait qu'il ne croit pas aux vampires.

— Ce sont ses hommes qui ont arrêté Dracul !

— Lequel a disparu après qu'on a été le chercher en pleine nuit à la demande de notre brave inspecteur.

— L'enquête a conclu que la réquisition était un faux.

— Le cadavre de Dracul a quand même été retrouvé devant chez lui. Moi, je pense que ça fait beaucoup de coïncidences... Je vous le dis, je m'intéresserais à cette madame Weber. Il paraît qu'elle a des yeux tout à fait remarquables !

— Qu'est-ce que vous voulez que ça me fasse, ses yeux ?

— Vous les comparerez avec le contenu de cette cassette.

Il tendit une enveloppe au journaliste en lui demandant de l'ouvrir uniquement chez lui.

— Quand vous aurez regardé son contenu, reprit-il, je compte sur vous pour la communiquer à un de vos confrères de la télévision. Je recommande TVA ou Radio-Canada.

Brochet et Savary quittèrent le restaurant une heure plus tard. L'homme qui était assis à la table voisine se leva lentement et demanda l'addition.

Inutile de se presser, un autre des Jones avait pris la relève à la sortie du restaurant.

MONTRÉAL, 12 H 21

— En ce qui concerne les banques, où est-ce que vous en êtes ? demanda Poitras.

— Elles interviennent dans toutes les constellations. Il faut voir ça comme un organisme vivant. Le réseau des banques sert à acheminer les flux financiers entre les composantes.

— Est-ce que vous avez des preuves suffisantes ?

— On est partis de celles qui servent au recyclage proprement dit, en effectuant des prêts à des taux exorbitants aux compagnies déficitaires, et on a remonté jusqu'à celles qui gèrent les comptes d'accumulation.

— Les comptes d'accumulation ?

— C'est là que l'argent s'accumule avant de disparaître. Ça fonctionne par retraits au comptoir : des billets au porteur, des certificats de T-Bills américains… C'est probablement comme ça que le fric se retrouve dans le cercle SH.

— SH, c'est pour Safe Heaven ?

Hurt acquiesça d'un mouvement de la tête.

— Pour MultiGestion, on a donc toute la chaîne ? poursuivit Poitras.

— Oui. C'est à l'entrée qu'on a de la difficulté. On a été chanceux d'avoir les opérations contre Body Store : ça nous a permis de trouver des points de départ clairement criminels. Autrement, on pourrait suivre l'argent à la trace, depuis le moment où il apparaît dans le réseau jusque dans les comptes d'accumulation, mais on n'aurait jamais de preuves qu'il s'agit d'argent sale.

— Du moment qu'on peut prouver qu'il y a eu des activités de blanchiment, fit Poitras, toutes les activités du réseau des banques vont pouvoir être examinées.

— Les comptes d'accumulation sont dans quel pays ? demanda Hurt.

— Tous dans des paradis fiscaux qui ont des règles très strictes sur le secret bancaire. Antigua, les îles Caïmans, les Bahamas…

— Ça veut dire qu'on ne pourra pas les atteindre.

Un sourire apparut sur les lèvres d'Yvan.

— Mais ils sont gérés à partir de Montréal, dit-il.

— Hope Fund Management ?

— Pour une bonne partie. Mais il y a aussi Jarvis Taylor Dowling, KPC Capital Investment… Il y en a même une partie qui est faite par la Caisse de dépôt.

— Ils gèrent des comptes privés ? fit Poitras, surpris. À la Caisse ?

— Dans des filiales du groupe international. Ils ont investi dans des compagnies étrangères qui font de la gestion financière et de l'immobilier.

Depuis le début de la réunion, Blunt s'était tenu à l'écart, laissant Hurt diriger la discussion.

— Et Brochet ? demanda-t-il. Quoi de neuf de votre côté ?

La question s'adressait à Yvan.

— Il va devenir président de la compagnie. Hope démissionne.

— Quoi !

Poitras n'avait pas pu s'empêcher de réagir.

— Hope va demeurer président du conseil d'administration, mais Brochet le remplace pour tout le reste.

— Je n'arrive pas à le croire.

— Il a annoncé un tas de réformes pour renforcer la sécurité. Il a nommé son adjointe au poste de vice-présidente au personnel… Tout le monde va avoir une augmentation de salaire de cinquante pour cent. Les bonis augmentent…

— C'est clair, il veut acheter la collaboration du personnel.

— Il appelle ça « fidéliser les employés ».

Après cet intermède sur Brochet, Yvan et Chamane terminèrent la présentation de leur partie. Ce fut ensuite au tour de Poitras de faire part de ses recherches sur Brochet et Petreanu. Le seul élément neuf qu'il avait à apporter concernait l'implication de Petreanu dans le réseau du FMI et de la Banque mondiale.

— Et le groupe F.O.G.G. ? demanda Blunt.

— Rien. À mon avis, il doit s'agir d'une composante dissimulée derrière une série de sociétés-écrans, toutes situées dans des paradis fiscaux.

— Ça me donne une idée, murmura Chamane.

Tous les regards se tournèrent vers lui.

— Je vous en parlerai plus tard, dit-il…

Blunt se contenta de l'observer. Quand Chamane avait des idées, cela concernait presque toujours les ordinateurs. Dans quoi allait-il donc bricoler ?

MASSAWIPPI, 15 H 37

À la demande de Blunt, F avait décidé de relancer un de ses informateurs. Celui-là occupait un poste de haute direction au bureau de Morgan Stanley Dean Witter, à New York. Le financier lui avait demandé un délai de trois jours pour faire quelques vérifications. Le délai était expiré.

— Alors, Malcolm, prêt pour l'an 2000 ?

— Je ne veux plus entendre parler de ça. Je suis sûr que c'est un complot mondial des informaticiens pour rançonner notre industrie.

— Seriez-vous devenu paranoïaque avec l'âge ?

— À Wall Street, la paranoïa est une condition d'embauche.

— Comment va la digestion ?

— Vous voulez parler de la fusion avec Dean Witter ? Tous les trimestres sont positifs. Les profits continuent d'augmenter… Que demander de plus ?

— Vous avez eu le temps de vérifier ce que je vous ai demandé ?

— Votre monsieur Petreanu… Un cas intéressant. Il a longtemps travaillé pour le FMI et la Banque mondiale. Ce serait lui qui aurait mis au point les PAS, ce qui n'est pas rien.

— Les PAS ?

— Politiques d'ajustement structurel. C'est un ensemble de réformes destinées à ruiner les pays du tiers-monde. Des réformes auxquelles ils doivent consentir librement s'ils veulent bénéficier des prêts à taux usuraires que leur consentent les pays riches.

— Vous êtes cynique !

— C'est une autre condition d'emploi à Wall Street.

— Sur Petreanu, vous avez autre chose ?

— Depuis quelques années, il semble mener une existence retirée. Il interviendrait à l'occasion, semble-t-il, pour le Club de Londres.

— Vous savez où il demeure ?

— Il a une résidence officielle à Londres, mais on dit qu'il passe beaucoup de temps en Suisse. Un de nos vice-présidents, à Londres justement, a émis l'hypothèse qu'il pourrait être relié à Brochet.

— Sur lui, est-ce que vous avez appris quelque chose de nouveau depuis notre dernière conversation ?

— Non. J'aurais aimé vous aider davantage, mais il semble que les gens auxquels vous vous intéressez aient tous en commun une certaine obsession pour la discrétion.

— Malcolm, je vous remercie de tout ce que vous avez fait.

— Ce n'est rien. Et vous, quand est-ce que vous revenez à New York ? Il y a des lunes que nous n'avons pas dîné ensemble !

— Vous ne me ferez pas croire que c'est le dîner qui vous intéresse !

— Il faut bien commencer quelque part.

— J'ai quand même quelque chose pour vous. Mais pour vous seulement.

— Pas un tuyau sur une nouvelle IPO de compagnie Internet, j'espère ?

— Le contraire. Je vous envoie une liste comprenant vingt-deux noms de compagnies, dont plusieurs banques. Assurez-vous de ne pas y avoir trop de capital investi ou en dépôt.

— C'est sérieux ?

— Tout à fait. Mais c'est uniquement pour vous. Personnellement… Si vous en parlez et qu'il se produit des mouvements de marché, je saurai que vous en êtes responsable… Et les autorités compétentes le sauront aussi. Elles estimeront que vous avez saboté leur opération… Quand je parle d'autorités compétentes, vous devinez que je ne parle pas d'autorités financières.

— Entendu. Je vérifierai et je ferai les transactions moi-même s'il y a lieu.

— À la prochaine, Malcolm. Et si vous avez quoi que ce soit sur Petreanu…

— Je laisse un message au même numéro pour que vous preniez contact.

MONTRÉAL, 15 H 48

Antoine Savary entra au Van Houtte et jeta autour de lui des regards de conspirateur avant d'aller s'asseoir à la table de Robert Dubuc.

— Qu'est-ce qui se passe ? fit Dubuc. Es-tu sur la liste noire des Raptors ?

— Tu peux faire des farces, mais ce que j'ai, c'est de la vraie dynamite !

— Qu'est-ce que tu as encore trouvé ? La liste des morts qui ont voté pour le Parti libéral aux dernières élections ? Le nom de tous les députés qui ont déjà pris de la dope ?

— Quand tu vas voir ce qu'il y a sur la cassette…

— Une cassette… Pas encore un ministre qui s'est fait prendre les culottes à terre dans une halte routière !

— Non. C'est une cassette du vampire.

— Le vampire ?

— « Le » vampire. Ou, plutôt, « la » vampire. Je suis sûr que c'est elle.

— Elle qui ?

— Celle qui a tué tous ces gens depuis le printemps. On la voit qui prend un bain de sang pendant qu'un corps se vide dans le bain !

— C'est quoi, cette histoire ?

— Je te jure !... Ça va être le *scoop* de l'année !

— Je n'ai pas de budget pour ça.

— Je ne veux pas la vendre. Je te la donne.

— Tu me la donnes ?

Dubuc regardait tout à coup son interlocuteur avec curiosité. Presque avec méfiance. Cela violait toutes les lois sur lesquelles reposait la cohérence de son univers... Savary, qui fumait les cigarettes des autres et qui cherchait toujours à se faire payer un repas... Savary, qui laissait toujours des pourboires rachitiques et qui ramassait les bouteilles dans sa rue pour les revendre...

— Tu me la donnes ? répéta Dubuc.

— Oui. Tout ce que je demande, c'est que tu ne dises pas que ça vient de moi.

— Tu es sûr que c'est une vraie ? Je veux dire, que c'est vraiment « la » vampire...

— Tu jugeras par toi-même. Mais je suis certain d'une chose : si tu en passes un bout aux nouvelles, ça va faire un *hit*.

— Bon, disons que ça fait un *hit*. Mais qu'est-ce que tu gagnes, toi, dans tout ça ?

— J'ai vu le vidéo. Mes articles sont déjà écrits... Ton reportage va me permettre de les sortir...

WASHINGTON, 16 H 29

— Quoi de neuf sur l'Institut ? demanda Snow en entrant dans la chambre d'hôtel de John Tate.

— Toujours rien.

— Vous êtes censés être les meilleurs, avoir les meilleurs équipements... En tout cas, vous avez les plus gros budgets ! Et avec tout ça, vous n'êtes même pas capables de trouver une vieille hystérique et quelques *has been* !

— Il faut croire qu'ils ne sont pas si mauvais.

— Tate, si je ne te connaissais pas depuis longtemps, je croirais que tu délires.

— Et moi, je croirais que tu as un agenda secret.

— Elle doit pourtant être quelque part !

— Probablement, oui…

— Qu'est-ce qu'on dit au Président, tout à l'heure ?

— Son plus gros problème, maintenant, c'est le Congrès.

Snow marchait nerveusement dans la pièce.

— Il faut trouver quelque chose, dit-il. Autrement, on va avoir les deux comités sur le dos.

— Je sais, répondit Tate. Tous les prétextes sont bons pour qu'ils mettent leur nez dans nos affaires.

Ils n'avaient pas besoin de préciser davantage. Les deux comités, pour n'importe quel haut responsable des agences de renseignements, c'étaient le SSCI et le HPSCI, les comités bipartites du Sénat et de la Chambre des représentants qui supervisaient les activités des agences de renseignements.

Instaurés pour des motifs de transparence et de contrôle démocratique des activités de renseignement du pays, ces comités étaient surtout utilisés par leurs membres pour recueillir de l'information susceptible de servir à leurs fins politiques. Chaque fois qu'ils avaient l'occasion de laisser couler de l'information pour faire avancer un de leurs projets, pour nuire à un adversaire ou simplement pour bien paraître aux yeux d'un journaliste, ils le faisaient sans trop d'hésitation.

De toute manière, la moitié d'entre eux, de tendance libérale, se méfiaient de ces « espions qui jouaient à la guerre » et voyaient leur budget comme une dépense démesurée. Quant à l'autre moitié, de tendance plus conservatrice, elle y voyait un instrument qu'il fallait mettre à sa main pour mieux contrôler les ennemis extérieurs et intérieurs, au nombre desquels ils rangeaient allégrement tous leurs opposants politiques.

— J'ai pensé à quelque chose, dit Snow. Si on publiait les photos des membres de l'Institut…

— Tu en as ? répondit Tate, surpris.

— Oui.

— Où est-ce que tu les as dénichées ?

— Je ne peux pas dévoiler ma source.

— Tu es sûr qu'elle est fiable ?

— Absolument fiable.

— C'est vrai que ça ferait un bon os pour les médias… Mais ce serait préférable de ne pas inclure F.

— Pourquoi ?

— Parce que, si on en donne trop aux journalistes, ils vont se méfier. Il faut les laisser chercher, leur permettre d'en trouver une partie par eux-mêmes…

— Bon, d'accord. Mais il nous reste à régler le problème des comités.

— Pour ça, l'idéal serait d'annoncer la formation d'un *task force* conjoint des principales agences.

— Peut-être…

— C'est la seule solution. Et ça couvre le Président. On ne pourra pas lui reprocher de ne rien faire.

— À propos du Président, as-tu examiné le dossier des successeurs ?

— Oui. Pour les trois candidats les plus probables dans chaque parti, il n'y a pas de problème. On a quelque chose sur chacun.

— Nous aussi.

Un silence suivit.

— Vous avez une préférence ? demanda finalement Snow.

— Avant, j'aurais été porté à choisir un Républicain. Mais avec le poids de plus en plus fort des chrétiens radicaux, ils sont moins faciles à contrôler.

— Le pire, c'est le candidat des militaires et de l'aéronautique.

— Bien d'accord.

— S'il est élu, nos budgets vont fondre à vue d'œil et ce sont les uniformes qui vont tout ramasser.

— Mon préféré, ce serait le candidat des syndicats et des groupes de gauche. Avec sa base électorale, c'est le plus vulnérable aux scandales et aux campagnes de médias. En cas de problème, ce ne serait pas difficile d'avoir prise sur lui.

— Qu'est-ce que tu penses du fondamentaliste indépendant ?

— Il n'a aucune chance. Avec ses prises de position, il va se couler lui-même.

— L'idéal, ce serait d'en trouver un autre qui ne comprend rien.

— C'était le bon temps !

— On n'a jamais eu les mains aussi libres qu'avec lui.

— Il y a toujours l'héritier…

— Je me méfie de lui. C'est le genre à jouer le jeu pendant un certain temps puis à nous faire dans les mains sans avertissement. Sur un coup de tête… ou pour faire plaisir aux militaires.

Snow se laissa finalement tomber dans un fauteuil et il fixa son regard sur Tate.

— Ce soir, pour le *task force*, je peux compter sur ton appui ?

MONTRÉAL, 17 H 55

Bras et jambes écartés, Évelyne Pradier était retenue sur le lit par des courroies de cuir fixées à ses poignets et à ses chevilles. Elle avait les mêmes vêtements que lorsqu'elle avait été enlevée, deux jours plus tôt.

Impuissante, elle sentait la bouche s'activer dans son cou depuis plusieurs minutes. Le rythme des mouvements était régulier : la langue cessait de faire pression sur l'ouverture dans la veine, la bouche aspirait un peu de sang, puis la langue revenait obstruer l'ouverture.

Quand la bouche s'éloigna de sa gorge, elle aperçut de nouveau les yeux qui l'avaient terrorisée lorsqu'elle avait repris connaissance. Des yeux jaunes qui se tenaient tout près de son visage et qui fixaient les siens. Des yeux dont les pupilles étaient verticales comme celles des chats.

Deux fois déjà, le rituel s'était produit. Il avait duré trois ou quatre minutes chaque fois. D'abord la piqûre, pour ouvrir un accès dans la veine. Puis l'alternance de l'aspiration et de la pression de la langue.

— Vous ne souffrirez pas, avait dit la femme.

C'était la première chose qu'elle lui avait dite.

— Il vous reste encore plusieurs jours à vivre, avait-elle ensuite ajouté. Probablement des semaines. Je vais faire attention de ne rien gaspiller. J'ai autant intérêt que vous à ce que votre existence se prolonge le plus longtemps possible.

Évelyne Pradier aurait été incapable de reconnaître la voix. Elle lui arrivait déformée à travers le masque que la femme rabattait sur son visage aussitôt qu'elle avait fini de boire. Son seul point de repère était ses yeux.

— Je constate que vous avez été plus raisonnable, aujourd'hui, poursuivit la femme. Que vous vous êtes moins débattue. Pour soulager vos poignets et vos chevilles, je vais vous détacher pendant quelques heures… Bien entendu, je vais prendre certaines précautions.

La femme étendue sur le lit sentit une piqûre légère dans le creux de son bras gauche.

— Avec ça, dit la femme aux yeux de chat, vous allez dormir jusqu'à demain. Il n'y a rien comme un long sommeil réparateur.

Ce furent les derniers mots qu'Évelyne Pradier entendit.

TVA, 18 H 06

> … CAR LES IMAGES QUE VOUS ALLEZ VOIR SONT TROUBLANTES. LA BANDE VIDÉO A ÉTÉ REMISE À NOTRE REPORTER CET APRÈS-MIDI. D'APRÈS NOS ANALYSES, IL Y A DE FORTES PROBABILITÉS QUE CE SOIT UN DOCUMENT AUTHENTIQUE. ET SI C'EST LE CAS, CE QUE VOUS ALLEZ VOIR, CE SONT LES IMAGES DU VAMPIRE QUI HANTE LES RUES DE MONTRÉAL. DES IMAGES POUR LE MOINS INATTENDUES.
>
> POUR DES RAISONS ÉTHIQUES, UNE PARTIE SEULEMENT DU VIDÉO VOUS SERA PRÉSENTÉE. VOICI DONC…

MONTRÉAL, 18 H 09

À la droite de la porte de bois massif, une plaque dorée annonçait: Jones & Jones, siège social.

Jones XXIII accueillit Hurt et Théberge. Il les guida dans la vaste demeure du groupe. Ils traversèrent la salle des télévisions, où méditaient une dizaine d'individus, longèrent l'atelier de mécanique et entrèrent dans une pièce qui ressemblait à un luxueux bureau de gestionnaires.

Blunt les y attendait.

— Vous n'avez pas fait vœu de pauvreté? ironisa la voix moqueuse de Sharp.

— Compte tenu de la nature des lieux, un certain décorum s'imposait, répondit simplement Jones XXIII. Vous voulez boire quelque chose?

Il ouvrit une petite armoire remplie de bouteilles.

— N'en faites pas trop, dit Blunt. Nous n'avons pas beaucoup de temps.

— Comme vous voulez.

Ils prirent place autour de la grande table de conférence en chêne.

— Qu'avez-vous appris sur Brochet? demanda d'emblée Hurt en s'adressant à Jones XXIII.

— Il continue de communiquer avec des gestionnaires des mêmes institutions financières. Quelquefois par téléphone, mais il privilégie les rencontres privées.

— Ce sont toujours Jarvis Taylor Dowling, KPC Capital, Penfield Cloutier et la Caisse de dépôt?

— Presque toujours.

— Et quand ce ne sont pas des gestionnaires?

— Ce sont des journalistes. Ou des gens qui contrôlent des fonds importants. Du moins, d'après ce que j'ai pu entendre de leurs conversations... Hydro-Québec, la caisse de retraite de la Ville de Montréal...

— Tous des clients qui ont déserté Poitras, fit Hurt... Les rencontres ont lieu où?

— La plupart du temps dans des bars de danseuses. Le Spider Club, le Gothic, l'Engrenage...

— Rien de neuf sur ces bars?

— Aucune drogue. Aucun motard. Aucune activité de paris illégaux.

— Des établissements modèles ! fit Théberge.

— De votre côté, lui demanda Hurt, vous avez quelque chose?

— Rien non plus.

— Il y a un détail qui m'a frappé, reprit Jones XXIII : Brochet est souvent accompagné de la gérante du Spider Club, Jessie Hunt. Même quand il va dans les autres bars.

Dix minutes plus tard, ils avaient terminé le bilan.

— Vos équipes sont prêtes à intervenir ? demanda alors Hurt en s'adressant à Théberge.

— Elles attendent le signal.

— Vous procéderez d'abord à l'arrestation de Brochet et de son assistante. Puis vous perquisitionnerez leurs bureaux chez Hope Fund Management. Ce sont vos deux priorités. Vous avez assez de personnel ?

— Aucun problème.

— Il faut saisir le matériel informatique et vous assurer que personne n'efface de documents ou ne jette de dossiers. Ensuite vous vous occupez des autres gestionnaires…

— Qu'est-ce qu'on fait pour les vampires ?

— Ce n'est pas notre priorité pour le moment.

— Vous voulez dire qu'on va expédier Brochet à l'ombre pour avoir barboté de façon indélicate dans les milliards, mais qu'on ne pourra pas le coincer pour l'histoire des vampires ?

— Ni pour ses agissements passés avec Semco. Ni pour tous les autres qu'il a ruinés.

Théberge semblait sérieusement contrarié.

— Qu'est-ce que je vais faire de Mylène ? demanda-t-il. Qu'est-ce que je vais faire de Maltais, de Quirion, de Marchand, de Brunelle ? Qu'est-ce que je vais faire des trois jeunes ?… Je ne peux pas les garder à l'hôtel pendant les dix prochaines années !

— Vous leur direz de patienter, répliqua Sharp avec humeur. Dans leur état, ce n'est quand même pas le temps qui leur manque.

— Je trouve cette solution éminemment déplaisante.

— La priorité, c'est de mettre Brochet en prison, il me semble, reprit Hurt sur un ton conciliant. Peu importe pour quel crime.

— Je suis persuadé qu'il est derrière tous ces meurtres.

— Vous vous fondez sur quoi ?

— Mon intuition.

— Écoutez, je comprends votre réaction. Mais nous n'avons pas de preuves. Par contre, si jamais nous sommes chanceux au cours de la perquisition…

Théberge se tourna vers Jones XXIII.

— Parmi les bars, est-ce qu'il y en a un qu'il fréquente plus que les autres ?

— Le Spider Club, je dirais.

— Nous n'avons aucune preuve contre cet établissement, fit Hurt.

— Les bars font partie de leur réseau.

— C'est vrai. Mais ils appartiennent tous à une compagnie qui est irréprochable. Croyez-moi, ce n'est pas faute d'avoir essayé ; nous n'avons vraiment rien découvert.

— Je trouve quand même la chose éminemment déplaisante.

— C'est votre droit.

MASSAWIPPI, 20 H 53

F avait suivi en direct le souper de travail auquel les responsables des grandes agences avaient été convoqués par le Président.

L'accès vidéo clandestin à la salle de réunion lui avait coûté une petite fortune, mais cela en valait la peine. Chamane avait fait ce qu'il appelait du *hacking* créatif.

Pour l'instant, les résultats de cette rencontre lui posaient trois problèmes. Le plus urgent était celui du *task force*. Contrairement à toute attente, les représentants des agences de renseignements et les militaires avaient réussi à s'entendre. Ils mettraient sur pied un groupe d'intervention dont la seule tâche serait de démasquer et d'éliminer l'Institut. Le Président signerait le projet détaillé que lui présenterait Snow dans les jours à venir.

Le deuxième problème tenait à la décision prise par ce groupe de communiquer aux médias les photos des principaux collaborateurs de l'Institut : Blunt, Claudia, Kim, Hurt... On n'avait que des photos anciennes et floues, on en convenait, mais c'était déjà ça.

F songea avec soulagement à la précaution qu'elle avait prise de tous leur imposer une chirurgie esthétique, après le premier affrontement avec le Consortium. Elle décida de leur envoyer quand même un message, à la fois pour les prévenir de la publication des photos et pour leur demander de redoubler de prudence.

Le troisième problème était plus grave. Les membres des différentes agences s'étaient entendus pour bloquer toute action dans laquelle l'Institut était susceptible d'être impliqué.

Tate n'avait presque rien dit pendant cette discussion. Le Président, de son côté, avait vaguement manifesté son accord, comme si la chose allait de soi. Cela voulait dire qu'elle ne pouvait plus compter sur les États-Unis pour l'opération Money Trap. Et, sans leur apport, tout le délicat réseau de preuves risquait de s'écrouler.

Il fallait une riposte énergique.

F ouvrit une banque de données qui contenait des renseignements embarrassants sur un certain nombre de personnes importantes de la vie politique américaine. Elle sélectionna le dossier de l'une de ces personnes et transféra son icône sur celle du programme Auto-pub que lui avait créé Chamane.

Une fenêtre s'ouvrit, qui contenait une longue liste de médias. Elle cocha une case à côté d'une dizaine de noms, puis elle lança l'exécution du programme.

Quelques instants plus tard, l'information se retrouvait dans le réseau d'une dizaine de médias majeurs des États-Unis. Le message serait identifié comme provenant de Mister Clean. Il s'agissait d'un *hacker* fictif, dont la biographie avait été créée de toutes pièces par Chamane et qui s'était donné comme mission de nettoyer les institutions américaines.

Chamane avait mis deux ans à établir la réputation du personnage. Maintenant, les médias lui accordaient une certaine crédibilité, sans toutefois aller jusqu'à l'admettre officiellement. Ils le savaient non-partisan, ses révélations ayant frappé tour à tour les Démocrates et les Républicains.

Elle envoya ensuite un message à Tate.

> J'ai peur que les médias n'apportent de bien mauvaises nouvelles au sénateur Bochee. Mister Clean ne semble pas l'aimer beaucoup.
>
> Par ailleurs, j'ai appris que ses prochaines cibles seraient Snow et le vice-président : dans deux jours. Puis ce sera votre tour et celui du Président. Deux jours plus tard.
>
> J'ai aussi appris que les révélations risquaient d'être beaucoup plus dévastatrices que celles qui touchent le sénateur.
>
> Si l'Institut a été « débusqué et éliminé » et qu'il ne peut plus poursuivre ses projets comme prévu, il ne sera évidemment pas en mesure de vous aider à contrer ce danger.

Elle relut le texte et décida d'y ajouter un court message personnel à transmettre au Président.

LAVAL, 21 H 48

Gilbert Lauzon entra à l'Engrenage et alla directement vers la nouvelle section des loges. Le jour même où le jugement de la Cour suprême était tombé, déclarant les danses contact légales, l'établissement avait installé une section qui leur était réservée.

Le concept de l'établissement, axé sur la mécanique, avait été respecté. La direction avait baptisé la nouvelle section : *Slut Machines*. Un écriteau annonçait les prix : 10 $ la danse. Trois pour 25 $.

Lauzon demanda à voir Sharon. Puis il entra dans une des loges.

L'ouverture étroite débouchait sur une chaise. Lauzon ferma la porte derrière lui et s'assit sur la chaise. La cabine pivota lentement de cent quatre-vingts degrés.

Il se retrouva assis devant une scène en demi-cercle. La danseuse qu'il avait demandée l'y attendait.

— Alors ? demanda la fille.

— Ce sera officiel demain. J'ai remis la lettre.

Un sourire apparut sur le visage de la fille.

— On peut donc procéder, dit-elle.

MASSAWIPPI, 22 H 41

Blunt était arrivé depuis environ une heure. Avec F et Hurt, ils avaient passé en revue tous les aspects de Money Trap.

— Les responsables de tous les pays ont été contactés, résuma F. Il ne manque que quatre ou cinq réponses… Normalement, elles devraient entrer dans les quarante-huit heures.

— Même la Suisse ? fit Hurt.

— Même la Suisse.

— Ça m'étonne qu'ils acceptent aussi facilement de collaborer.

— Disons qu'ils vont avoir besoin d'un peu d'encouragement. Mais je pense avoir trouvé quelque chose qui va les convaincre.

— Je me disais, aussi… Et les États-Unis ?

— Ça, reprit F, c'est le seul vrai problème… Notre chance, c'est que toutes les opérations sont autonomes. Les équipes d'intervention ne savent pas d'où viennent les informations qu'elles utilisent et elles n'ont aucune idée du plan global dans lequel leur action s'inscrit. Les responsables des pays n'ont eux-mêmes qu'une connaissance limitée de ce qui se passe ailleurs. Tate pourra toujours prétendre avoir agi de bonne foi… Mais ça lui simplifierait la vie si le Président ne signait pas le document de Snow.

— Et pour les cibles particulières ? demanda Hurt. Qu'est-ce que vous avez décidé ?

— Claudia et Kim vont s'occuper de madame Breytenbach. Notre ami de la DGSE va leur procurer une couverture officielle. Avec ce que nous avons trouvé au cours des derniers mois, nous en avons assez pour l'interroger sur les FC-44.

— Et Petreanu ?

— On va l'approcher pour tenter d'avoir sa collaboration.

— Qui s'en occupe ?

— Moh et Sam, répondit Blunt.

— Les deux anciens dont vous m'avez parlé ? demanda Hurt.

— Oui.

— Ils sont parfaits pour ce genre de travail, ajouta F.

— Théberge va envoyer les clones s'occuper de Brochet, reprit Hurt. Il veut aussi faire une perquisition au Spider Club.

— Il me semblait qu'on n'avait aucune preuve contre le réseau des bars, fit F, surprise.

— Il dit qu'il a une intuition.

— Une intuition…

— Un mélange des petites cellules grises de Poirot et des illuminations d'un policier chinois dont j'oublie le nom… C'est du moins ce qu'il m'a expliqué.

— Eh bien, s'il a une intuition… Du moment que ça n'interfère pas avec les autres opérations.

— Vous avez pensé à Y2K Crisis Management ? demanda Blunt en s'adressant à Hurt.

— Toutes les réparations ont été effectuées correctement. Selon Chamane, il n'y a rien de suspect.

— Est-ce qu'il a cherché au-delà des réparations ?

— Avec ce que nous lui avons demandé pour Multi-Gestion et les banques, je ne pense pas qu'il ait eu beaucoup de temps pour s'amuser avec cette compagnie-là.

— Demandez-lui d'examiner ça de nouveau, dit F. J'ai de la difficulté à croire qu'ils ont eu accès à autant d'ordinateurs et qu'ils n'en ont pas profité.

— Pour faire quoi ?

— C'est justement ce qui m'inquiète le plus : ne pas avoir la moindre idée de ce qu'ils ont pu faire.

Il existe une autre stratégie qui utilise indifféremment la flatterie, le statut social ou l'image médiatique. Une stratégie privative, celle-là : la menace d'humiliation. D'une efficacité plus rapide, elle a toutefois l'inconvénient d'instaurer un rapport de force peu propice à une collaboration à long terme, la victime ayant tendance à développer des sentiments négatifs nuisibles à la qualité de sa coopération.

Il faut alors : ou bien envisager l'élimination rapide de la cible après son utilisation ; ou bien être assuré de maintenir avec elle un rapport de force qui permette de continuer de la contrôler aussi longtemps qu'il le faudra.

On peut aussi exercer la menace d'humiliation de façon anonyme.

Leonidas Fogg, *Pour une gestion rationnelle de la manipulation*, 4- Asservir par les passions.

MERCREDI, 29 DÉCEMBRE 1999

MONTRÉAL, 1 H 46

Évelyne Pradier ressentit d'abord un picotement dans la main gauche. Par réflexe, elle se mit à la masser avec son autre main. Puis elle s'immobilisa : elle n'était pas attachée !

Interdite, elle demeura figée pendant plusieurs secondes. Les souvenirs de la soirée précédente lui revinrent à l'esprit. La femme vampire lui avait dit qu'elle la détacherait pendant qu'elle dormirait. Elle lui avait fait une injection.

Évelyne Pradier attendit plusieurs secondes encore, à l'affût des bruits dans la pièce. Puis elle se leva précautionneusement et demeura assise sur le bord de la table. Elle se sentait un peu faible.

Dans le coin, au-dessus de la toilette, un lampadaire jetait une lumière crue qui brillait à travers la fenêtre. Sans même tenter sa chance avec la porte, qui aurait pu la ramener dans les bras de ses ravisseurs, la jeune femme se dirigea vers la lumière.

Les deux loquets n'offrirent aucune résistance. La fenêtre s'ouvrit vers l'extérieur. Un courant d'air glacial s'engouffra dans la pièce.

LCN, 7 H 29

> … LE CÉLÈBRE VENGEUR N'A PAS TARDÉ À FRAPPER. SES NOUVELLES VICTIMES SONT LE MAIRE DE MONTRÉAL ET LA PRÉSIDENTE DU COMITÉ EXÉCUTIF. DES CAMIONS DE NEIGE ONT ÉTÉ VIDÉS DANS LEUR COUR EN SIGNE DE PROTESTATION CONTRE LES DIRECTIVES CONCERNANT L'ENLÈVEMENT DE LA NEIGE SUR LE TERRITOIRE DE LA VILLE.
> DANS LE BUT DE RÉDUIRE LES DÉPENSES PRÉVUES À CE POSTE BUDGÉTAIRE, L'ADMINISTRATION A EN EFFET INTERDIT TOUT RECOURS À DES HEURES SUPPLÉMENTAIRES, CE QUI SE TRADUIT PAR DES DÉLAIS DE PLUS EN PLUS LONGS AVANT QUE…

MONTRÉAL, 7 H 43

L'inspecteur-chef Théberge relut la déposition de la victime.

Elle affirmait avoir été détenue pendant plus de deux jours dans le sous-sol d'une maison du quartier centre-sud et avoir subi à trois reprises des prélèvements de sang par une femme vampire.

Sur le côté de sa gorge, les trous étaient identiques à ceux des autres victimes. Théberge n'avait aucune raison de remettre en cause son témoignage. Un témoignage troublant. Car elle avait décrit son agresseur comme étant une femme avec des yeux de chat. Une femme qui disait n'avoir rien à craindre parce qu'elle avait des relations dans la police.

Ce n'était qu'une question de temps avant qu'un journaliste ne fasse le lien avec Dominique !

Le policier songea alors à la bande vidéo présentée la veille par TVA, au bulletin d'informations. « Est-ce que vous avez tous vu ces yeux-là ? » demanda-t-il à haute voix aux victimes du vampire. « Il faudrait que vous m'aidiez. Si on n'arrête pas rapidement cet amateur d'hémoglobine, il n'y aura bientôt plus de place à l'hôtel ! »

Théberge ferma les yeux pendant un moment, comme s'il était accaparé par une conversation intérieure. Puis il se leva, s'étira prudemment et se dirigea vers la cafetière espresso. En passant près de la table de réunion, il jeta un coup d'œil à *La Presse*, encore ouverte à l'article de Savary.

> LES POLICIERS AURAIENT EU DEPUIS PLUSIEURS MOIS DES INFORMATIONS CAPITALES EN LEUR POSSESSION... LES VAMPIRES AURAIENT PROFITÉ DE PROTECTIONS POLICIÈRES, SELON LES RUMEURS ENTENDUES DANS CERTAINS MILIEUX... LE LIEU DE RENDEZ-VOUS CLANDESTIN DES VAMPIRES SERAIT UN BAR DE DANSEUSES DU CENTRE-VILLE...

Des petits bouts de phrases suffisamment vagues pour éviter un libelle diffamatoire, mais assez précis pour alimenter toutes les hypothèses. Ajouté à la bande vidéo et à ce que la nouvelle victime raconterait aux médias, l'article de Savary prendrait l'allure d'une confirmation par une source indépendante. L'effet serait dévastateur.

À quoi jouait le journaliste ? Qui s'était amusé à lui fournir ces informations ?... Ça ne pouvait tout de même pas être les vampires eux-mêmes !... Est-ce que c'étaient les mêmes qui avaient fait parvenir la bande vidéo aux médias ?

FORT MEADE, 9 H 17

John Tate photocopia lui-même le dossier de presse et téléphona à la Maison-Blanche pour obtenir un rendez-vous.

Le responsable de l'agenda lui proposa une période de dix minutes le 3 janvier, au retour de vacances du Président.

— Écoutez-moi bien. Je veux le voir aujourd'hui. Je sais qu'il est encore à la Maison-Blanche et il est urgent que je le rencontre.

— Je regrette, j'ai des ordres stricts.

— Vous expliquerez à celui qui vous a donné ces ordres stricts que le Président va perdre un de ses principaux collaborateurs.

— Une menace de démission ne vous mènera nulle part.

— Je ne parle pas de moi ! Vous ne lisez donc pas les journaux, entre les moments où vous recevez des ordres stricts ?

— Un instant, je vous prie.

Deux minutes plus tard, le préposé à l'agenda reprenait la ligne.

— Je peux vous accorder quinze minutes à treize heures quinze.

— Vous direz au Président que j'ai des renseignements qui ne sont pas encore dans les médias. Il risque d'y avoir d'autres victimes.

— Est-ce que vous pouvez me dire de quelle nature sont ces renseignements, pour que… ?

Tate raccrocha sans attendre la fin de la question. Puisque le Président voulait le mettre en file d'attente, il attendrait lui aussi pour l'information. De toute façon, le sénateur Bochee rappliquerait probablement à la Maison-Blanche d'ici là. Ça ferait ça de moins à expliquer.

En quelques heures à peine, ce n'était rien de moins que la carrière politique d'un des principaux appuis du Président au Sénat qui venait d'être liquidée.

Le *New York Times* parlait d'un nombre significatif de contributions électorales venant d'un groupe néonazi et du Ku Klux Klan. Il reproduisait également une photo du sénateur en train de porter un toast avec un dirigeant du groupe raciste.

Le *Washington Post*, pour sa part, ne faisait que brièvement allusion aux contributions électorales suspectes. Il mettait plutôt l'accent sur une compagnie qui appartenait au sénateur. Une compagnie qui avait évité la faillite peu de temps auparavant grâce à de mystérieux investisseurs reliés à une famille new-yorkaise de la mafia, celle-là même qui venait d'être impliquée dans la manipulation de certains titres du Nasdaq.

USA Today et le *Los Angeles Times* reprenaient sensiblement les mêmes informations, de même que le *Boston Globe* et le *Miami Herald.*

Tate songea alors au message que F lui avait demandé de transmettre. À peine quelques lignes.

> Monsieur le Président, avec des amis comme ça, qui sont vulnérables à tous les chantages, vous n'avez pas besoin d'ennemis.

Il n'allait pas aimer ça, songea Tate. Pas du tout.

RDI, 12 H 03

> ... A REFUSÉ DE RÉPONDRE AUX QUESTIONS DE NOTRE JOURNALISTE SUR SES RELATIONS ALLÉGUÉES AVEC MADAME WEBER, LA GÉRANTE ET COPROPRIÉTAIRE DU PALACE, UN BAR DU CENTRE-VILLE.
> DANS UN AUTRE DOMAINE, DÉMISSION SURPRISE, AUJOURD'HUI, DE MONSIEUR GILBERT LAUZON, VICE-PRÉSIDENT AUX FINANCES D'HYDRO-QUÉBEC. CETTE DÉMISSION, AUTANT QUE LE MOMENT CHOISI POUR L'ANNONCER, A ÉTONNÉ LES OBSERVATEURS.
> MONSIEUR LAUZON A DÉCLARÉ VOULOIR CONSACRER PLUS DE TEMPS À SA FAMILLE ET SES AMIS. DES RUMEURS CIRCULAIENT TOUTEFOIS DEPUIS QUELQUES MOIS SUR LES DIVERGENCES DE VUES ENTRE MONSIEUR LAUZON ET CERTAINS MEMBRES DE LA HAUTE DIRECTION QUANT À LA GESTION FINANCIÈRE DE L'IMPORTANT FONDS DE RETRAITE DES EMPLOYÉS D'HYDRO-QUÉBEC.

WASHINGTON, 13 H 20

Le Président accueillit Tate dans un petit salon sans fenêtres rarement utilisé. Manière comme une autre de manifester son déplaisir.

Tate déposa une liasse d'articles et de comptes rendus de bulletins de nouvelles devant le chef de l'État. Ce dernier se contenta de les parcourir rapidement puis il les repoussa vers Tate.

— Au cas où vous ne le sauriez pas, nous avons aussi un service de presse à la Maison-Blanche, dit-il.

— Que comptez-vous faire ?

— Ça dépend de ce que vous voulez.

Tate resta sans voix. Il regardait le Président fixement et sa bouche bougeait légèrement, comme s'il cherchait ses mots.

— Vous pensez que ça vient de moi ? finit-il par dire.

— D'où croyez-vous que viennent les demandes de rançon, habituellement ?

Tate éclata de rire.

— Cette fois, elle vous a bien eu !

— Elle ?

C'était au tour du Président de ne pas comprendre.

— Je pense que vous avez lu un peu rapidement, fit Tate.

Il rouvrit le dossier de presse et lui montra la dernière page. Il y avait une photocopie du message de F.

— Celui-là, je pense que le service de presse de la Maison-Blanche ne l'avait pas, dit-il.

Le Président prit le temps de lire deux fois le texte.

— C'est bien qui je pense ? demanda-t-il.

— Elle-même.

— Vous croyez que c'est un bluff ?

— Vous devriez poser la question au sénateur Bochee.

— À combien estimez-vous ses chances de s'en sortir ?

— Vivant ? Cinquante-cinquante.

— En cour ?

— Peut-être qu'il réussira à s'en tirer… Si ses amis ne le font pas disparaître avant ! Mais, politiquement, il est fini.

— Et les autres qu'elle mentionne ?

— On peut attendre et voir ce qui arrive avec les deux prochains. Ça nous donne le temps d'aviser.

— Je ne peux pas me permettre de laisser tomber le Kid.

Bien qu'étant son aîné de quelques années seulement, le Président avait toujours appelé ainsi le vice-président.

Il voyait en lui sa relève, comme s'il avait appartenu à une autre génération.

C'était déjà mieux que les présidents antérieurs, qui voyaient les vice-présidents uniquement comme un mal nécessaire pour rallier des parties de l'électorat qu'il leur était difficile de convaincre.

— Qu'est-ce qu'elle peut bien vouloir ? demanda le Président. Elle n'espère quand même pas que l'Institut retrouve son statut d'agence présidentielle !

— Ça m'étonnerait.

— De toute manière, c'est hors de question.

— À mon avis, on peut régler en mettant le *task force* sur la glace.

— Snow et les militaires ne seront pas contents.

— Il y a aussi une opération à laquelle je sais qu'elle tient.

— Si c'est le genre d'opération qu'elle a mené au Japon !

— C'est un peu la même chose, mais au niveau mondial.

— Elle est devenue folle ou quoi ?

— Vous la connaissez mieux que moi. On peut lui reprocher beaucoup de choses, mais elle divague rarement.

— C'est quoi, cette opération ?

— Elle s'attaque à ceux qui ont retourné son opération contre elle au Japon. Je ne suis pas au courant de tous les détails, mais si elle réussit, elle liquidera le plus gros réseau de blanchiment d'argent jamais mis au jour.

— Pour nous, quels sont les risques ?

— Elle fournit les informations et nous dirigeons nous-mêmes les opérations sur notre territoire. Ce sera la même chose dans tous les pays. Mais elle a besoin que tout se fasse simultanément. Et partout. L'opération américaine est particulièrement importante pour la cohésion de l'ensemble. En cour, les avocats vont avoir besoin de remonter toute la filière, d'un pays à l'autre, pour que leurs preuves tiennent.

— À votre avis, on a le choix ?

— La décision vous appartient. Mais je l'ai rarement vue bluffer sans avoir toutes les cartes dans son jeu… plus trois ou quatre paires d'as supplémentaires.

— D'accord. Réglez ça avec elle. Je ne veux rien savoir… Mais il y a quelque chose qui me chicote. À quelle heure avez-vous reçu son message ?

— Moins d'une heure après la fin du souper de travail, hier.

— Ça veut dire qu'elle avait un informateur.

— Je ne pense pas.

— Comment a-t-elle fait ?

— À mon avis, elle a trouvé le moyen d'infiltrer le réseau de caméras de la surveillance interne. J'ai suggéré à votre responsable de la sécurité d'effectuer certaines vérifications. Si jamais vous jugez qu'il a besoin d'aide…

— Vous voulez dire qu'elle a…

— C'est l'explication la plus plausible.

— … infiltré le réseau !

Le Président ne pouvait dissimuler une certaine admiration dans sa voix.

— Elle est tout de même forte ! reprit-il. Si seulement elle pouvait s'en tenir à ses mandats et se contenter de faire ce qu'on lui dit de faire ! Pourquoi ne veut-elle pas comprendre ça ?

— Parce que, fondamentalement, c'est une rebelle. Elle ne sera jamais à l'aise dans une organisation qu'elle ne contrôle pas et qu'elle ne peut pas changer à sa guise.

— Je sais…

Le Président fit une pause, jeta un long regard au plafond, comme pour vérifier l'absence de toute caméra, puis il ramena son regard sur Tate.

— Aussitôt que cette opération est terminée, reprit-il, vous voyez à régler ce problème de façon définitive.

— Définitive ?

— Je pense que nous n'avons pas le choix…

MONTRÉAL, 12 H 34

L'inspecteur-chef Théberge arriva en retard au bureau du directeur du SPCUM. Ce dernier avait son air des mauvais jours et le maire faisait les cent pas dans la pièce.

— C'est un comble ! explosa le maire. Qu'est-ce que vous entendez faire pour corriger la situation ?

Surpris par l'apostrophe, Théberge mit quelques secondes à répondre.

— De quel comble parlez-vous ? demanda-t-il finalement. Quelle situation faudrait-il corriger ? La destruction de la forêt amazonienne ? La prolifération du sida ? Le ravage de la couche d'ozone ? La famine en…

— Comme si vous ne le saviez pas ! l'interrompit le maire. Je parle du Vengeur ! Il y a plus d'un an que ce triste individu bafoue les droits des citoyens, nargue les autorités et se donne en spectacle à une jeunesse qui n'a déjà que trop de mauvais exemples.

Les deux policiers se regardèrent.

— Je suis tout pantois, dit finalement Théberge. L'esbaudissement me submerge !

Le maire lui jeta un regard dans lequel dominait l'incompréhension.

— Votre phrase ! expliqua Théberge. Est-ce que vous l'aviez pratiquée ?

— Vous ! Vous !… Je ne comprends pas que votre supérieur me parle de votre compétence ! Vous n'arrivez à rien avec le Vengeur.

— Il y a des dossiers plus graves, répliqua Théberge.

— Comme cette histoire de vampires, je suppose. C'est pour ça que vous avez trouvé le moyen de laisser assassiner le principal suspect ?… À moins que je ne me trompe, les assassins courent toujours et les vampires continuent d'infester la ville.

— Pour être impartial, je dois souligner qu'il n'y a pas eu de nouvelles victimes, intervint le directeur.

— Et celle de ce matin ?

— Elle n'est pas morte, répliqua Théberge.

— Heureusement qu'elle a pu se débrouiller seule ! S'il avait fallu qu'elle compte sur l'aide de la police !

— Messieurs ! fit le directeur sur un ton apaisant. Messieurs !

— À la lumière des informations qui paraissent dans les journaux, poursuivit le maire, je suis moins surpris de votre inefficacité. Je comprends que vous ne soyez pas pressé d'arrêter le vampire aux yeux de chat.

— Vous n'êtes qu'un sombre oréopithèque à la boîte crânienne pathétiquement rachitique !

— Il vous faudrait un sens moral que vous n'avez pas, poursuivit le maire.

— Et vous, il vous faudrait un million d'années ou deux d'évolution pour avoir les moyens cérébraux de comprendre ce qui se passe. Je ne suis pas sûr d'avoir cette patience.

— Quand j'ai vu les informations à la télé, hier soir…

— Messieurs ! cria cette fois le directeur.

Les deux autres se turent.

— Vos insinuations à l'égard de l'inspecteur-chef Théberge sont grossières et mal venues, dit le directeur au maire.

Puis, avant que ce dernier ait eu le temps de réagir, il se tourna vers Théberge.

— Quant à vous, que vous le vouliez ou non, votre situation a des apparences de conflit d'intérêts et je ne peux pas l'ignorer. Vous êtes dès à présent relevé de l'enquête sur le Vengeur et de celle sur le vampire.

— Qui vous dit qu'il n'est pas coupable ? fit le maire. C'est sur lui qu'il faut faire une enquête !

— C'est bien mon intention, répondit le directeur en se tournant vers le maire. Et cette enquête, je vais la confier aux inspecteurs Grondin et Rondeau.

— Quoi ! fit Théberge.

— Vous ne pouvez pas ! renchérit le maire.

— Et pourquoi donc ? répliqua le directeur en fixant le premier magistrat dans les yeux. Est-ce que ce ne sont pas vos préférés ?

— Des policiers ne peuvent pas enquêter sur leurs supérieurs immédiats, protesta Théberge. C'est tout à fait irrégulier.

— Théberge, fit le directeur, vous m'avez souvent reproché d'être asservi au livre de règlements et de penser uniquement en fonction de mon avancement politique. Pour une fois que je fais preuve de créativité, vous devriez être satisfait !

— Mais… pourquoi les clones ?

— Avec eux, l'enquête n'aura pas de statut officiel. De cette façon, ça reste dans la famille. L'image du service est protégée et nous évitons d'encourager les spéculations publiques sur la moralité policière.

Il ramena son regard en direction du maire avant de poursuivre.

— Ça devrait vous plaire, non ? On enquête, mais on ne fait pas de vagues et on ne détruit pas davantage la confiance populaire dans la probité des serviteurs de la loi… À moins que vous ne fassiez plus confiance à l'impartialité et à l'honnêteté des clones… ?

— J'ai toute confiance en eux.

— Bien.

— Mais les clones ! protesta Théberge.

— Auriez-vous préféré la SQ ? ou le service des enquêtes internes avec une suspension sans salaire jusqu'à la conclusion de l'enquête ?

En sortant du bureau, Théberge était partagé entre la fureur et l'inquiétude. Puisqu'il relevait désormais officieusement des clones, comment allait-il pouvoir mener l'opération contre Brochet, le temps venu, sans devoir tout leur expliquer ?

MONTRÉAL, 13 H 51

À son arrivée au Palace, Hurt fut aimablement pris en charge par le portier, qui le conduisit au bar. Théberge l'y attendait.

— Ce sont vos nouveaux quartiers ? ironisa Sharp.

— Hélas non !

— D'après votre message, il y avait une certaine urgence…

— Je vous ai demandé une rencontre parce qu'il risque d'y avoir un problème.

— Je vous écoute.

Cette fois, c'était la voix posée et attentive de Steel qui avait répondu.

Théberge lui exposa les événements survenus au cours des dernières vingt-quatre heures, depuis l'évasion d'Évelyne Pradier, en passant par l'engueulade avec le maire, jusqu'à sa mise en tutelle par les clones et aux allusions à Dominique Weber dans les médias.

— Vous êtes certain que madame Weber n'est pas ce vampire aux yeux de chat ? demanda Hurt quand le policier eut terminé.

— Absolument certain.

— Ce serait un coup monté ?

— Je ne vois pas d'autre possibilité.

— Contre qui ? Vous ou madame Weber ?

— Moi, probablement. Qu'on l'utilise pour m'atteindre est plus logique que de m'utiliser moi pour l'atteindre elle.

— Vous avez une hypothèse sur l'origine de ce coup monté ?

— Brochet !… J'ai d'ailleurs l'intention d'aller lui poser quelques questions, celui-là !

— Ça ne pourrait pas attendre quelques jours ? Nous sommes probablement à vingt-quatre heures de déclencher l'opération…

— Et moi, je suis à dix minutes d'exploser. Je suis certain que c'est ce fumier de Brochet qui s'amuse à accumuler les vacheries. À la fois pour…

— Vous avez de la suite dans vos métaphores, l'interrompit Sharp sur un ton ironique.

— Pardon ?

— Fumier… vacheries…

Pour toute réponse, Théberge se contenta de lui jeter un regard noir.

— Je suis désolé de vous avoir interrompu, reprit Hurt de sa voix normale. Vous disiez ?

— Je disais qu'il veut poursuivre sa destruction de Semco à travers Dominique et se venger de moi parce que je l'ai soupçonné. J'ai bien étudié les dossiers que vous m'avez fait parvenir : ceux des autres affaires où il a été impliqué. Ce genre de manœuvre est tout à fait dans son style.

— Je ne dis pas que vous avez tort. Je vous demande seulement de ne pas prendre d'initiative malencontreuse. Ce serait bête de l'alerter à moins de deux jours du déclenchement de l'opération.

Théberge plongea son regard dans son verre de bière, comme s'il y cherchait une solution à son dilemme.

— Au sujet de l'opération, reprit Hurt, comment allez-vous procéder, maintenant que vous êtes sous la supervision des clones ?

— Il va falloir que je leur avoue une partie de la vérité.

— Quelle partie ?

— Je vais leur dire que je coopère de façon secrète avec une agence internationale de lutte contre le terrorisme. Que je ne peux pas leur donner de noms, mais que c'est une opération impliquant des milliards en argent blanchi et que c'est probablement lié à l'affaire des vampires.

— Ils vont marcher ?

— Grondin va vouloir avoir des confirmations écrites de tout, avec signatures officielles et copies envoyées au directeur, mais le jugement de Rondeau va prévaloir.

— On dirait qu'il a remonté dans votre estime !

— Abstraction faite de ses extravagances verbales, il me rappelle mon premier sergent. Même gabarit, même jovialité décevante, mais une intelligence surprenante.

— Vos plans d'intervention sont prêts ?

— Pour tous les gestionnaires, à l'exception de ceux de la Caisse. Avec eux, il me reste un détail à régler. Je vais arranger ça avec Tellier.

— Avez-vous toujours l'intention de perquisitionner au Spider Club ?

— Ah, le Spider Club… Des membres de l'escouade fantôme sont allés le visiter. Habillés en civil.

— Et maintenant, vous avez autre chose que des intuitions ?

— Pas encore. Mais j'aurai quand même un mandat… Le juge a beaucoup envie que je l'invite à mon club de pêche.

MASSAWIPPI, 14 H 08

— Toujours dans le même hôtel, à ce que je vois ! dit F en guise d'introduction.

Sur l'écran, le visage de Tate prit un air contrarié. De son côté, il ne pouvait pas voir le visage de F et encore moins reconnaître l'endroit où elle était. Seul le sigle de l'Institut apparaissait sur l'écran de son portable.

— J'ai réussi à convaincre le Président de négocier, dit-il. Mais ça n'a pas été simple. Il va falloir que vous vous montriez raisonnable.

— Qu'est-ce que vous avez à me proposer ?

— Le Président est prêt à ne pas donner suite au projet de Snow.

— Vous parlez du *task force* ?

— Vous savez très bien de quoi je parle.

— Je reconnais que c'est un geste de bonne volonté. Passons maintenant aux choses sérieuses.

— Qu'est-ce que vous voulez de plus ?

— Vous seriez presque convaincant si je ne vous connaissais pas.

— C'est l'opération, je suppose, qui vous intéresse.

— Je veux que vous la preniez personnellement sous votre responsabilité.

— Elle relève du FBI.

— S'il y a menace contre la sécurité de l'État, votre responsabilité est conjointe.

— Je peux en parler à Snow.

— Pas question. Vous continuez de le tenir hors de ça.

— C'est délicat.

— Tate, est-ce que je vous ai déjà donné de mauvais conseils ?

— M'avez-vous déjà donné autre chose ? ironisa Tate.

— Continuez de faire affaire exclusivement avec le directeur adjoint des opérations. Vous ne le regretterez pas.

— Vous voulez dire que vous le contrôlez ?

— Je veux dire que je ne me risquerais même pas à essayer de le contrôler. Son seul objectif est sa carrière. Pour lui, l'opération est une occasion de supplanter le directeur : il fera tout ce qu'il peut pour qu'elle réussisse.

— D'accord, je ferai comme vous me le suggérez. Mais il y a une condition.

— Bien sûr.

— Le nom de l'Institut ne doit pas être mentionné. Tout le mérite doit revenir à la NSA et au FBI.

— Son éventuelle réhabilitation vous effraie à ce point ? demanda F sur un ton moqueur.

Avant que Tate ait eu le temps de répliquer, l'écran de son portable s'obscurcit. La directrice de l'Institut avait coupé la communication.

AMSTERDAM, 20 H 52

Pour rencontrer le nouveau ministre des Finances, Petreanu avait choisi le meilleur restaurant indonésien de la ville. Le repas achevait et ils n'avaient pas encore abordé le sujet principal de leur rencontre.

— Nous comprenons mal votre insistance à négocier ce prêt pour un terme aussi court, dit finalement le ministre des Finances.

— Les investisseurs que je représente veulent se donner la possibilité de suivre l'évolution des réformes que vous vous êtes engagé à faire avant de se compromettre à long terme.

— On ne pourra jamais les réaliser en trois mois !

— Bien entendu. Ce prêt à court terme sera renouvelable. Pour peu que vous manifestiez la moindre bonne volonté dans la mise en œuvre des réformes économiques, nous saurons nous montrer accommodants.

— Si on traverse une période de hausse des taux de court terme, le pays va se retrouver dans une situation semblable à celle où était le Mexique ! On ne peut pas se permettre ça !

— Vous êtes entièrement libres d'accepter ou non les conditions de ce prêt.

— Vous savez très bien que nous n'avons pas le choix. Vous faites du chantage !

— Nous faisons des affaires.

La discussion fut interrompue par l'arrivée du serveur.

— Ce ne sera pas facile à passer au Cabinet, reprit le ministre lorsque le serveur fut parti.

Son ton s'était radouci.

Petreanu sourit.

— Je comprends, dit-il.

La phrase du ministre était lourde de sous-entendus. Il y avait des gens à payer. Il y avait aussi l'intérêt personnel du ministre à prendre en compte.

— Pour vos problèmes « d'implémentation », reprit Petreanu, nous avons prévu un budget supplémentaire de quarante-trois millions. La somme sera ajoutée au prêt. L'argent peut être disponible demain matin, au numéro de compte que voici.

Il lui tendit une carte d'affaires sur laquelle il y avait simplement les coordonnées d'une banque ainsi qu'une série de chiffres et de lettres.

Lorsque le ministre fut parti, Petreanu dégusta lentement son thé. Un autre dossier de réglé. Le ministre protestait encore pour la forme, mais il allait signer. Puis, quelques mois plus tard, il démissionnerait et il quitterait le pays pour aller profiter en paix de sa nouvelle fortune.

Quant au pays, avec le gonflement de sa dette à court terme, il serait vulnérable à la moindre augmentation des taux. Il aurait de la difficulté à faire face au paiement des intérêts. À chaque retard, des pénalités seraient imposées. Ce qui rendrait la position financière du pays encore plus précaire. Dans moins de trois ans, la situation serait mûre pour les véritables négociations. Des réformes sociales seraient imposées et l'économie restructurée une nouvelle fois. Une part plus importante du budget serait accordée au paiement de la dette au détriment des dépenses publiques… Les profits des investisseurs du Club de Londres se multiplieraient.

Bien entendu, après quelques années de ce régime, l'agitation sociale s'accroîtrait. Mais ce serait alors au Consortium d'entrer en jeu. Toy Factory armerait les groupes rebelles qui ne manqueraient pas de se former. En réponse, les forces policières et armées se tourneraient vers l'industrie militaire pour améliorer leur équipement. Pour augmenter leur capacité d'intervention.

Finalement, tout le monde y trouverait son compte.

MONTRÉAL, 15 H 11

L'inspecteur-chef Théberge fut introduit dans le bureau de Brochet par son adjointe personnelle, Jessyca Hunter, qui se retira pour les laisser seuls.

— Qu'est-ce qui vous amène, cette fois ? demanda le financier avec un sourire légèrement moqueur.

— J'ai besoin de vos lumières.

— Ça devient une habitude. En un mois, c'est la troisième fois que vous me rendez visite.

— C'est mon métier qui veut ça. Il m'impose parfois de drôles de fréquentations.

— Si vous en veniez au fait ?

— J'aimerais avoir votre avis sur tous les accidents qui sont survenus à des gestionnaires depuis le début de l'année.

— Vous parlez de cette malheureuse histoire de vampires ?

— Je parle de ça. Je parle de l'histoire de la Caisse de dépôt, des autres firmes où des gestionnaires démissionnent subitement pour laisser la place à de nouveaux venus…

— Je n'aime pas beaucoup vos insinuations.

— Je m'intéresse également aux insinuations qui ont commencé à apparaître dans les journaux.

— Vous voulez parler de celles qui ont trait à l'incompétence de la police et à d'éventuelles collusions pour protéger les responsables de crimes crapuleux ?... C'est vraiment désolant de voir le manque de respect pour les forces policières se généraliser.

— Je pensais plutôt aux multiples affaires de fraude au cours desquelles vous avez été ruiné... et après lesquelles vous êtes ensuite reparu, ailleurs sur la planète, avec une fortune intacte.

Brochet hésita avant de répondre, comme s'il cherchait d'abord à se calmer.

— Si c'est ainsi que vous l'entendez, dit-il finalement, cet entretien est terminé. Il est inutile de revenir me voir pour « bénéficier de mes lumières », comme vous dites !

Théberge se contenta de lui tendre une feuille de papier, sur laquelle il avait écrit quelques courtes phrases en lettres capitales.

JE SAIS QUE NOTRE CONVERSATION EST ENREGISTRÉE.
NOUS SAVONS TOUT.
ON PEUT SE PARLER AILLEURS.
APPELEZ-MOI.

Brochet chiffonna la feuille et la jeta au panier.

— Vous rêvez si vous pensez pouvoir me menacer ! dit-il. Vous n'avez pas l'air de comprendre à qui vous vous attaquez ! Je pourrais mettre votre salaire annuel sur mon compte de dépenses et ça ne paraîtrait même pas !

— Aurais-je touché un point sensible ?

— Madame Hunter va vous raccompagner.

Il appuya sur le bouton de l'interphone pour appeler son adjointe.

Lorsque Jessyca Hunter revint, Brochet fulminait encore.

— Vous avez entendu ça ? dit-il. Il vient dans mon bureau et il se permet de me menacer ! Lui ! Un simple flic !

— On ne peut pas dire qu'il manque de culot.

— Je pensais que la cassette vidéo suffirait à le faire tenir tranquille.

— On dirait que vous l'avez mal jugé.

— Je vais lui montrer ce qu'il en coûte, moi, de s'attaquer à Claude Brochet.

Il contempla un instant son poing fermé sur son bureau puis il releva les yeux vers son interlocutrice qui continuait de le regarder calmement.

— Je vais avoir besoin de vous, dit-il.

— Vous voulez l'éliminer ?

— Ce serait trop évident. Et trop rapide. Il y a une autre façon de l'atteindre qui va l'amener à se couler lui-même. Vous avez vu : il a déjà de la difficulté à se contenir ! Tout ce qu'il lui faut, c'est une autre petite poussée.

Le financier expliqua alors à Jessyca Hunter le service qu'il attendait d'elle.

— Brochet, dit-elle lorsqu'il eut terminé, si vous n'étiez pas un homme et que vous n'aviez pas trente kilos de trop, j'envisagerais sérieusement de vous recruter dans le Spider Squad. Vous avez l'esprit assez tordu.

— Je suis censé prendre ça pour un compliment ?

— Ce que vous m'avez demandé sera fait d'ici vingt-quatre heures. Je m'en occupe tout de suite.

Sans un mot de plus, elle quitta la pièce.

QUANTICO, 13 H 28

Snow raccrocha le combiné avec brusquerie.

Tout ce que Tate avait pu lui dire, c'était que le Président refusait de signer le décret sur le *task force* et qu'il suspendait toute action contre l'Institut. Le responsable de la NSA n'avait aucune idée des raisons de cette volte-face. Pour toute réponse, le Président lui avait demandé s'il avait lu les journaux.

Cela devait être lié à l'affaire du sénateur Bochee…

Le directeur du FBI prit quelques instants pour se calmer. Il utilisa ensuite une ligne sûre pour appeler un numéro qui aurait dû correspondre à un appareil situé quelque part à Hong Kong. Sauf qu'il savait pertinemment que son interlocutrice résidait habituellement en Europe.

— Mauvaise nouvelle, dit-il aussitôt qu'il entendit une voix de femme lui répondre. Le plan d'action contre l'Institut est suspendu.

— Est-ce qu'ils ont des doutes sur vous ?

Une pointe d'inquiétude avait percé dans la voix de la femme.

— Pas du tout ! s'empressa de répondre Snow. C'est cette foutue peste de F !

— Qu'est-ce qui vous fait croire cela ?

— C'est probablement lié à l'histoire du sénateur Bochee. Elle doit exercer une sorte de chantage sur le Président.

— Je conviens que c'est contrariant. Mais nous allons trouver autre chose pour contrer les manœuvres de cette « foutue peste », comme vous dites. Un ou deux attentats, peut-être. Après ça, elle aura beau faire du chantage…

— Je ne veux rien savoir de ce que vous faites.

— Entendu. Et, d'ici là, si vous apprenez quoi que ce soit…

— Seulement sur l'Institut, s'empressa de préciser Snow.

— Bien sûr. Pour le reste, nous respectons votre volonté de demeurer fidèle à votre pays.

— Et Allan ?

— Quand cette histoire sera terminée et que l'Institut ne sera plus un problème, toutes les preuves seront envoyées à votre adresse privée. Personne n'entendra jamais plus parler de ses frasques.

Allan était le jeune frère de sa femme. Sa vie était une longue suite de plats dans lesquels il avait trouvé le moyen de mettre les pieds. Au début, ce n'était pas trop grave. De simples histoires de dettes de jeu. Puis il y avait eu des problèmes de drogue. Et, tout dernièrement, des affaires d'agression. De coups et blessures. De harcèlement de mineures.

— Comment va votre femme ? demanda la voix à l'autre bout du fil.

— Toujours en rémission.

— Tant qu'elle n'aura pas de stress, vous pouvez continuer à espérer.

— Je sais.

— Je sympathise avec vous. Soyez assuré que je vais faire mon possible pour qu'elle continue d'ignorer les frasques de son frère. Je sais que ça pourrait lui être fatal.

— Et le médicament ?

— Comme vous savez, il est encore expérimental. L'approvisionnement est très irrégulier. Mais j'ai réussi à en obtenir suffisamment pour le prochain mois. La livraison sera effectuée directement à son médecin, à la clinique où elle est soignée.

MONTRÉAL, 16 H 05

— Ute ? Jessyca.

— Qu'est-ce qui se passe ?

— Le flic, Théberge, est revenu voir Brochet.

— Qu'est-ce qu'il voulait, cette fois ?

— Il a ressorti plusieurs histoires de fraude auxquelles Brochet aurait été mêlé. Il a tout un dossier sur lui.

— Le policier, c'est bien celui qui a enquêté, il y a une quinzaine d'années, lors de l'affaire Semco ?

— Oui. Il a aussi demandé à Brochet son opinion sur la série de morts qu'il y a eue chez les gestionnaires au cours de l'année.

— Ça commence à devenir préoccupant. Il faut trouver une façon de le neutraliser.

— Brochet a pensé à quelque chose qui devrait bien fonctionner.

— Je ne parlais pas du policier.

— Oh, Brochet… Je croyais qu'on devait l'utiliser pour remplacer Petreanu.

— Pour ça, on trouvera bien une solution, le temps venu.

— Est-ce que ça implique que je prenne le contrôle des opérations ?

— Est-ce que tu prévois avoir des problèmes ?

— Non. Mais Petreanu ne va pas particulièrement apprécier.

— Tu n'es pas obligée d'exercer le contrôle de façon ouverte. Il y a sûrement un gestionnaire que tu peux utiliser comme couverture… L'essentiel, c'est que Brochet meure d'une façon explicable.

— Ça, c'est facile à arranger.

— Je fais entièrement confiance à ton imagination.

LONDRES, 22 H 37

Fogg pénétra dans la pièce sans sa canne, s'assit derrière l'immense bureau et demanda à Xaviera Heldreth d'augmenter légèrement la teneur en oxygène de la pièce.

— Vous ne vous sentez pas bien ? s'inquiéta la femme en se dirigeant vers le tableau de contrôle de la pièce.

— Au contraire. Et je veux que ça se prolonge le plus longtemps possible.

— J'ai eu des nouvelles du projet Reset. Ils sont rendus à la version 4.1.

— Je me fous du numéro. Je veux simplement que ça fonctionne. Je n'ai pas l'éternité devant moi.

— Pas encore.

— Ne rêvons pas. Enfin, ne rêvons pas trop vite. Comment les choses se passent-elles avec l'Institut ?

— En Europe, l'article du *Figaro* va sortir demain. Ils ont pris le titre que notre journaliste leur a suggéré. Regardez.

Fogg ouvrit le dossier devant lui. Il contenait un prémontage de l'article qui allait paraître.

— Aux États-Unis, par contre, reprit aussitôt Xaviera Heldreth, nous avons un léger contretemps. Le Président est revenu sur sa décision et refuse de mettre sur pied le *task force* que proposait Snow pour éliminer l'Institut.

— Vous savez pourquoi ?

— Quelqu'un a lancé une offensive dans les journaux qui a complètement démoli un des principaux appuis du Président. Il s'agit probablement de F. Elle a dû menacer de poursuivre avec d'autres cibles s'il autorisait le *task force*.

— C'est de bonne guerre. Je n'aurais pas fait mieux... Je suppose que vous avez prévu une riposte.

— Oui. À ce jeu-là, elle ne peut pas gagner. Nous avons des moyens qu'elle refuse d'utiliser.

Fogg ferma le dossier, en ouvrit un autre.

— Je vois que nous avons un problème avec Toy Factory, reprit-il après un moment.

— Notre intermédiaire a détourné dans un compte personnel un tiers des profits de la dernière vente aux Tchétchènes.

— C'est une première infraction ?

— Oui. J'ai pensé qu'un avertissement serait suffisant.

— Un avertissement de combien ?

— Dix millions sur les deux prochains contrats.

— Je me fie à vous.

Il referma le dossier.

— Sur Y2-KEY ? reprit-il.

— Tout est en place pour le test. Si ça se passe bien, la première véritable opération aura lieu une semaine plus tard.

— Vous êtes certaine qu'ils ne se doutent de rien ?

— Même s'ils ont des doutes, qu'est-ce que vous voulez qu'ils trouvent ? C'est ça, la beauté du plan. On s'est contentés de prévoir un accès. Les programmes ne seront téléchargés vers leur cible qu'au dernier moment...

— Les voies de transfert ont été vérifiées ?

— Toutes. À plusieurs reprises.

— Avec Petreanu, où est-ce que vous en êtes ?

— On ne devrait pas avoir de problème à le remplacer. Brochet a un accès au programme de contrôle global sur le site miroir et Jessyca achève de se familiariser avec son fonctionnement.

MONTRÉAL, 17 H 49

Hurt s'assit à la table pendant que Chamane allait chercher le jus qu'il lui avait offert.

— Qu'est-ce qui se passe ? fit la voix caustique de Sharp. Depuis quand y a-t-il quelque chose dans ton réfrigérateur ?

— C'est Geneviève, se contenta de répondre le jeune *hacker* en déposant le verre devant lui.

— Je t'ai apporté quelque chose pour t'amuser, reprit Hurt de sa voix habituelle en lui tendant un coffret de CD. Je t'ai gravé ça avant de venir.

— Des MP3 ?

— Buzz. Cinq autres heures d'enregistrement…

Chamane prit le coffret, alla le porter dans le bureau et revint s'asseoir à la table.

— Je suppose que c'est toujours un mystère ? dit-il.

— Un mystère ?

— La façon dont tu as réussi à obtenir l'enregistrement de Buzz.

— Que seraient nos vies sans un peu de mystère ?

— Plus simples, peut-être…

Hurt ignora la remarque.

— Sur Y2K Crisis Management, dit-il, tu as découvert quelque chose?

— Toujours rien. Les Bots ont fait un échantillonnage de leurs clients, un peu partout sur la planète. Tout est parfait.

— Ils n'ont pas laissé de virus ou de programmes parasites à l'intérieur ?

— On n'a rien trouvé.

— J'ai de la difficulté à croire qu'ils ont acheté toutes ces compagnies sans avoir de but précis.

— Peut-être que c'était uniquement pour faire de l'argent. Tu devrais voir les prix qu'ils chargent pour rendre les ordinateurs compatibles !

Hurt termina son verre de jus et le posa sur la table.

— Geneviève rentre bientôt ? demanda-t-il.

— En principe, elle arrive vers minuit. Elle travaille toute la soirée à son spectacle.

— Et en pratique ?

— Je ne sais pas. On s'est un peu disputés ce matin. Elle trouve que je travaille trop et qu'on n'a jamais le temps de rien faire ensemble.

— On ne peut pas dire que tu es du style « cocooning », fit la voix sarcastique de Sharp.

— Je le sais bien. Mais, avec tout ce que toi et Blunt me donnez à faire, mes activités avec les U-Bots… Il faut aussi que je me tienne à jour sur ce qui se passe dans le milieu…

— L'opération achève. C'est une question de quelques jours. Peut-être une semaine… Après, les choses vont se tasser.

— Que tu dis…

LONDRES, 23 H 14

Harold B. Daggerman esquissa une moue de contrariété et posa son verre de scotch pour prendre l'appel.

La sonnerie s'était fait entendre quelques secondes après la fin de la sixième symphonie de Mahler. Ce faisant, elle avait détruit le silence d'une qualité toute particulière qui suivait la fin de l'œuvre. Mais, au moins, elle n'avait pas saccagé la musique.

Parfois, Daggerman se demandait si le but réel des grandes œuvres musicales n'était pas de produire cette qualité de silence qui leur succédait.

— Oui ? dit-il.

— Skinner.

— Que me vaut un appel aussi tardif ?

— J'ai pensé que vous aimeriez être averti sans délai.

— Vous avez retrouvé l'Institut ?

— Peut-être, oui.

Daggerman avait posé la question par boutade. La réponse le laissa pantois.

— Vous êtes sérieux ? demanda-t-il après quelques secondes.

— Notre surveillance de Théberge a fini par être payante. Cet après-midi, il a rencontré quelqu'un qui pourrait bien être Hurt.

— Qui pourrait être… ?

— La taille et le gabarit correspondent, semble-t-il. Mais nous avons une seule photo, elle est très floue et le visage n'a pas l'air de correspondre à ce que nous avons en archives.

— Il a probablement eu une chirurgie plastique.

— C'est ce que je me suis dit.

— Vous l'avez mis sous surveillance ?

— Il y a eu un problème avec la filature. La voiture de celui qui le suivait est tombée en panne sur l'autoroute.

— L'autoroute ? Autrement dit, il peut être n'importe où dans la province ?

— Il a pris l'autoroute 10. La ville la plus importante dans cette direction est Sherbrooke. J'ai envoyé une équipe là-bas. Ils vont ratisser la région.

CBVT, 22 H 02

> … DU NOUVEAU DANS L'HISTOIRE DES VAMPIRES. LA POLICE SERAIT SUR LES TRACES D'UN POSSIBLE SUSPECT. IL S'AGIRAIT D'UNE FEMME TRAVAILLANT DANS UN BAR DE DANSEUSES DU CENTRE-VILLE, MADAME DOMINIQUE WEBER.
> MADAME WEBER A EN EFFET LA PARTICULARITÉ RARISSIME D'AVOIR DES YEUX DE CHAT SEMBLABLES À CEUX QU'A DÉCRITS LA DERNIÈRE VICTIME. PAR AILLEURS, LA PRÉSENCE D'UNE FEMME AUX YEUX DE CHAT, SUR LA CASSETTE VIDÉO QUI A ÉTÉ REMISE AUX MÉDIAS CET APRÈS-MIDI, JETTE UNE LUMIÈRE INQUIÉTANTE SUR…

MASSAWIPPI, 22 H 36

— Nous sommes prêts, fit F. J'attends la confirmation de Tate pour lancer l'opération.

Hurt et Blunt concentrèrent leurs regards sur la cloison de plexiglas qui séparait le bureau de la salle de séjour. Une carte du monde y apparut, avec un réseau de lignes et de flèches qui reliait différentes villes réparties sur l'ensemble de la planète.

— Ça peut prendre combien de temps ? demanda Hurt.

— Au plus quarante-huit heures, répondit F.

— Est-ce qu'ils vont tous travailler à l'aveugle ?

— En partie. Les responsables de pays ont un organigramme pour l'ensemble de leurs opérations. Ils ont aussi un certain nombre d'indications sur les liens externes. Mais nous sommes les seuls à avoir un portrait global.

— Pour Ute Breytenbach, c'est toujours Claudia qui s'en occupe ?

— Oui. Avec Kim et une équipe des Jones. Claude va envoyer quelqu'un pour leur assurer une couverture officielle.

— Et Petreanu ?

— Moh et Sam vont lui rendre visite pour lui offrir de collaborer. Par lui, on pourrait probablement remonter à Safe Heaven.

— Et les comptes qui sont dans les paradis fiscaux ? demanda Blunt. Est-ce que vous avez prévu quelque chose ?

La question s'adressait à F. Ce fut Hurt qui répondit.

— J'en ai parlé à Chamane, dit-il. On a eu une idée.

— Une idée dispendieuse, je suppose ? ironisa F.

— Pas du tout. On va simplement faire une copie de tout ce qu'on peut trouver dans les ordinateurs des banques. Et si elles n'acceptent pas de coopérer, on va menacer de rendre publics tous les dossiers de leurs clients. Sur le Net.

— Pour démolir leur réputation ?

— On pensait surtout aux représailles que pourraient effectuer certains des clients... Ça devrait les faire réfléchir, ajouta Hurt avec un mince sourire.

— Sur Y2K Crisis Management et F.O.G.G. ? reprit Blunt.

— Toujours rien. J'ai reparlé de Y2K à Chamane : il certifie que les adaptations à l'an 2000 ont toutes été correctement effectuées. À son avis, s'il y a un coup fourré, il a déjà eu lieu.

— Ils auraient fait quoi ?

— Le plus probable, c'est qu'ils aient utilisé leur accès aux systèmes des clients pour copier des renseignements confidentiels.

— On ne peut plus attendre, dit F. Même si on n'a rien contre Y2K et F.O.G.G., il faut déclencher l'opération. Cette fois, j'ai réussi à parer l'attaque contre l'Institut, mais s'ils continuent de mettre de la pression, le Président n'aura pas le choix.

LCN, 22 h 49

... NOTRE REPORTER, JEAN-MICHEL POINCARRÉ, A DÉCOUVERT DES RELATIONS TROUBLANTES ENTRE MADAME WEBER ET CERTAINS ACTEURS DE CETTE AFFAIRE. NOUS VOUS ÉCOUTONS, JEAN-MICHEL.
— MERCI, DENIS-ANDRÉ. MON ENQUÊTE M'A EN EFFET PERMIS D'APPRENDRE QUE MADAME WEBER SERAIT LA MÈRE D'YVAN SEMCO, LE GESTIONNAIRE DONT LE NOM AVAIT ÉTÉ ASSOCIÉ À LA MORT DE MYLÈNE GUIMONT, UNE JEUNE DANSEUSE QUI A ÉTÉ ASSASSINÉE AU PRINTEMPS. LA JEUNE FEMME TRAVAILLAIT AU PALACE. SON CORPS AVAIT ÉTÉ RETROUVÉ DANS LA VOITURE DE MONSIEUR SEMCO.
— IL N'Y A PAS EU DE POURSUITE, SI JE ME SOUVIENS BIEN.
— NON. MONSIEUR SEMCO AVAIT ÉTÉ BLANCHI À LA SUITE D'UNE ENQUÊTE DIRIGÉE PAR L'INSPECTEUR-CHEF THÉBERGE. CE QUI NOUS AMÈNE À UNE AUTRE COÏNCIDENCE TROUBLANTE, PUISQUE L'INSPECTEUR THÉBERGE SERAIT UN INTIME DE MADAME WEBER.
— C'EST POUR LE MOINS SURPRENANT, EN EFFET. ET IL Y A LE CADAVRE DE DRACUL, QUI A ÉTÉ RETROUVÉ DEVANT SA MAISON...
— OUI. ET CE SONT LES HOMMES DE THÉBERGE QUI ONT EFFECTUÉ LA PERQUISITION CHEZ DRACUL. MAIS IL Y A PLUS. J'AI DÉCOUVERT, EN FOUILLANT DANS LES ARCHIVES, QUE LE PÈRE DU JEUNE SEMCO S'EST SUICIDÉ APRÈS AVOIR MENÉ À LA FAILLITE LA COMPAGNIE DE GESTION POUR LAQUELLE IL TRAVAILLAIT. C'EST DU MOINS LA THÈSE OFFICIELLE.
— VOUS PARLEZ DU SUICIDE?
— OUI... EN FAIT, IL SEMBLE QU'ON N'AIT JAMAIS COMPRIS LES CIRCONSTANCES EXACTES DE SA MORT. MAIS L'AFFAIRE A ÉTÉ CLASSÉE COMME SUICIDE À LA SUITE D'UNE ENQUÊTE MENÉE PAR... JE VOUS LE DONNE EN MILLE... L'INSPECTEUR-CHEF THÉBERGE.
— DANS UN QUOTIDIEN DE MONTRÉAL, CE MATIN, ON PARLAIT DE POSSIBLES COMPLICITÉS POLICIÈRES AVEC LES VAMPIRES. CROYEZ-VOUS QUE CE QUE VOUS NOUS RÉVÉLEZ RENFORCE CETTE HYPOTHÈSE?
— JE NE PEUX PAS VOUS LE CONFIRMER. AU SERVICE DE POLICE DE LA CUM, ON A ÉTÉ INCAPABLE DE ME DIRE SI UNE ENQUÊTE INTERNE AVAIT ÉTÉ DÉCLENCHÉE POUR FAIRE LA LUMIÈRE SUR TOUT CET IMBROGLIO.
— MERCI, JEAN-MICHEL... SUR LA SCÈNE INTERNATIONALE, LES ANALYSTES S'ATTENDENT À CE QUE LA RÉSERVE FÉDÉRALE AMÉRICAINE...

MONTRÉAL, 23 H 51

La pratique avait duré plus longtemps que prévu.

Tout en marchant sur le trottoir d'un pas rapide, Geneviève ne pouvait s'empêcher de reprendre dans sa tête les paroles de la chanson sur le gosse de riches.

Je suis la plage à chaque hiver
Je suis l'Europe tous les étés
Je suis un yacht pour les croisières
Je suis le ch'val qu'ils m'ont donné

Je suis de plus en plus d'cadeaux
Je suis l'enfant hyper-gâté
Je suis une foul' de Nintendo
Je suis la cible de leur bonté.

Entre les paroles, la musique et la mise en scène, quelque chose clochait. Probablement les paroles, songea Geneviève. Trop sages, trop directes. Trop rangées. On aurait dit un des bilans financiers que piratait Chamane pour son ami.

Donnez-moi le sida, donnez-moi le cancer
que j'aie enfin de quoi montrer
pour tout' la peine que je dois taire
pour cett' douleur que j'dois cacher.

Pour la chanson précédente, sur les catastrophes qu'on leur laissait en héritage, le procédé du bilan pouvait aller. Surtout qu'il était martelé par une musique techno-métal. Mais la chanson du gosse de riches... Le plus simple serait peut-être de tout reprendre à zéro. De tout réécrire.

Dans sa tête, les paroles continuaient de rythmer ses pas. Elles parvenaient sporadiquement à ses lèvres, où elles se transformaient en une sorte de murmure syncopé.

Je suis quarante paires de chaussures
Je suis onze cents disques compacts
Je suis un kit de manucure
Je suis sans cesse celui qu'on pacte

Donnez-moi la famine, donnez-moi le napalm
pour ces blessures que j'peux pas dire.
Donnez-moi la misère, donnez-moi le Vietnam
que j'aie enfin le droit d'souffrir.

Soudain Geneviève sentit des mains saisir ses bras par-derrière. L'instant d'après, elle respirait l'odeur du chloroforme. Elle eut à peine le temps de se débattre. Moins d'une minute plus tard, elle était affalée, inconsciente, sur le siège arrière d'une voiture qui roulait en direction de l'ouest de la ville.

La menace de mort offre l'avantage d'être claire et de toucher profondément le sujet visé. Par contre, elle a le désavantage de ne pouvoir être utilisée qu'une fois. Il peut aussi se produire, à force de différer son exécution, un affaiblissement de son impact. Il peut même y avoir un effet de retournement, si la cible en vient à croire que la personne qui la menace ne peut pas se permettre de la faire disparaître.
La façon la plus simple de régler ce problème consiste à déplacer la menace sur l'entourage de la cible. Une telle approche a l'avantage de permettre une démonstration pédagogique de son sérieux, car on peut alors exercer la menace sur une des personnes de l'entourage tout en continuant à la faire peser sur une autre personne plus proche de la cible.

Leonidas Fogg, *Pour une gestion rationnelle de la manipulation*, 5- Briser les résistances.

JEUDI, 30 DÉCEMBRE 1999

WESTMOUNT, 8 H 16

Dominique Weber lisait l'article de *La Presse* sur le vampire aux yeux de chat en achevant son café.

La veille au soir, déjà, quelques clients s'étaient présentés au bar pour voir la femme vampire. Avec les médias qui reprenaient maintenant tous la nouvelle, ce serait le délire. Pourvu qu'il n'y ait pas d'apprenti justicier parmi le lot de curieux, songea Dominique.

Jusqu'aux clones qui l'avaient contactée pour lui dire qu'ils voulaient lui parler. Ce n'était pas une démarche officielle. Elle pouvait choisir un moment à sa convenance. Mais le plus tôt serait le mieux.

Lorsque le téléphone sonna, elle pensa que c'était Théberge qui appelait pour prendre de ses nouvelles. Lui non plus n'était pas épargné par les médias.

— Madame Weber ? fit une voix de femme qu'elle ne connaissait pas.

— Oui.

— J'ai quelque chose à vous faire entendre. Écoutez très attentivement.

Je suis tout c'qu'on peut vouloir
Je suis piégé dans leurs objets
Je suis le punch de leur histoire
Je suis l'plus cher de leurs jouets

Dominique reconnut tout de suite un des textes que Geneviève lui avait montrés.

— La jeune femme qui a écrit ce texte est présentement à notre disposition, madame Weber. Je sais qu'il s'agit d'une amie à vous.

— Qu'est-ce que vous lui avez fait ?

— Mais rien, voyons ! Nous ne sommes pas des vampires… nous ! Du moins, pas encore.

— Qu'est-ce que vous lui voulez ?

— À elle, rien. Elle est simplement le percuteur qui va faire partir la balle. Vous, vous êtes la balle, madame Weber. L'inspecteur-chef Théberge est la cible.

— Théberge ?

— Vous allez lui dire de cesser de fouiner dans les milieux financiers, répondit la voix froide et méticuleuse. S'il a besoin de boucs émissaires pour couvrir ses magouilles et son incompétence, qu'il aille les chercher ailleurs.

— Et Geneviève ? Qu'est-ce que vous allez faire d'elle ?

— Pour l'instant, comme je vous disais, peu de choses. Peut-être un ou deux prélèvements, pour nous initier à vos pratiques. Mais rien de plus.

— Vous n'avez pas le droit !

— Si Théberge persiste à nous importuner, votre protégée se verra offrir un voyage. Avec les compétences que cette jeune personne a développées dans votre établissement, je suis certaine qu'il y aurait beaucoup d'occasions d'emploi pour elle au Moyen-Orient… À moins, bien entendu, qu'on décide de la consommer sur place.

LCN, 7 H 49

> LES RÉVÉLATIONS CONTINUENT DE S'ACCUMULER DANS L'AFFAIRE DES VAMPIRES. TVA A APPRIS CE MATIN QUE LE BAR DE DANSEUSES OÙ TRAVAILLE MADAME DOMINIQUE WEBER, LA MYSTÉRIEUSE FEMME AUX YEUX DE CHAT, APPARTIENDRAIT EN FAIT À DES POLICIERS. MADAME WEBER, OFFICIELLEMENT COPROPRIÉTAIRE ET GÉRANTE DU PALACE, AGIRAIT EN RÉALITÉ COMME PRÊTE-NOM.
> SI TEL ÉTAIT LE CAS, L'ATTITUDE SURPRENANTE DE L'INSPECTEUR-CHEF THÉBERGE, TOUT AU LONG DE CETTE AFFAIRE, PRENDRAIT UNE TOUT AUTRE SIGNIFICATION. CETTE SITUATION POUR LE MOINS SINGULIÈRE POURRAIT ÉGALEMENT EXPLIQUER POURQUOI MADAME WEBER N'A TOUJOURS PAS ÉTÉ INTERROGÉE PAR LA POLICE À PROPOS DE CETTE AFFAIRE.
> PAR LE PASSÉ, MADAME WEBER S'EST FAIT CONNAÎTRE PAR LES DIFFÉRENDS QUI L'ONT OPPOSÉE À DES GROUPES DE MOTARDS. CONTACTÉS PAR NOTRE JOURNALISTE, DES REPRÉSENTANTS DE CES GROUPES ONT CONFIRMÉ, SOUS LE COUVERT DE L'ANONYMAT, QUE LA GÉRANTE DU PALACE LEUR AVAIT À PLUSIEURS REPRISES ACHETÉ DES DANSEUSES EN PAYANT DES MONTANTS POUVANT ALLER JUSQU'À VINGT MILLE DOLLARS.
> SELON D'AUTRES SOURCES, ELLE AURAIT ÉGALEMENT ACHETÉ LES DETTES DE DROGUE DE CERTAINES DANSEUSES POUR LES OBLIGER À DEMEURER DANS SON ÉTABLISSEMENT.

MASSAWIPPI, 8 H 27

F avait peu dormi. Elle avala sans s'en apercevoir la dernière bouchée du bagel au fromage que son mari avait déposé d'office devant elle.

Elle se souvint alors de l'exercice de méditation que Bamboo lui avait recommandé : toujours demeurer consciente de ce qu'elle faisait. Au cours des derniers jours, son pourcentage de temps conscient avait dû régresser des deux tiers. La fatigue et l'imminence du déclenchement des opérations avaient eu raison de son impassibilité.

Son esprit revint ensuite à l'article du *Figaro* que Claude, son contact à la DGSE, lui avait expédié. Le titre était à lui seul un éditorial.

L'AGENCE DE L'ENFER
INTERNATIONAL INFORMATION INSTITUTE

— C'est représentatif du climat chez vous ? demanda-t-elle en se tournant vers le portable ouvert sur la table de la cuisine.

— J'en ai peur. Un bouc émissaire pour les réseaux de pédophiles, le terrorisme et le trafic d'organes, le tout emballé dans le drapeau américain avec, en plus, des relents de CIA !… Ça ne se refuse pas.

— Pour l'opération, ça tient toujours ?

— Oui. Tout est prêt. Tant que rien ne relie l'opération à l'Institut, je peux agir.

— Tout devrait être réglé d'ici vingt-quatre heures.

— Ce sera une joyeuse façon de terminer le millénaire.

— Le millénaire ne se termine que dans un an.

— Je sais. Mais les gens, eux, ne le savent pas. Et quand on vit dans un monde où tout le monde pense entrer dans un nouveau millénaire, il est prudent de s'y croire aussi.

— Est-ce que vous deviendriez philosophe en vieillissant ?

— Si je ne vous connaissais pas, je croirais que c'est une façon d'emballer une insulte… dans une insulte.

— Je croyais que c'était très prisé, la philosophie, dans votre pays !

— Sur la chaîne culturelle, oui. Ailleurs…

— Allez, je vous laisse ! Quand vous recevrez le signal sur votre portable, nous serons à trente minutes du déclenchement.

— L'opération débute vraiment partout en même temps?

— Dans tous les pays, oui.

MONTRÉAL, 8 H 31

Théberge avait été réveillé par un journaliste qui désirait avoir ses commentaires. Confirmait-il l'information sur ses relations intimes avec madame Weber ?

Quand il arriva au travail, une série de messages l'attendait : d'autres journalistes qui voulaient obtenir ses réactions, des recherchistes qui souhaitaient « l'avoir » pour une entrevue...

À neuf heures trente, il devait rencontrer le directeur. Pour faire le point sur la situation, disait laconiquement le message qu'il avait trouvé sur son bureau.

Lorsque le téléphone sonna, il était persuadé qu'il s'agissait encore d'un journaliste.

— Pas de commentaire, dit-il en guise de salutation.

— Ne raccrochez pas ! Il faut que je vous parle !

— Madame Weber ? C'est vous ?

Huit minutes plus tard, il reposait délicatement le combiné, comme pour épargner à Dominique le choc d'une coupure trop brusque.

Il lui avait promis de mettre l'escouade fantôme à la recherche de Geneviève et de ne plus rien entreprendre à l'encontre des gestionnaires tant que la jeune femme ne serait pas retrouvée.

Sur l'origine des menaces, les deux s'entendaient pour considérer Brochet comme leur premier suspect : il était celui que Théberge avait le plus importuné. Lors de leur dernière rencontre, le financier avait même proféré des menaces à peine voilées.

— Penses-tu qu'il peut s'en prendre à Yvan ? avait demandé Dominique.

Théberge avait répondu que non : ce serait trop évident.

Mais il aurait aimé être plus certain de sa réponse.

TV5, 9 H 04

... CE REPORTAGE SUR LES GENS QUI ATTENDENT LA FIN DU MONDE AUX ÎLES SAMOA.

DANS UN TOUT AUTRE DOMAINE, NOUS AVONS APPRIS QUE L'INSTITUT, LE MYSTÉRIEUX GROUPE TERRORISTE RELIÉ À DES RÉSEAUX DE PÉDOPHILES, AURAIT BÉNÉFICIÉ DE HAUTES PROTECTIONS DANS CHACUN DES PAYS OÙ IL

OPÈRE. CELA EXPLIQUERAIT SON ÉTONNANTE IMPUNITÉ. CELA EXPLIQUERAIT ÉGALEMENT SES NOMBREUX ATTENTATS CONTRE DES HAUTS DIRIGEANTS DE L'ÉTAT OU DE L'APPAREIL POLICIER, CETTE ORGANISATION CRIMINELLE AYANT POUR PRATIQUE D'ÉLIMINER SES COLLABORATEURS, UNE FOIS LEUR UTILITÉ PASSÉE…

MONTRÉAL, 9 H 28

— Voilà notre vedette ! fit le directeur lorsque l'inspecteur-chef Théberge entra dans son bureau.

— Vous voulez faire le point sur quoi ?

— Sur vous, bien sûr ! Il n'y en a que pour vous dans les médias !

— Qu'est-ce que vous voulez que je fasse ? Que je prenne une arme et que j'aille descendre tous les journalistes qui m'ont appelé ?

— C'est une solution que je n'avais pas envisagée. Mais puisque vous en parlez…

Encore une fois, le directeur avait réussi à inverser les rôles et faisait de l'humour à ses dépens, songea Théberge. Décidément, il était temps que cette affaire finisse !

— Qu'est-ce que vous proposez ? demanda-t-il.

— Il y a deux solutions. La première, celle du chrétien et des lions…

— Je suppose que vous me voyez dans le rôle du chrétien ?

— Un modèle de vertu comme vous l'êtes ! Ça ne requiert pas un grand effort d'imagination… En ce qui concerne les lions, vous avez compris que les médias sont les fauves tout trouvés.

— Et l'autre solution ?

— Vous vous prenez pour David Copperfield… pour l'homme invisible… pour…

— Vous me suspendez ?

— Pas nécessairement. Je suis sûr que je peux trouver des tâches administratives à la hauteur de vos capacités.

— Une mise à l'écart de combien de temps ?

— Ça dépendra de la réaction des médias. Si les politiques s'en mêlent, il faudra peut-être consentir à une enquête externe… Mais nous n'en sommes pas encore là.

Théberge demeura un long moment sans répondre. Il songeait à Money Trap. Comment pourrait-il superviser l'opération s'il était affecté à des tâches administratives ?

— Avouez que vous avez un don pour vous mettre les pieds dans les plats ! reprit le directeur. Cette femme vampire…

— Vous n'allez pas vous y mettre vous aussi !

— Avec les images qui ont été rendues publiques hier…

— J'ai ma théorie là-dessus.

— Une théorie ! Vraiment ? Ça fait plaisir d'avoir des intellectuels dans le service !

— J'ai demandé à un technicien de vérifier quelque chose.

— Quelque chose… C'est la première fois que je vous vois à court de mots précis.

— Je vous en reparlerai. Pour l'instant, j'ai une suggestion pour mon emploi du temps.

— Je vous écoute.

— Vous pourriez m'affecter exclusivement à la supervision et à l'évaluation du stage des clones.

Le directeur le regarda d'un œil médusé.

— Est-ce que vous seriez en train de mijoter quelque chose? demanda-t-il.

— Pas du tout. J'essaie de minimiser les dégâts.

— Je comprends mal comment le fait de consacrer la totalité de votre temps aux clones puisse être une façon de minimiser les dégâts. Mais enfin… Puisque l'idée vient de vous.

Avec les clones, il trouverait le moyen de s'entendre, songea Théberge. En sortant du bureau, il irait immédiatement négocier avec eux. Il leur expliquerait toute la situation : l'opération imminente, l'enlèvement de la jeune protégée de Dominique, sa suspension, ses doutes sur la bande vidéo… S'il y avait une chose sur laquelle il savait pouvoir compter, c'était le sens de l'indignation de Rondeau et de Grondin. Même suspendu, il pourrait continuer à diriger l'enquête.

— Une dernière chose, fit Théberge.

— Oui ?

— J'aimerais que vous rendiez publique mon affectation administrative. Qu'il soit clair pour les médias que je suis déchargé de toute tâche opérationnelle jusqu'à ce que la lumière soit faite sur les allégations formulées à mon endroit.

— Vous, vous préparez vraiment quelque chose.

— On appelle ça une retraite stratégique.

— Vous les connaissez ! s'exclama le directeur. Vous savez qui est derrière cette campagne d'information !

— Disons que j'ai des doutes. Si je leur donne l'impression qu'ils ont gagné, j'aurai les coudées plus franches pour agir.

— De qui s'agit-il ?

— Je ne peux pas encore vous donner de noms. Mais c'est relié à l'affaire des vampires et des gestionnaires. Tout est lié.

— J'espère que vous savez ce que vous faites. Le service ne pourra pas couvrir vos initiatives privées.

— Je sais.

— Par contre, si vous avez besoin de quoi que ce soit, officieusement s'entend, appelez-moi à la maison.

Il lui tendit une carte d'affaires sur laquelle il avait griffonné une série de chiffres.

Théberge en resta bouche bée.

— Il faut se méfier des stéréotypes, inspecteur-chef Théberge. Ceux qui viennent de la filière civile ne sont pas forcément des bureaucrates… Cela dit, je ne couvrirai pas n'importe quelle opération de cow-boys sous prétexte que je dois être solidaire des troupes.

— Loin de moi une telle pensée !

— Il ne nous reste donc qu'un détail à régler.

— Lequel ?

— Votre remplaçant. Il faut que vous puissiez travailler avec les clones sans avoir de problèmes… Je parle évidemment du travail d'évaluation. Qui me suggérez-vous ?

— Crépeau.

— Excellent choix. Ça vous permettra de rester en famille.

Quand Théberge fut sur le point de sortir, le directeur le relança.

— Inutile de préciser que l'avenir de notre collaboration est lié à la manière dont vous vous comporterez pendant cette délicate mission d'évaluation du personnel.

— Vous pouvez me faire confiance. La collaboration d'un civil qui sait de quoi il parle est une chose trop précieuse pour que je la gaspille.

— Vous voyez ! Vous me considérez encore comme un civil !

— Il faut vous habituer. Plus on entre dans la hiérarchie à un poste élevé, plus les galons sont difficiles à gagner.

MASSAWIPPI, 10 H 13

Le message de Tate était laconique : « OK ». Cela voulait dire que l'opération américaine était autorisée et qu'elle était prête à être déclenchée.

F l'appela par la ligne téléphonique haute sécurité intégrée à son portable.

— Comment ça se passe ? demanda-t-elle.

— J'ai suivi votre conseil et j'ai court-circuité Snow. Tout est sous le contrôle direct du directeur-adjoint des opérations.

— À combien estimez-vous le danger de fuites ?

— Ça m'étonnerait qu'il y en ait. L'opération est entièrement compartimentée et chaque groupe travaille en *blind*. Il n'y a même pas de nom de code pour l'ensemble de l'opération.

— Dur coup pour la tradition !

— Le type du FBI me fait confiance. Je lui ai dit qu'il aurait mon appui s'il y avait un mouvement de personnel dans les hautes sphères de l'organisation.

— N'enterrez pas Snow trop vite.

— Je croyais que vous l'aviez déjà fait ?

— Ça va dépendre de la façon dont il réussit à se sortir du problème dans lequel il est. Ça pourrait être une occasion pour vous de vous faire un allié fidèle.

— En l'aidant à régler son problème ?

— Oui… Pour l'opération, vous devriez recevoir le signal dans les heures qui viennent.

— Je croyais qu'il ne manquait plus que nous.

— Il reste encore trois confirmations à rentrer. À la limite, deux seulement sont essentielles. Tout devrait être en place demain.

— Bien. J'attends votre signal.

Quand la communication fut interrompue, F se cala dans son fauteuil.

Est-ce que c'était cela, la nouvelle forme que prendrait l'Institut ? Son rôle serait de proposer des opérations à des groupes hétéroclites de collaborateurs ? N'était-ce pas se mettre à la merci de la moindre défaillance individuelle dans n'importe lequel de ces groupes ?

D'un autre côté, ce mode de fonctionnement avait un avantage indéniable : il excluait par définition le pouvoir exclusif d'un groupe de « lumières » autoproclamées. Pour agir, l'Institut serait condamné à convaincre. Et à convaincre des gens de culture, de milieux et d'intérêts différents.

Ce n'était pas la solution idéale. Mais c'était peut-être la moins mauvaise.

MONTRÉAL, 10 H 44

Lorsque Théberge annonça aux clones qu'il abandonnait toute fonction opérationnelle pour se consacrer à des tâches administratives, les deux policiers déclarèrent spontanément qu'ils allaient protester.

— Vous êtes la meilleure ordure-chef que nous ayons rencontrée ! déclara même Rondeau.

— Après l'inspecteur Lefebvre, s'empressa de préciser Grondin.

— Bien sûr, approuva Rondeau.

— Bien sûr, approuva à son tour Théberge. Bien sûr…

Lorsqu'il leur apprit que ses tâches administratives consisteraient à superviser leur stage, qu'il s'y consacrerait désormais à temps plein, il vit un sourire s'épanouir sur les deux visages.

— Autrement dit, il n'y a rien de changé, fit Grondin. C'est juste une question de paperasse.

— Pas exactement.

Théberge leur expliqua la situation dans laquelle il se trouvait. Comment il était victime d'attaques dans les médias juste au moment où une opération d'envergure état sur le point d'être déclenchée. Il ne pouvait pas se justifier sans compromettre l'opération. Il fallait qu'il gagne du temps.

Un quart d'heure plus tard, après quelques questions sur la nature de l'agence étrangère impliquée, Grondin s'exclamait :

— Vous auriez pu nous le dire tout de suite que c'étaient les amis de l'inspecteur Lefebvre ! Il n'y a aucun problème. Vous avez seulement à nous expliquer ce que vous voulez qu'on fasse.

NORTH HATLEY, 11 H 57

Hurt quitta l'atelier pour prendre la communication sur l'ordinateur.

— Les dieux conspirent contre nous, fit Théberge.

— Je croyais que c'était le Consortium qui s'en chargeait, répliqua la voix ironique de Sharp.

— En fait, il s'agit probablement de Brochet.

Le policier expliqua à Hurt les circonstances qui avaient amené son confinement à des tâches administratives.

— Vous avez raison, conclut simplement Hurt. C'est probablement Brochet.

— L'opération est pour quand ?

— D'ici vingt-quatre heures, si tout va bien. Comment allez-vous faire, si vous êtes coupé des opérations ?

— J'ai trituré les quelques méninges qui me restent et je crois avoir fait preuve de créativité.

— Tant que vous ne confiez pas l'affaire à vos deux clowns !

— Vous voulez parler des clones ?

— Vous en avez d'autres ?

— En ce domaine, nos ressources sont inépuisables… Mais j'ai peur que vous ne soyez pas emballé par mon initiative.

— Ne me dites pas que…

— C'était la seule solution. Ils acceptent de travailler à l'aveugle.

— Ça ne fera pas vraiment changement, ironisa de nouveau Sharp.

— Il a suffi que je leur dise que je collaborais avec les mystérieux amis de l'inspecteur Lefebvre pour qu'ils acceptent d'exécuter les moindres directives que je vais leur donner sans poser de questions.

— Espérons qu'ils n'auront pas l'idée lumineuse de faire une conférence de presse.

À l'évocation de cette possibilité, Théberge ne put empêcher son visage de pâlir.

— Quelqu'un d'autre est impliqué ? demanda Hurt.

— Crépeau, mon compagnon de quilles. Il me remplace à la direction de l'escouade pendant ma suspension.

— Votre compagnon de quilles, ironisa Sharp. Un choix manifestement judicieux.

MONTRÉAL, 12 H 33

La conférence de presse avait lieu dans la grande salle de conférences de Hope Fund Management. Brochet était accompagné de Jessyca Hunter ainsi que de trois des autres vice-présidents de la firme. Tous les principaux chroniqueurs financiers de la métropole y assistaient.

— Messieurs, je serai bref, dit Brochet en élevant la voix.

Les murmures s'atténuèrent.

— Je tiens d'abord à rendre publics les résultats exceptionnels obtenus au cours de l'année par notre firme. Trois faits suffisent à résumer l'apport exceptionnel de mon prédécesseur au cours des douze derniers mois : une croissance de quatre-vingt-dix-sept pour cent des actifs sous gestion, une valeur ajoutée qui devrait se situer dans le premier décile et la mise en marché de produits financiers révolutionnaires. Quand je parle de mon prédécesseur, je parle bien entendu de Christopher Hope.

Brochet fit une pause et en profita pour examiner le comportement des journalistes. Il était conscient de leur avoir donné peu de matériel pour leur article.

— Pour ma part, reprit Brochet, je veux simplement vous assurer que je tâcherai de me montrer à la hauteur de l'héritage qu'il nous laisse. Vous trouverez toute l'information dont vous pouvez avoir besoin dans la pochette de presse qui vous a été distribuée. Si vous avez des questions, je veux bien y répondre. Vous êtes ensuite invités à prendre le lunch dans la salle voisine.

— Monsieur Brochet ?

C'était un journaliste attaché au journal *Les Affaires*.

— Oui ?

— Pour quelle raison monsieur Hope n'est-il pas présent à cette conférence de presse ?

— Parce qu'il est actuellement dans un avion, quelque part au-dessus de l'Europe, et qu'il va se poser en Grèce avant minuit heure locale. Nous lui avons offert ce voyage, à lui et à sa famille, en guise de reconnaissance.

— Et monsieur Semco ?

C'était Savary qui avait posé la question.

Brochet prit le temps de paraître un peu décontenancé par la question. C'était celle qu'il attendait. C'était pour elle qu'il avait convoqué la conférence de presse.

— Avant toute chose, finit-il par dire, je tiens à affirmer que monsieur Semco conserve mon entière confiance. À la suite des allégations de certains de vos confrères, nous avons examiné sa gestion en détail : elle est techniquement irréprochable.

— Techniquement irréprochable… Vous êtes certain de son honnêteté ?

— Comme je vous le disais, nous avons vérifié tous les dossiers dans lesquels il a été impliqué.

— Vous aviez des raisons d'être inquiet ?

— Si nous n'avions pas procédé à ces vérifications, vous nous l'auriez reproché. À juste titre, d'ailleurs. Dans notre métier, un excès de prudence est toujours préférable à un excès d'aveuglement.

— Vous ne nous avez toujours pas dit pour quelle raison il n'est pas ici.

— Parce qu'il a été suspendu ce matin.

— Et vous lui gardez votre confiance ?

— Suspendu avec augmentation de salaire.

— C'est plutôt curieux, non ?

— C'était le meilleur compromis entre notre devoir de fiduciaire et le respect du principe selon lequel tout homme doit être présumé innocent jusqu'à preuve du contraire.

— Je saisis mal.

— Nous le suspendons pour assurer à nos clients que nous prenons toutes les mesures de prudence requises, et nous augmentons son salaire pour lui réitérer notre appui.

— D'après vous, pour quelle raison s'en prend-on aux gestionnaires ?

— La cause profonde, c'est la baisse générale de la moralité. Aujourd'hui, plus personne n'est responsable de rien. Chacun se sent libre de s'adonner à tous ses instincts et à toutes ses lubies. Il n'y a plus de morale. Et quand il n'y a plus de morale dans la vie personnelle, il est irréaliste d'en espérer dans la vie publique.

— À votre avis, quelle serait la solution ?

— Une réforme en profondeur de l'école. Une réforme axée sur la discipline, le port de l'uniforme, le sport et les cheveux courts…

— On croirait que vous parlez de l'armée.

— Dans les affaires comme dans la vie, c'est la même chose : tout ce qui relève de l'extravagance individuelle mène à la faillite. Seule la discipline sauve. Prenez l'exemple de la Barrings : si le jeune *trader* avait eu un tant soit peu de discipline, cette vénérable institution n'aurait pas été acculée à la faillite. Aujourd'hui, les jeunes abordent la vie comme s'ils étaient dans un jeu vidéo : ils pensent qu'ils vont trouver un bouton à pousser pour faire *reset* dès qu'il y a le moindre problème.

— Votre philosophie pourrait paraître plutôt réactionnaire à bien des gens.

— À ces gens, je ne peux opposer que ma carrière et ma vie. Discipline, travail, honnêteté : ces principes m'ont continuellement inspiré. À plusieurs reprises, j'ai rencontré des gens pressés de réussir et qui ne s'embarrassaient pas de principes. Certaines de ces personnes ont essayé de me ruiner. Je suis encore là. Elles, par contre…

— Est-ce que vous faites référence au père de Semco ?

— Monsieur Semco a connu quelques égarements à la fin de sa vie, égarements qui ont fait oublier qu'il fut, globalement, une personne estimable. Je n'aimerais pas qu'on le démonise et qu'on attaque son fils en l'associant à une telle image… Si vous n'avez pas d'autres questions, je pense qu'on peut maintenant passer au lunch.

D'un geste ample du bras, il invita les journalistes à passer dans l'autre salle.

La conférence de presse avait été un succès complet.

RDI, 13 H 02

> … TOUJOURS PAS DE DÉVELOPPEMENTS DANS CETTE AFFAIRE. D'APRÈS LE PORTE-PAROLE DU SERVICE DE POLICE DE LA CUM, LA GÉRANTE DU BAR DE DANSEUSES AURAIT ÉTÉ INTERROGÉE PAR DES ENQUÊTEURS, MAIS AUCUNE CHARGE N'AURAIT ÉTÉ JUSQU'À MAINTENANT RETENUE CONTRE ELLE.
> CETTE HISTOIRE, QUI RISQUE D'ASSOMBRIR…

MONTRÉAL, 13 H 42

— Qu'est-ce que tu fais ici ? demanda Chamane en voyant arriver Yvan.

— Je suis suspendu.

— À cause de ce qu'il y a aux informations ? Ils n'ont pas le droit de…

— Suspendu avec augmentation de salaire ! Toi, comment ça va ?

— Le pire, c'est de ne pouvoir rien faire.

— Tu arrives à travailler ?

— Oui. Quand je travaille, j'ai des bouts de temps où je n'y pense pas.

— Fais confiance à Théberge. Je le connais depuis longtemps et…

— Il est suspendu lui aussi.

— Quoi ! Tu as appris ça où ?

— Aux nouvelles, tout à l'heure. Ils ont parlé de travail administratif en attendant les conclusions de l'enquête.

— De toute façon, il lui reste l'escouade fantôme… Les gens de Steel vont sûrement faire quelque chose, eux aussi. Je suis sûr que tu peux compter sur eux.

— Avec l'opération qui est sur le point de s'enclencher, ça m'étonnerait qu'ils aient le temps.

— Dis-toi que ceux qui ont enlevé Geneviève n'ont aucun intérêt à ce qu'elle meure. Ils en ont besoin vivante.

— Si tu savais comme je m'en veux ! J'aurais dû aller l'attendre après sa pratique.

— Ça ne sert à rien de te gruger. Ça ne la fera pas revenir plus vite.

— Je sais. Mais le soir, j'allais presque toujours la chercher. Sauf qu'après notre dispute hier matin… Je me suis dit que c'était à elle de faire les premiers pas…

— Votre dispute n'a strictement rien à voir avec le fait que quelqu'un a décidé de l'enlever.

— Mais si j'avais été là…

— Tu aurais fait quoi ? Ou bien ils auraient attendu qu'elle soit seule, ou bien ils t'auraient neutralisé… Ce ne sont pas des amateurs. Le mieux, c'est que tu continues à travailler pour t'occuper l'esprit.

— C'est pour ça que je regardais le truc de Y2K Crisis Management.

— Toujours rien trouvé ?

— Non. J'ai examiné une vingtaine de nouveaux sites où ils ont fait des mises à jour pour l'an 2000 et il n'y a rien de suspect. Juste les bogues habituels de Windows.

— Ce soir et demain soir, tu es invité chez Dominique.

— Je verrai.

— Tu ne verras pas, tu vas venir. Il n'est pas question que tu restes seul.

— Il va y avoir un tas de monde sur le Net. Je ne serai pas seul.

— Si c'est parce qu'il faut que tu restes en *stand by*, tu apporteras ton ordinateur. Toute ta fourgonnette, s'il le faut. Mais il n'est pas question que tu ne viennes pas. Dominique ne me le pardonnerait pas si je te laissais ici.

— D'accord, je vais passer faire un tour.

— Allez, je te laisse en compagnie des bogues de Microsoft. Amuse-toi !

— Les bogues de Microsoft ?... Oui, c'est vrai, les bogues... Les bogues !

— Qu'est-ce qu'il y a ? J'ai dit quelque chose?

— Je suis sûr que c'est les bogues !

MONTRÉAL, 14 H 46

Jessyca Hunter faisait le tour de sa ménagerie, veillant à ce que chacune des araignées ait ce qu'il lui fallait. En réalité, il ne s'agissait que d'une petite partie de sa ménagerie. Le reste était demeuré en Angleterre. Quelqu'un s'en occupait. Elle n'avait apporté avec elle qu'une dizaine de spécimens. Si jamais son séjour au Québec devait se prolonger pendant plusieurs années, elle envisagerait alors de déménager le reste de sa collection. Mais c'était une entreprise délicate : plusieurs spécimens appartenaient à des espèces en voie d'extinction. Il n'était pas question pour elle de risquer une saisie à la douane. Elle devrait avoir recours à des passeurs.

La sonnerie du téléphone interrompit le cours de ses pensées.

— Oui ?

— Ici Ute. Tu as le feu vert pour Brochet. Tu peux procéder quand tu veux. La seule condition est que tu puisses assurer la relève.

— Ce sera un plaisir.

— Pour l'intérim, tu comptes toujours utiliser Hope ?

— À l'heure qu'il est, il vient probablement d'atterrir en Grèce.

— Tu te débrouilles pour le faire revenir dans une semaine ou deux pour l'intérim. Après, on va installer Zonta.

— Ça ne devrait pas poser de problème.

— En attendant que tu sois complètement à l'aise, tout le côté technique sera pris en charge sur le site miroir, à Berne.

MONTRÉAL, 16 H 37

Théberge sirotait un café depuis une dizaine de minutes au Second Cup de la gare centrale. Il attendait Hurt. Quand il releva les yeux de son journal, il fut surpris de constater que Blunt venait s'asseoir en face de lui.

— Alors ? demanda Blunt. Tout est prêt ?

— Oui.

— Et pour la jeune fille ?

— Toujours rien. Les flics ont rencontré leurs indicateurs, les motards ont été interrogés… rien. Personne n'a entendu parler de contrat.

— Du côté de Brochet ?

— Aucune nouvelle. Je ne veux pas le relancer pour qu'il se venge ensuite sur elle.

— L'opération aura probablement lieu d'ici vingt-quatre heures. Si Brochet est arrêté…

— C'est pour ça que j'ai demandé au directeur de rendre publique ma suspension. L'opération ne pourra pas m'être associée.

— J'aurais aimé pouvoir tout reporter, mais c'est impossible.

— Je comprends. Mais lorsque Brochet sera arrêté, ma priorité sera de retrouver cette jeune femme.

— Du moment que nous avons accès aux renseignements qu'il détient, vous pourrez faire ce que vous voulez de sa personne. Vous pourrez même échanger sa liberté contre celle de la jeune femme, si j'ai bien compris ce que vous avez en tête. Mais je ne peux faire aucun compromis sur l'information.

ORBEC, 22 H 46

Attablée dans un petit restaurant, Claudia discutait avec le représentant de la DGSE. Officiellement, ce serait lui qui dirigerait les opérations au château de Ute Breytenbach.

— Je peux m'assurer que le périmètre est couvert, dit le Français. Le problème, c'est l'hélicoptère.

— Vous ne pouvez rien faire ?

— Je pourrais toujours ordonner qu'on l'abatte avec un lance-roquettes aussitôt qu'il décollera. Ce n'est pas très compliqué. Mais je doute que madame Breytenbach vous soit ensuite très utile.

— En effet.

— Et puis, ce n'est pas très discret.

— Il faut trouver un autre moyen.

Claudia examinait les photos satellite du château. Sur un des plans rapprochés, elle montra l'héliport qui avait été aménagé sur le toit.

— Si on ne peut pas abattre l'hélicoptère, dit-elle, il faut l'empêcher de décoller.

— Vous voulez saboter l'appareil ?

— Pour l'empêcher de partir. Pas pour qu'il s'écrase.

— Il faudrait parachuter un technicien sur le toit du château. Ce n'est pas évident.

— J'ai peut-être une autre idée… Vous connaissez certainement cette colle qui est utilisée contre les manifestants…

— Vous n'allez quand même pas coller l'hélicoptère au sol ! Les patins risquent de s'arracher, vous allez déstabiliser la structure de l'appareil…

— Je pensais à autre chose…

MONTRÉAL, 17 H 33

Skinner examina les photos que venait de lui transmettre un des pisteurs affectés à Théberge.

Sa première réaction fut de la classer pour usage ultérieur : elle ne correspondait à personne de connu. Puis il s'attarda aux yeux. Au regard. C'était toujours la chose la plus difficile à dissimuler.

Il était incapable de mettre un nom sur le visage de l'homme assis en face de Théberge. Mais une chose était certaine, il ne s'agissait pas d'un simple indicateur. On n'imaginait pas qu'un homme ayant ce regard puisse être manipulé par un policier, fût-il l'inspecteur-chef Théberge.

Au contraire, la position des corps, sur les photos, suggérait que cet homme avait un statut supérieur à celui du policier. Ou, du moins, un certain ascendant. Pouvait-il s'agir d'un agent de l'Institut ?

Il communiqua son signalement aux autres pisteurs, leur demandant de le suivre si jamais il reprenait contact avec l'inspecteur-chef Théberge.

MASSAWIPPI, 19 H 21

F effectua un choix entre les deux plats que son mari lui proposait d'inclure dans le réveillon du lendemain.

Elle l'avait averti que le déroulement du repas risquait d'être perturbé : si tout continuait de se dérouler comme prévu, l'opération serait déclenchée dans les heures qui précéderaient l'arrivée de l'an 2000. Il aurait été plus raisonnable de reporter les festivités de quelques jours.

Évidemment, Gunther n'avait rien voulu savoir : il était impensable de ne pas célébrer de façon mémorable le passage à cette nouvelle année. Son seul compromis avait été de choisir des plats que la préparation et le temps d'attente rendaient aptes à survivre à des chambardements d'horaire.

Et puis, une fois l'opération lancée, elle n'aurait plus grand-chose à faire, avait-il argumenté. Toutes les équipes, à la grandeur de la planète, fonctionnaient de façon autonome. Sa seule tâche serait de compiler l'information à mesure qu'elle entrerait et de la transmettre aux endroits pertinents. Mais, pour cela, il faudrait d'abord que l'information commence par arriver, ce qui prendrait au minimum plusieurs heures.

— Tu n'auras qu'à aller jeter un coup d'œil de temps en temps sur le déroulement des événements, avait-il conclu. J'en profiterai pour faire la conversation avec le cuisinier et les Jones. Et si jamais tu t'absentes trop longtemps, Hurt fera la navette entre ton bureau et la salle à manger pour nous tenir au courant.

Comme souvent dans leurs discussions, songea F, Gunther avait raison. Ce n'était pas un de ses moindres défauts…

Sur la cloison de plexiglas qui séparait la salle de séjour du bureau, une image télé géante d'une carte du monde était affichée en permanence. À plus d'une trentaine d'endroits sur la planète, des points lumineux pulsaient. Ils étaient tous verts. Sauf trois. Qui étaient rouges.

Un signal sonore se fit brusquement entendre et un des points rouges vira au vert. Il ne manquait plus que deux confirmations.

Ce serait finalement une façon satisfaisante de terminer l'année.

MONTRÉAL, 22 H 36

Dominique s'était absentée pour discuter avec une amie sur Internet. Elle faisait partie d'un groupe de soutien pour les victimes de la trisomie 22.

Moins connue que la trisomie 21, la trisomie 22 se caractérisait par une panoplie étendue et largement variable de symptômes. Le diagnostic prenait souvent du temps à être établi, compte tenu de la relative rareté de la maladie et de la grande disparité de ses manifestations. Les parents des victimes se trouvaient la plupart du temps démunis. D'où l'idée du site Internet pour donner un soutien à ceux qui découvraient les symptômes chez leur enfant.

Le site servait également de lieu d'échange entre les malades sur les progrès des traitements. Pour plusieurs, il était un milieu d'appartenance presque aussi important que leur famille.

Dominique avait toujours été mal à l'aise face à cette tendance qu'avaient certains de se définir d'abord à partir de leur maladie, de devenir en quelque sorte des malades professionnels. Mais cela ne l'empêchait pas de consacrer plusieurs heures par semaine à répondre aux questions des parents sur le site. Elle était probablement une des victimes les moins affectées par la maladie et, sans se sentir exactement coupable, elle avait le sentiment de devoir faire quelque chose pour ceux qui avaient eu moins de chance qu'elle.

Pendant qu'elle conversait avec un couple de parents qui venaient de découvrir la maladie chez leur fille, Yvan et Chamane regardaient la télé. En fait, Chamane regardait Yvan zapper sans arrêt, s'efforçant de suivre toutes les émissions de nouvelles simultanément. Un des membres de l'escouade fantôme discutait avec eux. Théberge l'avait assigné à la protection de Dominique pour le reste de la semaine.

Dominique avait essayé de protester, mais Théberge avait été inébranlable. « C'est un service que vous lui rendez », avait-il dit. « Autrement, il va rester seul chez lui pendant tout le temps des fêtes. Vous mettez un peu de lumière dans ce qui est habituellement pour lui la période la plus noire de l'année. »

Lorsque le téléphone sonna, ce fut le policier qui prit l'appel.

— Un instant, dit-il après un moment. Couvrant le combiné de la main, il alla porter le téléphone à Dominique.

— Une femme, dit-il à voix basse. Essayez de la faire parler le plus longtemps possible.

RDI, 22 H 37

> ... PAR SIMPLE COMMUNIQUÉ DE PRESSE.
> SELON L'EXPERT DU SERVICE DE POLICE DE LA CUM, LA FEMME APPARAISSANT SUR LA BANDE VIDÉO N'AURAIT PAS DE VÉRITABLES YEUX DE CHAT, MAIS PORTERAIT PLUTÔT DES LENTILLES CORNÉENNES.
> L'EXPERT SE FONDE SUR LE FAIT QUE LES PUPILLES DE LA FEMME SONT DEMEURÉES DEUX LIGNES VERTICALES PENDANT TOUT LE DÉROULEMENT DE

LA SCÈNE ET QU'ELLES NE SE SONT PAS MODIFIÉES POUR S'ADAPTER AUX IMPORTANTES VARIATIONS DE LUMIÈRE QUI SONT SURVENUES.
D'AUTRES ANALYSES SERONT EFFECTUÉES PAR DES EXPERTS EXTÉRIEURS. TOUTEFOIS, EN ATTENDANT QUE LA LUMIÈRE SOIT FAITE SUR CE SUJET, IL APPARAÎT CLAIREMENT QUE LE SERVICE DE POLICE ENTEND CONTESTER LES FAITS PLUTÔT QUE DE S'EXPLIQUER SUR LA SITUATION DU PALACE.

MONTRÉAL, 22 H 38

Dominique prit une grande respiration avant de répondre.

— Oui ? dit-elle finalement.

— La suspension de l'inspecteur-chef Théberge nous a réjouis, répondit la femme qui l'avait appelée la fois précédente. C'est une sage décision qu'ont prise les autorités policières.

— Qu'est-ce que vous voulez ?

— Lui avez-vous fait notre message ?

— Oui.

— On parle beaucoup de vous dans les journaux. Vous êtes en train de devenir une célébrité.

— J'ai fait ce que vous avez demandé. Quand allez-vous relâcher Geneviève ?

— Aussitôt que nous serons certains que l'inspecteur-chef Théberge ne représente plus une source d'agacement pour nous. Si vous vous en donniez la peine, je suis certaine que vous pourriez nous aider.

— Vous aider comment ?

— Par exemple en portant des accusations contre lui pour chantage à la protection. En témoignant qu'il harcelait les filles… Nous pourrions sans peine trouver des témoins pour corroborer vos accusations.

— Il est hors de question que je fasse ça.

— Libre à vous. Vous m'avez demandé comment vous pourriez améliorer la situation de la jeune femme : je vous ai répondu. Vous êtes entièrement libre de vos décisions… Après tout, ce n'est pas vous qui en assumerez les conséquences.

Un déclic se fit entendre. Dominique raccrocha.

— Ils ont réussi à la repérer, fit le policier qui écoutait ce qu'on lui disait sur son propre portable… mais ils l'ont perdue au coin de René-Lévesque et Papineau.

— Elle avait un cellulaire ?

— Oui… Un numéro non attribué !

Dans de nombreuses circonstances, la menace de mort peut être transposée avec profit sur le plan psychologique. Dans cette perspective, évoquer avec le sujet la possibilité d'une lobotomie s'avère généralement très efficace. Faire peser sur lui la menace de détruire son identité au moyen de différentes drogues peut aussi être utile.

Évidemment, une telle menace de meurtre psychologique a avantage à être couplée à un exemple, pour que la personne visée soit capable de se représenter concrètement ce qui lui arrivera.

Leonidas Fogg, *Pour une gestion rationnelle de la manipulation*, 5- Briser les résistances.

VENDREDI, 31 DÉCEMBRE 1999

TEL-AVIV / BERNE, 7 H 26

Quand Samuel Shapiro sortit de sa réunion avec le premier ministre et le directeur du Shin Beth, il avait obtenu la réponse qu'il voulait.

Bien sûr, il lui avait fallu plus d'une heure d'argumentation orageuse pour arracher aux deux hommes leur consentement. Mais ils lui avaient finalement donné carte blanche.

Au directeur du Shin Beth, il avait vendu l'opération comme un projet pilote pour découvrir la meilleure façon de faire bouger les autorités helvétiques. C'était un argument auquel le premier ministre pouvait également être sensible, compte tenu des discussions en cours pour récupérer les fortunes juives saisies par les nazis et déposées dans les banques suisses.

Pour emporter leur décision, Shapiro avait dû leur révéler une part des renseignements qu'il avait obtenus de F sur l'alimentation des réseaux de prostitution israéliens par la filière russe. Par contre, il avait protégé l'essentiel : il ne leur avait pas dit que son opération faisait partie d'un plan global qui se déroulerait dans vingt-deux pays et quatre-vingt-une villes.

Sitôt arrivé à son bureau, il activa le brouilleur et téléphona à son ami, Kurt Lanzmann, le directeur de la police criminelle de Berne.

— Je savais que je vous trouverais à votre bureau, dit Shapiro.

— Je suppose que vous y êtes vous aussi.

— Oui, mais pas pour longtemps. Je vais aller me coucher tout de suite après vous avoir parlé.

— Voulez-vous suggérer que j'ai des propriétés somnifères ?

— Il y a quelques semaines, je vous ai envoyé un certain nombre de documents.

— Je m'en souviens très bien.

— Envisagez-vous de donner suite à cette information ?

— Puis-je vous rappeler que les opérations policières contre les banquiers ne sont pas prises à la légère, dans notre pays ?

— Il n'y avait pas que des banquiers, si ma mémoire est bonne.

— Non. Vous y avez ajouté trois des plus riches individus de la ville. C'était une délicate attention pour me simplifier la tâche, je présume.

— Alors, où est-ce que vous en êtes ?

— J'ai tout lu. À plusieurs reprises.

— Ce n'est pas une opération très compliquée.

— Je sais. Les détails techniques peuvent être réglés en deux heures. Mais j'ai la faiblesse de ne pas vouloir piétiner ma carrière à moins de deux ans de la retraite.

Je tiens vraiment à ces années de calme et de sécurité que j'entends passer avec mon épouse, dans un village du Tyrol.

— J'ai peut-être quelque chose pour vous.

— Si vous voulez m'offrir l'asile politique, c'est inutile. Je n'irai jamais dans un pays fondé à la suite d'une campagne d'attentats terroristes et qui trouve ensuite le moyen de s'aliéner la plupart des groupes terroristes de la planète.

— Vous n'allez quand même pas nous reprocher de nous être convertis à la démocratie armée et aux magouilles politiques !

— Compte tenu de la qualité de votre humour, je crois qu'il est temps que vous alliez vous reposer, Samuel. En dépit de notre amitié, je ne vois pas ce que je peux faire pour vous.

— Le nom de Hans Schongauer vous dit-il quelque chose?

Un silence suivit.

— Comment avez-vous eu ce nom ? finit par demander Lanzmann. Même moi, je ne suis pas censé le connaître !

— Même s'il a déjà tué deux personnes à Berne, trois à Genève et deux autres à Lucerne ? Je croyais que les affaires criminelles relevaient de votre direction…

— Personne ne sait encore qu'il s'agit d'un tueur en série. Une unité spéciale a été mise sur pied. Elle travaille dans le secret le plus total, pour ne pas créer de panique dans la population.

Shapiro ne pouvait s'empêcher de sourire en songeant à la tête que devait faire Lanzmann. Lui-même avait eu un moment d'incrédulité quand F lui avait transmis cette information.

Comment avait-elle pu trouver cela ? Est-ce que Schongauer était un autre des projets occultes de la CIA qui avait mal tourné ?

— Je ne vous menacerai évidemment pas de tout révéler, reprit Shapiro. Ni de rendre public le fait que la population a été tenue dans l'ignorance depuis huit mois. Ce serait indigne de notre relation. Vous, par contre, vous pourriez vous servir de cet argument... Je veux dire : expliquer à vos supérieurs que je pourrais tout révéler.

— Le principal résultat que vous risquez d'obtenir, c'est un incident diplomatique.

— Pour une intervention officieuse, ça m'étonnerait. Mais disons que je fournis en prime l'identité réelle de cet individu, son adresse, ainsi que certaines preuves justifiant une perquisition plus poussée de son chalet de montagne...

— Vous voulez dire que... ?

— Je pourrais éventuellement ajouter la preuve qu'il est manipulé par un parti d'extrême droite autrichien qui cherche à consolider son implantation en Suisse.

— Vous avez réellement des preuves de tout ça ?

— J'imagine que vos politiciens, qui ont peur d'être balayés dans plusieurs cantons, seraient très réceptifs à vos arguments. Une réélection vaut bien le sacrifice de quelques banquiers !

— En échange, j'effectue ces perquisitions que vous me demandez de faire ? C'est tout ?

— Presque.

— Il me semblait.

— Ces perquisitions s'inscrivent dans une opération qui se déroulera simultanément dans vingt-deux pays. Elles doivent être rigoureusement synchronisées.

— Qu'est-ce que c'est que cette histoire ?

— Pas une histoire : l'Histoire. Avec un grand H.

— Ce qu'il ne faut pas entendre ! Avec vous, les Juifs, on ne peut jamais faire simplement quelque chose: il faut toujours que ça se passe au niveau de l'histoire universelle !

— Nous allons vraiment écrire une page d'histoire, mon bon ami. Nous allons inaugurer un nouveau mode de lutte contre la criminalité internationale.

— Si c'était quelqu'un d'autre que vous, il y aurait longtemps que j'aurais raccroché.

— Je vous comprends. À votre place, je l'aurais déjà fait.

— Je ne peux pas prendre ce genre de décision seul. Il faut que j'effectue quelques vérifications.

— Appelez-moi dès que vous avez une réponse. Utilisez mon numéro personnel.

— Entendu.

— Et pas un mot sur la dimension internationale de l'affaire. Elle ne sera révélée qu'après coup.

— D'accord.

Après avoir raccroché, Kurt Lanzmann sortit un petit cigare du tiroir de son bureau. Cela ne lui déplaisait pas du tout, cette idée d'aller brasser la cage de tous ces banquiers et hommes d'affaires qui avaient essayé de le faire sauter, l'année précédente.

On ne comprenait pas qu'il refuse de fermer les yeux sur le meurtre d'une prostituée. « Les clients de la banque ont bien le droit de s'amuser un peu, non ? » avait déclaré leur avocat. « S'il arrive un accident, c'est regrettable. Mais ce n'est qu'un accident. » Après quoi, il avait offert de payer un dédommagement – raisonnable, s'était-il empressé de préciser – aux parents de la jeune victime. « Après tout, même un mauvais règlement à l'amiable vaut mieux que n'importe quel jugement de cour ! »

Décidément, ce ne serait pas déplaisant d'aller piétiner quelques plates-bandes.

MASSAWIPPI, 0 H 51

Un message de quelques lignes s'afficha sur l'écran de l'ordinateur.

> Déblocage en vue pour la Suisse. Réponse probable dans quelques heures. Notre rencontre fut le meilleur investissement de ma carrière.
>
> Amitiés, S.

F laissa échapper un soupir de soulagement. Heureusement que Shapiro avait trouvé le moyen de débloquer la situation : l'intervention en Suisse était un élément essentiel du plan. Mais elle n'avait pas hâte de voir ce que ça lui coûterait. L'allusion contenue dans la dernière phrase n'était pas anodine.

MONTRÉAL, 1 H 17

Brochet secoua ses pieds pour les débarrasser de la neige puis il frappa deux coups rapides à la porte. Il fut accueilli par la femme habituelle. Elle l'amena dans la cave.

— Vous êtes en retard, dit-elle.

— Je suis désolé. Je n'ai pas pu me libérer plus tôt.

— Norbert déteste que les clients soient en retard. Il risque d'être d'une humeur massacrante.

Tremblant d'anticipation, Brochet se laissa attacher sur la chaise et bander les yeux.

Puis il attendit.

Quelques minutes plus tard, une voix résonnait derrière lui. Une voix qu'il n'eut aucune peine à reconnaître.

— Changement de programme, dit Jessyca Hunter.

— Qu'est-ce que vous faites là ? protesta Brochet.

— Vous avez commis trois erreurs, répondit la femme d'une voix tranquille. La première, la plupart des gens la commettent. C'est celle d'être prévisible. La deuxième, c'est d'avoir voulu nous trahir. Et la dernière, c'est de ne pas avoir réussi. L'incompétence est une erreur qui ne pardonne pas.

Brochet sentit un premier coup l'atteindre aux côtes. Pas très fort.

— Vous vous trompez !... Je n'ai jamais... trahi !

— Et vos discussions avec Théberge ?

— Vous avez tout entendu ! Vous savez que je n'ai rien dit !

— Je parle des papiers que vous avez échangés avec lui. Vous en avez oublié un dans votre poubelle.

— Il n'y a jamais eu de papiers.

— J'en ai pourtant trouvé un. « Je sais que notre conversation est enregistrée. Nous savons tout… On peut se parler ailleurs. Appelez-moi. »

— C'est un message qu'il a mis sur mon bureau au cours de la dernière rencontre. Je l'ai jeté à la poubelle et je lui ai dit de sortir.

— Qui me prouve que ce n'était pas une mise en scène ? Que vous ne l'avez pas rencontré ailleurs ?

— Vous délirez !

— Dites-moi, la campagne que vous avez entreprise contre lui, est-ce que c'était pour faire monter les enchères ?

— Vous connaissez très bien mes raisons. Détachez-moi et arrêtez cette farce ridicule !

— Je suis bien d'accord avec vous : il s'agit d'une farce ridicule.

Brochet sentit la douleur exploser sur le côté de son visage.

— Pour ne pas m'ennuyer, j'ai amené avec moi une assistante, reprit Jessyca Hunter. Vous avez déjà eu l'occasion de lui parler, je pense. Elle travaille au Corps à corps… C'est Thanata. Elle va remplacer Norbert. Le brave homme aspirait à prendre sa retraite.

Un autre coup atteignit Brochet aux côtes.

— Elle manque un peu de technique, reprit Jessyca Hunter, mais je suis certaine que ce sera amplement compensé par le cœur qu'elle met à son travail.

— Arrêtez !… Ce n'est pas… du tout… ce que je veux.

— Ce que vous voulez n'a plus aucune importance.

Deux autres coups l'atteignirent. Un à l'épaule droite, un deuxième au visage.

— Arrêtez !… Sans moi… vous ne pourrez pas récupérer… l'argent.

— Ah non ?

— Tout le contenu de l'ordinateur va s'effacer… si vous n'entrez pas les bons codes… au bon moment.

— Est-ce que vous parlez des codes qui sont dans votre agenda électronique, dissimulés dans les données confidentielles, sous le numéro de téléphone de Dominique Weber ?

— Non !

— Je vous l'ai dit, vous avez commis l'erreur d'être prévisible. Vos fixations ont causé votre perte.

— Vous ne vous en tirerez pas comme ça ! Quand Petreanu va apprendre ce que vous avez fait...

— Et que voulez-vous qu'il apprenne qu'il ne sache déjà ? Que vous avez cette perversion d'aimer recevoir des coups ? Que vous n'accédez à la jouissance qu'à ce prix ? Il y a longtemps qu'il le sait.

— Il ne peut pas le savoir !

— Puisque je vous le dis... Il sera simplement contrarié que vous ayez poussé l'expérience un peu trop loin. Que vous en soyez mort. Mais il pourra se dire que vous avez connu une mort heureuse. Évidemment, pour des raisons de vraisemblance, j'ai demandé à Thanata de prendre son temps.

— Je vous donnerai ce que vous voulez !

— Il n'y a rien que vous puissiez m'offrir... sauf me permettre de gagner mon pari. J'ai parié avec mon assistante que, même en sachant qu'elle est une femme, vous jouiriez. Bonne nuit, monsieur Brochet. J'ai malheureusement l'impression que vous ne durerez pas jusqu'au prochain millénaire. Mais on dit que la sagesse est de savoir jouir de l'instant présent.

LONDRES, 8 H 04

Xaviera Heldreth tendit un verre de champagne à Leonidas Fogg.

— Ce n'est pas encore tout à fait le Nouvel An, dit-il.

— Sur une bonne partie de la planète, ils y sont presque déjà.

— Comment se passe la transition ?

— Pour l'instant, les avions continuent de fonctionner, les ascenseurs ne tombent pas et les gens n'ont pas dévalisé les épiceries.

— Excellent ! Excellent !

— On va les laisser s'énerver pendant quelques semaines encore puis, quand ils croiront tout danger écarté…

— Du nouveau sur l'Institut ?

— Les bulletins de nouvelles et les articles continuent de sortir comme prévu dans les médias européens.

— Vous avez finalement décidé de remplacer Brochet, à ce que j'ai compris ?

— Jessyca va faire revenir Hope pour l'intérim. Ça paraîtra naturel, étant donné les circonstances. Puis elle va lui faire recruter Zonta, chez Jarvis Taylor Dowling.

— Et pour remplacer Zonta là-bas ?

— On trouvera bien quelqu'un dans nos filiales européennes ou américaines.

— Avez-vous pensé au jeune Semco ?

— On n'a pas encore suffisamment de prise sur lui pour le contrôler. Aussi bien le laisser aux comptes privés : si jamais il y a un problème, ça fera un bouc émissaire commode.

— Ce n'est pas un peu risqué, de lui laisser le contrôle d'un secteur aussi délicat ?

— Il y a un site miroir complètement transparent, à Berne. On vérifie tous les jours ses transactions. Quelqu'un peut tout faire à sa place au pied levé. Il possède même sa signature électronique. À la limite, on pourrait l'éliminer et continuer à effectuer les transactions en utilisant son nom sans que personne s'en aperçoive.

TEL-AVIV, 11 H 38

Samuel Shapiro raccrocha le combiné et sourit. Lanzmann avait effectué quelques vérifications discrètes et il avait le feu vert.

Il y avait une condition, cependant : tout devait se faire très rapidement. Ses supérieurs acceptaient de le couvrir en retardant de vingt-quatre à quarante-huit heures la transmission de l'information à leurs propres supérieurs, à l'échelon national. Une fois ce délai écoulé, ils devraient les aviser de ce qui se préparait; un contrordre pourrait alors survenir.

Shapiro expédia un message à l'adresse électronique convenue pour demander un contact à F. Quatre minutes plus tard, le logiciel de communication de son portable s'activait.

— J'ai le feu vert pour la Suisse, dit-il.

— Il ne reste donc plus que Buenos Aires. J'attends la confirmation d'une minute à l'autre.

— Mon contact a précisé que l'opération doit être déclenchée avant lundi. Il a pris avantage du congé du Nouvel An pour retarder la transmission de l'information au sommet de la hiérarchie. Passé ce délai, il va devoir leur communiquer ce qu'il sait. Vous savez aussi bien que moi ce qui risque alors de se produire.

— Je vous remercie de cet excellent travail. Je peux vous assurer que l'opération sera déclenchée à l'intérieur de ce délai.

— C'est toujours un plaisir d'échanger avec vous.

— À propos d'échange, je suppose que vous aimeriez toujours connaître la filière qu'utilisent vos extrémistes religieux pour financer leur agitation.

— Je n'osais pas insister.

— Je vous envoie l'adresse d'une banque à New York. C'est par son intermédiaire que les Juifs américains radicaux financent les vôtres.

— Vous me l'envoyez par courrier électronique?

— À l'instant.

Elle appuya sur quelques touches.

— Vous y trouverez également une liste de membres de différentes organisations, reprit-elle. Ainsi qu'un calendrier de leurs prochaines interventions. Je suis certaine que vous saurez en faire bon usage.

— Je vous remercie.

— Mon prochain message se limitera au signal du début de l'opération. Je vous souhaite une bonne année, Samuel. Et un bon millénaire.

— Je suis sensible à votre attention, mais je vous signale que le Nouvel An juif a eu lieu le onze septembre et que nous sommes présentement en l'an 5760.

MASSAWIPPI, 4 H 49

F regardait la cloison de plexiglas où était affichée l'immense carte du monde. Les points lumineux avaient cessé de clignoter et ils étaient maintenant tous verts. Ils représentaient les vingt-deux centres de contrôle nationaux de l'opération.

Un autre réseau de point lumineux, plus petits et de forme triangulaire, recensait les cibles des opérations. Il y en avait quatre-vingt-un. Pour le moment, ils étaient tous blancs.

Le signal lançant l'opération Money Trap avait été envoyé depuis une demi-heure. À mesure que les interventions particulières seraient terminées, les points triangulaires passeraient au bleu. Lorsqu'un centre de coordination aurait complété ses opérations, il passerait au bleu lui aussi.

Restait le plus difficile : attendre.

Attendre et espérer qu'il n'y aurait pas trop de mauvaises surprises. Ni pendant le déroulement des opérations, ni plus tard du côté de Y2K Crisis Management.

MONTRÉAL, 5 H 04

L'inspecteur-chef Théberge n'eut que quelques mots à dire à Grondin pour que l'opération Money Trap s'amorce à Montréal. Strange, Crépeau et les clones dirigeaient les trois principales équipes. La plupart des participants avaient été recrutés parmi les policiers encore actifs de l'escouade fantôme.

Officiellement, Théberge ne participait pas aux opérations. Mais il n'était pas question qu'il retourne se coucher. Il irait au bureau et il se tiendrait à la disposition des clones pour les superviser !

Informés de ce qui était arrivé à la jeune protégée de Dominique, ils avaient convenu d'amener Brochet le plus rapidement possible au poste pour l'interroger en présence de Théberge.

MASSAWIPPI, 5 H 11

F avait demandé à Bamboo Joe de la rejoindre pour un petit-déjeuner matinal.

Ils mangeaient dans la salle de séjour. F surveillait la carte du coin de l'œil. Elle guettait le moment où les vingt-deux points ronds deviendraient bleus. Ce serait la fin de l'opération Money Trap.

Bamboo, quant à lui, fixait depuis plusieurs minutes la baie vitrée. Il semblait totalement captivé par le spectacle de la neige qui tombait.

— Est-ce que vous pensez que ça va finir un jour? demanda F entre deux bouchées de bagel au saumon fumé.

— Vous parlez de la neige?

— Des dégâts qu'il faut ramasser partout sur la planète.

— Dans les deux cas, la réponse est la même.

— À savoir?

— L'éternité est une propriété assez peu répandue parmi les choses de ce monde.

Un long moment de silence suivit, meublé par les bruits discrets du petit-déjeuner.

— À votre avis, qu'est-ce qu'il faudrait faire de plus? demanda F.

— À mon avis – dans la mesure où cette expression a un sens – il faudrait plutôt en faire moins.

— Vous n'allez pas encore me ressortir le non-agir?

— Selon vous, quelle a été la principale cause de drames au cours de ce siècle?

— La bêtise, la cupidité, la pure et bête méchanceté… le besoin de vengeance… Il ne manque pas de candidats.

— Est-ce que ce ne serait pas l'humanisme?

— L'humanisme?

— Tous les grands massacres de ce siècle ont été inspirés par une certaine idée de l'être humain. Une idée qu'il fallait réaliser. Pol Pot, les nazis, Lénine et Staline, ils voulaient tous faire franchir une étape à notre espèce. Faire accéder les hommes à une forme supérieure d'humanité. Ils ont simplement fait en grand ce que certaines sectes apocalyptiques ont fait à une échelle réduite : sacrifier le contingent actuel des êtres humains pour le plus grand bien de ceux à venir.

— On ne peut quand même pas empêcher les gens de vouloir un monde meilleur ! Ce n'est pas parce que des illuminés galvaudent un idéal que…

— Que quoi ?

— Qu'il faut s'empêcher d'en avoir. Surtout quand on regarde l'état de la planète.

— Avez-vous réfléchi à la mécanique commune qu'il y a derrière tous ces excès ?

— Un chef, un programme, la volonté d'éliminer tout ce qui s'oppose à la réalisation du programme… Même si ce sont des êtres humains.

— C'est assez juste, mais je formulerais les choses un peu différemment. Il y a toujours une parole qui énonce ce que doit être l'être humain, toujours une parole vraie et sacrée. C'est elle qui est à la base de tout. Puis il y a le devoir de réaliser l'idéal défini par la parole sacrée. L'idéal devient alors un absolu. Et comme il est absolu, tout le reste est relatif. Et le relatif, par définition, c'est ce qui peut être sacrifié à l'absolu… Le relatif sacrifiable, c'est toujours le présent. Avec tous les individus qu'il comporte.

— Ce que vous décrivez a souvent été mis en évidence par l'analyse du fanatisme, mais je ne vois pas quelle prise ça nous donne.

BERNE, 11 H 17

Moh et Sam argumentaient sur l'horaire d'ouverture du petit hôtel qu'ils allaient construire en Grèce. Il y avait plus de vingt ans qu'ils discutaient de la construction, de l'aménagement et du fonctionnement de cet hôtel. Déjà, à l'époque du Rabbin, ils en parlaient.

Chacun à leur manière, ils étaient deux apatrides. Moh était un Sud-Africain musulman dont la famille avait été décimée par les Blancs sous l'apartheid. Sam était un Britannique riche et jadis désœuvré, qui avait accepté de travailler pour le Mossad et de faire équipe avec Moh.

À la mort de leur chef, ils avaient suivi F. Ils faisaient partie de l'héritage que lui avait laissé le Rabbin et ils avaient pris très au sérieux la demande de leur ancien patron de veiller sur elle.

Accompagnés de l'inspecteur Kurt Lanzmann, ils se présentèrent à la suite qu'occupait Petreanu, au Bellevue Palace.

— J'allais déjeuner, fit ce dernier.

— Il est préférable que vous nous écoutiez d'abord, répondit Lanzmann en lui montrant son insigne. Ces messieurs ont quelques mots à vous dire.

Pendant que Moh s'adossait à la porte, Sam s'assoyait dans un canapé et déposait son attaché-case sur une petite table basse. Il en sortit un portable.

— Nous aimerions que vous regardiez brièvement quelques tableaux, dit-il en activant l'ordinateur. Ensuite nous parlerons.

Quatre minutes plus tard, Petreanu disait à Samuel Sloane qu'il en avait assez vu.

— Nous ne sommes pas à la recherche de boucs émissaires, répondit ce dernier. Si tel était le cas, nous vous aurions simplement arrêté.

— Que voulez-vous ?

— Nous voulons ceux qui sont au-dessus de vous. Le Consortium.

— Quand vous dites « nous », je suppose que vous parlez de l'Institut ?

— Peu importe de qui je parle, répondit Sam, un peu trop sèchement pour paraître simplement agacé par une diversion.

Petreanu sourit.

— Qu'est-ce que j'aurais à y gagner ? demanda-t-il.

— Votre liberté.

— Liberté de faire quoi ? Vous savez comme moi que la liberté se juge à l'aune des moyens financiers disponibles pour la mettre en œuvre.

— Nous sommes disposés à ne pas poursuivre l'enquête sur la partie des fonds que vous avez soustraits au Consortium et divertis dans des comptes personnels.

Le visage de Petreanu accusa le coup. S'ils avaient les moyens de savoir cela, c'était déjà beau qu'ils acceptent aussi facilement de négocier. Autant chercher à les amadouer en se montrant indispensable. Et puis, il y avait peut-être là un moyen d'améliorer sa situation à l'intérieur du Consortium. De ce qui pouvait être sauvé du Consortium, tout au moins. Car, s'ils en savaient beaucoup sur certaines filiales, ils étaient manifestement loin de tout savoir. Ce qu'ils lui avaient révélé en témoignait.

— Quels sont vos principaux intérêts ? demanda-t-il en se calant dans son fauteuil.

— Body Store.

— Body Store n'existe plus.

— Nous avons des preuves…

— Mais il y a Meat Shop.

— Meat Shop ?

— Je vais vous expliquer.

À mesure qu'il parlait, Petreanu échafaudait mentalement son plan. S'il voulait utiliser les événements pour réaliser ses ambitions, Marie-Josée Coupal était la première à sacrifier. Les activités de la filiale étaient connues de l'Institut. Rien de tel pour établir sa crédibilité que de partir de ce qu'ils savaient pour y ajouter des révélations.

Quand Petreanu eut fini d'expliquer ce qu'était Meat Shop et qu'il eut fourni les coordonnées de Marie-Josée Coupal ainsi que l'adresse du centre administratif de son organisation, Sam prit quelques secondes pour envoyer une note à F. Dans la mesure du possible, ce nouvel objectif serait intégré à l'opération en cours.

Il réactiva ensuite la fonction d'enregistrement des conversations ambiantes, puis celle d'expédition en continu de l'enregistrement à la banque centrale de données de l'Institut, sous forme cryptée et compressée.

MASSAWIPPI, 5 H 41

F sirotait lentement un reste de café. Bamboo Joe regardait toujours la neige tomber. Il y avait près d'une demi-heure qu'ils n'avaient pas échangé un mot.

Ce fut Bamboo qui rompit le silence.

— Si on ajoute à notre échantillon la Sainte Inquisition et toutes les guerres saintes du passé, est-ce que cela vous éclaire davantage ? demanda-t-il.

Habituée de le voir reprendre une discussion exactement au point où elle s'était interrompue après une parenthèse de plusieurs heures ou de plusieurs jours, F ne fut pas surprise de la question.

Elle avait même déjà vu Bamboo Joe s'arrêter de parler en plein milieu d'une phrase et la terminer quatre jours plus tard, comme s'il n'y avait jamais eu d'interruption.

— D'autres cas de fanatisme, répondit-elle. Religieux, ceux-là.

— Exactement. Il y a un élément que nous avons seulement effleuré tout à l'heure, mais qui est plus manifeste dans ces derniers exemples : tout repose sur l'existence d'une parole sacrée.

— Allez-vous proposer d'interdire la religion ?

— Au contraire, je crois plutôt que le problème, c'est ce que les Occidentaux appellent l'idéologie.

— Je ne comprends pas.

— Que faut-il, à votre avis, pour qu'une parole sacrée soit acceptée comme sacrée ?

— Une tradition, des écrits, des personnes reconnues comme saintes… Est-ce que je sais, moi ? Un pape ou un prophète qui déclare que c'est bien la parole sacrée…

— Voilà !

— Je ne comprends toujours pas.

— On ne croit jamais quelque chose. On croit toujours quelqu'un qui nous dit que quelque chose est vrai. Ou sacré… Croire, c'est décider que quelqu'un sait mieux que vous ce qu'est la vérité.

— Tout ceci est sans doute une très intéressante discussion philosophique, mais je ne vois toujours pas où ça nous mène. De façon concrète, j'entends.

— Vous m'avez demandé ce qu'on pourrait faire de plus.

— Et alors ?

— Vous n'avez jamais pensé à tout l'aveuglement qu'il faut pour penser être en mesure de donner des garanties sur des vérités absolues ? D'où croyez-vous que vient cet aveuglement ?

— Je ne sais pas.

— Il n'y a qu'une chose qui soit capable de générer des illusions aussi dévastatrices. Je veux parler de la source de toutes les illusions : le Moi.

— Les gens qui croient, ce n'est pas leur moi qu'ils affirment ! Au contraire, ils le sacrifient !

— Pour mieux s'identifier à un Moi plus grand encore ! Ils jouent à qui perd gagne. Ce n'est pas vraiment différent de ceux qui consacrent leur vie à devenir des incarnations vivantes d'Elvis.

— Je ne vois toujours pas ce que l'Institut pourrait faire de plus.

— L'Institut sert à ramasser les dégâts et à limiter les excès. Ce qu'on pourrait faire de plus, c'est de la prévention. Ça implique un tout autre type d'action.

— Comme ?

— Lutter contre le fétichisme.

— Oui, bien sûr, répondit F avec une pointe de sarcasme dans la voix… Et on fait ça de quelle manière ?

— En s'attachant au présent et en tenant en suspicion tous les objets de satisfaction du moi : idées, croyances, objets, relations, façons d'être… Il faut apprendre à se détacher de nos productions. Ce qui importe, c'est l'activité : pas le produit. Et le moi n'est qu'un sous-produit de notre activité intérieure. S'y limiter, s'y enfermer, c'est se condamner à mort. Le moi nous tue. Toujours. Ce n'est qu'une question de temps et de moyens... Voyez-vous le rapport avec l'Institut, maintenant ?

— Non.

— Pour un groupe, le fétichisme du Moi est l'institutionnalisation.

BERNE, 11 H 42

— Qu'est-ce que vous pouvez nous dire sur Y2K Crisis Management ? demanda Sam.

Petreanu commença par se caresser le menton de la main droite.

— Pas grand-chose, dit-il finalement. C'est la compagnie qui s'occupe de la mise à jour de nos ordinateurs pour l'an 2000. Le Consortium voulait avoir sa propre compagnie. Pour des raisons de sécurité.

— Ça n'explique pas l'envergure mondiale de vos acquisitions.

— En cours de route, ils se sont aperçus que c'était une bonne affaire.

— J'ai de la difficulté à vous croire.

— Qu'est-ce que vous voulez qu'il y ait d'autre ?

— C'est à vous de me le dire.

— Je peux vous assurer que le Consortium n'a d'intérêt que circonstanciel dans cette entreprise. D'ici quelques mois, la plus grande part des actions de Y2K Crisis Management sera offerte sur le marché.

— Et Montréal ?

— Vous semblez déjà très bien informés sur nos opérations à Montréal, d'après ce que j'ai pu voir dans ces documents.

— Il reste quelques points obscurs. Cette histoire de vampires, par exemple.

— Pour ça, il faudrait voir madame Hunter. C'est la mieux placée pour répondre à vos questions. Mais soyez prudents en fouillant son appartement. C'est un conseil d'ami.

— Vous parlez de l'adjointe de Claude Brochet ? Celle qui est devenue vice-présidente chez Hope Fund Management ?

— Elle-même.

— Vous ne semblez pas l'avoir en haute estime.

— Les nécessités économiques imposent parfois des choix peu agréables quant aux moyens utilisés. De cela, je peux convenir. Mais quand ces moyens deviennent le but poursuivi, je ne peux plus être d'accord. Madame Hunter, si vous voulez mon avis, est une dangereuse psychopathe.

— Comme madame Breytenbach ?

Petreanu regarda longuement Sam. Un sourire s'épanouit sur son visage.

— Vous saviez qu'elle était sa protégée ? demanda-t-il finalement.

— Qui est la protégée de qui ?

— Jessyca Hunter est la protégée de madame Breytenbach.

— Je vous écoute…

— Évidemment, quand on parle de psychopathe, madame Breytenbach est dans un groupe à part. Elle a eu le temps de perfectionner son art. De donner la pleine mesure de son talent… Et elle est persuadée du potentiel de Jessyca Hunter. C'est pour cette raison qu'elle l'a prise sous son aile.

— Vous pouvez me parler de cette mademoiselle Hunter ?

— Ces temps-ci, elle se fait surtout appeler Jessie Hunt. Sous ce nom, elle dirige une série de cabarets, de boîtes de strip-tease, de bars érotiques… enfin, quelque chose du genre.

— Et Brochet ?

— Brochet…

Petreanu se mit à sourire pour lui-même, comme si le nom lui rappelait un épisode amusant de sa vie. Son regard se perdit dans un lieu qu'il était seul à voir et probablement situé loin dans le passé. Puis il ramena les yeux vers Sam.

— *The greedy little bastard…* C'est comme ça que je l'ai surnommé dès le début, vous savez. Sur lui, j'ai quelque chose qui peut vous intéresser.

— Quelque chose que nous n'avons pas déjà ?

— Je suppose que vous êtes présentement en train de perquisitionner à chacun de mes bureaux ?

— Vous nous intéressez beaucoup, se contenta de répondre Sam.

— Au bureau de Genève, derrière le Rouault, il y a un petit coffre. Vous y trouverez quelque chose concernant Brochet.

Lorsque l'interrogatoire fut terminé et que les trois visiteurs se furent retirés, Petreanu n'était pas mécontent. Il avait réussi à ne rien révéler sur Xaviera Heldreth ni Fogg et à prendre une bonne mesure de la connaissance que l'Institut avait du Consortium.

Meat Shop et le réseau de blanchiment étaient définitivement compromis, mais le reste de l'organisation semblait intact. Parmi les victimes, il y aurait Marie-Josée Coupal et Jessyca Hunter. Pour Ute Breytenbach, c'était moins sûr: Petreanu ne savait pas ce que l'Institut avait réussi à trouver contre elle. Mais elle serait désormais dans leur mire. Ce serait bien le diable s'il ne réussissait pas à profiter des circonstances pour augmenter son influence auprès de Fogg et contrer le pouvoir de Xaviera Heldreth au sein de l'organisation.

En partant, l'homme qui l'avait interrogé lui avait dit qu'il reprendrait contact dans les prochains jours pour préciser les modalités de leur collaboration.

Les naïfs ! D'ici là, il aurait tout le temps de disparaître.

MONTRÉAL, 6 H 09

L'appel de Rondeau fut le premier.

Brochet n'était pas chez lui. S'il fallait en juger par l'état de la chambre, il avait passé la nuit ailleurs.

Théberge suggéra à Rondeau de saisir tout le matériel informatique qu'il trouverait sur place et de voir si le financier ne conservait pas des dossiers chez lui.

Rondeau répondit que ce n'était pas nécessaire de le traiter comme un stupide débutant : il avait déjà mis en œuvre toutes ces recommandations.

Théberge eut à peine le temps de prendre une gorgée de café avant de recevoir l'appel de Grondin : Brochet n'était pas à son bureau. Par contre, le local était bourré d'ordinateurs. Mais il n'y avait pas moyen d'y accéder. Il avait peur de provoquer des dommages en les déconnectant pour les emporter.

— Il faut que vous m'envoyiez votre type, dit Grondin.

— D'accord.

Aussitôt après avoir raccroché, Théberge appela Hurt.

— Ils ont besoin de votre petit génie, se contenta-t-il de dire.

— À quel endroit ?

— Au bureau de Brochet.

— D'accord, je l'avertis.

NOTRE-DAME-DE-GRÂCE, 6 H 17

Leopold Strange dirigeait l'équipe chargée de perquisitionner au Spider Club. Plusieurs des policiers avaient visité l'endroit la veille, déguisés en clients, pour se familiariser avec les lieux.

La première découverte fut la banque de vidéos, dans une pièce de rangement au deuxième étage. Ils étaient classés par ordre alphabétique, dans d'immenses armoires métalliques. Il s'agissait de clients dont les ébats avec les danseuses avaient été immortalisés sur pellicule.

La serrure du bureau de Jessie Hunt fut la dernière à céder. L'endroit était presque désert. Dans un tiroir, ils trouvèrent une liste sur laquelle il y avait une série de noms qui ressemblaient à des noms d'araignées. Au bout de chacun des noms se trouvaient trois ou quatre noms de personnes. Strange remarqua ceux de Lavigne et de Hammann.

Il mit la liste dans un sac de plastique, enleva ses gants puis donna des ordres pour que l'on apporte le micro-ordinateur qui trônait, seul, sur le bureau. Inutile de l'allumer: il laisserait les experts se charger d'explorer son contenu.

Il téléphona ensuite à Théberge pour faire son rapport.

— Quel nom avez-vous dit? demanda Théberge après que le policier lui eut parlé de la liste qu'il avait trouvée.

— Lavigne, Hammann…

— Je parle du nom sur la porte du bureau, espèce de cercopithèque obtus!

— Jessie Hunt.

— Ah!…

— Ah quoi?

— C'est le pseudonyme de madame Hunter.

— Comment savez-vous ça?

— Une information que j'ai reçue il y a quelques minutes. Répétez-moi donc les noms sur la liste.

Strange s'exécuta.

— Nous tenons enfin un début de preuve, conclut Théberge.

— Preuve de quoi?

— Que l'affaire des gestionnaires et celle des vampires sont liées!

MONTRÉAL, 6 H 25

Chamane explorait le site d'une banque située en Californie. Il avait beau chercher, rien ne semblait avoir été trafiqué: ni dans le réseau ni dans les appareils périphériques. Pas de virus, pas de cheval de Troie, pas de *back door*…

Il se souvint alors de l'idée qu'il avait eue. Quelle était la meilleure façon de dissimuler une tentative de pénétration? La réponse allait de soi: lui donner l'apparence d'une ancienne tentative déjà bien connue et contrée!

Le premier endroit où chercher était Windows. Avec ses millions de lignes de code et son réseau proliférant d'ajouts, le logiciel système était le candidat idéal.

Comme il commençait à l'examiner, le téléphone sonna.

— J'étais certain que tu ne dormais pas, fit la voix tranquille et un peu froide de Steel.

— Je suis sur la piste de quelque chose.

— Qui est le gibier ?

— Y2K Crisis Management.

— C'est une bonne nouvelle. Mais il va falloir que ça attende un peu. Ils ont besoin de toi au bureau de Brochet.

— Les ordinateurs ?

— Ils sont aux prises avec un système rempli de mots de passe et ils ont peur de tout faire sauter juste en fermant les appareils.

— D'accord. J'arrive.

Avant de partir, il prit quand même le temps d'expédier un court message aux U-Bots.

> Urgent... Mega Crash... Stratégie du coucou... Voir les infections passées et les faiblesses structurelles... Priorité Windows.

Méga Crash était le nom de code qu'il avait donné au projet quand il avait demandé aux U-Bots de vérifier le travail de Y2K Crisis Management.

Après avoir expédié le message, il sauta dans sa fourgonnette et se dirigea vers McGill College, pestant contre les rues mal entretenues de la ville.

LA GOULAFRIÈRE, 12 H 39

Kim et Claudia avaient amené avec elles deux des Jones qui participaient depuis des semaines à la surveillance du château : Jones 16 et Jones 18. Jones 9, quant à lui, était déjà sur place depuis le début de la nuit. Une autre personne les accompagnait : l'adjoint personnel du chef de la DGSE, Henri Duclos.

Quand la voiture se présenta devant la grille de l'entrée, un des Jones sortit une télécommande de sa poche et appuya sur un bouton. La grille de métal s'ouvrit.

Le Français jeta un regard inquisiteur à celui des Jones qui avait utilisé la télécommande mais s'abstint de poser la moindre question.

Une fois parvenus au château, ils descendirent de la voiture et se présentèrent tous les cinq à la porte de devant. Inutile de chercher à contrôler les autres issues de la maison : tout le périmètre du domaine était sous surveillance. Ute Breytenbach ne pourrait pas aller très loin.

— Vous êtes certain que votre homme est en place ? demanda le Français.

Claudia fit signe que oui de la tête.

Elle avait tenu à ce qu'il agisse seulement au dernier moment, de peur qu'un occupant du château veuille se rendre à l'hélicoptère et donne l'alerte. En conséquence, Jones 9 avait passé la nuit sur le toit du château et il venait tout juste de bloquer la sortie menant à l'hélicoptère.

— Vous n'avez pas à vous inquiéter, dit Claudia. Avec ce genre de colle, personne ne pourra ouvrir la porte.

Au domestique qui s'étonnait qu'ils aient pu franchir la grille, Claudia se contenta de dire qu'ils désiraient voir madame Breytenbach.

— Je regrette, madame reçoit uniquement sur rendez-vous.

— Allez quand même lui dire que nous désirons lui parler. À propos du Consortium. Je suis certaine qu'elle voudra nous recevoir.

Le domestique les amena dans un petit salon, à la droite de l'entrée, puis il s'éclipsa pour porter le message.

En observant les intrus sur l'écran télé, Ute Breytenbach laissa échapper une expression de surprise. Parmi eux, il y avait deux femmes, dont une Asiatique. L'âge semblait correspondre. Se pouvait-il que ce soient elles ?

Heureusement que le domestique avait eu la présence d'esprit de les faire attendre dans le petit salon, où trois caméras les filmaient en continu.

Ce serait amusant de les rencontrer. De toute façon, que pouvaient-ils contre elle ?

— Je suis Ute Breytenbach, dit-elle en s'encadrant dans la porte du salon. Vous êtes ?

— La question se pose surtout à votre sujet, répliqua Claudia.

— Je ne comprends pas.

— Le nom de Queen Bee signifie-t-il quelque chose pour vous ?

— Je ne vois pas où vous voulez en venir.

— Les choses peuvent se passer de deux façons : ou bien vous collaborez, vous nous aidez à démolir l'ensemble du Consortium, et tout se déroulera discrètement, ou bien vous nous forcez la main…

— Vous êtes en plein délire ! À quoi voulez-vous que je collabore ?

— Nous connaissons votre rôle dans le Consortium.

— Vous n'avez rien contre moi.

— Ce ne serait certainement pas l'avis de Dieter Buckhardt ni du colonel Andrews… Ou de la trentaine d'autres cas que nous avons documentés.

Cette fois, Ute ne réussit pas à dissimuler complètement sa surprise.

— Quoi que vous ayez fait, reprit le Français, ce n'est pas d'abord vous qui nous intéressez. C'est le Consortium. Aidez-nous à le démasquer et la justice française se montrera compréhensive à votre endroit… Dans les limites de ce qui est acceptable compte tenu de ce que vous avez fait, bien évidemment.

— Vous n'avez aucune idée de ce à quoi vous vous attaquez ! Vous allez être pulvérisés !

— C'est sans doute ce que sont en train de se dire messieurs Brochet et Petreanu en ce moment. Ou votre protégée, madame Hunter…

— Sortez immédiatement !

— … ou madame Coupal, poursuivit Claudia. Mais ça ne changera rien à leur situation.

Le visage de Ute Breytenbach se figea brusquement. Elle plissa le front et ferma les yeux, comme si elle était en proie à une forte douleur.

— Pour l'instant, reprit le policier français, j'aimerais savoir si vous acceptez de collaborer.

— Vous rêvez !

— Dans ce cas, vous ne nous laissez pas le choix.

Il appuya discrètement sur un téléavertisseur. Aussitôt, trois cars de police empruntèrent l'allée du château.

Une alarme se déclencha.

— Ça ne vous mènera à rien ! leur jeta Ute. Souvenez-vous de ce que je vous dis : je serai là quand tout vous explosera au visage. Et je me ferai un plaisir de ramasser vos morceaux. Un par un.

— Pour l'instant, j'ai l'obligation de vous arrêter, fit le Français en sortant un pistolet de sa poche d'imperméable.

— Vous pouvez toujours essayer ! répliqua Ute sur un ton ironique.

Un sourire de défi apparut sur ses lèvres. Elle recula lentement d'un pas. Sa main glissa sur le cadre de la porte. Son index s'arrêta sur un bouton incrusté dans la boiserie. Une légère pression suffit pour que les portes coulissantes se referment brusquement devant elle.

La balle que tira le policier étoila une des vitres de la porte sans la traverser pendant que Ute s'enfuyait dans l'escalier menant aux étages supérieurs.

Jones 16 s'empara d'un fauteuil et s'en servit pour défoncer la porte. Pendant que Jones 18 demeurait en surveillance près de l'escalier, les quatre autres se lancèrent à la poursuite de Ute.

L'endroit vers où elle se dirigeait n'était pas difficile à deviner, songea Claudia. Sa seule issue était l'héliport, qui avait été aménagé sur le toit de la nouvelle aile du château au cours de l'été.

En arrivant à l'étage, ils aperçurent Ute, au bout d'un couloir, qui disparaissait par une porte latérale.

La porte était demeurée ouverte. Jones 16 s'approcha avec précaution et jeta un coup d'œil à l'intérieur. Un bruit sourd, qui tenait à la fois du grondement et du bourdonnement, venait de la pièce. Il fit signe à Claudia d'approcher à son tour.

— On dirait un laboratoire, murmura-t-il. C'est immense.

— Vous l'avez vue ?

— Elle est au fond. Elle essaie d'ouvrir une porte.

— Vous savez ce qu'est ce bruit ?

— Ça semble venir des réservoirs.

Il lui montra les énormes caissons vitrés alignés le long du mur. À l'intérieur, on pouvait discerner un étrange grouillement.

— Est-ce qu'elle a une arme ? demanda Claudia.

— Je ne peux pas le dire. Mais je crois qu'on peut y aller. Il y a des endroits, près de l'entrée, où se mettre à l'abri.

Après avoir hésité, Claudia et Jones 16 entrèrent et s'accroupirent derrière un meuble en bois massif qui contenait une dizaine de tiroirs allongés.

— C'est terminé, lança Claudia. La porte qui mène à l'héliport est bloquée de l'extérieur. Il faut vous rendre.

— Jamais !

— Vous ne pourrez pas quitter le château ! Tout le parc est surveillé.

— C'est vous qui ne pourrez pas quitter cette pièce !

— Si vous acceptez de discuter, je suis certaine qu'on peut en arriver à une entente.

Deux coups de feu lui répondirent. Après une attente prudente, Jones 16 risqua un coup d'œil.

— Elle est derrière le meuble surmonté d'une sorte d'aquarium, dit-il à voix basse. Du côté gauche.

— Écoutez-moi ! reprit Claudia. Vous savez que c'est fini.

— C'est vous qui êtes finis ! cria Ute.

Deux coups de feu ponctuèrent la menace.

Le policier français, qui avait jeté un regard prudent par l'ouverture de la porte, vit d'où les coups avaient été tirés. Il prit une respiration, s'encadra dans la porte et vida le chargeur de son pistolet dans cette direction.

Un des caissons de verre explosa avec fracas.

L'instant d'après, une nuée d'abeilles envahissait la pièce. Elles se jetèrent sur Ute pendant que Claudia et Jones 16 battaient précipitamment en retraite et refermaient la porte pour se protéger.

En quelques secondes à peine, les abeilles avaient eu le temps de piquer Claudia deux fois sur une main et une fois près d'une oreille. Plus chanceux, Jones 16 n'avait récolté qu'une piqûre dans le cou.

Les cris de Ute se prolongèrent pendant plusieurs minutes. Jones 16 proposa de lui porter secours, mais Duclos lui ordonna d'attendre. Il était suicidaire d'entrer sans une protection appropriée dans une pièce où il y avait des milliers d'abeilles.

La drogue la plus utile est l'héroïne, car elle a l'avantage de provoquer une des dépendances les plus difficiles à briser.
Ici encore, le transfert de la menace sur un proche s'avère une stratégie efficace : en effet, la capacité d'action de la cible demeure alors intacte – ce qui est particulièrement intéressant pour les cas où on a besoin d'une collaboration active et soutenue de sa part.

Leonidas Fogg, *Pour une gestion rationnelle de la manipulation*, 5- Briser les résistances.

Vendredi, 31 décembre 1999 (suite)

Montréal, 10 h 36

L'inspecteur-chef Théberge venait à peine de s'étendre sur le sofa de son bureau.

La veille, il avait travaillé tard pour préparer à l'avance une partie des plats qui composeraient le souper de la Saint-Sylvestre. Une fois de plus, c'était lui qui recevait la famille de sa femme pour le réveillon. Ils avaient beau le mépriser vaguement à cause de son travail, ils n'auraient jamais poussé leurs convictions jusqu'à se priver de ses talents culinaires. Au contraire, ils insistaient toujours. « C'est plus simple chez vous… Vous êtes à mi-chemin entre Québec et Ottawa… Montréal est une ville si agréable… »

La véritable raison était rarement mentionnée : les festins de Gonzague, comme sa femme les appelait, éclipsaient totalement la cuisine tâcheronne et indigeste qu'élaborait la parenté.

On frappa à la porte.

Théberge se leva, s'étira précautionneusement et alla ouvrir. Les clones entrèrent dans son bureau pour une séance de supervision.

Ils n'avaient eu aucune difficulté à appréhender Jessyca Hunter, annonça Rondeau. Par contre, ils n'arrivaient pas à trouver Brochet. Il n'était ni chez lui ni à son bureau. La perquisition au Spider Club, elle, avait été un succès.

Dix minutes plus tard, ils avaient terminé leur rapport et Théberge les accompagnait pour interroger Jessyca Hunter.

Une fois que Grondin lui eut présenté les accusations retenues contre elle, la femme éclata de rire.

— Félicitations, inspecteur, dit-elle. Vous êtes meilleur que je pensais. Dommage que vous ne puissiez rien prouver.

— Vous nous avez beaucoup facilité la tâche, poursuivit impassiblement Théberge. C'est l'avantage d'avoir affaire à un criminel bien organisé. Toute la preuve était déjà montée. Il a suffi d'aller la cueillir.

— Vous bluffez !

— Et si jamais nous avons un problème, je suis certain que monsieur Brochet aura plaisir à nous renseigner.

— Il faudrait d'abord que vous le trouviez…

— Vous savez où il est ?

— Peut-être.

— Nous avons saisi les ordinateurs à son bureau ainsi que tous les dossiers.

— Vous ne pourrez rien tirer des ordinateurs. Le système de protection va tout détruire aussitôt que vous allez tenter de pénétrer le système.

— Nous avons aussi les dossiers.

— Sans les codes qui sont dans les ordinateurs, ils n'ont aucune valeur.

— Et si nous faisions des perquisitions dans les différents bars qui appartiennent à Global Sex Products ? fit Théberge.

Le sourire de Jessyca Hunter s'élargit.

— Je ne fonderais pas trop d'espoir là-dessus, dit-elle.

— Et pourquoi donc ?

— Parce que vos deux débiles sont des policiers parfaitement courtois et respectueux des lois. Après m'avoir arrêtée, ils ont aimablement permis que je donne un coup de fil.

— À un avocat, expliqua Grondin.

— Et alors ? demanda Théberge.

— Vous n'écoutez jamais les nouvelles, dans ce poste de police ?... Vous devriez. Je suis certaine que les pompiers vont faire beaucoup d'heures supplémentaires, aujourd'hui.

Théberge retourna à son bureau le temps de passer un coup de fil. Trois minutes plus tard, il revenait.

— Tous les clubs ont été incendiés, se contenta-t-il de dire aux clones. Les pompiers sont débordés.

Il sortit une boîte de Zantac de sa poche et avala un comprimé. Puis il se tourna vers Jessyca Hunter.

— Ne vous faites pas d'illusions, dit-il. Vous n'êtes pas la cause de cet excès d'acidité...

— Vous seriez étonné de voir tout ce que je pourrais provoquer chez vous... Si jamais vous aviez le désir de tenter l'expérience...

Théberge ignora la remarque.

— À quelle heure avez-vous donné l'ordre d'incendier les bars ? demanda-t-il.

— Je n'ai jamais donné un tel ordre. J'ai simplement téléphoné à mon avocat. Il était huit heures cinquante-quatre.

— La perquisition au Spider Club a eu lieu à six heures douze.

Le sourire s'effaça du visage de la femme.

— Nous avons les dossiers des personnes que vous faisiez chanter, reprit Théberge. Nous avons également une centaine de bandes-vidéo ainsi que les dossiers des filles que vous utilisez... Nous avons aussi emporté votre ordinateur.

— Vous ne pourrez jamais rendre ça public : vos supérieurs ne vous laisseront pas faire.

— Et pourquoi donc ?

— Je vous croyais moins obtus. Mais puisqu'il faut tout vous expliquer…

— La flatterie ne vous mènera nulle part.

— Que se passera-t-il, croyez-vous, si les gens apprennent que les dirigeants des plus grandes sociétés de gestion ont été manipulés par des danseuses et des maîtres chanteurs?

— Le tirage des journaux à scandales va augmenter…

— Le principal effet sera de détruire la confiance du public envers le milieu financier. Les petits épargnants paniqueront. Les investisseurs institutionnels auront des accès de prudence. En quelques semaines, des dizaines, des centaines de millions partiront vers des gestionnaires de Toronto ou des États-Unis. Plus probablement des milliards. L'industrie locale sera ruinée. Ce qui signifie des pertes d'emploi. Du mécontentement dans le peuple… Sans compter que ça jette par terre leur beau projet de développer un secteur financier d'envergure internationale… Vous croyez vraiment que les politiciens au pouvoir vont laisser faire ça ?

— Je ne peux pas nier une certaine qualité dramatique à votre scénario, mais il ne sera pas nécessaire d'en venir à de telles extrémités : nous nous contenterons d'exploiter la piste de vos rapports avec Dracul.

— Si vous me faites un procès, je déballerai tout le reste.

— Qui vous parle de procès ? Il pourrait très bien vous arriver un accident.

Elle éclata de rire.

— Vous n'oseriez pas, dit-elle.

— En temps normal, non. Vous avez raison… Mais je recherche une jeune femme. Si je ne la retrouve pas très vite, je ne parierais pas sur la normalité de mon comportement.

— Vous ne pourrez pas expliquer ma mort.

— Le Consortium aura payé les motards pour vous réduire au silence. Ce sera cohérent avec le reste de l'information que nous révélerons.

— Vous n'avez aucune idée à qui vous vous attaquez !

— Et vous, vous vous faites des idées si vous imaginez que madame Breytenbach ou monsieur Petreanu vont vous être d'une quelconque utilité. Ils en auront plein les bras à essayer de sauver leur propre peau.

Cette fois, l'argument porta. Les traits de Jessyca Hunter perdirent toute arrogance. Elle ferma les yeux pendant quelques secondes.

— Qu'est-ce que vous voulez ? demanda-t-elle.

— Je veux retrouver la jeune femme que vous avez enlevée. Saine et sauve. Et dans les plus brefs délais. Il est préférable pour vous qu'il ne lui soit rien arrivé.

— Qu'est-ce que vous me proposez en retour ?

— On parlera au juge d'un adoucissement de peine. Vous pourriez purger votre sentence dans un endroit plus confortable.

— Vous rêvez. Il est hors de question que j'aille en prison.

— Vous n'êtes pas en position de discuter.

— Et vous, vous n'êtes pas en position d'attendre. Moi, au contraire, j'ai tout mon temps. Mais je me demande combien de temps votre jeune amie, elle, pourra tenir sans boire ni manger… Surtout qu'elle avait déjà perdu une certaine quantité de sang.

— S'il lui arrive quoi que ce soit…

— Mais peut-être l'endroit sera-t-il victime d'un incendie avant qu'elle meure de faim. Au fond, ce serait une solution plus humaine.

Théberge se fit violence pour demeurer calme.

— Qu'est-ce que vous proposez ? demanda-t-il.

— Il serait également possible qu'elle soit expédiée sous d'autres cieux, poursuivit la femme. J'ai l'impression que ce ne serait pas facile, pour ses proches, de ne jamais savoir ce qu'elle est devenue.

Le policier se contenta de la regarder en silence pendant un moment.

— Ramenez-la en cellule, dit-il finalement.

Puis il retourna à son bureau.

Quelques minutes plus tard, Grondin venait le chercher.

— Elle a une proposition à vous faire, dit-il.

— D'accord. Mais on va la laisser mijoter encore un peu avant d'y aller.

LCN, 10 H 58

PLUSIEURS INCENDIES, APPAREMMENT D'ORIGINE CRIMINELLE, ONT ÉCLATÉ CE MATIN. PAS MOINS DE NEUF BARS DE DANSEUSES ONT ÉTÉ LA PROIE DES FLAMMES. LES ÉDIFICES ONT TOUS ÉTÉ DÉCLARÉS PERTE TOTALE.
LE MAUVAIS ÉTAT DES RUES DE LA VILLE A BEAUCOUP NUI AU TRAVAIL DES POMPIERS. LE RETARD DANS LE DÉNEIGEMENT A NON SEULEMENT RALENTI L'ARRIVÉE DES POMPIERS SUR LES LIEUX DES SINISTRES, MAIS IL A COMPROMIS L'ACCÈS AUX BORNES-FONTAINES.
PRESSÉ DE QUESTIONS, LE PORTE-PAROLE…

MONTRÉAL, 11 H 12

— Je vous écoute, dit Théberge en restant debout devant Jessyca Hunter.

— Je vous donne Geneviève et vous me donnez ma liberté.

— Hors de question.

— Je sais que ce n'est pas moi qui vous intéresse : c'est le Consortium.

— Il n'y a pas de petits crimes.

— Mais il y a de petits et de grands criminels. Vous n'avez pas monté toute cette opération pour attraper une bande de danseuses et quelques petits gestionnaires escrocs.

— Vous me proposez quoi ?

— Geneviève et Brochet. En échange, vous me laissez partir.

— Qui me dit que je peux vous faire confiance ?

— Moi, je vous ferai confiance. Dans certaines limites.

LONDRES, 16 H 23

— Ce n'est pas ainsi que j'imaginais clore l'année, fit Xaviera Heldreth.

— Où en sommes-nous ?

— Meat Shop est compromis par le haut. Ils ont arrêté Marie-Josée. Il faut probablement faire une croix sur toute la filiale.

— Y2-KEY ?

— Rien. Ils n'y ont pas touché. Par contre, tout le réseau de blanchiment est compromis. Je ne parle pas seulement des filières bancaires, mais des compagnies de MultiGestion Capital International.

— Sauf Y2K Crisis Management ?

— Sauf Y2K Crisis Management.

— Est-ce qu'ils ont remonté à F.O.G.G. Enterprises ?

— Non. Pas encore du moins.

— Maintenant, il n'y a plus de danger. Tous les liens ont été coupés.

— On va perdre une fortune.

— Je sais. Mais ce n'est pas l'argent qui m'inquiète. Sans le réseau, notre projet d'alliance avec les sept grandes organisations risque d'être compromis. Pour un certain temps en tout cas.

Une lumière se mit à clignoter sur la surface de verre du bureau. Fogg tendit le bras gauche et appuya le bout de l'index sur un bouton dessiné à même la vitre.

— Ici Petreanu, fit une voix qui venait d'un petit bibelot posé sur la table.

— Quelle agréable surprise ! dit Fogg. Vous avez échappé à la tourmente ?

— Vous êtes au courant ?

— Difficile de ne pas l'être.

— J'ai découvert d'où ça vient.

— Oui ?

— Tout a commencé à Montréal. Je n'arrive plus à joindre Brochet. Ni madame Hunter. Ni madame Breytenbach, d'ailleurs.

— Vous n'aurez plus de nouvelles de madame Breytenbach. D'après ce que nous avons appris, elle aurait eu un accident lors d'une perquisition au château.

— Ils ont perquisitionné là aussi !

— Je vous donne une heure pour essayer de sauver ce qui peut l'être. N'hésitez pas à couper. Dites-vous que vous êtes dans la même situation qu'un médecin devant une gangrène. Si vous hésitez et que vous amputez trop bas, le mal reprendra et c'est l'organisme au complet qui risque alors d'y passer.

— Entendu.

— Ensuite, vous vous mettez au vert. Quelqu'un passera vous prendre et vous amènera dans un manoir de madame Heldreth. C'est un endroit sûr. Nous vous y rejoindrons dans quelques jours et nous aviserons ensemble des moyens à prendre pour maintenir le développement du Consortium.

— Je vous attendrai.

— Il faudra nous serrer les coudes. En plus d'avoir à reconstruire le réseau de blanchiment, il va falloir que vous acceptiez de nouvelles responsabilités.

— Vous pouvez compter sur moi. Et offrez mes sympathies à madame Heldreth pour la mort de madame Breytenbach. Je sais qu'elles étaient très liées.

— Bien sûr.

Fogg appuya de nouveau sur le bouton pour interrompre la communication.

— Vous croyez qu'il a tout avalé ? demanda Xaviera Heldreth.

— Bien sûr : nous lui avons dit ce qu'il désirait entendre.

— En dehors du monde financier, il a toujours eu tendance à faire preuve d'un certain manque de prudence.

— Il est surtout trop prévisible. Il ne s'est pas douté un instant que nous avions piégé toutes les chambres d'hôtel où il descendait avec la régularité d'une horloge.

— Pour Y2-KEY, pensez-vous pouvoir opérer sans lui ?

— L'essentiel est fait. Il ne reste qu'à utiliser ce qui est en place. Les gens de notre section informatique sauront sûrement trouver les quelques mots de passe qui pourraient nous avoir échappé.

LCN, 11 H 46

> LE PORTE-PAROLE DU SERVICE DE POLICE DE LA CUM A DÉCLARÉ NE PAS ÊTRE EN MESURE DE DIRE S'IL S'AGISSAIT D'UN NOUVEL ÉPISODE DANS LA GUERRE DES MOTARDS. IL A CEPENDANT CONFIRMÉ QU'UNE PERQUISITION AVAIT EU LIEU, TÔT CE MATIN, DANS UN DES BARS VISÉS.
> UNE AUTRE SOURCE À L'INTÉRIEUR DU SPCUM NOUS A PAR AILLEURS APPRIS QUE PLUSIEURS AUTRES PERQUISITIONS ONT EU LIEU CE MATIN DANS LES BUREAUX DE CERTAINS GESTIONNAIRES DE PLACEMENTS. CETTE VASTE OPÉRATION POLICIÈRE SERAIT LIÉE, SEMBLE-T-IL, À LA MYSTÉRIEUSE AFFAIRE DE VAMPIRES QUI A ENSANGLANTÉ LES RUES DE LA VILLE.

MONTRÉAL, 11 H 49

Hurt reçut le rapport de Chamane dans son ordinateur, par courrier électronique.

Il faut que je te parle. Urgent.

Il se mit automatiquement en mode Institut et il activa le logiciel de communication téléphonique de l'ordinateur.

— Qu'est-ce qu'il y a ? demanda-t-il sans ambages.

— Je pense que j'ai trouvé.

— Trouvé quoi ?

— Y2K Crisis Management. Ils sont rusés. Ils ont infiltré une *back door* déjà existante.

— Explique en langage humain.

— La NSA s'est entendue avec Microsoft pour inclure dans certains logiciels des accès dissimulés qui lui permettent de surveiller ce qui se passe sur la très grande partie des PC de la planète.

— Tu regardes trop *X-Files !*

— On a retrouvé des lignes de code, dans Windows, qui ont les lettres NSA.

— Ça peut être une coïncidence.

— J'ai mis les U-Bots sur le dossier.

— Pourquoi tu as choisi Windows ?

— Je me suis dit que, si je voulais me créer un accès caché dans le plus grand nombre d'ordinateurs possible, le plus simple serait d'enfouir la chose dans le système d'exploitation. En plus, c'est un produit Microsoft : ça veut dire que c'est plein de détours et de programmation inutilement compliquée. L'idéal pour dissimuler quelques lignes de code !

— Et les vérifications des U-Bots ?

— Elles achèvent de rentrer. C'est partout la même chose. Tous les membres sont prêts à partir en guerre.

— Qu'est-ce qu'ils peuvent faire ?

— On s'est divisé le travail. Il y en a deux qui s'occupent de la *patch* et les autres travaillent sur des moyens de la propager de façon discrète.

— Ça peut être fait rapidement ?

— Dans les prochaines heures, si tout va bien.

— Comment allez-vous procéder ?

— On va d'abord la diffuser dans les forums de discussion sur la sécurité et dans les sites anti-Microsoft. Ça devrait provoquer une belle frénésie… Ensuite, on va probablement l'intégrer à un virus et la diffuser par les autres canaux disponibles : courrier électronique, ICQ… On va aussi voir si on ne peut pas infiltrer les grands moteurs de recherche, comme Altavista ou Yahoo. Si chaque personne qui les contacte reçoit la *patch*…

— Est-ce que le virus ne va pas être détecté ?

— Quand il va être installé, il va afficher un message comme quoi les U-Bots viennent de nettoyer leur ordinateur des *back doors* que le gouvernement y avait installées à leur insu, avec l'aide de Microsoft !

— Je ne suis pas sûr qu'ils vont vous croire.

— On va fournir une copie du virus et de la *patch* à toutes les compagnies d'antivirus. Elles n'auront pas le choix d'entrer dans le jeu et ça va rassurer tout le monde.

MASSAWIPPI, 15 H 37

F respirait plus à l'aise. Sur le tableau, la plus grande partie des points lumineux étaient passés au bleu.

La mort de Ute Breytenbach était le seul revers jusqu'à maintenant. Petreanu, par contre, avait accepté de collaborer au-delà de toute espérance. Encore quelques heures et le réseau de blanchiment serait totalement détruit.

Pour Meat Shop, dont ils avaient découvert l'ensemble de la structure chez Marie-Josée Coupal, à Paris, le résultat serait sans doute un peu moins concluant. Contrainte d'agir rapidement, F s'était contentée de transmettre les informations pertinentes aux responsables concernés dans chaque pays, en leur disant qu'ils avaient un maximum de vingt-quatre heures pour agir. Probablement beaucoup moins. Ils devaient arrêter rapidement les têtes de réseaux s'ils voulaient pouvoir neutraliser par la suite l'ensemble des opérations. Enfin, on verrait bien.

Au moment où le dernier point tournait au bleu, sur la carte de la Suisse, le signal d'une communication téléphonique se fit entendre. Le code de Hurt apparut sur l'écran de l'ordinateur.

— On a un problème, fit ce dernier.

— Je vous écoute.

— Brochet est introuvable.

— Il a eu vent de quelque chose?

— Peut-être. Par contre, on a réussi à mettre la main sur le système de contrôle de tout le réseau de blanchiment. Chamane a coupé tous les accès extérieurs. Il est maintenant le seul à pouvoir le contrôler.

— Faites quand même une copie de tout sur une des banques de données de l'Institut.

— C'est déjà fait. Chamane dit qu'il a pris deux précautions plutôt qu'une.

— Bien.

— Pour Brochet, il y a peut-être une solution. Madame Hunter nous offre de nous révéler où il est.

— En échange de quoi ?

— Qu'on la laisse partir.

— Je ne crois pas qu'elle soit tellement en position de négocier.

— Théberge risque de nous créer des problèmes si on n'accepte pas.

— Théberge ?

— Madame Hunter accepte également de nous révéler l'endroit où est enfermée la jeune femme qui a été enlevée.

— Autrement dit, si on ne sauve pas la jeune fille, on peut faire une croix sur la collaboration future de l'inspecteur-chef Théberge. Et peut-être, par ricochet, sur celle de Lefebvre.

— En tout cas, ça ne facilitera pas les rapports.

— Si on laisse aller madame Hunter, qu'est-ce qu'on perd ?

— Probablement une condamnation dans l'affaire de vampires. Mais je ne suis pas certain que ce soit une bonne chose de la poursuivre. Elle a prévenu Théberge que, si elle était traduite en justice, elle raconterait tout.

— Tout quoi ?

— Tout sur les gestionnaires que Brochet manipulait. Ce qui pourrait entraîner la faillite de plusieurs boîtes… Créer des remous sur le plan politique…

— Écoutez… Si vous êtes capable d'avoir Brochet et la jeune femme en échange de la liberté de madame Hunter, je n'ai pas d'objection.

— J'appelle tout de suite Théberge.

— Vous venez toujours souper ce soir ?

— Je ne sais pas à quelle heure encore, mais je vais venir.

— Gunther ne vous pardonnerait pas de lui faire faux bond.

RDI, 16 H 03

DE NOUVEAUX DRAMES SONT VENUS S'AJOUTER À LA LISTE AU COURS DE LA JOURNÉE. L'APPARTEMENT DE JESSIE HUNT, LA PROPRIÉTAIRE DES BARS INCENDIÉS EN DÉBUT D'AVANT-MIDI, ET CELUI DE CLAUDE BROCHET, LE NOUVEAU PRÉSIDENT DE HOPE FUND MANAGEMENT, ONT ÉTÉ SOUFFLÉS PAR

DES EXPLOSIONS QUI ONT EU LIEU DE FAÇON PRESQUE SIMULTANÉE, VERS QUINZE HEURES TRENTE. LA POLICE N'EST PAS EN MESURE DE CONFIRMER QUE CES NOUVEAUX ATTENTATS SONT RELIÉS AUX PRÉCÉDENTS, MAIS L'HYPOTHÈSE N'EST PAS ÉCARTÉE.

PAR AILLEURS, LE CÉLÈBRE VENGEUR A ÉMIS UN COMMUNIQUÉ DE PRESSE AUJOURD'HUI, DANS LEQUEL...

MONTRÉAL, 17 H 40

Théberge achevait son café lorsque les clones amenèrent Jessyca Hunter à son bureau.

— Vous m'avez fait une proposition, attaqua le policier. J'aimerais que vous me l'expliquiez plus en détail.

Un mince sourire apparut sur le visage de la femme. Ses yeux se fixèrent sur Théberge.

— Je vous l'avais dit : nous sommes condamnés à nous entendre.

— N'abusez pas de ma patience, déjà fortement sollicitée par les joyeusetés familiales et les autres débilités festives que génère cette période de l'année.

La femme mit quelques secondes à réagir.

— Un policier poète ? finit-elle par dire.

— Un policier fatigué qui n'a pas toute la journée pour vous entendre. Qu'est-ce que vous proposez ?

— Un échange.

— Ça, je sais. Comment ?

— Vous me laissez prendre l'avion et je vous dis où est Brochet.

— Et la fille, ajouta Théberge.

— Et la fille, bien sûr.

— Pouvez-vous me garantir qu'elle n'a pas été maltraitée ?

— Oui.

— Et qu'elle ne le sera pas ?

Le sourire réapparut sur le visage de la femme.

— J'aime bien la manière dont vous pensez, dit-elle.

Théberge ne réagit pas.

— Non, elle ne le sera pas, reprit la femme après un moment.

— Je veux être en mesure de vérifier vos renseignements avant de vous laisser partir.

— Comme je vous l'ai déjà dit, je suis prête à vous accorder ma confiance… dans une certaine mesure.

— Qu'est-ce que vous voulez ?

— Je veux pouvoir me rendre jusqu'à la porte de l'avion. Avec deux de vos hommes. Ils me libéreront lorsque vous aurez retrouvé vos deux personnes.

— Quel avion ?

— Pour le savoir, il faut que vous me laissiez téléphoner.

— Vous pouvez le faire immédiatement.

— Avant, il y a une dernière chose que vous devez savoir.

— Une dernière condition ?

— De survie. Après être entrés chercher la fille, vos hommes auront six minutes pour ressortir. Le compte à rebours débutera au moment où ils ouvriront la porte.

— Et pourquoi donc ?

— Une fois les six minutes écoulées, l'appartement sera détruit. Et ce n'est pas négociable.

AGENCE FRANCE-PRESSE, 23 H 51

LES ARRESTATIONS ET LES PERQUISITIONS SE SONT MULTIPLIÉES AU COURS DE LA JOURNÉE, DANS CE QUI SEMBLE ÊTRE UNE OPÉRATION D'ENVERGURE INTERNATIONALE.

SELON LES RARES RENSEIGNEMENTS DISPONIBLES, LES ACTIONS VISERAIENT TOUTES BODY STORE. CETTE ORGANISATION INTERNATIONALE, QUI A CHOISI SON NOM AVEC UN HUMOUR MACABRE, S'OCCUPERAIT DE TRAFIC D'ORGANES, DE RÉSEAUX DE PROSTITUTION, DE TOURISME SEXUEL ET DE COMMERCE D'ESCLAVES DANS UNE VINGTAINE DE PAYS DE LA PLANÈTE.

LES OPÉRATIONS POLICIÈRES VISERAIENT NON SEULEMENT LES ACTIVITÉS DE L'ORGANISATION, MAIS AUSSI LEUR RÉSEAU DE BLANCHIMENT D'ARGENT.

LES DEUX ORGANISATIONS SERAIENT, SEMBLE-T-IL, DES FILIALES DE L'INSTITUT, UN GROUPE CRIMINEL QUI A FRÉQUEMMENT DÉFRAYÉ LA MANCHETTE AU COURS DES DERNIERS MOIS.

MONTRÉAL, 21 H 34

Blunt regardait ses deux nièces réaménager le salon pour le transformer en salle de spectacle pour la fin du monde. Elles y avaient regroupé les trois télévisions de l'appartement et elles s'étaient assurées qu'il n'y ait pas d'interférence entre les télécommandes.

— Le principe, c'est de tout voir, dit Mélanie.

— Ne rien manquer, ajouta Stéphanie.

— On va t'expliquer.

Blunt fut sauvé de l'explication par la sonnerie de son téléphone cellulaire.

— Oui ?

— Chamane.

— Qu'est-ce qu'il y a ?

— La *patch* pour Y2K est en train de se répandre sur le Net. On est finalement passés par les groupes de discussion, les grands moteurs de recherche, le courrier électronique et les postes de nouvelles. Tous ceux qui vont se brancher sur un de ces réseaux ou de ces sites vont recevoir la *patch* et ensuite la transmettre à leur insu par courrier électronique.

— Êtes-vous certains de joindre toutes les compagnies ?

— La plupart ont laissé une ou deux personnes en poste pour surveiller ce qui allait se passer. Je suis sûr qu'elles vont vouloir se tenir au courant. Mais on a quand même prévu un dispositif de sécurité. Presque tous les ordinateurs ont une fonction de mise à jour automatique de l'horloge : le système se branche à intervalles réguliers à un des grands serveurs de la planète.

— Ils vont recevoir la *patch* en même temps que la mise à jour de l'horloge ?

— Excellente déduction, Watson !

— Dominique m'a dit que Geneviève devrait être libérée bientôt.

— Je sais. Je suis chez Dominique. Théberge l'a appelée tout à l'heure.

— Et c'est tout l'effet que ça te fait ?

— Tant que je ne l'aurai pas vue…

Après avoir raccroché, Blunt fut interpellé par Kathy.

— J'ai besoin de toi pour mettre la table, dit-elle. On va être cinq. Finalement, Strange va pouvoir venir.

— Comment est-il ?

— Il flotte.

— Il flotte…

— Tu n'es pas au courant ?

— De quoi ?

— Les tests qu'il a passés au début de l'année…

— Oui, il m'en a parlé.

— Ils lui avaient donné les résultats de quelqu'un d'autre. Il n'a rien.

— Sérieux ?

— Je l'ai convaincu de penser à lui, pour une fois. Au lieu de passer la nuit du Nouvel An comme bénévole dans une maison pour itinérants, il va venir fêter avec nous… jusqu'à six heures. Après, il va aller faire un bout de bénévolat.

Pendant qu'il se dirigeait vers la salle à manger, Blunt jeta un coup d'œil aux télés. Sur celle du milieu, les ravageuses suivaient *La fin du monde non-stop*, une émission spéciale de vingt-quatre heures qu'elles regardaient ponctuellement depuis la fin de l'après-midi.

CBV, 22 H 02

> … RIEN À VOIR DANS CETTE SÉRIE D'ATTENTATS, CONTRAIREMENT À CE QUE CERTAINES RUMEURS ONT LAISSÉ ENTENDRE. LE VENGEUR EN A PROFITÉ POUR RAPPELER LA NÉCESSITÉ POUR LA VILLE DE RÉVISER SA POLITIQUE D'ENLÈVEMENT DE LA NEIGE. PLUSIEURS INCENDIES AURAIENT PU ÊTRE MAÎTRISÉS PLUS RAPIDEMENT, A-T-IL AFFIRMÉ, SI LE TRAVAIL DES POMPIERS N'AVAIT PAS ÉTÉ ENTRAVÉ PAR DES ACCUMULATIONS IMPORTANTES DE GLACE ET DE NEIGE DURCIE.
>
> IL A PAR AILLEURS ANNONCÉ LE LANCEMENT, À MINUIT, D'UNE ADRESSE INTERNET OÙ LES GENS POURRONT LUI FAIRE PART DES SITUATIONS ABERRANTES DONT ILS SONT TÉMOINS. L'ADRESSE SERA : JOS_PUBLIC@HOTMAIL.COM.
>
> IL PRÉVOIT ÉGALEMENT LA CRÉATION D'UN SITE WEB, À UNE DATE ULTÉRIEURE, OÙ SERONT PRÉSENTÉES LES MEILLEURES CONTRIBUTIONS DE SES CORRESPONDANTS.

WESTMOUNT, 23 H 11

Les clones jetèrent un regard en direction du véhicule d'incendie stationné derrière leur voiture de patrouille, puis ils entrèrent dans la maison située rue Roslyn.

Suivant les indications données par Jessyca Hunter, ils traversèrent la maison à peu près vide, entrèrent dans le petit salon et trouvèrent le bureau qu'elle leur avait décrit. Dans le premier tiroir, sur la gauche, il y avait une clé. Ensuite, au fond de la maison, ils découvrirent une chambre dont la porte était verrouillée.

Geneviève dormait profondément sur le lit. Ils eurent de la difficulté à la réveiller et durent la soutenir pour l'amener à l'extérieur.

— Il reste combien de temps avant que ça saute ? demanda Rondeau.

— Deux minutes cinquante.

Trois minutes passèrent. Puis quatre.

— Tu penses que c'était un bluff ? demanda Rondeau.

Grondin jeta un coup d'œil au véhicule d'incendie qui attendait derrière eux.

— Peut-être que l'explosion ne s'est pas déclenchée, dit-il. Peut-être qu'ils ont mal réglé le mécanisme…

— Et peut-être que c'était un bluff, reprit Rondeau.

— J'ai averti Théberge qu'on avait récupéré la fille.

Rondeau jeta un coup d'œil au siège arrière, où Geneviève s'était rendormie.

— Je vais retourner voir, dit-il.

Au moment où il allait ouvrir la porte de l'auto, une explosion souffla les fenêtres de la maison et des flammes apparurent simultanément aux trois étages.

Aussitôt, les pompiers sautèrent du camion. Les lances à incendie étaient déjà connectées aux bornes-fontaines. En moins d'une minute, ils commençaient à arroser.

— Finalement, ce n'était peut-être pas un bluff, fit Rondeau.

MONTRÉAL, 23 H 27

L'inspecteur Crépeau connaissait bien le quartier. Avant d'être placé sous les ordres de Théberge, il avait été affecté au quartier centre-sud et il avait été élevé rue Amherst, près de Sainte-Catherine.

Il emprunta le petit trottoir sur le côté de la maison, descendit l'escalier et tourna la poignée de la porte.

Elle s'ouvrit.

Trouver Brochet ne fut pas bien compliqué. Il gisait par terre, sur le plancher de ciment, la tête à côté de la bouche du drain. Il était encore ligoté à la chaise qui s'était renversée avec lui.

TQS, 23 H 32

NE RATEZ PAS LA SUITE DE *LA FIN DU MONDE NON-STOP*. NOS PROCHAINES RUBRIQUES CONCERNENT LES PERSONNALITÉS DE LA FIN DU MONDE, LA BATAILLE DES SECTES ET LES VOYAGES DE LA FIN DU MONDE.

AUPARAVANT, PAULINE NOUS PRÉSENTERA UN CONCOURS : LE DERNIER MOT DE LA FIN DU MONDE. NOUS AVONS INTERROGÉ DES POLITICIENS, DES ARTISTES, DES REPRÉSENTANTS RELIGIEUX ET DES PRÉSENTATEURS DE NOUVELLES — UNIQUEMENT DU MONDE PAYÉ PAR VOS TAXES — POUR LEUR DEMANDER CE QU'ILS DIRAIENT S'ILS AVAIENT À PRONONCER LES DERNIERS MOTS QUI SERONT JAMAIS PRONONCÉS SUR TERRE.

MAIS AUPARAVANT, IL NOUS FAUT QUITTER L'ANTENNE POUR CÉDER LA PLACE AUX NOUVELLES *CHEAP*, ORDINAIRES, PORTANT SUR DES DRAMES QUOTIDIENS ET SANGLANTS.

TROIS MINUTES DE PÉNALITÉ ET NOUS VOUS REVENONS AVEC *LA FIN DU MONDE NON-STOP*, L'ÉMISSION APRÈS LAQUELLE LE MONDE NE SERA PLUS JAMAIS LE MÊME.

MONTRÉAL, 23 H 38

Poitras avait décidé d'alléger la corvée en la transformant en occasion de fête. Plutôt que de confiner les employés dans leur bureau, loin de leurs familles, à surveiller des écrans où il ne se passerait probablement rien, il avait organisé un réveillon.

L'invitation s'adressait d'abord à la famille des employés qui étaient de garde. Mais tous les autres étaient les bienvenus. Pour la circonstance, la grande salle de conférences avait été aménagée en salle de réception. Deux salles de grandeur moyenne étaient pour leur part devenues des garderies. Quant aux employés, ils pouvaient se relayer pour surveiller les écrans dans la salle de négociation.

S'il ne se produisait rien de particulier avec le bogue de l'an 2000, comme Poitras le prévoyait, la soirée passerait quand même à l'histoire: ce serait le plus mémorable party de bureau de la compagnie.

Et puis, il y avait de quoi fêter: un peu plus tôt, il avait reçu un appel de Hurt pour l'informer des progrès de l'opération. Tout se déroulait comme prévu. Les perquisitions s'étaient révélées fructueuses et l'ensemble du réseau de blanchiment, qui semblait contrôlé à partir de Hope Fund Management, était démoli. En prime, ils avaient des preuves des magouilles de Brochet pour lui enlever ses clients. Des recours seraient possibles. Poitras pourrait facilement mettre au point une contre-publicité efficace. L'année 2000 débutait sous des auspices favorables. Il avait décidément toutes les raisons de fêter.

Le téléphone de Hurt le surprit alors qu'il suivait les nouvelles de Bloomberg dans son bureau.

— Alors, tout se passe bien ? demanda Hurt.

— Jusqu'à maintenant, il n'y a eu que quelques accrocs. Rien de majeur. C'est à croire que toute cette affaire est un coup monté par les informaticiens.

— Ici, tout est à peu près terminé. On a récupéré la jeune femme et Brochet.

— Lui, j'ai hâte de lui dire un mot !

— Il ne sera pas très causant.

— Je le serai pour deux.

— Ça, tu ne pourras pas faire autrement.

— Est-ce qu'il est…

— Oui.

— Et la fille ?

— Non. Elle, elle n'a rien.

— C'est Chamane qui doit être soulagé.

— Oui.

— Au fait, comment ça va avec Y2K ?

— Tout est en train de se propager sur Internet.

— J'ai vu le message aparaître sur un des écrans, tout à l'heure. On aurait dit une publicité pour un nouveau jeu.

— Deux fabricants d'antivirus et trois groupes qui s'occupent de la sécurité sur le Net ont déjà appuyé la diffusion de la *patch*. Tout passe sur le dos de la NSA et de Microsoft.

— Microsoft a publié un démenti comme quoi ils n'avaient jamais collaboré avec personne pour rendre leurs logiciels vulnérables.

— Je sais… À mon avis, tu peux profiter du reste de la nuit pour fêter.

— C'est déjà commencé.

— À demain.

Après avoir raccroché, Poitras jeta un coup d'œil à la télévision suspendue au plafond, dans un coin du bureau. L'animateur de *La fin du monde non-stop* annonçait qu'une nouvelle secte venait d'être rayée de la liste parce qu'elle avait échoué à prévoir avec exactitude la fin du monde.

MASSAWIPPI, 23 H 41

F réintégra le salon-salle à manger. Gunther était extatique. Jusqu'à maintenant, chacun des services était une réussite. Les Jones ne prenaient qu'une ou deux bouchées de chacun des plats, mais ils étaient capables de détecter les variantes les plus subtiles de goût.

Quant à Hurt, il prenait abondamment de tout. Il invoquait comme excuse que chacune de ses personnalités voulait goûter à chacun des plats.

Sur la carte du monde, les points lumineux étaient tous bleus. F décida de renoncer à sa discipline et de prendre un verre de champagne. Les choses ne dépendaient plus d'elle. Ce serait désormais aux armées d'avocats, de procureurs et d'enquêteurs dans chacun des pays de poursuivre le travail.

— Encore une fin du monde qui n'aura pas eu lieu, dit-elle en levant son verre.

Dans les mois à venir, elle aurait sans doute un peu de répit. Il y aurait le cas de Petreanu, bien sûr, qui exigerait un peu de suivi. Par lui, on pourrait probablement remonter plus haut dans le Consortium. Mais rien ne pressait. Pendant un certain temps, tous les membres du Consortium seraient probablement placés sous haute surveillance par leur organisation. Il était inutile d'amener Petreanu à s'exposer. Ce serait un actif à moyen terme. Dans un an, peut-être, quand la poussière serait retombée…

Entre-temps, il lui faudrait rétablir la position de l'Institut et lutter contre la propagande qui avait détruit son image. Mais tout cela, c'étaient des détails. Ce qu'il lui faudrait avant tout, c'était définir ce qu'allait être l'Institut.

Son idée d'organisation déterritorialisée, ne travaillant qu'à partir d'informations et se contentant d'orienter l'action des autres, était-elle réalisable ? N'était-ce qu'un vœu pieux issu de sa résistance de plus en plus grande à se salir les mains, à s'engager dans des opérations mettant en jeu non seulement la vie de ses agents et celles de leurs cibles, mais aussi celle de personnes ayant pour seul tort d'avoir été au mauvais endroit au mauvais moment ?

Elle pensa à Geneviève, à Dominique Weber, à Poitras et Gabrielle… Tous avaient vu leur vie bouleversée à cause de décisions qu'elle avait prises. Tous avaient été impliqués malgré eux dans des luttes qui ne les concernaient pas et ils en avaient payé le prix.

Que pouvait-elle faire pour eux ? Pouvait-elle continuer d'agir en laissant les « dommages collatéraux » se multiplier, selon la langue en vigueur dans le milieu du renseignement ?

Il fallait qu'elle se décide à attaquer le problème de front.

Levant les yeux, elle aperçut Bamboo qui la regardait en souriant et qui approuva d'un léger hochement de tête, comme s'il avait suivi le cours de ses pensées.

De façon générale, tout ce qui touche à la faim, à la soif, à l'air respirable et, plus globalement, à la santé peut être utilisé de façon créative pour établir une situation où le germe de la mort est installé et se développe de façon imparable, à moins d'une intervention de la personne qui effectue le chantage.
Les cas d'enlèvements, où les victimes sont menacées de mourir de faim et de soif, sont l'application la plus courante de ce principe.
Les cas de personnes malades, qui ont besoin de prendre régulièrement des médicaments pour limiter la détérioration de leur santé, en sont une autre.

Leonidas Fogg, *Pour une gestion rationnelle de la manipulation*, 5- Briser les résistances.

SAMEDI, 1ER JANVIER 2000

MONTRÉAL, 2 H 43

L'effet de la drogue s'était dissipé et Geneviève avait retrouvé ses esprits.

La période pendant laquelle elle avait été détenue demeurait brouillée dans son souvenir. On l'avait droguée dès le début et elle avait passé l'essentiel de son temps couchée sur le lit, à avoir toutes sortes de visions.

Dominique venait d'ouvrir une nouvelle bouteille de champagne. Chamane avait délaissé son ordinateur mais jetait de temps en temps un coup d'œil à la télé.

— Pas besoin de surveiller, dit Yvan. La fin du monde n'aura pas lieu.

— C'est juste une question de temps, répliqua Chamane le plus sérieusement du monde.

Les autres lui jetèrent un regard surpris.

— Encore un petit dix milliards d'années et le soleil aura brûlé toute sa réserve d'hydrogène. Il va alors se mettre à gonfler. Sa circonférence va atteindre l'orbite de Pluton… Mais on a le temps de prendre un verre.

Il leva le sien.

— Je te connais, dit tout à coup Geneviève. Quand tu fais ce genre de remarque, c'est parce que quelque chose te travaille.

— Je te jure qu'il n'y a rien.

— Sûr ?

— C'est juste que…

— Il me semblait, aussi.

— C'est le programme… le truc de Y2K.

— Je pensais que le problème était réglé, dit Yvan.

— Oui, il est réglé. Mais…

— C'est ça qui le dérange, se moqua alors Geneviève. Comme le problème est réglé, il a perdu son jouet.

— Il en a trouvé un autre, répliqua Yvan.

— C'est sexiste ! protesta Geneviève.

— Si ça prend juste ça pour te faire plaisir, des problèmes, fit alors Dominique, j'en ai constamment avec les motards, les danseuses en désintox, les clients saouls…

— Des problèmes informatiques, précisa Geneviève. Pas question qu'il s'approche des danseuses.

À la télé, *La fin du monde non-stop* se poursuivait. Une chroniqueuse passait en revue les inventions du XXe siècle qui avaient le plus accéléré la course de l'humanité vers la catastrophe finale…

LONDRES, 10 H 56

À la descente de l'avion, à Heathrow, Jessyca Hunter fut prise en charge par deux employés de Super Security System. Une limousine l'amena en banlieue de Londres, dans un petit manoir où Xaviera Heldreth l'attendait, en compagnie d'un homme qui demeurait à l'écart, dans un coin sombre de la pièce. Le contre-jour produit par la disposition des lampes empêchait Jessyca de voir le visage de l'homme.

Xaviera Heldreth lui fit signe de s'asseoir sur une chaise droite, devant une table où il n'y avait rien d'autre qu'une console d'ordinateur.

— Nous vous écoutons, dit-elle en se dirigeant vers la partie de la pièce qui demeurait dans la pénombre.

— L'opération de Montréal est entièrement compromise, répondit aussitôt Jessyca Hunter Les bureaux de Hope Fund Management et des autres gestionnaires ont tous été perquisitionnés. Le Spider Club également. Ils ont mis la main sur tous les dossiers.

— Qu'est-ce qui les a amenés au Spider Club ?

— Ils suivaient Brochet depuis plusieurs semaines. Comme il venait souvent avec moi au bar... C'est ce qu'ils m'ont dit pendant l'interrogatoire.

— Vous les croyez ?

— Je ne vois pas d'autre explication.

— Où en est le nettoyage ?

— Brochet est éliminé. Tous les clubs ont été incendiés, de même que mon appartement et celui de Brochet. Toutes les filles qui avaient des liens avec nous ont eu le temps de disparaître... Il reste un ou deux détails. J'ai demandé à SSS de s'en occuper.

— Bien.

— Je m'attendais à voir madame Breytenbach.

— Madame Breytenbach a eu... un accident... Des agents de l'Institut ont débarqué chez elle pour l'arrêter. L'accident est survenu lorsqu'elle a tenté de s'enfuir.

— Quel genre d'accident ?

— Un échange de coups de feu. Un des réservoirs contenant des abeilles a éclaté en morceaux.

— Et ce sont les abeilles... ?

— Oui.

— Vous avez parlé d'agents de l'Institut...

— Sur les bandes vidéo, leurs visages sont très nets. On a pu reconstituer, à partir d'anciennes photos, les opérations de chirurgie plastique qu'ils ont subies. En ce qui concerne les deux femmes, il s'agit presque certainement de Claudia Maher ainsi que de l'Asiatique connue sous le nom de Kim.

— Si vous voulez que je m'occupe d'elles…

— Ce ne sera pas nécessaire, répondit Xaviera Heldreth. Madame Maher est une vieille connaissance à moi. C'est maintenant un à un entre nous deux. Elle a gagné cette manche, mais j'entends bien gagner le prochain affrontement de manière décisive.

— Comment sont-ils remontés jusqu'à elle ?

Ce fut l'homme qui se tenait dans l'ombre qui lui répondit.

— L'opération qui a eu lieu à Montréal s'est également déroulée dans une vingtaine de pays. À toutes fins utiles, le réseau de blanchiment est complètement détruit. Par Brochet, ils sont remontés jusqu'à Petreanu, semble-t-il. Ce dernier leur a donné le réseau de madame Coupal.

— Petreanu !

— Des mesures ont déjà été prises à son sujet, fit Xaviera Heldreth.

— La quasi-totalité des opérations de Meat Shop sont également compromises, poursuivit l'homme.

— Et Marie-Josée ? demanda Jessyca Hunter

— Abattue en essayant de s'enfuir.

Un silence suivit cette annonce. Jessyca se tourna vers Xaviera Heldreth.

— Qu'est-ce qu'on fait ?

— Qu'est-ce qu'on fait pour se venger ? C'est ce que vous voulez savoir ?

— Oui.

— Nous allons d'abord suivre madame Maher et son amie pour voir où elles vont nous mener… À court terme, nous avons disposé d'une des personnes qui les accompagnaient au château. Pour qu'ils sachent que nous ne les oublions pas… Et puis, nous avons quelques informations provenant du réseau de GDS au Québec. D'ici quelques jours, nous pourrions être en position de nous venger de façon efficace.

— Pour ma part, j'ai laissé un cadeau à l'inspecteur-chef Théberge, à Montréal. Un cadeau qui ne manque pas de piquant, ajouta Jessyca Hunter avec un sourire.

— Notre plus grande vengeance sera de durer, dit l'homme dans l'ombre. Nous avons un projet qui nous permettra de rétablir notre situation financière : Y2-KEY. Madame Heldreth vous en parlera. Nous prévoyons faire un premier test demain. Et ce ne sont pas les petits bricolages de dernière minute de l'Institut qui vont nous arrêter !

L'homme fit une pause, comme s'il avait besoin de reprendre son souffle.

— Pour l'instant, reprit-il, je vais me retirer pour réfléchir. Nous reparlerons demain. Mais dites-vous bien que, si je n'ai rien *a priori* contre la vengeance, c'est uniquement dans la mesure où elle est utile… Bonsoir, mesdames.

Xaviera prit Jessyca Hunter par le bras et l'entraîna vers la sortie.

— Je crois que vous avez passé le test, dit-elle quand elles eurent franchi la porte.

FORT MEADE, 7 H 43

Au lieu de fêter avec sa famille, John Tate avait passé la nuit à écouter des comptes rendus de techniciens sur l'état des ordinateurs de l'agence.

Au début, les résultats étaient catastrophiques : une grande partie des postes de travail du réseau étaient infectés par la faille de sécurité que dénonçaient les U-Bots. Et il était vrai que les pirates avaient utilisé une porte d'accès secrète censée être connue uniquement de la NSA.

Puis, quelques heures plus tard, était venue la confirmation de l'efficacité de la *patch* mise au point par les U-Bots. Le seul inconvénient était qu'elle éliminait aussi la porte d'entrée secrète de l'agence.

C'était un moindre mal. Le vrai problème, ce seraient les médias. Et le Président.

La ligne officielle serait de tout démentir : la porte secrète n'avait pas été mise là par la NSA. La preuve ? Elle avait également été installée dans les ordinateurs de l'agence ! Les vrais responsables avaient utilisé les trois lettres pour détourner les soupçons, au cas où quelqu'un finirait par la découvrir. En conséquence, la NSA allait redoubler d'efforts pour arrêter les auteurs de cette atteinte à la sécurité de tous les internautes… Ce qui ferait un prétexte pour surveiller d'encore plus près la fabrication des logiciels chez Microsoft.

Ça, c'était la position à moyen terme. Les choses pourraient même tourner à l'avantage du gouvernement, dans sa lutte avec Microsoft : les pirates venaient de démontrer le danger d'une trop grande uniformisation des plates-formes.

À court terme, par contre, pour désamorcer la critique dans l'opinion, le Président allait probablement vouloir créer une commission d'enquête. Au minimum, il donnerait un mandat spécial de vérification au *Senate Select Committee* ou au *House Permanent Select Committee*. Et ça, ça voulait dire des emmerdements supplémentaires.

Finalement, F avait gagné son pari. Elle avait d'une part contré la menace à court terme qui pesait sur son organisation et elle avait en plus réussi à déplacer l'intérêt de l'opinion publique. L'ennemi du jour, ce ne serait plus l'Institut : ce seraient la NSA et le FBI, qui espionnaient non seulement les citoyens du reste de la planète, mais aussi ceux des États-Unis.

Mais tout cela, il pouvait le gérer… Surtout qu'il aurait les résultats de l'opération de F pour détourner l'attention des médias et des politiciens.

Tate ouvrit le dossier SYNTHÈSE DES MÉDIAS dans son ordinateur et sélectionna le mode pays. Il pensa brièvement à tous les analystes qui avaient travaillé de façon anonyme, la nuit du Nouvel An, pour qu'il puisse disposer de cette synthèse. Il cliqua sur la rubrique : JAPON.

Le suicide d'un des leaders du Parti libéral démocrate faisait la manchette. Comme par hasard, il s'agissait de celui qui avait mené la charge contre l'Institut à la Diète. Le premier ministre annonçait pour sa part un programme d'éradication de la corruption. Par contre, sur les quatre grandes banques qui avaient été perquisitionnées la journée précédente, il n'y avait presque rien. Seul le Premier ministre y faisait référence de manière indirecte : il confirmait que l'État continuerait à encourager la fusion des banques en épongeant une partie de leurs dettes.

Il cliqua sur la rubrique : FRANCE.

Dans son discours à la nation, le Président tenait à assurer à la population que « la rapine, la magouille et les trafics » n'auraient jamais une longue espérance de vie dans cette « terre d'accueil et d'ouverture » qu'était la France. Il ne pouvait passer sous silence « la vaillance, la détermination et la bravoure des gardiens de l'ordre » qui s'étaient montrés à la hauteur des « responsabilités exigeantes » de leur tâche…

Tate réprima un sourire. La rhétorique des hommes politiques français ne cessait de l'étonner. Il activa la rubrique : USA.

La nouvelle la plus encourageante était le peu de suivi sur l'affaire du sénateur Bochee dans le *Times* et le *Post*. Les deux journaux s'étaient contentés d'articles mineurs, enfouis au milieu d'un cahier. On n'y apprenait rien de neuf. La une était consacrée aux festivités mondiales qui entouraient l'arrivée de l'an 2000.

Dans la plupart des pays, semblait-il, on n'avait pas encore établi les recoupements nécessaires pour saisir la dimension internationale des opérations ; seule une dépêche de l'Agence France-Presse y faisait allusion.

PARIS, 13 H 49

— Ne me dites pas que vous êtes à votre bureau aujourd'hui, fit la voix légèrement moqueuse de F.

— Pas du tout, répondit le responsable de la DGSE. Aujourd'hui, c'est mon bureau qui est chez moi. J'appelle pour vous dire que je suis très satisfait de l'opération.

— Vos médias sont plutôt discrets.

— Les médias sont davantage occupés à commenter le décollage lumineux de la tour Eiffel. Ce n'est pas moi qui vais m'en plaindre.

— Prévoyez-vous des problèmes ?

— Il y a eu beaucoup de pieds écrasés, mais les preuves sont trop fortes. Et il y a la disparition de l'argent. Quand il manque quelques milliards dans les coffres, on n'est jamais en très bonne posture pour se plaindre de l'ingérence policière.

— Quelques milliards ! De francs ?

— D'euros.

— Vous n'avez aucune idée où ils sont passés ?

— D'après nos experts, les transferts ont été effectués électroniquement. Cela s'est produit sous leurs yeux. En quelques secondes, tous les comptes se sont vidés. Est-ce que vous savez s'il s'est passé quelque chose ailleurs ?

— Non. Pour l'instant, les rapports se concentrent sur les arrestations et les preuves d'opérations de blanchiment.

— J'ai contacté, comme vous me l'aviez recommandé, tous mes collègues européens. Une rencontre téléphonique est prévue pour demain. De votre côté, comment ça va ?

— Dans la mesure où les vrais responsables des réseaux de prostitution et d'organes sont arrêtés, j'imagine que la pression sur l'Institut va se relâcher.

— Pour ce qui est de la France, je devrais être en mesure de donner un coup de pouce aux médias. Quelques allusions bien placées comme quoi l'Institut n'a jamais été impliqué, que c'était une ruse destinée à induire un faux sentiment de sécurité chez les vrais responsables des trafics… Je vais recommander cette approche à mes collègues, demain.

— Vous croyez qu'ils vont accepter ?

— En échange, vous leur laissez tout le crédit de l'opération. Ils seraient mal venus de faire la fine bouche.

— Pour les autres régions, je vais m'inspirer de votre approche.

— Il y a un dernier détail que je dois vous mentionner.

Le ton du directeur de la DGSE avait subitement perdu toute trace de badinage.

— Cet avant-midi, un de mes adjoints a été abattu d'une balle dans la nuque devant l'entrée de sa résidence. Très professionnel.

— Il était lié à l'opération ?

— C'est l'homme qui avait accompagné madame Maher à La Goulafrière. Henri Duclos.

LCN, 12 H 04

> … LA MYSTÉRIEUSE FEMME AUX YEUX DE CHAT.
> À PROPOS DE MYSTÈRE, C'EST TOUJOURS LE MYSTÈRE LE PLUS COMPLET SUR L'EXPLOSION QUI A DÉTRUIT, CET AVANT-MIDI, LES LOCAUX DE HOPE FUND MANAGEMENT. HEUREUSEMENT, L'INCENDIE QUI A SUIVI LES DEUX EXPLOSIONS A PU ÊTRE RAPIDEMENT MAÎTRISÉ ET LES DÉGÂTS AUX LOCAUX AVOISINANTS SONT CONSIDÉRÉS COMME MINEURS.
> LE PORTE-PAROLE DU SPCUM A DÉCLARÉ POUR SA PART NE PAS SAVOIR SI CETTE EXPLOSION ÉTAIT LIÉE À CELLES QUI ONT ÉBRANLÉ LA VILLE AU COURS DES DERNIERS JOURS. IL A TOUTEFOIS AFFIRMÉ QUE LA PISTE DES MOTARDS N'ÉTAIT PAS CELLE QUI ÉTAIT PRIVILÉGIÉE POUR LE MOMENT.
> UNE CONFÉRENCE DE PRESSE DES INSPECTEURS GRONDIN ET RONDEAU, CEUX QUE LA RUMEUR POPULAIRE APPELLE FAMILIÈREMENT LES CLONES, AURA LIEU LUNDI. ON NOUS A PROMIS QU'ELLE APPORTERAIT DES RÉPONSES À PLUSIEURS QUESTIONS ET QU'ELLE PERMETTRAIT DE RASSURER LA POPULATION DE LA VILLE.
> DANS UN AUTRE DOMAINE, QUI N'EST PAS SANS LIEN AVEC LA VAGUE D'EXPLOSIONS QUI A SECOUÉ LA VILLE, TVA A APPRIS QU'UN PROJET DE POURSUITE EN RECOURS COLLECTIF ÉTAIT ENVISAGÉ CONTRE L'ADMINISTRATION MUNICIPALE, POUR AVOIR NÉGLIGÉ DE DÉNEIGER CORRECTEMENT LES RUES. SELON LES PROMOTEURS DE CE RECOURS, LA NÉGLIGENCE DE LA VILLE A SIGNIFICATIVEMENT RALENTI LE TRAVAIL DES POMPIERS, CE QUI AURAIT PROVOQUÉ…

MONTRÉAL, 15 H 22

Yvan Semco entra dans l'appartement, se dirigea vers le bureau de Chamane et lui enleva les écouteurs des oreilles.

— Geneviève n'est pas avec toi ? demanda-t-il.

— Elle aide Dominique pour le souper. Toi, comment ça se passe ?

— J'ai été voir ce qui reste de mon bureau…

— Et alors ?

— Tout est démoli. Il n'y a rien à récupérer… heureusement que je n'avais à peu près pas d'effets personnels là-bas.

Il se pencha vers l'écran de l'ordinateur.

— Qu'est-ce que tu fais ? demanda-t-il. Tu surveilles la diffusion de la *patch* ?

— Oui. À la vitesse où ça se répand, si c'était un vrai virus, presque tout le Net serait déjà hors circuit.

— Comment ont réagi tes amis *hackers* ?

— Au début, ils avaient peur que ce soit une ruse pour introduire un vrai Cheval de Troie. Mais quand des groupes comme LØPHT et Bugtraq ont commencé à donner leur bénédiction, ils sont passés en mode coopération. Leur appui a multiplié la vitesse de propagation.

— Comment va Geneviève ?

— Mieux que je pensais.

— Est-ce qu'elle a été… brutalisée ?

— Physiquement, non. Ils lui ont seulement fait une prise de sang.

— Avec les histoires de vampires…

— Je sais. Elle dit qu'elle y pensait, quand elle n'était pas trop droguée. Ça lui a donné des idées pour le spectacle… Ils vont le monter durant l'été.

— Ils ont trouvé de l'argent ?

— Pas encore. Mais je suis certain qu'ils vont en trouver.

— Toi, tu dis ça comme si tu manigançais quelque chose.

— Moi ?…

Yvan regarda Chamane pendant un moment, cherchant à deviner ce qu'il préparait. Puis il changea de sujet.

— Je vais chez Dominique, dit-il. Tu viens ?

— Pas tout de suite. Il faut que je passe voir Poitras.

— Aujourd'hui ?

— Vers quatre heures.

Puis il ajouta, voyant l'air d'incompréhension qui persistait sur les traits d'Yvan :

— Les affaires, *man*, c'est les affaires !

MASSAWIPPI, 15 H 46

F achevait sa tournée des responsables régionaux. Dans tous les pays, la réponse était la même : l'opération était un succès, les réseaux avaient été démantelés et on avait plus de preuves qu'il n'en fallait. Quand elle posait la question sur l'argent, par contre, la réponse se faisait moins euphorique : partout, l'argent avait disparu.

À plusieurs endroits, cela s'était passé devant les yeux des agents qui exploraient le réseau informatique de l'institution visée. Le scénario était toujours le même : une commande était apparue à l'écran et l'argent de tous les comptes avait été transféré dans une banque des Bahamas.

Il semblait que le Consortium ait réussi à récupérer *in extremis* tout son argent. Chamane lui avait pourtant dit que l'ensemble du réseau était contrôlé à partir des bureaux de Hope Fund Management… Peut-être y avait-il un site miroir ailleurs ? Un site où, en cas de problèmes à Montréal, tout le contrôle pouvait être relayé ?

Il fallait qu'elle en parle au jeune *hacker*. Mais avant, elle devait s'occuper de Claudia et de Kim. Leur avion se poserait d'une minute à l'autre à New York. Elles pourraient alors recommencer à utiliser le système de communication de leur ordinateur portable. Et, pour ce qu'elle avait à leur dire, plus la ligne serait sûre, mieux cela vaudrait.

Ce qui était arrivé à l'adjoint de Claude donnait à réfléchir. S'il avait été éliminé, c'était qu'il avait été identifié. Et s'il avait été identifié, cela avait probablement eu lieu lors de la perquisition au château. Cela signifiait qu'il y avait toutes les chances que les deux femmes aient également été reconnues. Alors, ou bien il y aurait un attentat contre elles sous peu, ou bien on s'en servirait pour remonter à d'autres membres de l'Institut.

Il fallait les mettre à l'abri au plus vite. Elle enverrait ensuite une équipe les faire disparaître de façon convaincante.

BAVIÈRE, 21 H 57

La demeure de type médiéval était située au bout d'une allée qui sinuait pendant des kilomètres au cœur de la forêt avant de déboucher sur un parc.

À l'entrée de l'allée, la limousine était passée sous une arche de pierre au sommet de laquelle se détachaient trois lettres: NWK. Petreanu avait eu le temps de bien les apercevoir. La limousine s'était brièvement immobilisée pendant que s'ouvrait la grille qui bloquait l'entrée.

Une femme en livrée noire l'accueillit à la porte.

— Nous vous attendions, dit-elle.

Elle l'accompagna dans une salle près de l'entrée, où il y avait quelques fauteuils.

— Je vous laisse quelques minutes, le temps de vérifier que vos appartements sont prêts.

— Je vous en prie.

Petreanu se mit à explorer la pièce. Elle était garnie presque uniquement d'étagères remplies d'urnes de toutes les formes et de tous les styles. Des noms de différentes nationalités étaient inscrits de façon stylisée sur chacune des urnes, comme s'il s'agissait de signatures.

Sous chacun des noms, en caractères plus petits, il y avait une date. La plus ancienne qu'il trouva remontait au 20 juillet 1973. Sans doute quelqu'un qui collectionnait les œuvres de différents artistes, songea Petreanu. Peut-être même les faisait-il faire sur commande. Cela expliquerait la régularité de l'emplacement des signatures et de la grosseur des caractères.

Il en aperçut une qui paraissait presque neuve. Il lut l'inscription et s'aperçut qu'elle datait de quelques mois à peine. Le nom gravé sur l'urne était Grégoire.

— Vous admirez notre collection? fit une voix derrière lui.

La femme était revenue.

— Je me disais justement qu'il s'agissait d'une collection, répondit Petreanu. Mais une chose me surprend : tous les artistes semblent avoir consenti à signer à peu près au même endroit, en prenant à peu près le même espace. C'est plutôt inhabituel.

— Ce n'est pas une collection très conventionnelle, admit la femme. Chacune des pièces a été commanditée par une personne différente. C'est le nom du commanditaire qui est inscrit.

— Vraiment ?

— Aimeriez-vous en commanditer une ?

— Pourquoi pas.

— Vos appartements sont prêts.

Petreanu la suivit dans un dédale de couloirs et d'escaliers.

— Ça ne manque pas de cachet, dit-il, légèrement essoufflé.

— On aurait pu moderniser et installer un ascenseur, mais il aurait fallu détruire plusieurs pièces historiques.

Quelques minutes plus tard, la femme s'effaçait devant lui pour le laisser entrer dans un étroit corridor.

— Ça donne sur vos appartements, dit-elle en lui montrant la porte au bout du corridor.

Petreanu s'y engagea en la remerciant une fois de plus pour son hospitalité.

Quand il tourna la poignée de la porte menant à ses appartements, rien ne se produisit. Il essaya à plusieurs reprises. Puis il se retourna.

— Ça ne fonctionne pas, dit-il. Il doit y avoir quelque chose de bloqué.

La femme le regardait avec un sourire.

— Tout fonctionne normalement, dit-elle. Vos appartements ont été conçus pour vous garder au frais.

Elle déplaça son pied latéralement jusqu'à un motif de swastika au centre d'une tuile, puis elle appuya de tout son poids. Une cloison de verre coulissa devant la porte ouverte. Un claquement sec se fit ensuite entendre, comme si un système de verrouillage venait de s'enclencher.

Petreanu sentit alors un courant d'air froid qui venait d'une fente, à la jonction du mur et du plafond.

À travers la cloison, la femme continuait de le regarder en souriant.

MONTRÉAL, 16 H 05

Poitras accueillit lui-même Chamane à la réception. Des décorations et des restes du party traînaient dans toutes les pièces.

— On sent tout de suite qu'on est dans un bureau où il se passe des choses sérieuses, dit Chamane.

— Les gens de l'entretien ne sont pas encore venus.

Ils se dirigèrent vers le bureau de Poitras.

— Alors, le problème, c'est quoi ? demanda Poitras en s'assoyant dans le fauteuil, au bout de la petite table de conférence.

— J'ai de l'argent et je ne sais pas quoi en faire.

Un sourire apparut sur les lèvres de Poitras. Chamane qui venait le consulter sur ses placements ! C'était bien la dernière chose à laquelle il se serait attendu.

— Combien ? demanda-t-il.

— Cinquante-sept milliards.

— Pardon ?

— Cinquante-sept milliards, reprit Chamane.

Poitras n'avait pu s'empêcher de s'avancer sur son siège. Il recula lentement dans son fauteuil, joignit le bout de ses doigts et regarda Chamane un moment en silence.

— Je ne savais pas que le travail en informatique était aussi payant, finit-il par dire. C'est à croire que je n'ai pas choisi le bon métier.

— L'argent n'est pas à moi.

— Je m'en doutais un peu.

— Hier, quand j'ai examiné l'ordinateur de Brochet, j'ai vu que j'avais accès à tout le réseau de blanchiment. Il y avait une commande d'urgence pour vider tous les comptes et les transférer dans un compte de fiducie, aux Bahamas.

— Tu les as transférés ?

— Oui, mais avant, j'ai ouvert un autre compte. C'est là que j'ai envoyé l'argent.

— Et tu veux le récupérer ?

— Oui. Mais je ne sais pas où l'envoyer.

— Tu peux toujours l'envoyer dans mon compte !

— C'est ce que j'avais pensé.

— C'était une blague.

— Il faut que je le transfère avant lundi. Quand les bureaux de la banque vont ouvrir, s'ils s'aperçoivent qu'ils ont cinquante-sept milliards de plus que prévu, ils vont bloquer toutes les transactions et ils vont faire des recherches. Adieu les milliards !

— Même si tu les transfères, ils vont s'apercevoir que l'argent est passé par un de leurs comptes.

— Mais comme c'est de l'argent qui vient du blanchiment, ils ne pourront pas porter plainte. Et puis, il y a un moyen.

— Je t'écoute.

— Je fais le transfert, puis j'efface les traces de sa destination. Ils vont savoir qu'ils ont eu l'argent, mais ils ne sauront pas où il est parti. La seule chose, c'est qu'il faut que je fasse vite.

— Cinquante-sept milliards ?

— À quelques centaines de millions près, précisa négligemment Chamane en prenant un air exagérément détaché.

— Je peux arranger quelque chose. Mais il va y avoir des frais.

— Quelques centaines de mille de plus ou de moins…

— Sept cent cinquante millions.

— Quoi !

— Rassure-toi, ce n'est pas pour moi.

Poitras lui expliqua ce qu'il avait en tête. Chamane fut immédiatement d'accord. Et plus vite l'opération pourrait avoir lieu, dit-il, mieux ce serait. La priorité était d'empêcher que l'argent retombe entre les mains du Consortium.

— Je la contacte immédiatement, fit Poitras. Aussitôt que les dispositions auront été prises, je t'appelle.

— *Cool!*

— Dis-moi, qui d'autre que toi sait que l'argent est là-bas ?

— Personne.

— Personne ? Même pas Hurt ou Yvan ?

— J'ai fait vite parce que je ne savais pas combien de temps j'avais. Après, je n'étais pas sûr que ce soit brillant. Je me suis dit que j'attendrais d'avoir une solution avant d'en parler à Hurt.

— Si je comprends bien, je suis ta solution.

— C'est mieux que rien, non ! fit Chamane avec un sourire gêné.

— Avant de procéder, je vais quand même donner un coup de fil à Hurt pour le rassurer.

— Moi, il faut que j'y aille. Vous pouvez me joindre sur mon cellulaire.

LCN, 17 H 02

> ... A RÉITÉRÉ SA POSITION : « L'ADMINISTRATION DE CETTE VILLE NE MODIFIERA PAS SES POLITIQUES ADMINISTRATIVES AU GRÉ DES CHANTAGES ! » A DÉCLARÉ LE MAIRE.
> TOUJOURS À CE SUJET, UNE VÉRITABLE TEMPÊTE DE MESSAGES DE SOUTIEN A DÉFERLÉ AUJOURD'HUI À L'ADRESSE INTERNET DE JOS PUBLIC. PLUS DE SIX CENTS MESSAGES ONT ÉTÉ REÇUS DANS LES DOUZE PREMIÈRES HEURES, A-T-ON APPRIS, LA PRESQUE TOTALITÉ POUR PROTESTER CONTRE LA POLITIQUE DE LA VILLE SUR L'ENLÈVEMENT DE LA NEIGE.
> INTERROGÉ À CE SUJET, LE PREMIER MAGISTRAT N'A PAS VOULU...

MONTRÉAL, 18 H 43

Yvan Semco maugréait depuis que la conversation avait dévié sur la libération de Jessyca Hunter. D'après lui, une fois Geneviève libérée, on aurait dû arrêter la propriétaire du Spider Club.

— Ils voulaient avoir Brochet ! plaida Chamane.

— Il était mort !

— S'ils n'avaient pas tenu leur part du marché, il y aurait eu des représailles. Ce n'est peut-être pas seulement le bureau de Brochet et le tien qui auraient sauté.

— Chamane a raison, dit Geneviève.

— D'après ce que j'ai pu comprendre, reprit Chamane, ce n'est pas après nous qu'ils en ont. Ça se passe loin au-dessus de nos têtes. C'est une sorte de bataille entre ceux pour qui nous avons travaillé et un groupe international de criminels. Aussi bien ne pas leur donner de raisons de s'intéresser à nous.

— Moi, je trouve qu'ils se sont déjà pas mal intéressés à nous ! répliqua Yvan. Geneviève enlevée, Dominique qui passe pour un vampire dans les médias, un meurtre dans son bar… Qu'est-ce qu'il te faut de plus ?

— Ils agissent par intérêt. Hurt le répète sans arrêt. Si on veut les comprendre, il faut partir du fait qu'ils agissent par intérêt.

— Je ne tiens pas du tout à les comprendre !

— Mais tu veux les éliminer, répliqua Chamane. Et pour ça, il faut les comprendre… Dis-toi qu'ils ne dépenseront pas un dollar pour venir nous créer des problèmes s'ils n'ont pas un motif valable de le faire.

— Qui te dit qu'ils ne s'en prendront pas à nous uniquement pour tester la mystérieuse agence pour laquelle on travaille ?

— Ce n'est pas impossible. Mais avant, ils vont dresser des plans. Et avant de dresser des plans, ils vont commencer par consolider ce qui reste de leur organisation. Ça nous donne du temps… C'est comme dans les batailles de *hackers*. Ce sont les mêmes principes.

— Du temps pour quoi ?

— Se mettre à l'abri, *man*. Se mettre à l'abri.

La conversation fut interrompue par la sonnerie de la porte. Dominique alla répondre avec une certaine appréhension.

La mine réjouie de l'inspecteur-chef Théberge lui apparut, déformée, dans l'œil de bœuf.

Elle ouvrit.

— J'apporte un cadeau du Nouvel An, dit-il en lui tendant une grande enveloppe jaune.

Puis il se dirigea vers Yvan.

— C'est un cadeau pour vous deux, dit-il. Il y a une trentaine de pages. Je les ai reçues par fax. L'original vous sera livré dans une semaine ou deux.

— Qu'est-ce que c'est ? demanda Yvan en s'approchant.

— Une confession détaillée de Brochet.

— Pour les histoires de gestionnaires ?

— Ça date de 1986.

— Pas…

— Oui. Sur la façon dont il s'y est pris pour ruiner GPM Investments en détournant les fonds dans des comptes qui lui appartenaient.

— Merde !

— Il raconte aussi de quelle manière il a manœuvré pour pousser ton père au suicide. Comment il a trafiqué les rapports médicaux…

MASSAWIPPI, 20 H 09

Au début du souper, Hurt avait parlé de sabres japonais et de bois rares avec Gunther. Ce dernier avait accepté d'être son intermédiaire.

Hurt n'osait pas en acheter lui-même, car si on cherchait à le retrouver, un enquêteur minutieux pourrait faire le relevé systématique de tous les acheteurs de matériaux utilisés par les couteliers d'art. Gunther irait en acheter pour lui à Montréal. Il avait une adresse. Un autre historien avec qui il communiquait par Internet et qui avait fait sa thèse sur l'évolution du travail du bois, du paléolithique jusqu'au XIVe siècle.

Gabrielle, Bamboo Joe et les Jones participaient également au repas. Un simple sept services, avait prévenu Gunther, pour tenir compte du réveillon qu'ils avaient eu la veille.

Les Jones, à leur habitude, mangeaient avec parcimonie, de façon totalement concentrée, puis commentaient leur expérience avec abondance et minutie, pour le plus grand plaisir de Gunther.

— Pour l'argent, demanda Hurt, qu'est-ce que vous avez décidé ?

— J'ai suivi votre recommandation, répondit F. Poitras a carte blanche pour s'occuper de tout avec Chamane.

— Il va falloir penser à l'équipe de Montréal.

— C'est prévu, mais on ne peut rien forcer.

Les conversations furent interrompues par Gunther, qui porta un toast à la nouvelle année.

Tous levèrent leur verre. Celui qui semblait avoir le plus d'entrain était Bamboo Joe, alias Joe Sky Crawler. Depuis le début du repas, il racontait aux Jones toutes sortes d'anecdotes loufoques tirées de la vie de grands maîtres zen et de *medicine men* amérindiens.

F s'absenta un instant pour aller prendre un message qui venait d'arriver. Quelques instants plus tard, elle revenait s'asseoir à côté de Hurt.

— Un message de Claude, dit-elle.

— Quoi de nouveau ? demanda Hurt.

— La perquisition a permis de confirmer que Ute Breytenbach était bien l'auteur des meurtres classés FC-44 et que c'était elle qui était derrière Brochet, avec Petreanu.

— Vous avez des nouvelles de lui ?

— Il a disparu. Probablement qu'il a décidé de se mettre au vert pour un temps.

— Ça ne vous inquiète pas ?

— Avec ce qu'on sait maintenant sur lui, il ne pourra pas aller bien loin… Ce qu'on a trouvé de plus intéressant au château de La Goulafrière, ce sont des empreintes digitales.

— De qui ?

— Oméga Rope.

— Aucune idée qui c'est, fit Hurt.

— Une vieille connaissance de Claudia.

— Au fait, est-ce que vous avez réussi à la joindre ?

— Oui. Elle est dans une maison sûre, au bord de la côte, en Nouvelle-Angleterre. Les précautions n'étaient pas inutiles : les Français ont découvert tout un réseau de surveillance par télévision dans les pièces du château. Chaque caméra était reliée à un module de communication satellite.

— Ça veut dire que le Consortium a leur photo !

— Je me vois mal leur annoncer qu'elles doivent encore se soumettre à une chirurgie plastique.

— Elles vont finir par ressembler à Cher ! fit la voix ironique de Sharp.

— Je ne suis pas certaine qu'elles vont la trouver aussi drôle.

CAMP DAVID, 22 H 41

— Alors, comment on ramasse ça ? demanda le Président.

— Le virus ou l'Institut ? demanda Tate.

— Commençons par le virus. Est-ce qu'il faut que j'envisage de nommer un nouveau directeur à la NSA ? Ce genre de sacrifice parvient habituellement à apaiser les médias.

— Personne ne peut prouver que c'est l'agence qui a introduit la porte d'accès initiale.

— Non, mais avec les lettres NSA qui reviennent à plusieurs reprises dans les lignes de code…

— Il y a la présomption d'innocence !

— Dans l'opinion publique, ça n'existe pas, la présomption d'innocence ! Surtout pas sur une question où Bill Gates et une agence de renseignements gouvernementale semblent avoir partie liée.

— J'ai fait émettre un communiqué niant toute implication de l'agence et promettant de poursuivre ceux qui ont employé frauduleusement son nom.

— Je suis certain que les gens vont pleurer. Personne ne va penser un seul instant que vous voulez utiliser l'affaire pour faire un *frame-up* sur quelques pirates informatiques qui vous font des misères !

— Nous avons aussi mis sur pied une vingtaine de sites de téléchargement, dans toutes les régions du pays, pour ceux qui veulent se procurer la *patch* sans le message des U-Bots.

— Enfin… On verra bien comment se comportent les médias ! Pour l'Institut, qu'est-ce que vous me conseillez ?

— On n'a pas le choix, il faut réduire la pression.

— On ne peut quand même pas les transformer de méchants en bons du jour au lendemain ! On n'est pas à la WWF !

— Je sais…

— Les journalistes vont demander des preuves. Ils vont vouloir savoir ce qu'est devenu l'Institut.

— On peut leur dire que l'Institut a effectivement été dissous il y a deux ans et que son image a été recréée de toutes pièces par nous et la CIA pour infiltrer des réseaux internationaux de terroristes, de trafic d'organes et de blanchiment d'argent.

— Ils vont avaler ça, vous croyez ?

— Si on leur dit que c'est ce qui nous a permis de mener à bien une opération d'envergure internationale et qu'on leur en donne les preuves…

— Les médias n'apprécieront pas particulièrement le fait d'avoir été manipulés.

— C'est évident. Mais, devant l'ampleur des résultats, ils ne pourront qu'approuver. Ou protester pour la forme. Avec toutes sortes de nuances.

— Vous voulez tout rendre public ?

— F ne m'a pas donné le choix. Ou bien je publie moi-même une copie de tous les documents sur les sites Internet appropriés – le GAFI pour le blanchiment d'argent, des sites équivalents pour la prostitution et le trafic d'organes – ou bien elle le fait elle-même. Je me suis dit qu'il valait mieux en prendre le crédit.

— Dans les autres pays, ils vont confirmer votre histoire ?

— Eux non plus n'ont pas le choix. Ils sont dans la même situation que nous : ou bien ils prennent le crédit des opérations qui se sont déroulées chez eux, ou bien ils passent pour incompétents et les têtes se mettent à tomber.

— Espérons que tout se passera comme vous le dites.

— Je vais tenter de joindre F pour lui annoncer qu'elle n'existe plus. Qu'elle n'existe plus depuis deux ans, en fait.

— Pour quelqu'un qui n'existe pas, je trouve qu'elle nous crée beaucoup de problèmes.

— Imaginez si elle existait !

— Je n'ose pas y penser !

MONTRÉAL, 23 H 39

Théberge éteignit la lumière, s'assit sur le bord du lit et entreprit de procéder à ses étirements.

— Ce soir, je mets mes bouchons, dit sa femme. Avec tout le vin que tu as bu !

— Le Pétrus 1983 n'est pas du vin : c'est un nectar. Je suis certain qu'à la minute même les dieux jettent sur nous des regards remplis d'envie.

— Je ne parlais pas de la qualité mais de la quantité.

— À ce degré de qualité, la quantité devient… quantité négligeable.

— J'ai hâte de voir ce que va en dire ton foie cette nuit.

— Mon foie est un inculte. Il ne connaît pas les bonnes choses. D'où la nécessité de le soumettre à une éducation intensive.

Sur ce, Théberge éteignit la lumière puis entreprit l'opération délicate qui consistait à prendre l'horizontale sans gestes brusques, sans faux mouvements susceptibles de lui pincer un nerf ou de lui bousculer une vertèbre.

Après quelques instants de silence, la voix de Théberge se fit entendre dans l'obscurité.

— Dis ?

— Quoi ?

— Est-ce que tu crois à ça, les vampires ?

— Je crois surtout que je m'endors, répliqua avec une certaine humeur madame Théberge.

— C'est une question sérieuse.

— Avec tout l'ail que tu as mangé, tu n'as rien à craindre.

Quelques instants plus tard, madame Théberge tendait un bras pour allumer sa lampe de chevet. Elle se tourna ensuite vers son mari et l'observa en silence pendant plusieurs secondes.

— Tu es sérieux, finit-elle par dire. Tu es vraiment plus atteint que je croyais.

— C'est une chose sur laquelle je suis tombée, au bureau. On a reçu les résultats de la demande d'information, pour la femme qu'on a arrêtée…

— Quelle femme ?

— Celle qu'on a laissée partir pour avoir Brochet et récupérer la fille qui avait été enlevée. Je t'en ai parlé…

— Oui, oui… Et alors ?

— Elle a été identifiée par Scotland Yard. Ils avaient ses empreintes.

— Je ne vois toujours pas.

— C'était en 1947. Elle avait dix-huit ans. Ça lui en ferait soixante et onze.

— Et alors ?

— La fille qu'on a arrêtée n'en faisait pas quarante.

— C'est sûrement une erreur.

— Probablement. Mais je n'ai pas pu m'empêcher de penser que peut-être… Avec toutes ces histoires…

> La destruction de la réputation, du statut social ou de l'image publique d'une personne peut être ressentie comme une véritable mort, particulièrement par des gens qui occupent de hautes fonctions politiques ou qui jouissent d'une grande visibilité dans les médias.
> Au fond, il s'agit d'une forme radicale de l'humiliation…
>
> Leonidas Fogg, *Pour une gestion rationnelle de la manipulation*, 5- Briser les résistances.

DIMANCHE, 2 JANVIER 2000

LONDRES, 2 H 42

Robert Elliott fut le premier à remarquer le comportement étrange de l'édifice. Citoyen américain, il mit sur le compte de l'excentricité britannique le fait que les lumières de tous les étages de la banque s'allumaient puis s'éteignaient de façon synchronisée, étage par étage, à un rythme de plus en plus rapide. C'était sans doute une façon originale que la banque avait trouvée de saluer le Nouvel An.

Deux minutes plus tard, toutes les lumières continuaient de clignoter de plus en plus rapidement, dans une escalade à laquelle s'étaient jointes les lumières extérieures éclairant la façade de l'édifice.

Robert Elliott commença alors à penser qu'il s'agissait peut-être d'autre chose qu'un festival de jeux de lumières. Surtout qu'on était maintenant le 2 janvier.

Lorsque toutes les alarmes de l'édifice se déclenchèrent simultanément, il fut certain que quelque chose de résolument incongru se produisait. Il fouilla dans la poche de veston pour trouver son cellulaire.

Le temps qu'un policier arrive sur les lieux, histoire de vérifier s'il s'agissait d'un problème réel ou de l'invention d'un fêtard particulièrement insistant, tous les gicleurs de l'édifice s'étaient mis de la partie et les fenêtres ruisselaient d'eau. Des bruits étouffés d'explosions, résultant probablement de courts-circuits, se faisaient entendre.

Au matin, Scotland Yard annonça que des incidents similaires s'étaient produits dans trois établissements bancaires du cœur de Londres. Des dégâts importants avaient été infligés à l'équipement informatique de chacun des établissements.

Il faudrait encore plusieurs heures avant de découvrir que les dégâts n'étaient pas que matériels.

MONTRÉAL, 8 H 46

L'inspecteur-chef Théberge s'était rendu en maugréant au bureau. Les clones tenaient à le rencontrer avant la conférence de presse pour lui soumettre leur texte.

Agréablement surpris, mais tout de même méfiant, il avait accepté de se prêter à l'exercice.

Le texte commençait par des remerciements à son endroit pour la sagesse avec laquelle il les avait guidés, pour l'astuce qu'il avait démontrée dans l'analyse des problèmes qu'ils avaient soumis à son attention ainsi que pour la richesse de l'information qu'il leur avait procurée. Le premier paragraphe se terminait par une évocation de son infinie patience.

Théberge releva les yeux du texte.

— Vous vous préparez à m'enterrer ? demanda-t-il.

Un air d'alarme s'inscrivit sur le visage des clones.

— Pourquoi ? demanda Grondin, manifestement déconcerté par la réaction de son supérieur.

— Habituellement, il n'y a que les morts qui ont droit à de tels excès dithyrambiques. On dirait un éloge funèbre.

Le soulagement remplaça l'inquiétude sur le visage des deux policiers.

— Nous tenions à vous signifier publiquement notre gratitude, reprit Grondin. Vous nous avez laissé la chance de nous impliquer entièrement dans le travail d'enquête, vous êtes un bon policier et vous avez été injustement traité. Comme nous avons l'occasion de rétablir les faits, nous le faisons.

— Une ordure-chef comme vous, ce n'est pas tous les jours que ça se trouve, ajouta Rondeau avec conviction.

— Et comme c'est le Nouvel An, poursuivit Grondin, nous avons pensé joindre le geste à la parole.

Il prit un petit paquet sur le bureau et le tendit à Théberge.

— Pour moi ?

— Pour vous. Vous pouvez le déballer tout de suite.

Théberge prit le paquet, le regarda sous tous les angles avec une certaine méfiance puis défit l'emballage. Il découvrit avec surprise un paquet de tabac.

— Entièrement biologique, s'empressa de préciser Grondin. Il ne contient aucun des produits chimiques que rajoutent les compagnies. C'est quand même mortel, mais c'est plus lent.

— Vous n'avez pas peur d'être poursuivi pour tentative de meurtre ? ironisa Théberge pour garder contenance.

Rondeau prit alors un autre paquet sur le bureau et le lui tendit.

— Moi, je vous donne ça. L'échalote m'a dit que c'était le cadeau parfait pour vous.

Théberge déchira allégrement l'emballage du deuxième cadeau et découvrit un cendrier qui aspire la fumée.

— J'ai pensé qu'à la maison vous aimeriez faire attention à la santé de madame Théberge, expliqua Grondin.

— Comme on dit, enchaîna Rondeau, ce n'est pas grand-chose, mais c'est de bon cœur.

— Je vous remercie, fit Théberge. Vous m'avez vraiment… vraiment… surpris, finit-il par dire, comme s'il avait de la difficulté à trouver le mot qu'il cherchait.

— Vous ne pensiez quand même pas qu'on vous oublierait, fit Grondin.

— Non, mais les surprises que vous m'avez faites, jusqu'à maintenant, j'en ai surtout pris connaissance dans les journaux.

Il se tourna vers le bureau.

— Je suppose que c'est aussi un cadeau ? dit-il en montrant un troisième paquet emballé.

— Il était là quand nous sommes arrivés, répondit Grondin.

Théberge prit le paquet, le soupesa puis le tourna dans tous les sens. Sur un des côtés, il découvrit une petite carte sur laquelle était écrit, en lettres moulées :

À L'INSPECTEUR-CHEF THÉBERGE – PERSONNEL.

— Peut-être que ça vient du directeur, fit Grondin.

— Ou du maire, ajouta Rondeau.

Théberge leur lança un regard de réprobation puis s'attaqua à l'emballage, qui résista un certain temps. Malgré l'abondance de ruban adhésif qui retenait le papier, l'emballage semblait avoir été confectionné à la hâte. Avec une certaine maladresse, du moins. Ici et là, des trous dans le papier révélaient une surface brune qui ressemblait à de la porcelaine.

À la fin, Théberge découvrit une tabatière.

— Bizarre, dit-il. Je n'ai jamais vu une tabatière avec des trous d'aération dans le couvercle.

Comme il allait l'ouvrir, Grondin, en proie à une démangeaison soudaine derrière l'omoplate gauche, fit un geste brusque pour se gratter. Sa main heurta celle de Théberge, qui échappa la tabatière. Elle se brisa sur le plancher.

— Sombre unicellulaire à cravate ! gronda Théberge. Regardez ce que vous avez fait !

Il se pencha péniblement pour récupérer les débris du cadeau, interdisant à Grondin de l'aider.

— Vous en avez assez fait comme ça ! dit-il en récupérant quelques-uns des plus gros morceaux de la tabatière.

Puis, comme il allait ramasser le tabac, il le vit bouger.

Quelques secondes plus tard, une araignée noire et poilue s'extrayait du tabac.

Rondeau fut le premier à réagir. Il l'écrasa d'un coup de talon. Puis, du bout du pied, il éparpilla le reste du tabac sur le sol, pour voir si autre chose s'y cachait.

Tout ce qu'il découvrit, ce fut une petite carte sur laquelle étaient écrits quelques mots.

En souvenir du Spider Club

MONTRÉAL, 9 H 13

Chamane se rassit devant l'ordinateur avec son troisième espresso. Il décida de regarder le texte de la chanson sur laquelle Geneviève continuait de travailler. C'était une façon d'être avec elle tout en la laissant continuer à profiter du sommeil.

Je suis des tonnes de vidéos
Je suis vingt-sept complets-veston
Je suis tout seul en stéréo
Je suis soixante billets d'avion

Elle n'arrivait pas à terminer cette chanson sur les enfants privilégiés, sur leur façon d'être privés de l'essentiel sans avoir de raison apparente de se plaindre. Sans doute parce que c'était de son enfance à elle qu'elle parlait…

Du coin de l'œil, il aperçut l'icône de HackerNews qui clignotait sur le côté de l'écran. Il ouvrit la liaison avec le site et son attention fut immédiatement attirée par le résumé des incidents de Londres. On soupçonnait qu'un pirate avait pris pour cible le système de gestion informatique des trois édifices. Curieusement, personne n'avait revendiqué l'exploit.

Chamane cliqua sur l'icône de l'UnderNet. Deux des U-Bots étaient en ligne et discutaient déjà des événements. Grâce à ses entrées dans l'ordinateur central de la police de Londres, l'un d'eux avait un premier complément d'information: les trois incidents étaient bien imputables à un dérèglement du système informatique.

À cause de la simultanéité des incidents, les autorités soupçonnaient un piratage, mais elles n'avaient aucune preuve. Une autre piste de recherche était une erreur de programmation dans un logiciel commercial: une enquête était en cours pour savoir si les compagnies avaient un fournisseur ou un consultant informatique commun.

Le plus inquiétant, dans ce qu'apprit Chamane, ce fut l'information selon laquelle tous les comptes des clients se retrouvaient à zéro. Il interrogea ses deux collègues en ligne: savaient-ils si les trois établissements avaient installé la *patch* Y2K dans leurs ordinateurs?

Un des Bots répondit que oui, s'il fallait en croire une conversation entre un policier et un journaliste du *Times*.

Chamane se mit à penser à la façon dont était construit l'accès clandestin. Se pouvait-il que…?

Il mit en veilleuse la fenêtre des U-Bots et il se rendit sur un des premiers sites où il avait testé la *patch*.

MONTRÉAL, 10 H 37

Blunt s'était absenté quelques heures pour faire une première série d'appels. Tous avaient été effectués à partir d'endroits différents.

À chaque gestionnaire, il avait expliqué qu'il n'avait plus rien à craindre: il recevrait sous peu tout le matériel qui avait servi à le faire chanter. L'appel avait simplement pour but de déterminer avec eux le lieu et le moment où leur dossier leur serait transmis. Le plus simple serait qu'un messager aille le leur remettre en mains propres. Un messager qui ignorerait évidemment tout du contenu qu'il transporterait.

Tous avaient accepté sa proposition, mais plusieurs après avoir émis toutes sortes de réticences, comme s'ils craignaient un nouveau piège.

En remettant son cellulaire dans sa poche, Blunt songea aux Jones, qui avaient accepté le travail de messager. Il se demandait si, dans leur empressement à s'identifier à leur nouveau rôle, ils se déguiseraient en coursiers cyclistes et s'ils adopteraient tout leur attirail.

NORTH HATLEY, 11 H 51

Hurt réprima un mouvement d'humeur lorsqu'il interrompit son travail dans l'atelier pour prendre la communication sur l'ordinateur.

— J'écoute, fit la voix impassible de Steel.

— Pour l'argent, tout est réglé, se contenta de répondre Poitras.

— Ce qui veut dire ?

— Tous les clients de Hope Fund Management et des autres gestionnaires vont récupérer leurs dépôts. La copie qu'avait faite Chamane de l'ordinateur de Brochet a permis de savoir exactement ce que chacun avait dans son compte.

— Avec la mort de Brochet et la destruction de leurs bureaux, ils doivent être plutôt désorganisés.

— Hope va revenir de Grèce pour remettre de l'ordre dans les affaires.

— Tu penses qu'il va réussir à sauver la compagnie ?

— Il va sûrement y avoir des désaffections chez les clients. Au pire, il va fermer la compagnie de façon ordonnée et faire en sorte qu'aucun client ne perde d'argent. Sa réputation personnelle va être sauve.

— Pour le reste de l'argent ?

— Hier, Chamane s'est occupé d'une première série de transferts.

— Il va rester combien, quand tout va être fini ?

— Assez pour que l'Institut soit définitivement autonome.

— Tu as vu ce qui s'est passé à Londres ?

— Tu penses que c'est relié à Y2K Crisis ?

— Moi, je ne sais pas. Mais Chamane a l'air de le croire. Il m'a envoyé un court message pour me dire qu'il avait une intuition à vérifier. De suivre l'affaire en attendant qu'il me rappelle… Si tu entends parler de quelque chose…

— Entendu.

En désactivant le logiciel téléphonique, Hurt espérait que l'intuition de Chamane s'avère non fondée. Si les événements de Londres étaient reliés au Consortium, ça ne pouvait être qu'un test.

Il n'avait pas hâte de voir la première véritable opération.

MONTRÉAL, 14 H 38

Blunt jurait intérieurement en replaçant la position sur chacun des jeux de go. La terrible madame Bégin, terreur des chats, du perroquet et des autres habitants de la maison, avait encore frappé.

La femme de ménage se comportait de plus en plus ouvertement comme si elle était la maîtresse des lieux. Elle avait tenu à venir le matin du 2 janvier, un dimanche, « parce que ça équilibrait sa semaine ».

Contraint d'abandonner la maison avec Kathy et ses deux nièces – « je travaille mieux quand je suis toute seule » – Blunt avait trouvé au retour la pièce de go entièrement rangée : la femme de ménage avait mis toutes les pièces dans les boîtes – « Ça fait plus propre » – et elle avait frotté chacun des gobans avec un nettoyeur puissant, sans s'occuper de la couche de cire qui recouvrait les planches de Katsura – « La saleté, il ne faut pas prendre de chance avec ça ! »

Quand Blunt lui avait demandé pour quelle raison elle avait fait le ménage dans cette pièce, alors qu'il lui avait clairement signifié, semaine après semaine, qu'il ne voulait pas qu'elle y mette les pieds, la réponse était venue, simple et rapide : « La saleté, si on la laisse se faire un nid quelque part, elle s'enracine, puis ensuite elle se met à déborder partout. »

Devant les protestations de Blunt, elle avait ajouté, sur un ton définitif : « Moi, je suis une professionnelle. Je ne peux pas faire les choses à moitié. De toute façon, vous vous plaignez pour rien : ça ne vous coûtera pas un sou de plus. »

Le téléphone tira Blunt de son œuvre de restauration.

— Il y a un problème avec Y2K, dit simplement Chamane.

— Quel genre de problème ?

— À mon avis, ce qui s'est passé à Londres était un test.

— Je croyais que la *patch* avait réglé le problème.

— J'ai été revoir six des sites que j'avais déjà vérifiés. La *patch* a disparu.

— Il y aurait un nouveau virus ?

— Je ne pense pas. J'ai l'impression que c'est interne.

— Tu veux dire qu'il y aurait quelqu'un à l'intérieur des entreprises ?

— Non. J'ai testé dans quatre pays. Ça m'étonnerait qu'il y ait quelqu'un à chaque endroit. Et les U-Bots sont arrivés au même résultat que moi.

— Qu'est-ce que tu en conclus ?

— Qu'il y a quelque chose à l'intérieur du programme qui est prévu pour rétablir la *back door* si elle est enlevée.

— Ça se peut ?

— C'est l'explication qui a le plus de sens. Les U-Bots travaillent sur ça.

— Ça voudrait dire que tous les ordinateurs de la planète seraient encore vulnérables…

— Tous ceux qui utilisent Windows, en tout cas.

— Le Pentagone va se féliciter de l'avoir mis à la poubelle !

— Mais les banques vont se mordre les pouces, si on se fie au test.

— Tu as une idée de ce qui se prépare ?

— À mon avis, l'argent de la planète risque de passer un très mauvais quart d'heure !

— En tout cas, si ça ne vient pas de l'extérieur, ça vient nécessairement de l'intérieur.

— T'es génial, *man* !

— Quoi ?

— C'est évident !... Je suis mûr pour une quadruple lobotomie !

— Si tu m'expliquais...

— Je te rappelle ! Il faut que je contacte les U-Bots.

LONDRES, 19 H 52

Leonidas Fogg s'assit dans son fauteuil et poussa un long soupir.

— J'aime bien votre mademoiselle Hunter, dit-il. Je suis certain qu'elle sera une acquisition précieuse pour le comité des directeurs.

— C'est aussi mon avis.

— Vous avez intérêt à la surveiller de près. Je ne serais pas surpris que ses projets d'avenir, à moyen ou à long terme, impliquent notre remplacement !

— Je sais.

Fogg tendit le bras vers la petite table, à la gauche de son fauteuil, prit un *toffee* dans la bonbonnière et examina l'emballage.

— Vous ne devriez pas, fit Xaviera Heldreth.

— Que serait la vie sans un peu de risque ?... Finalement, où est-ce qu'on en est ?

— Les cinquante-sept milliards ont bel et bien disparu. L'équipe technique a retrouvé le compte où l'argent avait été viré, mais il était vide. Aucune trace de transfert.

— Vous croyez que c'est Petreanu qui a effectué le virement ?

— Peut-être. Ou Brochet. Mais les policiers, à Montréal, ont eu plusieurs heures pour travailler sur l'ordinateur de Brochet. Ils avaient un accès complet à tous les comptes. S'il y avait quelqu'un de l'Institut avec eux...

— Et pour le reste ?

— J'ai eu la confirmation que tout le réseau de Marie-Josée est compromis. Madame Hunter va s'occuper de fermer les livres. On repartira plus tard sur d'autres bases.

— Du côté du blanchiment ?

— Avec ce qui reste du réseau, on ne pourra pas traiter tout l'argent des filiales restantes. On va avoir des problèmes de liquidités.

— Pas si on utilise la réserve qu'on a dans F.O.G.G. Enterprises. Juste avec ça, on peut tenir trois ans. Ça nous donne tout le temps de reconstruire le réseau.

Fogg reposa le *toffee* à côté de la bonbonnière sans y avoir touché.

— Et si jamais nous étions mal pris, reprit-il, il me resterait toujours le loisir d'en parler à mes amis. Encore que je préférerais ne pas avoir à le faire. Comme vous le savez, leur seuil de tolérance à l'échec est assez bas.

— Il y a aussi l'opération Y2-KEY, fit Xaviera.

— Oui. Mais je préfère garder cette opération financièrement séparée du reste… Vous avez communiqué avec les directeurs de filiales pour les aviser de suspendre les virements ?

— Toy Factory, Brain Trust, Paradise Unlimited et GDS ont été contactés. Il reste à joindre Candy Store, mais ils n'ont pas de virement de prévu avant trois jours.

— Ça laisse tout le temps, répondit Fogg. Pour Y2-KEY, comment vont les choses ?

— Le pré-test a réussi. Les équipes sont déjà au travail pour préparer le test étendu.

— Je crois que je vais reporter la réunion de la fin du mois avec nos amis des grandes mafias. Je ne voudrais pas que vous les rencontriez uniquement pour leur annoncer que le système de blanchiment qu'on leur a promis ne fonctionne pas.

— Si je pouvais leur offrir Y2-KEY pour les faire patienter, c'est sûr que je serais dans une meilleure position pour négocier.

— Et pour l'Institut ?

— Notre banque de photos s'est enrichie. Nous avons pu identifier les deux agents qui ont rendu visite à Petreanu. Ce sont deux anciens du Mossad. La rumeur voulait qu'ils aient disparu avec le Rabbin…

— Le Rabbin, murmura Fogg, comme si le nom évoquait pour lui de vieux souvenirs.

— Nous avons des photos récentes de Kim et de mademoiselle Maher et nous savons qu'elles sont retournées à New York. Nous savons également que l'inspecteur-chef Théberge et son amie, madame Weber, ont dû être impliqués, de près ou de loin, dans les opérations de l'Institut. Il en est probablement de même pour le fils Semco. À Sherbrooke, les hommes de Skinner continuent de ratisser la région.

— Nous allons leur donner encore un peu de temps avant de lancer notre riposte.

— En attendant, rien ne nous empêche de tenter une petite expérience, pour voir comment ils vont réagir.

— Une expérience ?

— Ce monsieur Poitras nous a beaucoup contrariés depuis quelques années. J'ai pensé qu'on pourrait s'occuper un peu de lui…

— Je n'ai rien contre l'idée. Mais nous allons synchroniser cela avec le déclenchement du test étendu de Y2K. Vous direz à madame Hunter de faire de même.

— Faire de même ?

— De synchroniser le nettoyage des résidus de Meat Shop avec le déclenchement du test.

— Ça peut lui poser des problèmes.

— Je suis certain qu'elle saura se débrouiller… Et puis, d'ici là, nous aurons peut-être de nouvelles informations de Skinner.

BBC, 22 H 04

… ONT CONFIRMÉ QUE LES INCIDENTS SURVENUS À LA CITY NE SONT PAS LIÉS AU PASSAGE À L'AN 2000. L'HYPOTHÈSE D'UN SABOTAGE A ÉGALEMENT ÉTÉ ÉCARTÉE. CE SERAIT UNE ERREUR HUMAINE DANS LA MISE À JOUR DES LOGICIELS CHARGÉS DE LA GESTION DES ÉDIFICES QUI SERAIT LA CAUSE DE CES REGRETTABLES ÉVÉNEMENTS.

LES AUTORITÉS ESTIMENT PEU PROBABLE LA RÉPÉTITION…

MASSAWIPPI, 21 H 40

Bamboo Joe posa la tasse de thé sur la table et s'assit en face de F.

— Comment va la méditation ? demanda-t-il avec un sourire engageant.

— Difficile. Je passe des heures sans me rendre compte que j'existe.

— C'est normal.

— Je suis préoccupée par l'avenir de l'Institut.

— Vous voulez redéménager ?

— Disparaître serait plus simple.

— Se libérer des biens n'est pas se libérer de la soif des biens. De la même manière, quitter un endroit ne signifie pas cesser d'être attaché quelque part.

— En tout cas, ça change le mal de place.

— Cette expression populaire contient beaucoup de vérité !

— Vous êtes contre l'idée de déménager ?

— Le but n'est pas d'être ailleurs, mais de ne plus être quelque part. Ce qu'il faut, ce n'est pas dissimuler ses traces, c'est ne plus laisser de traces.

— Si vous pensez que c'est en recommençant à me servir du « biscuit chinois » que vous allez m'aider !

— Comme vous le voyez, moi aussi, il m'arrive de retomber dans des rôles !

— De votre part, je n'arrive jamais à être certaine que c'est involontaire.

— Ce que je voulais dire, c'est que l'Institut est d'abord une idée. Vous avez réussi en bonne partie à vous libérer des structures, mais vous êtes encore attachée à l'idée. Personne n'est indispensable pour que vive une idée. Il suffit qu'il y ait des gens. Les idées se reproduisent en sautant de l'un à l'autre. Et, en sautant, elles changent. L'action les change.

— Vous croyez que je devrais laisser la place à quelqu'un d'autre?

— Non. Les gens prendront la place qu'ils voudront bien prendre. Vous avez eu une bonne intuition en encourageant votre ami français à organiser une concertation avec ses amis européens sur le modèle de l'Institut. Évidemment, on ne peut rien présumer de la forme que prendra cette collaboration.

— Et moi, qu'est-ce que je fais ?

— Ce que vous avez toujours fait. Vous décidez. Vous vous adaptez au mieux à l'évolution de la situation. Voyez-vous, le vrai secret de l'Institut, c'est qu'il n'existe pas !

— Allez expliquer ça au Consortium ! Ou au Président !

— Il existe un regroupement d'efforts, de volontés, de moyens pour accomplir certaines tâches, lutter contre certaines aberrations – ce que vous appelez avec justesse : les excès. Autrement dit, il existe un projet. C'est autour de ce projet que vous avez pu regrouper des gens, susciter des fidélités… Ce que vous appelez l'Institut, c'est la forme momentanée, changeante, qu'a prise l'organisation pratique et matérielle de ces efforts. C'est ce qui l'a empêché de devenir une institution comme les autres et de se scléroser. C'est pour cette raison qu'il n'aura jamais une forme arrêtée. Vous flirtez sans cesse avec l'institutionnalisation sans jamais y tomber entièrement. Vous avez besoin d'équipements, de structures, de contacts et d'équipes opérationnelles pour être efficace ; mais vous sentez bien que leur organisation doit fréquemment être modifiée pour tenir compte des dynamiques à l'intérieur de l'Institut, de vos rapports avec vos alliés et des comportements de vos adversaires.

— Tous ces beaux discours, c'est censé m'aider ?

— Ils sont censés vous rappeler de ne pas trop vous prendre au sérieux, comme si vous étiez la seule responsable du développement de cette idée, mais aussi de ne pas hésiter à prendre sérieusement toutes les décisions qui s'imposent pour l'évolution de cette organisation particulière de volontés, de projets et de moyens dont vous avez la responsabilité… N'hésitez pas à suivre votre intuition : elle est suffisamment éduquée pour être fiable.

— Parce que j'ai une intuition éduquée, moi…

— Évidemment, vous ne réussirez jamais, conclut Bamboo Joe en se levant.

— Pourquoi ?

— Au fond, ce que vous voulez, c'est organiser la liberté. Et la liberté, par définition, ça s'organise tout seul. Je veux dire que les libertés s'organisent toutes seules entre elles, dans leur lutte contre ce qui les empêche. Votre travail est un cas de figure particulier de ce principe. Vous avez eu l'avantage de vous méfier des structures rigides, de vous fier à des engagements personnels et à la créativité de vos collaborateurs. Poursuivez dans cette voie. Vous verrez bien ce qui arrivera… Vous n'avez pas le choix. Vous allez continuer à prendre des décisions.

— Et si je me trompe ?

— Vous apprendrez.

— Sur le dos de ceux qui risquent leur peau.

— Ils savent les risques qu'ils prennent et ils vous font confiance. Ce qu'ils attendent de vous, c'est que vous preniez le mieux possible les décisions que vous avez à prendre… Faites-leur confiance autant qu'ils vous font confiance.

— Je vous dois combien pour la consultation ?

— Absolument rien. Il n'y a pas nécessairement de rapport entre ce que je vous ai dit et ce que vous avez compris. Ni entre ce que vous avez compris et ce que vous en ferez… Si on revenait à votre méditation…

NORTH HATLEY, 23 H 17

Sur l'écran, Hurt vit apparaître le signal annonçant une communication avec F.

— Mauvaise nouvelle, dit-il immédiatement. Je viens de recevoir un appel de Chamane. Tout est à recommencer pour « le truc de Y2K », comme il dit.

— De quoi s'agit-il ?

— Il y a un système de réparation, dissimulé dans Windows, qui rétablit l'accès clandestin quand il est supprimé.

— Il peut arranger ça ?

— Il a mis les U-Bots sur le problème. Ils ont réussi quelques réparations, mais, dans la plupart des cas, l'accès est réapparu quelques heures plus tard.

— Qu'est-ce qu'on peut faire ?

— Attendre.

— Si les médias mettent la main sur ça avant qu'on ait trouvé une parade, ça va être la panique.

— Et si on n'en parle pas, il risque de se produire d'autres événements comme à Londres, mais à plus grande échelle.

— Je vois.

— Qu'est-ce que vous décidez ?

Une forme particulière de mort symbolique survient lorsque la destruction de la réputation se passe dans les yeux de personnes aimées. Face à une telle éventualité, la victime sera souvent prête à adopter des comportements pires que ceux qu'on menace de dévoiler afin de préserver son image.
On peut alors, par un processus d'escalade, amener la cible à poser des actes de plus en plus répréhensibles à ses propres yeux…

Leonidas Fogg, *Pour une gestion rationnelle de la manipulation*, 5- Briser les résistances.

LUNDI, 3 JANVIER 2000

MASSAWIPPI, 8 H 43

F achevait de relire le rapport de Claudia et de Kim. La perquisition au château de Ute Breytenbach avait permis d'éclaircir une ou deux choses.

Ainsi, la découverte de la chambre de torture et d'une banque de vidéos avait permis de conclure que Ute Breytenbach était effectivement la mystérieuse représentante du Consortium connue sous le nom de Queen Bee. Cela avait également permis d'établir avec certitude qu'elle était responsable des meurtres catalogués FC-44.

Pour le reste, cependant, les enquêteurs avaient trouvé peu d'éléments neufs : tout le contenu de l'ordinateur avait été effacé à la suite de l'introduction d'un mauvais code d'accès. La seule autre découverte d'importance était celle des empreintes d'Oméga Rope, que l'on avait retrouvées dans une des chambres, de même que dans la salle à manger du château.

F composa la séquence d'instructions lui permettant d'activer le logiciel téléphonique et de joindre Claudia.

— Alors, quoi de nouveau au pays de l'oncle Sam? demanda-t-elle lorsque la communication fut établie.

— Rien, justement. Quand est-ce qu'on peut se tirer d'ici?

— Aussitôt que j'aurai trouvé une façon sûre de vous faire voyager. J'ai eu la confirmation que vous aviez été filmées en France.

— Merde! Est-ce qu'il va encore falloir passer sous le bistouri?

— Ça dépend du type de travail que vous choisirez.

— Vous avez trouvé quelque chose sur Petreanu?

— Toujours rien.

— Et F.O.G.G. Enterprises?

— Rien non plus.

— Tant qu'à être prise ici à ne pas pouvoir agir, j'ai fait des recherches par ordinateur. Kim m'a aidée. J'ai pu retrouver toutes les transactions qu'ils ont effectuées pour récupérer le château de la succession de Bréhal et le ramener en possession de Ute.

— Vous m'expédiez ça.

— Ça vous intéresse?

— Ça nous en apprendra sur la manière dont ils fonctionnent. D'après ce que vous venez de me dire, je serais portée à conclure que ce sont des êtres d'habitude et qu'ils ne renoncent pas facilement à ce qu'ils possèdent ou à ce qu'ils ont entrepris. Même lorsque la prudence exigerait qu'ils le fassent.

— Vous en déduisez quoi?

— Qu'ils vont continuer à s'intéresser au Québec.

F aperçut une icône qui clignotait dans le coin de l'écran.

— Un instant, fit-elle.

Un message urgent de Blunt arrivait.

MONTRÉAL, 11 H 08

L'inspecteur-chef Théberge entra dans la salle et prit une chaise dans la dernière rangée.

Dans les minutes précédentes, il avait appelé Lucie Tellier, la présidente de la Caisse de dépôt. Il aurait aimé voir sa tête lorsqu'on lui avait annoncé qu'un montant de sept cent cinquante millions était disponible dans un compte au nom de la Caisse, au Crédit lyonnais.

Plus encore, il aurait aimé voir sa réaction lorsqu'il lui avait dit qu'elle allait recevoir un dossier sur le comportement de Duquette, le vice-président aux placements internationaux : un dossier qui démontrait sa participation à un réseau de blanchiment d'argent.

Mais il avait dû se satisfaire de simplement entendre sa réaction : il ne pouvait se permettre d'aller la voir et de rater la conférence de presse des clones. Ça promettait d'être un spectacle haut en couleur et il entendait en profiter.

MONTRÉAL, 11 H 17

— Chers petits vidangeurs, attaqua Rondeau, nous allons vous parler des vampires, de Dracul, des bars de danseuses qui ont brûlé, des gestionnaires assassinés ainsi que du détournement de fonds de sept cent cinquante millions qui est survenu cet été à la Caisse de dépôt. Toutes ces affaires sont évidemment résolues. En prime, nous ferons la lumière sur une histoire de meurtre qui avait été classée comme suicide il y a quinze ans.

Le policier promena un regard sur l'assistance.

— Bien, dit-il. Étant donné l'importance des informations que nous avons à vous donner, nous avons pensé que quelques remarques préliminaires s'imposaient... Tout d'abord, les informations que je vais vous communiquer sont de vraies nouvelles : vous n'avez donc pas besoin de les grossir, de les déformer, de les coiffer de titres extravagants ou de les interpréter de manière aberrante pour leur donner l'allure de nouvelles.

Les gens des médias échangèrent des regards interrogateurs. Habituellement, Rondeau se contentait de les égratigner au passage, il ne les attaquait pas de front.

— Deuxième mise en garde, reprit le policier. Écouter permet souvent d'apprendre plus que de s'acharner à couper la parole en posant des questions pour décrocher un cinq secondes devant les caméras et, accessoirement, avoir l'air de faire son métier.

La remarque provoqua une nouvelle série de regards, franchement indisposés ceux-là. Si ce n'avait été de l'introduction de Rondeau, plusieurs se seraient sans doute levés pour quitter les lieux.

— Dernière remarque, reprit Rondeau. Dans vos articles, vous avez intérêt à vous montrer pleins d'égards pour l'inspecteur-chef Théberge. Non seulement est-il totalement innocent de ce que vous avez laissé entendre qu'il aurait pu faire mais, sans l'assistance de ce brave homme, ces affaires n'auraient pas pu être résolues.

— Vous n'allez quand même pas nous dire quoi écrire dans nos articles ! protesta un journaliste.

— Bien sûr que non, mon brave fossoyeur ! Je m'en voudrais de vous forcer à écrire que l'inspecteur-chef Théberge a fait l'objet d'un complot visant à le discréditer et qu'il a échappé ce matin à une tentative d'assassinat sur sa personne. Je serai très contrarié si je lis la moindre référence à ces faits dans votre article. J'y verrai le signe que vous vous êtes laissé manipuler. Cela me désolera beaucoup.

Les questions fusèrent. Grondin prit la relève et expliqua ce qu'avait été l'opération Croix-Rouge, laquelle avait mené dans un premier temps à l'arrestation de Dracul, puis au démantèlement d'un réseau de bars de danseuses.

— Le réseau servait de couverture à un groupe de criminels spécialisés dans le chantage. Ils s'en prenaient principalement aux gestionnaires et aux hommes d'affaires. Claude Brochet, le président nouvellement nommé de Hope Fund Management, était à la tête du réseau.

Grondin enchaîna en identifiant le financier comme le grand responsable de tout et il ne souffla pas un mot de Jessyca Hunter. Il présenta ensuite les victimes des pseudo-vampires comme une tentative de diversion. Brochet voulait détourner l'attention des policiers du véritable enjeu : le rançonnement de la communauté financière montréalaise.

— Pouvez-vous nous donner des noms ? demanda le journaliste du *Devoir*.

— Du calme, les vautours ! reprit Rondeau. Ces gens ont suffisamment souffert sans être en plus exposés au voyeurisme public. Des menaces de mort ont pesé sur leurs femmes et leurs enfants. Certains ont été molestés physiquement. D'autres presque ruinés… Néanmoins, je vais vous donner un nom. Celui d'un gestionnaire qui leur a résisté. Je veux parler d'Ulysse Poitras.

Les stylos des journalistes s'activèrent.

— Il a chèrement payé sa résistance, poursuivit Rondeau. Plusieurs de ses clients ont retiré les fonds qu'ils lui avaient confiés.

— Je ne vois pas le rapport, fit le représentant de CKAC.

— Brochet et son groupe exerçaient des pressions sur les clients pour qu'ils retirent leurs fonds de chez UltimaGest. Quand je parle de pressions, je parle de menaces de mort ou de mutilations, contre eux et les membres de leurs familles.

— Vous n'exagérez pas ? On dirait que vous parlez d'un mauvais film sur les mafias russes et japonaises.

— Perspicace, le déficient léger ! fit Rondeau en prenant Grondin à témoin.

— Ce que l'inspecteur Rondeau veut dire, s'empressa de préciser Grondin, c'est que Brochet fonctionnait en sous-contractant ce qu'on appelle les sales boulots à des exécutants qui venaient entre autres des groupes que vous avez mentionnés. Aussitôt leur travail terminé, les exécutants quittaient le pays !

— Mais vous n'avez arrêté personne !

— Il est difficile d'arrêter un mort, répliqua Grondin.

— Vous parlez de Brochet ?

— Oui.

— Il est mort ?

— Sa température est près du point de congélation, intervint Rondeau. Ça m'étonnerait beaucoup qu'il soit très vivant.

— C'est commode.

— En effet, ça va sauver des dizaines de milliers de dollars en frais d'avocat au cochon de payant. Comme Brochet n'était ni femme, ni juif, ni jeune, ni vieux, ni libéral, ni infirme, ni minoritairement visible, ni péquiste, ni Alzheimer, ni désavantagé pondéral, ni membre de quelque groupe que ce soit… comme il était une ordure bien ordinaire, je peux me permettre de le dire. Personne ne va me poursuivre.

— Est-ce que vous savez qui l'a tué ?

— Nous croyons sa mort accidentelle, reprit Grondin.

— Il est tombé sur une matraque à vingt-trois reprises ? ironisa un des journalistes.

— Monsieur Brochet avait des goûts, en matière sexuelle, qui impliquaient certains risques. D'après ce que notre enquête a révélé, il ne pouvait jouir qu'en se faisant passer à tabac.

— Je suppose que vous vous êtes empressés de lui procurer ce plaisir ! reprit le journaliste.

— Il semble que sa dernière expérience a été un peu trop percutante, poursuivit Grondin sans s'occuper de la remarque.

— Avez-vous des preuves matérielles de ce que vous dites ? demanda un autre.

Grondin, qui n'avait cessé de se gratter le dessus de la main gauche depuis qu'il avait pris la parole, fit signe à Rondeau de prendre le relais.

— Nous avons récupéré les sept cent cinquante millions qui avaient disparu de la Caisse de dépôt, enchaîna celui-ci. Certains considèrent cela comme un début de preuve.

Nous avons aussi retrouvé une description détaillée de toutes les opérations de Brochet. Dans son ordinateur.

— Il n'a pas été détruit dans l'explosion ?

— Son contenu avait été transféré dans le nôtre par précaution. Évidemment, s'il fallait aller en cour, il y a sûrement des avocats qui plaideraient que le transfert n'est pas valide... Mais comme il n'y aura probablement pas de poursuites contre le cadavre...

Rondeau laissa passer quelques secondes avant de poursuivre.

— Il n'y en aura pas non plus pour le meurtre qu'il a commis en 1986 quand, après avoir détourné tous les fonds de GPM Investments, il a poussé Stephen Semco au suicide pour ensuite lui faire endosser la responsabilité de la fraude.

— Semco ? dit le journaliste de *La Presse*. Est-ce que ce n'est pas le même nom que... ?

— Son père, répondit aussitôt Grondin. Et madame Weber était la femme qu'il était sur le point d'épouser au moment de son suicide. À ce propos...

Comme s'il obéissait à un signal, Rondeau se pencha et s'affaira à mettre quelque chose sur son œil droit. Quand il se releva, il avait un œil jaune fendu d'une paupière verticale.

— Nous avons retrouvé ceci lors de notre perquisition au Spider Club, dit-il. Le bar où se produisait une danseuse dont le nom de scène était Vampira.

— Vous l'avez arrêtée ?

— La plupart des danseuses qui travaillaient dans les bars incendiés ont disparu, fit Grondin. Nous savons que plusieurs d'entre elles ont quitté le pays. Il est probable que cette Vampira a fait de même.

— Quant à vous, mes braves petits fossoyeurs, vous qui étiez prêts à enterrer vivante madame Weber, j'espère que vous ne poursuivrez pas la vengeance qu'avait ourdie Brochet contre elle. Un peu de décence serait de rigueur.

Rondeau promena de nouveau son regard sur les journalistes.

— Bon, dit-il. Maintenant, je crois que c'est vous qui avez le problème.

— Quel problème ? demanda un des journalistes.

— Celui de rentrer tout ça dans une demi-colonne ou soixante secondes de *spot* télé sans massacrer le contenu… Bonne chance, mes tout petits !

BAVIÈRE, 18 H 39

Darius Petreanu sortit en grelottant de la chambre froide. Depuis deux jours, il y avait passé le plus clair de son temps.

À quelques reprises, on lui avait permis de sortir pour aller aux toilettes. On ne lui avait cependant rien donné à manger. Mais on l'avait interrogé sur ses rapports avec l'Institut. Quelle information leur avait-il donnée ? Que lui avaient-ils promis ? On lui avait même fait entendre l'enregistrement de sa rencontre, à Genève, avec leurs représentants.

Au début, Petreanu avait cru qu'il mourrait gelé. Mais on lui avait expliqué que la température était ajustée de telle manière que son organisme s'épuise à lutter contre le froid, mais sans risquer la mort. Une pneumonie, peut-être. Mais rien de plus. Ça faisait partie de la mise en condition. Bien sûr, si on décidait de se débarrasser de lui, on n'aurait qu'à abaisser la température…

Lorsque la porte s'ouvrit, il ne s'attendait pas à voir Xaviera Heldreth.

— Vous !

— Je vois que vous vous êtes bien conservé.

— Ça ne se passera pas comme ça.

— Moi qui venais à votre secours ! Quel ingrat vous faites !

Elle lui tendit un manteau.

— Couvrez-vous, dit-elle. Et suivez-moi. J'ai réussi à trouver un compromis pour vous permettre de sortir de ce trou.

— Vraiment ?

— Venez !

Intrigué, Petreanu la suivit en grelottant jusqu'à une porte qui donnait sur la cour arrière du château. Xaviera le poussa dehors.

La première réaction de Petreanu fut d'essayer de protéger ses pieds, nus dans les sandales, contre le froid de la neige. Puis il aperçut la demi-douzaine de femmes en costumes de chasse, fusil en bandoulière, qui l'observaient.

— Mesdames, voici votre invité, dit Xaviera en s'adressant aux chasseuses. Monsieur Darius Petreanu.

Xaviera s'approcha d'une des chasseuses et lui demanda d'un geste de la main de lui prêter sa cravache. Elle se retourna ensuite brusquement et frappa Petreanu au visage. Ce dernier n'eut pas le temps de lever complètement le bras pour se protéger.

Dans le même instant, les six fusils se braquèrent sur lui.

— Vous avez quatre minutes pour sauver votre misérable carcasse, fit Xaviera. Si vous réussissez à traverser le parc et à passer l'enceinte du domaine, vous aurez la vie sauve.

— Ce n'est pas possible… Vous ne pouvez pas…

— Ici, nous avons tous les droits.

— Si je disparais… la police va me chercher…

— J'oubliais.

Elle fit un signe en direction de la porte et la femme en livrée noire qui l'avait accueilli le premier jour s'avança. Dans les mains, elle avait une urne semblable à celles qu'il avait vues dans le petit salon. Son nom y était inscrit. Avec la date de la journée.

— C'est la moindre des choses que vous puissiez la voir, dit Xaviera. Si vous ne réussissez pas à vous échapper, c'est dans cette urne que vous finirez la journée.

— Mais… comment…

— C'est l'avantage d'avoir ses propres installations crématoires. Il arrive que l'héritage du passé ait du bon.

Petreanu se mit à bredouiller, à dire qu'il avait compris la leçon, qu'on pourrait désormais compter sur lui. Des larmes mouillaient ses joues.

— Suffit ! trancha Xaviera en feignant de le cravacher.

— Je vous assure que vous pouvez me faire confiance !

— Bien sûr. Qui ne ferait pas confiance à un banquier ?… Mais nous préférons quand même prendre quelques précautions.

Elle ajouta, sur un ton ironique :

— La vie est tellement sérieuse, il faut bien s'amuser un peu de temps à autre.

Elle enchaîna ensuite, sur un ton neutre, presque mécanique :

— Quatre minutes. À partir du moment où je baisse le bras.

— Mais…

— Trois.

— Ça ne se peut pas.

— Deux.

— Vous ne pouvez pas !

— Un.

Comme s'il avait subitement réalisé qu'il n'avait pas d'autre solution, Petreanu tourna le dos au groupe de femmes et se rua vers la forêt. Il ne vit pas le bras de Xaviera redescendre pour amorcer le compte à rebours.

Les femmes le regardèrent atteindre la lisère de la forêt et, quand il eut disparu, elles se mirent lentement en marche d'un pas tranquille. Rien ne servait de courir. Elles avaient confiance en leur habileté. Aucun invité ne leur avait jamais échappé.

Mais, comme l'avait fait remarquer Xaviera, la confiance ne dispensait pas de prendre certaines précautions. À l'intérieur de la forêt, un mur de pierre de trois mètres de haut, surmonté de barbelés, entourait le domaine.

LCN, 13 H 31

DES PROPOS RASSURANTS ONT ÉTÉ TENUS CE MATIN PAR LES REPRÉSENTANTS DU SERVICE DE POLICE DE LA CUM. LOIN DE FAIRE L'OBJET DE RÉVÉLATIONS INCRIMINANTES, LES GESTIONNAIRES VISÉS HIER PAR DE NOMBREUSES PERQUISITIONS AURAIENT EN RÉALITÉ COLLABORÉ AVEC LES FORCES POLICIÈRES POUR DÉMASQUER UN RÉSEAU DE MAÎTRES CHANTEURS QUI TENTAIT DE S'INFILTRER DANS LE MILIEU FINANCIER MONTRÉALAIS.

TOUS LES FONDS SERAIENT EN SÉCURITÉ, Y COMPRIS CEUX DES CLIENTS DE HOPE FUND MANAGEMENT, DONT LES BUREAUX ONT ÉTÉ PLASTIQUÉS AU COURS DE LA NUIT. CE SERAIT GRÂCE À L'INITIATIVE DE MONSIEUR CHRISTOPHER HOPE, LE FONDATEUR DE L'ENTREPRISE, QUE LES POLICIERS AURAIENT RÉUSSI À RÉUNIR DES PREUVES CONTRE CLAUDE BROCHET. CE DERNIER ÉTAIT LA TÊTE DIRIGEANTE DU RÉSEAU DE MAÎTRES CHANTEURS. MONSIEUR HOPE ÉTAIT MÊME ALLÉ JUSQU'À LUI CÉDER SON POSTE DE PRÉSIDENT DE L'ENTREPRISE AFIN DE MIEUX LE PIÉGER.

TOUJOURS DANS LE DOMAINE FINANCIER, LES ANALYSTES S'ATTENDENT À CE QUE LE MARCHÉ BOURSIER CONNAISSE UN REBOND À L'OUVERTURE, DEMAIN, À CAUSE DU PHÉNOMÈNE CONNU SOUS LE NOM D'EFFET JANVIER…

SAINTE-PÉTRONILLE / MONTRÉAL, 15 H 43

Lorsque la sonnerie de son téléphone cellulaire se fit entendre, Guy-Paul Morne se demanda qui, parmi la demi-douzaine de personnes qui avaient le numéro de cette ligne confidentielle, pouvait bien l'appeler pendant le congé du Nouvel An.

— On profite des vacances, à ce que je vois !

— Madame Tellier ? Mais qui vous a donné ce numéro ?

— J'ai de bonnes nouvelles pour vous. Alors, je me suis débrouillée.

— Ça ne vous justifie pas de demander un numéro confidentiel à vos contacts chez les policiers. Vous avez besoin d'avoir de vraiment bonnes nouvelles.

— J'ai sept cent cinquante millions de bonnes nouvelles. On a retrouvé l'argent qui avait disparu.

— Vous m'en voyez réjoui.

— Autre nouvelle : Lavigne n'est aucunement responsable de ce qui s'est produit. Il a été assassiné.

— Assassiné ?

— Provost, par contre, a trempé dans l'affaire jusqu'aux oreilles, enchaîna la présidente de la Caisse sans s'occuper de la question.

— Mais où était l'argent ?

— Un compte en Suisse. L'opération a été montée par un réseau international de blanchiment qui voulait établir le centre opérationnel de ses activités à Montréal. Allez voir sur le site du GAFI.

— Le GAFI ?

— Groupe d'action financière sur le blanchiment de capitaux. Ils ont un site Internet qui va vous intéresser.

— Il y a une raison particulière pour laquelle vous m'appelez pour me raconter ces détails ?

— Votre ami Duquette a été un de leurs principaux complices. Pour être juste, je dois dire qu'il a probablement été autant victime que complice.

— Ce sont des accusations graves que vous portez.

— À votre place, je m'inquiéterais plutôt de l'enquête qu'il y aura. Ce serait plutôt gênant, vous ne pensez pas, si les enquêteurs remontaient jusqu'à ceux qui ont imposé sa nomination ?

— Si c'est tout ce que vous avez à me dire…

— Une dernière bonne nouvelle : je congédie Duquette et j'annule toutes les réformes qu'il a implantées.

— Avoir récupéré l'argent ne justifie en rien votre attitude.

— Je sais. Pour la justification, c'est vous qui allez vous en charger.

— Vous prenez vos rêves pour des réalités !

— J'ai un mot à vous dire : Folichon.

— Je ne comprends pas.

— Normal. Celui-là, c'est pour le sous-ministre. J'en ai un autre pour vous : Deschambeault.

— C'est du chantage ?

— Pas du tout. Je vous soustrais au chantage. Désormais, le sous-ministre et vous allez pouvoir décider librement. Je vous annonce que ces problèmes sont définitivement derrière vous.

— Définitivement ?

— Autre chose : on ne saura pas que les réformes de votre protégé ont permis qu'une partie de la Caisse serve à couvrir des activités de blanchiment d'argent. On parlera simplement de tentative d'infiltration dans le but d'en faire. Sur ce, je vous souhaite une bonne année.

En raccrochant, la présidente était satisfaite. Mais pas totalement. Elle aurait bien aimé savoir quelles histoires tordues se cachaient derrière les deux mots qu'elle avait répétés à Morne.

Théberge n'avait rien voulu lui expliquer. Il s'était contenté de lui communiquer les deux mots en lui indiquant de dire à Morne que les pressions exercées sur eux seraient désormais levées.

NORTH HATLEY, 21 H 46

Hurt était dans l'atelier. Depuis plusieurs minutes, il observait la lame en silence. Pour reprendre contact. Il y avait trois jours qu'il avait laissé ce travail en plan.

Un signal en provenance de l'ordinateur vint interrompre sa méditation.

— Comment va le marmonneur ? fit Chamane en guise de bonjour.

— Je suppose qu'il va bien. Pourquoi ?

— J'ai trouvé ce qu'il raconte.

— Vraiment ? Je pensais que tu étais à temps plein sur ton truc de Y2K.

— Les U-Bots s'en occupent. Moi, je coordonne.

— Qu'est-ce qu'il raconte ?

— À force de recoupements, j'ai pu reconstruire la presque totalité du texte. Je t'envoie ça.

— Tu ne peux pas me dire ce que c'est ?

— Une sorte d'essai ou de recueil de réflexions. Quelque chose du genre. Si tu enregistres d'autres séquences de monologue, je devrais pouvoir le compléter.

Lorsque le document que lui envoyait Chamane fut téléchargé, Hurt l'imprima. Il faisait une quarantaine de pages.

> Toute société est un ensemble de mécanismes qui a pour fonction de déterminer qui vit et qui meurt. Qui a accès aux moyens permettant d'assurer…

Après quelques minutes de lecture, Hurt comprit que Chamane avait raison. On aurait dit une sorte d'essai ou de traité sur la manipulation. La table des matières était pour le moins étonnante.

- Gérer l'apocalypse
- Acheter la docilité
    - L'achat
    - Le salaire
    - La loto
    - La ruine
    - L'illusion de l'argent
- Embrigader les volontés
    - Les conversions individuelles
    - Les conversions de masse
    - La dénonciation des impies
    - Les croyances à utiliser
- Asservir par les passions
    - Les passions : un potentiel à utiliser
    - Exploiter les sources d'amour
        - La séduction
        - Le chantage
    - Exploiter les sources de gratification
        - Les animaux domestiques
        - Les objets de collection
        - Les souvenirs précieux
    - Exploiter les sources de valorisation
        - La flatterie
        - Le statut social
        - L'image publique
        - L'humiliation
- Briser les résistances
    - La menace de mort
    - La destruction psychologique
    - La mort progressive
    - La mort symbolique
- La gestion rationnelle de la manipulation
    - La fraude
    - La négociation
    - Deux cas particuliers
        - La question des femmes
        - La question des sectes

Hurt parcourut rapidement le reste du texte, le posa sur son bureau et demeura un moment à réfléchir. Il avait l'impression d'être en présence d'un esprit qui avait le fonctionnement inexorable et glacé d'une machine : un mélange étonnant d'absence de scrupules, de méthode et de cynisme tranquille qui devait en faire un adversaire d'autant plus dangereux.

Un frisson le parcourut. Hurt décida alors de retourner à l'atelier : il avait besoin de se replonger dans le climat de détachement et de paix que lui procurait le travail sur les lames.

Les gens identifient naïvement à de la fraude toute forme d'échange ou de transaction au cours de laquelle une partie en dépouille une autre de ses biens sans lui offrir une juste compensation. Il s'agit d'une vision tronquée, qui réduit la fraude à certaines de ses formes particulièrement maladroites.
La fraude est le mode normal de tout échange économique, de toute relation commerciale. Son but est d'arracher le plus d'argent possible à un partenaire, en échange de la compensation la plus insuffisante possible. Idéalement, si on fait abstraction des réticences morales qui peuvent obscurcir le jugement de l'individu, on vise à lui prendre tout ce qu'il a sans rien lui donner en retour.
Telle est l'intention profonde de toute volonté d'échange.

Leonidas Fogg, *Pour une gestion rationnelle de la manipulation*, 6- La gestion rationnelle de la manipulation.

VENDREDI, 7 JANVIER 2000

RDI, 9 H 01

DEUX EXPLOSIONS ONT RAVAGÉ CETTE NUIT UN ÉDIFICE À BUREAUX DU CENTRE-VILLE. LES EXPLOSIONS SERAIENT CONSÉCUTIVES À DES TIRS DE ROQUETTES QUI AURAIENT FRACASSÉ LA FAÇADE DE VERRE DE L'ÉDIFICE POUR EXPLOSER À L'INTÉRIEUR.
LES DÉGÂTS SONT CONSIDÉRABLES. PAR CHANCE, PERSONNE N'ÉTAIT DANS L'ÉDIFICE AU MOMENT DE L'ATTENTAT, LE PERSONNEL D'ENTRETIEN AYANT QUITTÉ LES LIEUX QUELQUES MINUTES À PEINE AVANT L'ATTAQUE. L'AGENT DE SÉCURITÉ, QUI ÉTAIT AU POSTE DE GARDE AU REZ-DE-CHAUSSÉE, NOUS A RÉVÉLÉ QUE...

MONTRÉAL, 10 H 17

— *Yes !*

L'exclamation fit sursauter Geneviève. Elle leva les yeux du reportage sur l'esclavage des enfants un peu partout sur la planète et tourna la tête en direction du bureau de Chamane.

— Qu'est-ce qui se passe ? demanda-t-elle.

— Ça marche ! Ça marche !... Il faut que j'appelle Hurt !

— Tu parles de ton antivirus ?

— Oui. Ils ont lancé l'attaque à six heures précises. À six heures et des poussières de seconde, l'ordinateur avait enregistré la commande puis l'avait exécutée – avec la modification que nous avons ajoutée ! Je suis un génie ! Je vais échapper à la quadruple lobotomie ! Je ne serai pas obligé d'aller travailler chez Microsoft !

Chamane attendit quand même une dizaine de minutes avant d'appeler Hurt. Entre-temps, des messages en provenance des U-Bots étaient arrivés. Partout, l'antidote avait fonctionné comme prévu.

NORTH HATLEY, 10 H 31

Hurt entrait dans son bureau lorsque l'appel de Chamane survint.

— On les a eus ! fit Chamane.

— Eu qui ? demanda la voix posée de Steel. La dernière fois, tu parlais de la victoire des Packers !

— Je parle du Consortium ! On avait raison. Ils ont lancé leur attaque à six heures précises. Et la nouvelle *patch* a fonctionné.

— Ça veut dire que le problème est réglé ?

— De façon temporaire.

— Temporaire pour combien de temps ?

— Comme on ne pouvait pas éplucher tous les logiciels Microsoft avant plusieurs semaines, on a pris un raccourci.

— Un raccourci ?

— Au début, on a cherché un programme de reconstitution de la *back door* dans Windows. On l'a trouvé. Alors, je me suis dit que, s'ils étaient assez tordus pour mettre un mécanisme de protection, ils étaient capables d'en avoir mis un deuxième.

— Vous l'avez trouvé ?

— Non. Parce qu'on ne cherchait pas au bon endroit. On était restés dans Windows. C'est sûr, on a fini par découvrir des lignes de codes qui avaient l'air suspectes, des sous-programmes qui paraissaient attachés nulle part, mais rien pour créer des problèmes importants. Je veux dire, rien d'autre que les problèmes normaux de Windows. Alors, pour ne pas courir de risques, j'ai pensé à un truc : au lieu de neutraliser les *back doors*, on les a modifiées en y greffant un sous-programme.

— Et alors ?

— Quand l'ordre d'ouverture arrive, il vérifie une condition : si on est avant le premier janvier 2000, il exécute les instructions comme prévu. Si on est le premier janvier 2000 ou plus tard, il accepte les instructions, mais il les efface à mesure avant de les appliquer. Puis il envoie un message à l'expéditeur.

— Un message ?

— « Fuck le Consortium » !

— Et ils vont recevoir ce message de chaque ordinateur qu'ils vont tenter de pirater ?

— Exactement.

— Je ne suis pas sûr que c'est une bonne idée.

— De toute façon, on va régler le problème de façon définitive d'ici deux ou trois semaines. Le gars qui a monté tout ça est réellement brillant. Sais-tu ce qu'il a fait ?

— J'attends avec impatience que tu me le dises, ironisa la voix de Sharp.

— Il a mis le deuxième programme de réparation dans plusieurs programmes différents. On en a trouvé des morceaux dans Outlook. Dans Explorer. Peut-être qu'il en a mis dans les utilitaires les plus courants, comme Zip ou les lecteurs de MP3. Probablement dans Office.

— Des morceaux ?

— C'est ça, l'idée de génie. Il a enterré quelques morceaux importants dans Windows, mais les pièces essentielles sont dans d'autres logiciels. Les logiciels travaillent en synergie pour ouvrir une *back door*.

— Ça veut dire qu'il faut que tous les logiciels soient ouverts en même temps?

— Non. Windows, lui, par définition, est toujours ouvert. Il contient les instructions pour aller chercher ce qu'il faut dans les autres logiciels. C'est vraiment bien fait ! Il utilise même des bouts de programmation déjà existants dans les logiciels !

— Ces morceaux éparpillés dans les logiciels, vous allez pouvoir les retrouver ?

— On a commencé. Je te dis, ce gars-là n'a rien laissé au hasard. C'est un vrai génie !

— Mais tu es meilleur que lui ? ironisa Sharp.

— Évidemment.

— Dans combien de temps est-ce que le problème devrait être définitivement réglé ?

— Quelques semaines. Peut-être moins. Maintenant qu'on sait quoi chercher…

— Je peux compter sur le fait que ce sera réglé d'ici deux semaines ?

— À quatre-vingt-dix-neuf virgule quatre-vingt-dix-neuf pour cent.

— Et la partie manquante des cent pour cent ?

— Je suis mort avant d'avoir terminé… les extraterrestres ont envahi la planète… Ce genre de choses.

— Bon, d'accord. Je fais circuler la nouvelle.

MONTRÉAL, 11 H 08

Théberge se dirigea vers le bar et demanda à voir Dominique.

— Dites-lui que c'est un peu pressé.

La gérante du Palace arrivait l'instant d'après.

— Qu'est-ce qu'il y a de si urgent ? demanda-t-elle. Vous voulez me parler de l'article sur Yvan, dans *La Presse* de ce matin ? Vous l'avez vu ?

— Oui.

— On dit qu'il est un gestionnaire intègre et compétent, qu'il a travaillé contre le réseau de blanchiment d'argent. Ils citent les louanges des clones…

— Je sais.

— Vous savez aussi que Poitras lui a offert un poste de gestionnaire ? Mais il lui a dit de prendre son temps avant d'accepter. Qu'il recevrait sûrement d'autres offres.

— Justement… je ne pense pas qu'il va travailler pour Poitras.

— Pourquoi ?

— L'explosion dont ils parlent dans les médias, l'attaque au lance-roquettes…

— Pas Poitras !

— Pas lui, non. Mais son bureau. Et ça, ça veut dire que les représailles commencent.

— Vous voulez dire qu'Yvan, Geneviève…

— Yvan, Geneviève… vous… moi…

— Qu'est-ce qu'on va faire ?

— J'ai reçu une proposition ce matin, en même temps que l'avertissement de me tenir sur mes gardes.

— Une proposition de qui ?

— Les mystérieux employeurs de Chamane et d'Yvan. Ils offrent de prendre en charge notre sécurité. Changement d'identité, chirurgie plastique, relocalisation, biographie fictive…

— Et de quoi est-ce qu'on vivrait ?

— Ils ont un budget de cinquante à cent millions. Pour assurer notre survie, comme ils disent.

— C'est fou. Ça ne se peut pas.

— Au contraire, je trouve que c'est la seule solution réaliste.

— Je ne peux pas décider ça comme ça.

— Je sais. Je vais vous amener dans un lieu sûr. Vous aurez quelques jours pour y penser.

— Mais Yvan… Geneviève… Il faut les avertir.

— Il y a déjà des gens qui s'occupent d'eux. On va tous se retrouver là-bas.

LONDRES, 16 H 34

— Vous êtes en retard pour le thé ! fit l'homme que Fogg connaissait depuis plus de vingt ans sous le nom de John Messenger.

— L'ascenseur était en panne, dit Fogg.

Il posa une enveloppe sur la table de la petite salle du club privé où il rencontrait Messenger quatre fois par année, à la fin de chaque trimestre.

— Je vous ai apporté un rapport complet, reprit Fogg.

— Vous auriez pu me l'envoyer par courrier électronique.

— Avec ce qui se passe depuis quelques jours, je n'ai pas une entière confiance aux ordinateurs.

— Vous avez probablement raison.

Messenger avait devant lui un verre de porto. Probablement un Graham 30 ans. Depuis des années, Fogg ne l'avait pas vu commander autre chose.

— Comment se porte le Consortium ? reprit Messenger.

— Nous avons eu des pertes dans deux secteurs : Meat Shop et le réseau de blanchiment de Safe Heaven. Safe Heaven lui-même n'a pas été affecté.

— Vous avez pris une sage décision quand vous avez choisi de séparer les deux parties du système de gestion financière.

— Oui.

— Je suppose que ça retarde vos projets d'unification des mafias ?

— Oui.

— Surtout que l'opération Y2-KEY n'a pas l'air de vraiment décoller.

— On a eu quelques difficultés.

— Quelques difficultés, oui, répéta doucement Messenger après avoir trempé ses lèvres dans son porto.

Il reposa son verre.

— Les gens ont été désagréablement surpris de lire les détails de certaines opérations financières dans les médias, poursuivit-il.

Les gens…

Depuis que Fogg connaissait Messenger, ce dernier n'avait jamais employé autre chose que cette expression. « Les gens que j'ai rencontrés… Il y a des gens qui… Des gens seraient intéressés à… »

— Toutes ces références aux liens de Petreanu avec le Club de Londres, continua Messenger. C'était vraiment… vraiment…

Il hésita, comme s'il cherchait un qualificatif suffisamment fort pour exprimer à la fois sa désapprobation morale et sa répugnance à parler d'une telle chose.

— De très mauvais goût, finit-il par dire.

— Je suis tout à fait d'accord. Je vous informe que Petreanu n'est plus un problème.

— Je l'espère bien…

Messenger trempa de nouveau les lèvres dans son verre. Le niveau du liquide n'en fut pas affecté.

— Les gens se sont également étonnés de voir vos milliards disparaître, reprit-il.

— C'est un accident de parcours. Provoqué par Brochet et Petreanu.

— Lesquels étaient sous votre responsabilité.

— C'est pourquoi j'ai pris des mesures.

— Quand les événements ont cette ampleur, vous savez, on parle plus volontiers de catastrophe écologique que d'un simple accident.

— Très drôle.

— Les gens se sont inquiétés : si vous ne protégez pas mieux leurs milliards que les vôtres…

— Dites-leur qu'ils peuvent dormir tranquilles.

— Ils dorment rarement… Mais vous, que pensez-vous faire ?

— Du ménage.

— Ça me semble une bonne idée.

— Les choses sont déjà en marche.

— Et pour l'Institut ? La situation commence à devenir irritante, non ?

— L'Institut n'existe pas ! répliqua Fogg en espérant s'en tirer par un trait d'humour. Tous les médias le répètent !

— Oui, bien sûr. Une chance pour vous qu'il n'existe pas. S'il existait, je n'ose pas envisager les dommages qu'il pourrait infliger à votre organisation.

— Nous allons prendre des mesures.

— Espérons que ce ne sera pas celles dont pourrait avoir besoin votre thanatologue.

— Ils sont mécontents à ce point ?

— Ils ont une aversion particulière pour l'incertitude. Cela dit, ces messieurs m'ont chargé de vous réitérer leur confiance. Le retard que vous allez encourir dans l'unification des mafias va évidemment retarder d'autant la réalisation de leur propre plan. Mais leur patience est encore plus grande que leur allergie à l'insécurité. Et puis, comme on dit, vous êtes encore leur meilleur cheval.

Fogg ne répondit pas. Il attendit que Messenger reprenne.

Ce dernier se réfugia un instant derrière son verre de porto et il y concentra son regard comme si le sujet nécessitait une décision difficile. Puis il y trempa légèrement les lèvres.

— Vous avez évoqué des mesures concernant l'Institut, dit-il finalement. Si vous me parliez de ce que vous avez en tête…

— Nous allons nous intéresser au Québec.

— Il ne faudrait pas en faire une fixation.

— J'ai l'impression que c'est eux qui font une fixation sur cet endroit.

— Si vous le dites… Alors, ces mesures ?

— Elles ont commencé aujourd'hui même.

NORTH HATLEY, 11 H 43

Hurt se rendait au Pilsen pour dîner. Comme à l'accoutumée, un des Jones l'accompagnait.

Soudain, quelques notes de clavecin se firent entendre dans le véhicule. Jones 7 sortit un cellulaire ultra-plat de sa poche de manteau.

— Oui… OK.

L'échange avait duré moins de dix secondes.

— Ralentissez et rangez-vous sur l'accotement, fit Jones 7. Dans moins de deux minutes, Jones 16 va nous rejoindre avec le véhicule de réserve.

— Qu'est-ce qui se passe ? demanda la voix froide de Steel, tout en obtempérant.

— Il y a des gens qui vous cherchent, répondit Jones 7. Ils ont montré des photos de vous à des voisins. Pas de très bonne qualité, heureusement.

— Le Consortium…

— On dirait bien… Avec ce qui vient d'arriver au bureau de Poitras, on ne peut courir aucun risque.

— Je suis d'accord.

— Jones 16 a enclenché le système d'autodestruction. Si jamais quelqu'un essaie de forcer l'entrée…

— Mon atelier…

Cette fois, c'était la voix fragile, presque déchirante de Sweet qui s'était fait entendre.

— Entre votre atelier et votre vie…

— Je sais…

La voix froide et calme de Steel était revenue.

— Jones 26 a pris votre ordinateur portable, reprit Jones 7. Vous allez pouvoir vous mettre en réseau et nettoyer les deux ordinateurs qui sont restés là-bas.

— Entendu.

— Pour vos effets personnels, si vous voulez, je retournerai cette nuit.

— On va où ?

— À Saint-Constant. La plupart sont déjà rendus au monastère. Mais, d'abord, on va s'assurer qu'on n'est pas suivis.

— Il arrive, dit Hurt qui regardait dans le rétroviseur.

— Préparez-vous à changer de véhicule. Moi, je vais faire disparaître celui-ci.

SAINT-CONSTANT, 14 H 25

Tour à tour, les invités avaient été accueillis par frère Guidon, qui avait mis une grande salle de repos à leur disposition. Chamane fut le dernier à arriver.

Dominique et Geneviève étaient déjà là depuis plus d'une heure. Yvan et Poitras étaient arrivés une dizaine de minutes après eux. L'inspecteur Théberge avait ensuite suivi.

— Nous sommes maintenant au complet, dit frère Guidon. Je vais aller chercher votre hôte.

Lorsque Blunt fit son entrée dans la pièce, Poitras et Théberge ne furent qu'à moitié étonnés.

— Certains d'entre vous m'ont déjà rencontré, dit-il. D'autres pas. Par contre, ce que vous ignorez, c'est que j'ai déjà été dans la même situation que vous. J'ai eu à choisir entre ma survie et mon identité.

Personne ne fit de remarque, mais plusieurs réajustèrent leur position dans leur fauteuil.

— Nos adversaires ont commencé à exercer des représailles, poursuivit Blunt. En Europe, on compte déjà vingt-six victimes. Quelques-unes sont des personnes qui ont collaboré avec nous, mais la plupart ont eu comme unique tort d'êtres devenues des éléments à risque pour eux. Le seul point rassurant, c'est qu'il semble n'y avoir aucune nouvelle victime parmi les forces de l'ordre.

— Qu'est-ce que vous nous proposez ? demanda Poitras.

— De disparaître. Et de réapparaître sous une autre identité, une autre apparence, ailleurs sur la planète.

— Ce n'est pas un simple déménagement, fit Dominique. C'est toute notre vie que vous nous demandez d'abandonner ! Tous nos projets !

— J'en suis conscient.

— Vous n'exagérez pas le danger ? demanda Yvan. Si on se met à l'abri pendant quelques mois, les choses vont se tasser.

— Vous demanderez à Chamane de vous parler de son ami Steel. Il vous dira de quel acharnement dans la vengeance le Consortium est capable.

— Le Consortium ?

— C'est le nom de l'organisation dont vous avez contribué, sans nécessairement le savoir, à contrecarrer les plans.

Geneviève intervint.

— J'ai des amis, moi ! On est en train de monter un spectacle !

— Rien ne vous oblige à renoncer à votre art. Vous pourrez le poursuivre ailleurs. Avec des moyens dont vous ne pouvez probablement même pas rêver… Mais, pour les amis, il faudra en faire votre deuil. Non seulement pour votre sécurité, mais pour la leur.

— Vous voulez nous obliger à disparaître, résuma Poitras. Tous.

— Je ne peux pas vous forcer, répondit Blunt. Mais c'est la seule solution. À chacun de vous, nous pouvons offrir une situation qui lui permettra de poursuivre ses activités, dans le domaine qu'il avait choisi.

— Que va-t-il arriver à ma famille ? demanda Poitras.

— Des gens s'en sont occupés à Paris. Vous pourrez communiquer avec eux et tout leur expliquer dans quelques instants.

— Et mes clients ?

— Vos adjoints prendront la relève. L'annonce de votre départ devrait faire en sorte que le Consortium se désintéresse d'eux.

— Vous me voyez à ne rien faire pour le reste de ma vie ? Je ne vais quand même pas prendre ma retraite !

— Nous avons un fonds de plus de cinquante milliards à gérer.

— Vous n'avez pas besoin de moi. L'argent est déjà réparti dans un peu plus de trois cents comptes, dans divers paradis fiscaux. Vous avez seulement à l'utiliser comme vous voulez.

— Nous avons un plan, répondit Blunt. Nous avons pensé à quelque chose. Ça devrait vous intéresser.

— Pour utiliser l'argent ?

— Oui. Et vous n'aurez pas trop de l'aide d'Yvan et de Chamane.

Les deux jeunes se contentèrent de fixer leur regard sur Blunt.

— Et moi ? demanda Dominique. Je ne me vois pas tellement ouvrir un bar de danseuses pour vos mystérieux employeurs !

— Pour vous aussi j'ai une offre, répondit Blunt. La directrice de l'organisation a une haute opinion de vos capacités. Elle a une proposition à vous faire.

— Et il faut que j'abandonne tout ce que j'ai ici, je suppose ?

— De toute manière, vous ne pouvez plus aller dans aucun des endroits où on vous connaît. Des gens passeront chez vous récupérer vos effets personnels.

— Vous n'avez pas le droit de nous demander ça.

— C'est la seule solution. Mais vous pouvez demeurer ici un certain temps, pour décider de ce que vous voulez devenir.

— Moi, c'est décidé, fit Théberge. Vous avez dit vous-même qu'il y avait moins de risques qu'ils s'en prennent à des policiers ou à leurs familles. Donc, je reste. Mais je recommande furieusement aux autres d'accepter votre proposition, ajouta-t-il en se tournant vers Dominique.

MASSAWIPPI, 20 H 41

Blunt n'était pas aussitôt assis dans le fauteuil que F l'interrogeait.

— Et alors ?

— Ils ont tous accepté. Sauf Théberge.

— C'est effectivement celui qui court le moins de risques.

— Comment se passe le nettoyage ?

— J'ai reçu un message de Tate. Le décompte des victimes est maintenant de cinquante-trois. Quatorze aux États-Unis. Le reste surtout en Europe. Les bilans du Japon et de l'Australie sont plus lents à rentrer.

— Pour qu'ils prennent des mesures aussi draconiennes, on doit les avoir sérieusement indisposés.

— Ce qui veut dire qu'il va falloir se méfier encore davantage d'eux… Vous avez appris, pour Hurt ?

— Oui. Qu'est-ce que vous allez faire ?

— L'envoyer ailleurs. Probablement en Europe.

— Et vous ? Vous ne pouvez pas rester ici. S'ils sont à North Hatley, c'est seulement une question de temps avant qu'ils vous trouvent.

— Je sais. Le plus dur, ça va être d'annoncer ça à Gunther.

— Est-ce que Tate vous a dit comment ils allaient aborder la question de l'Institut ?

— La thèse officielle est désormais que nous avons été ressuscités artificiellement pour créer de la désinformation auprès du réseau international qui a été démoli. Les autorités de tous les pays soutiennent cette version des faits.

— Et pour nos contacts aux États-Unis ?

— On passe par Tate. Avec le nouveau président, on verra une fois qu'il sera élu.

Deux heures plus tard, lorsque Blunt fut reparti, F songea à toutes les questions qu'elle se posait sur l'orientation de l'Institut. À la réponse que lui avait donnée Bamboo Joe…

Il avait raison. Les événements et l'urgence de l'action avaient un rôle crucial à jouer dans les décisions. La réflexion et la planification n'étaient pas un handicap, au contraire, mais, dans le calme et la tranquillité de sa retraite, elle n'aurait jamais songé à offrir aussi rapidement un poste d'adjointe à Dominique.

La décision s'était imposée à elle quand elle avait appris l'attaque contre le bureau de Poitras et qu'elle avait passé en revue les gens à protéger.

Une partie importante de son travail consistait à évaluer les gens qui travaillaient pour elle, à différents endroits, dans différents milieux. Or, Dominique avait passé sa vie à analyser et à évaluer le comportement des gens. Son expérience de travail autant que son sujet de thèse en témoignaient. Ç'aurait été un réel gaspillage de laisser passer cette occasion. Et puis, n'avaient-elles pas toutes deux le même prénom ?

BROSSARD, 21 H 43

L'inspecteur-chef Théberge descendit à la cave et remonta avec une bouteille de Château Cheval Blanc 1985.

Sa femme le regarda décanter minutieusement le vin sans poser de questions. Elle accepta le verre qu'il lui tendit. Prit une gorgée pour l'accompagner. Attendit qu'il ait fini de déguster la sienne.

— Ça rime à quoi, Gonzague ? demanda-t-elle finalement.

Depuis le souper, il s'était promené comme un ours en cage dans la maison. Il avait décliné la suggestion de prendre un bain pour se détendre et il n'était pas descendu à son bureau une seule fois pour allumer sa pipe.

— Aujourd'hui, j'ai pris une décision difficile, dit-il. Et je l'ai prise pour nous deux, ajouta-t-il après une pause.

— Tu veux divorcer ?

Une réelle inquiétude pointait dans la voix de sa femme.

Un sourire éclaira le visage du policier.

— Non, dit-il. Je ne veux pas divorcer.

— Alors, ça ne peut pas être bien grave.

— Tu as raison. Ce n'est sans doute pas aussi grave que je le pensais. Mais il faut quand même qu'on en parle.

— C'est quoi, ta décision ?

— Tu sais, l'affaire des vampires…

Théberge expliqua à sa femme ce qu'était le Consortium et comment il avait contribué à démolir la partie du réseau qui était à Montréal. Il lui parla de Brochet, des vampires, des mystérieux amis de Lefebvre, de l'attaque contre Poitras et des représailles qui avaient commencé dans plusieurs pays. Il termina avec l'offre qu'on lui avait faite et qu'il avait refusée.

— En y repensant, dit-il, je me suis dit que je n'avais pas le droit de décider tout seul. Alors, si tu veux qu'on aille vivre en retraités de luxe, sous un autre nom, dans un autre pays…

— Tu ferais quoi, là-bas ?

— Je ne sais pas. Probablement que leur organisation me demanderait de suivre des dossiers reliés à des opérations…

— Et tu passerais tout ton temps derrière un bureau ?

— Je pourrais probablement travailler à la maison. L'idée, c'est de se faire discrets. De ne pas se lancer dans des enquêtes ni mettre son nez partout… Mais toi ?

— Il faudrait que je laisse mon club de bridge, mes activités de bénévolat… mes sœurs…

— Ce ne serait pas une grande perte.

— La famille, c'est sacré, Gonzague ! Je suis tout à fait d'accord avec ce que tu penses d'elles, mais ce sont mes sœurs.

— Oui, oui…

— Ne me oui-oui pas. Ce sont mes sœurs et je les aime avec tous leurs défauts.

— C'en fait beaucoup à aimer.

— Gonzague !

— D'accord, d'accord… J'ai donné un tantinet dans l'hyperbole.

Une pause dans la conversation servit de prétexte à Théberge pour goûter de nouveau au vin.

— Ce que tu as dit sur le fait qu'il y a moins de risques pour les policiers, c'est vrai ? demanda sa femme.

— Probablement, oui.

Un nouveau silence suivit. Théberge attendit que la délicate mécanique qui prenait des décisions, dans le cerveau de sa femme, ait fini de peser les pour et les contre.

— On reste, dit-elle finalement.

— On reste ?

— On reste.

— Tu fais ça pour moi !

— Pas pour toi : pour moi. Sans tes enquêtes et tes amis de l'escouade fantôme, tu deviendrais invivable en moins de deux semaines !

— Je suis si affreux que ça ?

— Et en plus, tu travaillerais à la maison !… Non, je ne veux pas avoir ton sang sur mes mains.

— Si c'est pour prévenir un crime…

— On en a vu d'autres. On va affronter ça ensemble.

— Ça, c'est sûr. Si on a été capables de survivre à ta famille, le Consortium, en comparaison, ça va être des vacances.

Il leva son verre en direction de madame Théberge, qui lui rendit son salut.

57 000 000 000
DE RAISONS DE VIVRE

… la perfection est rarement de ce monde. Des compromis sont souvent inévitables. Il faut alors céder de menus avantages en échange de ce qu'on veut acquérir. Plus ces avantages sont importants, plus le caractère fondamental de la fraude tend à être occulté. La fraude prend alors la forme – et l'apparence – de la négociation.
L'avantage de la négociation est de fournir à la fraude un cadre juridique qui la rend plus difficilement attaquable en justice. Le cadre juridique permet en effet au fraudeur de se protéger contre les représailles du fraudé en inscrivant dans un contrat le résultat d'une négociation faite à armes inégales.
Dans cette perspective, plus le cadre juridique est intimidant, plus son accès est financièrement difficile, meilleur est son effet dissuasif.
Il est par ailleurs utile de laisser occasionnellement des fraudés tenter leur chance devant les tribunaux : pour faire la démonstration publique de l'innocuité de ce recours ainsi que des périls financiers auxquels s'exposent ceux qui les utilisent.

Leonidas Fogg, *Pour une gestion rationnelle de la manipulation*, 6- La gestion rationnelle de la manipulation.

26 MARS 2000

AUREY, 9 H 53

Genaro Mendoza prenait un café au petit restaurant de l'hôtel, près du marché. Il était arrivé en France la veille, en fin de soirée, après un vol Mexico-New York-Paris. De là, il avait pris un vol local jusqu'à Rennes. Il avait ensuite fait le reste du trajet en voiture jusqu'à

Aurey, où il s'était écroulé dans le lit de sa chambre d'hôtel.

Dans le *Herald Tribune*, une nouvelle attira son attention: on venait de mettre au jour, sur la côte californienne, un réseau d'immigrants clandestins. On en avait retrouvé plus de trois cents, enfermés dans des ateliers de couture et des laboratoires de transformation de drogue, où ils travaillaient enchaînés à leur poste de travail.

Depuis plusieurs années, Genaro n'était plus impliqué dans ces opérations de terrain. Après avoir travaillé pendant huit ans comme informateur de la Drug Enforcement Administration à l'intérieur de la police fédérale mexicaine, il avait dû prendre une retraite précipitée.

Son dernier rapport avait permis de remonter la filière de la corruption jusqu'à Raoul Salinas, le frère du président de l'époque. Grâce à son travail, on avait pu établir que Salinas était probablement le chef véritable du cartel du Golfe. C'était un coup exceptionnel. Sauf que les narcotrafiquants avaient eu vent de ses activités.

Genaro avait mis cinq ans à se faire oublier, ce qui avait commencé par un changement d'identité, une chirurgie plastique pour modifier les traits de son visage et une relocalisation à Manhattan.

Au début, l'essentiel de son temps s'était passé à se familiariser avec sa nouvelle existence. Puis, après quelques années, il avait trouvé une façon de poursuivre sa lutte contre la drogue: il travaillait comme bénévole à la réhabilitation de jeunes drogués.

Genaro était perdu dans ses pensées lorsqu'un homme en complet marine finement rayé de gris prit place à sa table.

— Vous paraissez moins nerveux qu'au moment de notre première rencontre, dit l'homme.

— Avouez qu'il y avait de quoi.

L'homme s'était présenté à lui sous le nom de monsieur Jones, de la firme Jones & Jones. Il lui avait déclaré de but en blanc qu'il connaissait sa véritable identité et que c'était pour cette raison qu'il avait décidé de lui faire confiance. Ça et son engagement auprès des jeunes. Puis, avant que Mendoza ait eu le temps de réagir, il lui avait demandé s'il serait intéressé à élargir ses horizons : aider de jeunes drogués n'était pas une activité négligeable, loin de là, mais que dirait-il de multiplier plusieurs centaines de fois la portée de son action ?

L'ancien agent du FBI, croyant à un piège, avait protesté qu'on le confondait avec quelqu'un d'autre.

Pour toute réponse, le représentant de Jones & Jones avait sorti de sa mallette une enveloppe matelassée et l'avait déposée sur la table.

— Vous trouverez dans cette enveloppe mille billets de cent dollars. J'aurais pu les déposer dans votre compte, mais j'ai jugé préférable de ne pas attirer l'attention sur vous.

Puis, coupant court aux protestations de Mendoza, il avait enchaîné.

— Vous avez une semaine pour le dépenser judicieusement. Nous avons pensé que vous pourriez vous intéresser en priorité à ceux qui œuvrent pour que l'on cesse de maltraiter les êtres humains. Distribuez l'argent du mieux que vous le pouvez. Mais, surtout, assurez-vous de préserver votre anonymat. Il ne faut, sous aucun prétexte, que l'on puisse remonter à vous.

L'homme s'était ensuite éclipsé sans plus de formalités.

À la fois sceptique et inquiet, Mendoza avait attendu d'être chez lui pour ouvrir l'enveloppe. Il avait alors constaté qu'elle contenait effectivement mille billets de cent dollars.

Deux jours plus tard, il répartissait la somme dans trois enveloppes, en prenant soin de n'y laisser aucune empreinte, et il les envoyait à trois centres qui s'occupaient de la désintoxication de jeunes drogués.

La semaine suivante, l'homme était revenu. Cette fois, il lui avait remis une autre enveloppe.

— Le deuxième test, avait-il dit. Ce sont maintenant des billets au porteur. Il y en a pour un million. Vous avez deux semaines.

Puis il y avait eu le troisième test…

Genaro Mendoza esquissa un sourire.

— Disons que je suis un peu moins inquiet, fit-il. Mais tant que je ne saurai pas qui est derrière tout ça et d'où vient l'argent…

— Je peux simplement vous assurer que ce n'est pas un narcotrafiquant qui essaie de s'acheter une réputation, répondit Jones avec un sourire. Pour le reste, il va falloir que vous attendiez cet après-midi.

LORIENT, 10 H 17

Sheldon Bronkowski fut le troisième à descendre du train. Sur le quai, un homme en complet marine finement rayé de gris l'attendait. Il ressemblait à un croisement d'homme d'affaires et de maître d'hôtel et il avait sur le visage le même sourire que lorsqu'ils s'étaient séparés, un mois plus tôt, à New York.

Bronkowski se demanda brièvement si l'homme mettait son sourire au congélateur tout de suite après une rencontre pour le ressortir à la suivante. Au Vietnam, il avait connu un porte-parole de l'état-major qui avait ce genre de sourire automatique. Plus tard, à Washington, il avait compris que c'était une habileté courante dans les cercles politiques de la capitale.

Sauf que l'homme qui l'attendait avait quelque chose de plus. Son sourire avait l'air naturel et sincère. Pas seulement programmé pour le paraître.

— Monsieur Jones, dit-il en lui tendant la main.

— Monsieur Bronkowski, répondit l'interpellé en saisissant la main tendue. Vous avez fait bon voyage ?

— Oui, oui… Alors, cette rencontre ?

— À trois heures cet après-midi. Nous avons amplement le temps de nous y rendre.

— Est-ce que je vais enfin savoir à quoi rime toute cette histoire ?

— La seule chose que je suis autorisé à vous dire, c'est que vous avez passé le troisième test. Quelqu'un d'autre que moi vous expliquera la raison véritable de votre présence ici.

Le troisième test, songea Bronkowski. Dix millions avaient été placés en fiducie pour être distribués à des organisations de bienfaisance. On lui demandait son aide : il devait décider quelles organisations bénéficieraient de l'argent et combien elles recevraient. Il avait un mois pour faire connaître sa décision. Monsieur Jones le contacterait régulièrement pour s'informer des progrès de sa réflexion.

On s'attendait à ce qu'il privilégie les causes qui, sur la planète, le touchaient le plus, avait-on ajouté. Des causes qui lui semblaient apporter une contribution significative à la lutte contre la déshumanisation.

Bronkowski avait trouvé l'expérience plus difficile qu'il n'aurait cru. Avec dix millions, il voyait très bien l'aide qu'il pouvait apporter à tel ou tel organisme. Mais de considérer l'ensemble des besoins pour ensuite choisir qui aider lui avait permis de mesurer l'ampleur de ce qu'il ne pourrait pas faire. Attribuer de l'argent à tel et tel groupe, c'était condamner les autres à ne rien recevoir.

Il avait alors eu la tentation d'éparpiller l'argent en une multitude de petits dons. Puis il s'était rendu compte du risque lié à un tel saupoudrage : la petitesse des sommes ferait que nulle part elles n'auraient un impact significatif. C'est à ce moment qu'il avait décidé de répartir la somme totale entre trois organismes et de donner à chacun un montant qui pourrait vraiment créer une différence.

Après deux semaines de réflexions torturantes, il avait transmis sa décision : il attribuait cinq millions à une ONG qui s'occupait de l'enlèvement des mines antipersonnel et trois millions à un organisme qui s'occupait des orphelins de la guerre, au Vietnam. Les deux millions restants iraient au Mozambique, où ils serviraient à la réhabilitation des enfants-soldats.

Deux jours plus tard, il recevait un fac-similé d'un article de la presse vietnamienne racontant qu'un donateur anonyme venait de verser trois millions pour aider les orphelins de la guerre.

Deux autres fac-similés avaient suivi.

Bronkowski emboîta le pas à Jones et ils se dirigèrent vers la voiture que ce dernier lui avait désignée.

— Vous ne pouvez rien me dire d'autre ? insista Bronkowski.

— Seulement que vous ne serez pas déçu.

QUIBERON, 10 H 21

Elena Cassoulides marchait sur le quai du port. Elle était accompagnée d'un homme à l'accent nettement *british* et dont le complet marine finement rayé de gris semblait provenir des meilleurs tailleurs londoniens. Elle le connaissait sous le simple nom de Jones. Il l'avait rencontrée comme prévu à Nice et il l'avait amenée directement à Quiberon à bord d'un yacht privé.

— Vous ne pouvez pas me dire le lieu de cette rencontre ?

— Pas pour le moment.

— Vous m'avez pourtant confirmé que j'avais passé les tests. Qu'on me faisait confiance.

— Vous avez effectivement passé les tests.

Elena Cassoulides pensa à leur première rencontre.

Jones s'était présenté à son bureau sans rendez-vous, au département de biologie de l'université d'Athènes, et il avait insisté pour avoir quelques minutes d'entretien avec elle.

— Vous voulez faire quelque chose pour la cause de l'environnement ? lui avait-il simplement demandé.

— Bien sûr, avait répondu Elena, croyant qu'il s'agissait d'une question rhétorique pour ouvrir la discussion.

Il avait alors posé son attaché-case sur la table en disant :

— C'est pour vous.

— Qu'est-ce que c'est ?

— Cent mille dollars.

— Quoi !…

— Vous avez une semaine pour le dépenser. Vous les donnez à une organisation ou à un groupe qui, selon vous, mérite d'être soutenu dans son combat pour la protection de l'environnement. Vous pouvez aussi le répartir entre plusieurs organisations.

Lorsqu'elle lui avait demandé d'où venait l'argent, l'homme avait esquivé la question.

— Une fondation qui désire demeurer anonyme, s'était-il contenté de répondre.

De la même manière, lorsqu'elle avait voulu connaître la raison du délai d'une semaine, il s'était limité à lui dire que c'était un test. Si elle le passait, ils se reverraient.

Par contre, lorsqu'elle avait demandé pour quelle raison elle avait été choisie, la réponse avait été plus élaborée. Jones lui avait décrit en détail sa carrière académique et, du même souffle, il lui avait énuméré toutes les causes environnementales au profit desquelles elle s'était engagée au cours des ans. Il lui avait même cité un extrait de son dernier article sur les moyens à prendre pour sauver de la pollution les trésors architecturaux d'Athènes.

Jones amena la femme jusqu'à une Volvo garée le long de la rue et il lui ouvrit la portière.

— Nous changerons de véhicule à quelques kilomètres de notre arrivée, dit-il. Au restaurant où nous nous arrêterons pour déjeuner.

— Vous êtes certain que toutes ces précautions sont bien nécessaires ? demanda-t-elle en montant dans la voiture.

— Ce que nous devons espérer, c'est qu'elles soient effectivement inutiles.

NATIONALE 166, 17 H 12

Masaru Watanabe regardait défiler le paysage par la fenêtre. Deux jours plus tôt, à la descente de l'avion, il avait dormi dans un hôtel de Madrid. Le lendemain matin, une limousine l'attendait à la porte de l'hôtel. Le chauffeur était l'homme qu'il avait rencontré à Kobe, un mois plus tôt : monsieur Jones.

Ensemble, ils avaient gagné un petit aéroport, en banlieue de la ville. De là, ils étaient partis pour Rennes à bord d'un avion privé. Watanabe avait été surpris de voir le chauffeur de la limousine prendre les commandes de l'avion.

— Vous avez déjà piloté ce genre d'appareil ? lui avait-il demandé, formulant sa question de manière à ne pas trop manifester sa surprise.

— Dans une vie antérieure, avait répondu énigmatiquement monsieur Jones.

— Lors de notre première rencontre, je vous avais pris pour un homme d'affaires.

— Une autre vie antérieure, avait répondu Jones, cette fois avec un sourire.

Impassible, Masaru Watanabe retenait les autres questions qu'il brûlait de lui poser. Insister davantage aurait été impoli. Non pas que le chauffeur s'en fût offusqué : c'était toujours avec une amabilité souriante qu'il répondait. Mais chacune de ses réponses était une façon élégante d'éviter la question… De toute manière, on lui avait promis qu'il aurait réponse à toutes ses questions au moment de la rencontre.

Watanabe ne pouvait s'empêcher de s'interroger sur les raisons pour lesquelles on l'avait choisi, lui, un obscur cadre intermédiaire d'une centrale syndicale japonaise, pour une telle opération. Il n'était même jamais sorti de son pays.

Monsieur Jones avait mentionné son travail comme bénévole auprès des sinistrés de Kobe, sa participation à la mise sur pied de coopératives de travailleurs, son travail à la commission spéciale du syndicat sur le respect des droits des ouvriers... Mais ce n'était pas suffisant pour qu'on lui confie la responsabilité de dix millions de dollars américains. Surtout pas avec la consigne de les distribuer comme bon lui semblerait, aux groupes ou aux organisations dont les initiatives lui paraîtraient les plus valables.

Il fut tiré de ses réflexions par la voix du chauffeur.

— La rencontre aura lieu à quinze heures, dit celui-ci. Nous avons amplement le temps de nous arrêter pour déjeuner.

NATIONALE 138, 10 H 34

Ludmilla Matzneff ne pouvait se défendre d'un certain scepticisme. Dix-huit années de journalisme l'avaient convaincue que le désintéressement et l'abnégation sont des choses qui n'existent pas. En tout cas, pas dans les milieux où l'argent se compte en millions.

L'homme qui l'avait rencontrée, un mois plus tôt, avait refusé de répondre à la plupart de ses questions, lui disant que la seule façon pour elle d'obtenir des réponses était d'aller de l'avant dans le test qu'on lui avait proposé.

La méfiance de Ludmilla était d'autant plus grande que l'individu semblait tout connaître de sa vie. En réponse à la question de savoir pour quelle raison elle avait été choisie, il lui avait remis une bibliographie à jour de ses livres et de ses articles, incluant les entrevues qu'elle avait données à la radio et à la télévision, un peu partout en Europe et sur le reste de la planète.

Il lui avait également parlé avec abondance des combats auxquels elle avait été mêlée : lutte contre l'excision, manifestations pour l'abolition de la torture, campagnes pour la libération de prisonniers politiques...

Elle avait accepté pour ne pas perdre le contact. Dans l'espoir que cela lui permettrait de démasquer ceux qui étaient derrière cette escroquerie. Car c'était certainement une escroquerie.

Au moment du troisième test, elle avait fait jouer ses contacts. Sans succès. Personne ne connaissait la fameuse société Jones & Jones. Du moins, pas celle dont se réclamait l'homme qu'elle avait rencontré. Et personne n'avait entendu parler d'un vol d'une dizaine de millions de dollars.

Après deux semaines de tergiversation, elle avait décidé de jouer le jeu jusqu'au bout. Elle avait dressé une liste de dix organisations qui lui semblaient accomplir un travail particulièrement important et elle avait communiqué leur nom à l'énigmatique monsieur Jones. Puis elle avait attendu.

À la fin du mois, Jones avait repris contact avec elle. Par téléphone, cette fois, alors qu'elle se trouvait aux États-Unis pour un reportage sur la recrudescence des exécutions. Il lui annonçait qu'elle avait passé le test avec succès et qu'il l'attendrait quatre jours plus tard, à Charles de Gaulle, pour le test numéro quatre. Son billet d'avion était déjà réservé : elle n'avait qu'à le réclamer à la réception de son hôtel. Elle y trouverait également un court dossier de presse montrant que l'argent avait bien été distribué selon ses instructions.

Comme promis, Jones l'avait attendue à l'aéroport avec une limousine. Ils allaient traverser une partie de la France, avait-il dit. Cela lui donnerait le temps de réfléchir.

— À quoi ? avait-elle demandé.

— Au choix que vous avez à faire. Ou bien vous continuez à considérer cela comme une enquête pour décrocher un *scoop*, ou bien vous acceptez l'idée que vous pourriez jouer effectivement un rôle significatif pour corriger les situations que vous dénoncez.

Ludmilla Matzneff était demeurée sans voix. L'homme avait alors enchaîné :

— Les gens qui ont conçu ces tests auraient été inquiets que vous ne réagissiez pas de cette façon. Mais ils ont confiance en vous. Ils pensent que vous ferez le bon choix le moment venu.

LOCMARIAQUER, 12 H 10

Nahawa Sangaré avait terminé son assiette. En face d'elle, un homme au complet marine achevait la sienne. Chacun de ses gestes semblait à la fois précis et délibéré.

Le restaurant était presque vide.

— Ça n'a pas été facile, dit la jeune femme.

— De choisir ?

— Oui. Il y a tellement de misère, tellement de besoins.

— Vous avez encore beaucoup de contacts, là-bas ?

Nahawa se contenta de répondre par un signe de tête affirmatif.

Là-bas, c'était le Nigeria. Née dans une famille privilégiée liée aux cercles du pouvoir, une famille qui tentait de faire oublier ses origines maliennes pour mieux s'intégrer à la classe dirigeante de la capitale, elle avait quitté Lagos à vingt-six ans pour poursuivre des études à Paris. Sa thèse avait pour titre : « La femme africaine : entre le sous-développement et la criminalisation de la société ». Elle avait choisi son sujet avec un mélange de révolte et de culpabilité.

Dans sa famille, elle avait été aux premières loges pour assister à la montée parallèle de la corruption, de la misère et de la criminalité. L'emprise des groupes criminels sur le pays touchait maintenant tous les secteurs de la société. Ses parents, par réalisme politique, avaient profité des circonstances pour améliorer leur situation sociale. C'était leur fortune qui lui avait permis de faire ses études.

— Vous ne pouvez pas me dire en quoi consiste cette mystérieuse rencontre ? demanda-t-elle.

— Encore un peu de patience et vous saurez tout ce que vous voulez savoir.

— Je ne comprends toujours pas pourquoi j'ai été choisie pour distribuer ces fonds.

— Nous avons le temps de prendre un café, répondit l'homme en éludant la question. La rencontre est seulement à quinze heures.

Il se mit à chercher le serveur du regard.

CARNAC, 13 H 08

Alain Lacoste était curieux de voir qui était ce mystérieux philanthrope qui lui avait demandé de dépenser dix millions de dollars de façon « appropriée » dans les domaines d'intervention qu'il connaissait le mieux.

L'intermédiaire avec qui il avait eu des contacts, probablement un représentant d'une banque ou d'une maison de courtage londonienne, avait été plus qu'évasif dans ses réponses.

— Avant de vous en dire plus, répondait-il invariablement à toute question trop directe, je dois attendre que vous ayez terminé les tests.

— Et si je ne les passe pas ?

— Vous aurez eu l'occasion d'aider les gens.

Lacoste n'avait pas hésité longtemps. La moitié du montant avait été expédiée à des camarades, médecins ou infirmières, qui travaillaient à différents projets patronnés par Médecins sans frontières.

Le reste, il l'avait envoyé à un collègue sud-africain qui travaillait, avec des moyens réduits, à contrer l'expansion du sida dans son pays.

Encore deux heures avant la rencontre.

En compagnie du représentant de Jones & Jones et de trois touristes, il suivait le guide au milieu des alignements du Menec, impressionné malgré lui par le champ de mégalithes. « Un champ de roches mal nettoyé », avait-il déclaré à ses parents lorsqu'ils lui avaient imposé la visite de l'endroit, à l'âge de quatorze ans.

Maintenant, cette boutade de son adolescence lui semblait à cent lieues de ce qu'il ressentait. Il se demanda s'il y avait un lien entre le lieu choisi pour la rencontre et l'étrange série de tests qu'on lui avait fait passer.

CARNAC, 15 H 01

À la demande du client, qui avait loué l'auberge entière pour deux semaines, la salle à manger avait été réaménagée. Il n'y avait plus que sept petites tables carrées et une longue table rectangulaire à l'avant.

Les invités étaient arrivés par groupes de deux, entre 14 heures 53 et 14 heures 58. Chacun de ces groupes était composé d'un représentant de Jones & Jones et d'une personne qui avait passé avec succès les trois premiers tests.

Dès leur arrivée, ils s'étaient rendus à la salle à manger, où un serveur s'était empressé de leur offrir une consommation. Sur chacune des tables, des assiettes de hors-d'œuvre les attendaient.

Les sept personnes à qui on avait promis des réponses se retrouvaient avec encore plus de questions. Tout d'abord, elles avaient appris seulement quelques minutes avant la réunion qu'elles n'étaient pas seules à avoir été convoquées. En tout, sept personnes avaient réussi les tests. Et puis, il y avait les Jones. Il était difficile de ne pas les dévisager à tour de rôle : non seulement étaient-ils habillés de manière identique, mais quelque chose dans leur posture corporelle, dans leurs mouvements et dans leur façon de regarder contribuait à gommer leurs caractéristiques physiques particulières. On aurait dit sept variantes de la même personne.

Après quelques minutes, un homme plus âgé traversa la pièce et alla s'asseoir derrière la longue table rectangulaire. Il déposa un ordinateur portable sur la table, l'ouvrit et le fit démarrer. Puis il releva les yeux vers l'assistance.

Il avait le même habit que les accompagnateurs, mais son visage possédait une intensité que les autres n'avaient pas.

— Je suis monsieur Jones, dit-il. Jones Senior… Et vous, vous avez été choisis. Ce qui ne veut pas dire qu'il faut vous prendre pour des élus !

Son visage se fendit d'un sourire, le temps de regarder chacun des invités.

— J'ai pour vous un certain nombre de réponses, poursuivit-il. Mais ce que je vous apporte, ce sont surtout des questions… Cependant, je veux bien commencer par les réponses.

Il prit une gorgée d'eau.

— Tout d'abord, reprit-il, je ne suis qu'un porte-parole. Je représente une fondation qui désire demeurer anonyme. Cette fondation a des sommes importantes à consacrer à… disons… « faire le bien »… Je sais. Le cynisme ambiant, le refus bien-pensant de la naïveté, le relativisme culturel et les supposées leçons du passé – certains ajouteraient le simple bon goût – ont contribué à rendre cette expression suspecte. J'en utiliserai donc une autre… La Fondation désire réparer certains « dégâts ». Pour cela, elle a besoin de votre aide.

— Quels dégâts ? demanda Ludmilla Matzneff.

— Le genre de dégâts auxquels chacun d'entre vous consacre déjà une partie importante de son temps : les enfants-soldats qu'il faut réhabiliter, les désastres écologiques, l'esclavage, les ravages du trafic de drogue, l'excision des petites filles, le mépris des droits humains…

Jones Senior pianota sur le clavier de son portable. Un écran s'éclaira au fond de la salle. Un tableau s'y afficha.

— Voici les résultats du troisième test, dit-il. C'est la liste des groupes et des organisations que vous avez décidé d'aider.

À côté de chaque nom, un chiffre indiquait le montant dont l'organisme avait bénéficié. Le total s'élevait à soixante-dix millions.

La stupéfaction se peignit sur le visage de plusieurs participants. Nahawa Sangaré prit la parole.

— Quel genre d'aide la… Fondation, comme vous l'appelez… attend-elle de nous ?

Jones Senior se concentra un instant sur son portable. Puis il releva la tête.

— Pour vous répondre, dit-il, il faut d'abord que je vous explique la nature globale du projet. Avant de se lancer dans des actions concrètes, les gens de la Fondation ont tenu à se faire une représentation générale des maux que l'humanité, dans son développement, s'inflige à elle-même et inflige à la planète. Puis au genre de correctifs qu'il est possible d'y appliquer. Ils en sont arrivés à ceci.

Un nouveau tableau s'afficha sur l'écran, au fond de la salle.

MALADIE
- CAMPAGNE DE PRÉVENTION CONTRE LE SIDA
- MISE SUR PIED DE MISSIONS MÉDICALES
- FINANCEMENT D'INSTALLATIONS SANITAIRES

PAUVRETÉ
- DISTRIBUTION DE NOURRITURE
- ORGANISATION DE COOPÉRATIVES
- CAMPAGNES D'AIDE DANS LES ZONES SINISTRÉES

IGNORANCE
- CAMPAGNE D'ALPHABÉTISATION
- AIDE AUX VICTIMES DE PROPAGANDE HAINEUSE
- INFORMATIONS SUR LES « OUBLIÉS » DU PROGRÈS

GUERRE
- ENLÈVEMENT DE MINES ANTIPERSONNEL
- AIDE AUX ORPHELINS DE GUERRE
- RECONSTRUCTION DES ZONES DÉVASTÉES

ATTEINTES AUX DROITS FONDAMENTAUX
- LIBÉRATION DE PRISONNIERS POLITIQUES OU D'OPINION
- CAMPAGNE POUR L'ÉLIMINATION DE L'EXCISION
- PROMOTION DES DROITS DES MINORITÉS

DÉGRADATION DE L'ENVIRONNEMENT
- RÉPARATION DES CATASTROPHES ÉCOLOGIQUES
- PROTECTION DES ESPÈCES MENACÉES
- LUTTE CONTRE LA DÉSERTIFICATION

EXPLOITATION DES ÊTRES HUMAINS
- MESURES POUR L'HUMANISATION DU TRAVAIL
- DÉNONCIATION DE LA PORNOGRAPHIE INFANTILE ET DE LA PÉDOPHILIE
- DÉSINTOXICATION ET RÉHABILITATION DES DROGUÉS

— Bien sûr, poursuivit Jones Senior, ce n'est jamais qu'un modèle. On pourrait en construire d'autres. Mais ce tableau permet de classer l'essentiel de ce que j'appelais tout à l'heure « les dégâts » ainsi que les initiatives à encourager. Les éléments qui y sont mentionnés le sont à titre d'exemples. Si vous acceptez la proposition que la Fondation a élaborée pour vous, une de vos tâches consistera à compléter ce tableau. À développer la liste des actions qu'il conviendrait d'encourager dans votre secteur.

Jones Senior appuya sur quelques touches du clavier. Les exemples disparurent et les noms des sept invités s'ajoutèrent à côté des sept secteurs du tableau.

MALADIE	ALAIN LACOSTE
PAUVRETÉ	MASARU WATANABE
IGNORANCE	NAHAWA SANGARÉ
GUERRE	SHELDON BRONKOWSKI
ATTEINTES AUX DROITS FONDAMENTAUX	LUDMILLA MATZNEFF
DÉGRADATION DE L'ENVIRONNEMENT	ELENA CASSOULIDES
EXPLOITATION DES ÊTRES HUMAINS	GENARO MENDOZA

— C'est pour ça que vous nous avez réunis ! ne put s'empêcher de dire Lacoste. Pour élaborer un catalogue exhaustif des horreurs de la planète ?

Jones Senior se concentra de nouveau sur l'écran de son portable, comme s'il y cherchait une réponse. Puis il releva les yeux vers l'assistance.

— Pensez-vous sérieusement que ces gens auraient investi soixante-dix millions pour trouver quelqu'un capable de rédiger un catalogue ? dit-il.

— Alors, je ne comprends pas.

— Cette liste ne représente qu'un travail préparatoire. Ce qui vous est offert, c'est un budget d'un milliard, à distribuer comme vous le jugerez pertinent, dans le champ d'intervention qui est le vôtre.

Des regards d'incrédulité lui répondirent.

— Personne n'a ce genre d'argent, répliqua finalement Bronkowski.

— Un milliard par année, poursuivit impassiblement Jones Senior. Par personne... Des montants supplémentaires – de moindre ampleur, cela va de soi – pourraient éventuellement être débloqués pour des projets particuliers ayant un caractère d'urgence.

— C'est impossible.

Comme obéissant à un signal invisible, les sept représentants de Jones & Jones mirent la main dans la poche intérieure de leur veston, en sortirent une enveloppe et la déposèrent sur la table.

— Vous trouverez dans cette enveloppe une adresse Internet, fit Jones Senior. Vous n'aurez qu'à envoyer vos instructions à cette adresse et elles seront appliquées dans un délai de quarante-huit à soixante-douze heures. Vous n'aurez pas le moindre contact avec l'argent. Vous trouverez également à cette adresse une compilation à jour de vos instructions passées. Vous aurez ainsi en tout temps un bilan de vos opérations sans avoir à conserver chez vous des traces matérielles de vos activités.

— Tout ce que nous avons à faire, c'est de déterminer les bénéficiaires et les montants ? demanda Bronkowski sur un ton incrédule.

— Exactement. Vous n'aurez qu'une fonction d'expert-conseil.

— Et nous avons toute latitude pour dépenser cet argent ?

— Il ne s'agit pas de le dépenser, mais de l'affecter à des projets que vous considérez comme valables et prioritaires. Voyez ça comme un investissement dans l'avenir de l'humanité.

— Nous serons vraiment seuls à décider ? insista Bronkowski.

— Si vous le désirez, vous pouvez avoir recours à des analystes, à des conseillers. Vous pourrez parcourir la planète pour vous rendre compte en personne des situations ou du travail effectué par un groupe. À cette fin, un budget de fonctionnement vous sera attribué.

— Je ne comprends toujours pas, intervint Lacoste.

— Ce que la Fondation attend de vous, c'est que vous l'aidiez à investir dans des causes justes, de manière efficace et créative. La première année constituera votre quatrième test. Si la Fondation est satisfaite de votre travail, votre budget sera renouvelé.

Les invités échangèrent des regards à la fois incrédules et interrogateurs, comme s'ils n'étaient pas sûrs de savoir comment réagir.

Elena Cassoulides, qui n'avait rien dit depuis le début, prit alors la parole.

— Je remarque que votre classification ne regroupe pas les organismes selon les victimes dont ils s'occupent: les Noirs, les femmes, les enfants…

— C'est volontaire, répondit Jones Senior. Le but est de ne pas ghettoïser votre action. Ce regroupement vous permet d'avoir une vue plus globale des problèmes. Cela dit, vous avez toute latitude pour financer des groupes locaux ou régionaux dont l'action est très ciblée.

— Avant d'aller plus loin, dit tout à coup Mendoza, je veux savoir d'où provient cet argent.

Plusieurs signes de tête dans l'assistance confirmèrent que les invités avaient tous la même préoccupation.

— Les gens de la Fondation croient préférable de ne pas révéler ce détail. Ils tiennent à leur anonymat.

— Qui nous dit que ce n'est pas de l'argent sale ?

— Connaissez-vous des groupes criminels qui investiraient dans l'humanitaire à coups de milliards ?

— Les cartels colombiens ont dépensé des millions au profit de la population de leur région, répliqua Mendoza.

— Est-ce qu'ils ont demandé à d'autres de choisir de quelle façon l'argent serait dépensé ? dans quelle région il le serait ?… Est-ce qu'ils étaient prêts à y consacrer autant d'argent ?… Pour les cartels dont vous parlez, il s'agissait de frais de fonctionnement: l'argent investi dans leur communauté servait à acheter la collaboration des gens et à garantir la sécurité de leur organisation. Où voyez-vous de tels intérêts dans la proposition qui vous est faite ?

— Les techniques de blanchiment évoluent sans cesse.

— Je ne vois pas comment des dons à des groupes communautaires, à des ONG ou à des œuvres charitables pourraient permettre à un groupe criminel de récupérer une partie de cet argent sous une forme plus blanche… À moins, bien sûr, qu'il ne contrôle en sous-main le groupe bénéficiaire. Mais, pour se prémunir contre une telle éventualité, la Fondation se fie à vous.

— Vous avez peut-être raison, mais vous ne répondez toujours pas à notre question : d'où vient l'argent ?

— Je ne peux y répondre. Mais cela m'amène à un autre sujet : la nécessité de garder cette opération secrète… Je vois déjà la méfiance dans vos yeux… Si vous-mêmes, à qui la Fondation offre le contrôle total de l'opération, réagissez automatiquement par de la suspicion, imaginez la réaction des gens ! Des rumeurs se mettront à circuler, des enquêtes seront ouvertes… D'abord par des journalistes. Puis par des autorités judiciaires… Il faut se rendre à l'évidence: donner de l'argent pour une bonne cause, sans motif fiscal, politique ou publicitaire, est une activité éminemment suspecte… quand il s'agit d'argent, surtout de beaucoup d'argent, on soupçonne *a priori* la fourberie, l'arnaque, la fraude… Et puis, vous serez objectivement dangereux.

— Je ne comprends pas, fit Mendoza.

— Qu'est-ce qui justifie l'existence d'un gouvernement, sinon sa capacité de régler des problèmes, de soulager la misère des gens ? De « faire le bien », comme je le disais tout à l'heure ? Et d'où lui vient ce pouvoir, sinon du contrôle qu'il exerce sur l'argent public ?… Avec ce qui vous est proposé, vous aurez une marge d'intervention supérieure à celle de la plupart des pays.

— Le budget de bien des pays est supérieur à sept milliards, objecta Ludmilla Matzneff.

— C'est vrai, admit Jones Senior. Mais il est en très grande partie constitué de dépenses incompressibles que l'État n'a pas le choix d'effectuer. Une fois ces dépenses faites, sa marge de manœuvre est singulièrement réduite… Sans parler des contraintes législatives, politiques et électorales dont ils doivent tenir compte… Croyez-moi, pour ces gens, vous serez un compétiteur direct. Et puis, il y a les autres. Je pense aux compagnies qui utilisent leur pouvoir discrétionnaire de faire le bien dans des secteurs marginaux (donations, bourses, subventions artistiques) pour justifier leurs profits et les concessions lucratives qu'elles arrachent aux gouvernements. Il y a longtemps qu'elles ont découvert qu'il est payant de se comporter en bon citoyen et que les « bonnes œuvres » constituent un investissement rentable… Même les groupes terroristes et les narcotrafiquants ont découvert, comme vous le mentionniez tout à l'heure, qu'il est profitable d'acheter la complaisance et la collaboration de la population locale en lui permettant de s'arracher à la misère… C'est une arme redoutable que vous aurez entre les mains. Regardez seulement la façon dont les États utilisent l'aide internationale pour imposer leur influence et asseoir leur pouvoir.

— Les ONG sont soumises à des contrôles assez sévères, objecta Lacoste. Ce ne sera pas facile de distribuer tout cet argent. Juste pour les cinq millions que vous leur avez envoyés, mes amis de Médecins sans frontières ont dû répondre à toutes sortes de questions. Les autorités ne voulaient pas croire qu'ils puissent recevoir un don de cette ampleur sans que le donateur veuille se prévaloir d'avantages fiscaux.

— Il est évident que ce ne sera pas facile. Vous devrez faire preuve de créativité… Le même genre de créativité dont font preuve les cartels de la drogue, ajouta Jones Senior avec un sourire.

— Non, mais je rêve ! fit Ludmilla Matzneff.

— Pour cela, poursuivit Jones Senior, vous pourrez bien sûr compter sur l'aide des représentants de Jones & Jones. Vous serez en quelque sorte une mafia du bien.

— Et c'est dans cela que vous voulez nous embarquer ! explosa Lacoste. On va se retrouver dans les emmerdements jusqu'au cou !… À supposer que cette offre ne soit pas une simple mascarade, bien sûr.

— D'où l'importance de conserver un secret absolu sur cette opération, conclut Jones Senior.

— Et si nous refusons ? demanda Ludmilla Matzneff.

— Si vous refusez, vous prenez la responsabilité de priver les causes qui vous tiennent à cœur de montants importants. Souhaitez-vous assumer cette responsabilité ?

— C'est du chantage ! explosa la journaliste.

— Pas du tout. Je ne fais qu'énoncer la conséquence prévisible de votre refus… Ce qui est vrai, c'est que la Fondation vous met devant un choix auquel vous ne pouvez pas vous soustraire.

— C'est odieux !

— J'aurais tendance à être d'accord avec vous. Mais moi, je ne suis qu'un porte-parole… Il est clair que vous n'avez pas été choisis au hasard. Ceux qui vous ont sélectionnés pour ces tests savaient manifestement que vous étiez tous fortement engagés envers les causes que vous défendez.

— Il y a une solution plus simple, intervint Mendoza. Si vous avez vraiment tout cet argent, pourquoi ne pas le donner à des organismes reconnus, qui ont justement pour tâche de travailler à « réparer les dégâts », comme vous dites ? L'Unesco, les agences gouvernementales d'aide…

— D'abord pour échapper aux groupes de pression de toutes sortes, répondit Jones Senior.

Il baissa ensuite les yeux pour consulter son portable pendant quelques instants.

SAINT-CONSTANT, 9 H 12

— ... *pour échapper aux groupes de pression de toutes sortes.*

F et Blunt étaient assis l'un à côté de l'autre devant les deux moniteurs. Le premier montrait un plan d'ensemble de la salle, le deuxième un gros plan de maître Guidon, dans son rôle de Jones Senior. Lorsque ce dernier hésitait sur la manière de répondre à une question de l'assistance, il se penchait vers la caméra dissimulée dans l'écran de son portable et F se dépêchait de lui venir en aide.

Il lui suffisait de proposer une réponse à voix haute. Le logiciel de reconnaissance vocale transformait ses paroles en texte et les expédiait par liaison satellite vers le portable de Jones Senior, où elles s'affichaient sur l'écran.

— Finalement, vous n'aurez pas eu à intervenir trop souvent, fit Blunt lorsque F eut fini de répondre. Nos séances de préparation lui ont permis de répondre à presque toutes les questions.

— Vous croyez qu'ils vont accepter ?

— Quatre-vingt-onze virgule dix-huit.

— La journaliste m'inquiète.

— Vous craignez qu'elle utilise la rencontre pour se payer un *scoop* ?

— En tout cas, elle a peur d'être utilisée. Plus que les autres, je veux dire.

— Ça fait partie des qualités qu'on recherchait chez les candidats. Si on veut qu'ils puissent examiner les projets d'un œil critique, sans se laisser manipuler…

— Je sais… À propos, j'ai reçu un message de Poitras hier soir. Toute la structure financière devrait être en place d'ici trois jours.

— Est-ce qu'il continue de bien s'entendre avec Yvan ?

— Pour « le jeune », comme il l'appelle, il n'a que des éloges.

CARNAC, 15 H 14

— Plus fondamentalement, reprit Jones Senior, la Fondation désire éviter le piège de l'institutionnalisation. Les organisations auxquelles vous faites référence, à cause de leur dimension internationale, ont développé des intérêts corporatifs. Les plans de carrière y fleurissent. Une certaine bureaucratisation y prospère... C'est justement une des raisons pour lesquelles vous avez été choisis. Étant inconnus, et destinés à le demeurer, vous ne ferez l'objet d'aucune pression. Vous pourrez décider en toute liberté ce qui vous semble approprié, sans avoir à craindre de déplaire à la structure qui vous emploie, à ses alliés... ou à ses commanditaires...

— Et si on se trompe ? demanda Watanabe.

— Qu'entendez-vous par « vous tromper » ?

— Si on ne choisit pas les groupes qui auraient le plus besoin d'aide ?

— Si ce n'est que ça... La Fondation ne vous demande pas de dresser un palmarès de l'horreur pour ranger par ordre décroissant ceux qui « méritent » le plus d'être aidés. Ce qui vous est demandé, c'est uniquement de vous assurer que l'argent, globalement, servira à aider des gens qui en ont vraiment besoin. Et de le faire en leur attribuant des sommes qui auront un impact significatif... Ce sera la seule chose que regarderont les personnes qui ont pour tâche d'évaluer votre travail.

— Pourquoi la Fondation ne distribue-t-elle pas elle-même ces sommes ? insista Matzneff.

Jones Senior se pencha de nouveau vers son portable.

Matzneff, qui avait remarqué son manège depuis le début de la rencontre, songea qu'il avait recours à ce stratagème pour se donner le temps de réfléchir. Elle s'abstint pourtant d'intervenir. Dans une situation de négociation, il valait toujours mieux ne pas révéler inutilement ce qu'on savait.

— Comme je vous le disais tout à l'heure, reprit Jones Senior, les gens de la Fondation se méfient du piège de l'institutionnalisation. Ils savent qu'aucun organisme n'en est vraiment à l'abri. C'est pour cette raison qu'ils ont imaginé cette forme de décentralisation. Vous pouvez vous considérer comme une sorte d'antidote. Sept personnes venant de cultures différentes, ayant une formation, des expériences et des intérêts de vie différents. Sept personnes qui n'ont en commun que leur désir de réparer les « dégâts » dont nous avons parlé précédemment… Quoi de mieux comme chien de garde pour s'assurer que la Fondation ne cède pas un jour à la tentation d'utiliser ses ressources au profit de ses intérêts institutionnels… ou de ceux de ses commanditaires ?

— Est-ce que ça ne revient pas à prendre la justice entre nos mains ?

— Ce n'est pas la justice qu'on vous demande de prendre entre vos mains, c'est la compassion. La Fondation ne s'intéresse pas aux coupables mais aux victimes. S'il lui arrive de favoriser la prévention de certaines aberrations, ce ne sera jamais sous la forme d'opérations de police ou d'expéditions justicières.

— Et pendant qu'on va aider les victimes, d'autres vont continuer d'en fabriquer, répliqua ironiquement Ludmilla Matzneff. Ça ressemble à un pansement sur une jambe de bois… bien que j'admette que le pansement soit d'une taille impressionnante. Empêcher de casser les pots ne vous paraît pas plus important que de les réparer ?

— D'autres que vous s'occupent déjà de ce type de prévention. Il est important de ne pas mêler les choses.

— Vous avez parlé de renouveler le budget pour l'année suivante, intervint tout à coup Elena Cassoulides. Est-ce que vous prévoyez créer une opération permanente ?

— Permanente pour un certain temps, répondit Jones Senior avec un sourire.

— Et si nous avons des problèmes ?

— Un représentant de Jones & Jones se tiendra en permanence à votre disposition. Il aura pour tâche de maintenir le lien avec la Fondation. Il verra également à vous conseiller en matière de sécurité. Le cas échéant, il pourra servir d'intermédiaire pour commander des études ou pour organiser des groupes de travail, groupes auxquels vous pourrez figurer à titre de simples participants. Tout cela pour vous permettre de couper les pistes et vous assurer qu'on ne puisse pas remonter jusqu'à vous.

— Est-ce que nous aurons des communications entre nous ? demanda Masaru Watanabe.

— Votre indépendance personnelle est un élément clé du dispositif imaginé par la Fondation. Pour cette raison…

SAINT-CONSTANT, 9 H 37

— Eh bien, fit F, il semble que nous allons réussir. Ils ont cessé de s'opposer au projet comme tel et ils en sont à discuter les modalités.

— Pour le moment… Ce qui reste à voir, c'est de quelle manière ils vont se comporter dans six mois ou dans un an, lorsqu'ils auront pris l'habitude de manipuler des sommes de cette ampleur et que les voyages subventionnés feront partie de leur mode de vie.

— Je leur fais confiance. Et puis, il y aura toujours un représentant de Jones & Jones avec eux ! Si les choses dérapent, nous en serons rapidement avertis.

CARNAC, 16 H 29

Ils avaient fini par accepter la proposition de la Fondation, mais en la modifiant.

Ludmilla Matzneff avait proposé que ce soit une période d'essai de six mois, avec un budget réduit à cent millions pour chaque personne. Ils auraient l'occasion de voir si la Fondation affectait bien les montants selon leurs instructions, sans chercher à intervenir. Ils pourraient également mieux apprécier les difficultés pratiques de leur tâche.

Ils se réuniraient ensuite pour dresser un bilan. S'il était positif, ils poursuivraient l'expérience pour six autres mois. Avec deux cents millions par personne, cette fois.

Bronkowski et Mendoza avaient tout de suite appuyé la proposition, rapidement suivis par les autres.

— J'ai une dernière question, fit Lacoste.

— Oui.

— Pourquoi nous avoir réunis ici ?

— Une petite auberge me semblait plus appropriée qu'un hôtel cinq étoiles de Singapour ou de Paris, compte tenu du profil bas que nous désirons maintenir.

— Je veux parler de Carnac.

— Oh, ça… Disons que c'est un caprice personnel. Il y a longtemps que je désirais visiter cet endroit… Et puis, les alignements symbolisent bien l'action que vous allez entreprendre. Chacune de vos interventions sera comme un de ces rochers. En apparence isolées au milieu d'un environnement étranger, elles finiront par indiquer, avec le temps et lorsqu'on les regardera de façon globale, une direction, une orientation qui définira un sens pour ceux qui voudront poursuivre l'action humanitaire.

SAINT-CONSTANT, 10 H 44

— Ça peut durer combien de temps ? demanda F en se tournant vers Blunt.

Ce dernier releva les yeux du problème de go auquel il était retourné après la fin de la rencontre.

— Avant qu'ils attirent l'attention et qu'on se mette à enquêter sur ces mystérieux « dons » ? demanda-t-il.

— Oui.

— Je dirais… quatre ans. Peut-être cinq.

— De votre part, je me serais attendue à une évaluation plus précise, répliqua F avec un sourire.

— Je ne voulais pas vous importuner avec les chiffres. Mais puisque vous insistez…

— Je ne voudrais pas vous forcer la main…

— Je mettrais une probabilité de quatre-vingt-deux virgule soixante-trois pour cent.

— Qu'ils n'attirent pas l'attention avant quatre ans ?

— Oui.

— Et ensuite ?

— Ensuite… on verra.

Ainsi s'achève
L'Argent du monde

REMERCIEMENTS

Je voudrais exprimer ma reconnaissance, pour leur soutien et leur amitié, à tous ceux qui, par leurs réponses à mes innombrables questions, par leur lecture patiente du manuscrit et, plus généralement, par le simple fait d'être ce qu'ils sont, ont aidé *l'Argent du monde* à prendre forme.

Je pense particulièrement à Marc et à Mario, qui ont eu pour tâche de veiller à ce que les aspects financiers de l'intrigue demeurent dans les limites de la vraisemblance. Je pense aussi aux nombreux gestionnaires qui ont accepté que je les interroge, parfois longuement, sur les multiples procédures destinées à assurer la sécurité des transactions. Il va de soi que les quelques libertés que j'ai prises avec la réalité, de même que les erreurs techniques qui pourraient s'être glissées dans ce roman, ne sauraient être attribuées à des lacunes dans leur expertise.

Je tiens à remercier Hugues, pour ses patientes explications médicales, et Jacques, qui m'a permis de demeurer en contact avec l'univers de la coutellerie d'art. Je tiens également à remercier Michel, Christian et Jean-François, qui m'ont guidé dans le monde parfois hallucinant de l'informatique « créative » et des gadgets en tous genres.

Et puis, il y a Richard. L'inspecteur Théberge doit beaucoup à sa verve, à son humour et à sa bonhomie exubérante… Il m'est désormais difficile de penser à l'un sans penser à l'autre !

Quant au texte et à la structure de *l'Argent du monde*, ils ont bénéficié de l'attention patiente, rigoureuse et passionnée de Jean Pettigrew, un éditeur avec qui le travail prend tout naturellement la forme du plaisir.

Enfin, si je devais dire tout ce que ce roman doit à l'amour, aux conseils et à l'humour de Lorraine, il me faudrait au moins… un autre roman.

JEAN-JACQUES PELLETIER...

... a enseigné la philosophie pendant plusieurs années au cégep Lévis-Lauzon. Il siège toujours sur de nombreux comités de retraite et de placement.

Écrivain aux horizons multiples, le thriller est pour lui un moyen d'intégrer de façon créative l'étonnante diversité de ses centres d'intérêt : mondialisation des mafias et de l'économie, histoire de l'art, gestion financière, zen, guerres informatiques, chamanisme, évolution des médias, progrès scientifiques, troubles de la personnalité, stratégies géopolitiques...

Depuis *L'Homme trafiqué* jusqu'à *La Faim de la Terre*, dernier volet des « Gestionnaires de l'apocalypse », à paraître en 2008, c'est un véritable univers qui se met en place. Dans l'ensemble de ses romans, sous le couvert d'intrigues complexes et troublantes, on retrouve un même regard ironique, une même interrogation sur les enjeux fondamentaux qui agitent notre société.

L'ARGENT DU MONDE -2
est le quarante-septième titre publié
par Les Éditions Alire inc.

Ce quatrième tirage
a été achevé d'imprimer
en août 2007 sur les presses de